TOSEL®

READING SERIES

HIGH JUNIOR

READING

FOR TEACHERS

International TOSEL Committee

CONTENTS

BROCHURES

High Junior Book 1

TOSEL® Level Chart TOSEL 단계표

TOSEL은 비영어권 국가들의 영어 사용자들을 대상으로 영어 구사능력을 평가하여 그 결과를 공식 인증하는 영어 능력인증 시험제도입니다.

COCOON

아이들이 접할 수 있는 공식 인증 시험의 첫 단계로써 아이들의 부담을 줄이고
즐겁게 흥미를 유발할 수 있도록 다채로운 색상과 디자인으로 시험지를 구성하였습니다.

Pre-STARTER

친숙한 주제에 대한 단어, 짧은 대화, 짧은 문장을 사용한 기본적인 문장표현 능력을 평가합니다.

STARTER

일상과 관련된 주제 / 상황에 대한 짧은 대화 및 문장을 이해하고
알맞은 응답을 할 수 있는 기초적인 의사소통 능력을 평가합니다.

BASIC

개인 정보와 일상 활동, 미래 계획, 과거의 경험에 대해 구어와 문어의 형태로 의사소통을
할 수 있는 능력을 평가합니다.

JUNIOR

일반적인 주제와 상황을 다루는 회화와 짧은 단락, 실용문, 짧은 연설 등을 이해하고
알맞은 응답을 할 수 있는 의사소통 능력을 평가합니다.

HIGH JUNIOR

넓은 범위의 사회적, 학문적 주제에서 영어를 유창하고 정확하게 사용할 수 있는
능력 및 중문과 복잡한 문장을 포함한 다양한 문장구조의 파악 능력을 평가합니다.

ADVANCED

대학 수준의 영어를 사용하고 이해할 수 있는 능력 및 취업 또는 직업근무환경에 필요한 실용영어능력을 평가합니다.

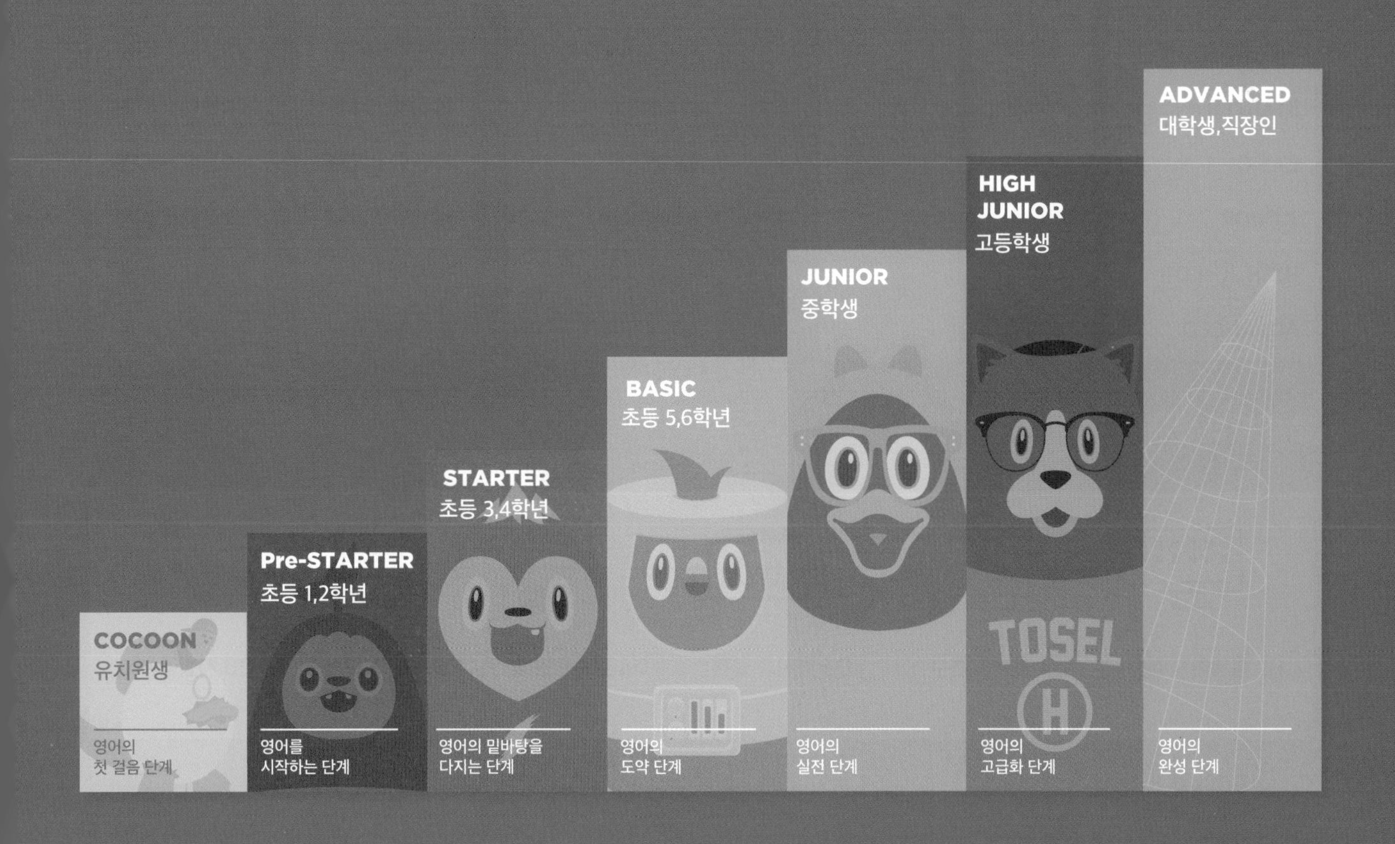

About TOSEL® —— TOSEL에 대하여

대상	목적	용도
유아, 초, 중, 고등학생, 대학생 및 직장인 등 성인	한국을 비롯한 비영어권 국가 영어 사용자의 영어구사능력 증진	실질적인 영어구사능력 평가 + 입학전형 / 인재선발 등에 활용 및 직무역량별 인재 배치

영어 사용자 중심의 맞춤식 영어능력 인증시험제도

획일적 평가에서 맞춤식 평가로의 전환

TOSEL은 응시자의 연령별 인지 단계, 학습 수준 등을 고려한 문항과 난이도를 적용하여 맞춤식 평가 시스템을 구축하였습니다.

공정성과 신뢰성 확보 국제토셀위원회의 역할

TOSEL은 대학입학 수학능력시험 출제위원 교수들이 중심이 된 국제토셀위원회가 출제하여 사회적 공정성과 신뢰성을 확보한 평가제도입니다.

수입대체 효과 외화유출 차단 및 국위선양

TOSEL은 해외 시험 응시로 인한 외화의 유출을 막는 수입대체 효과를 기대할 수 있습니다. TOSEL의 문항과 시험제도는 비영어권 국가에 수출하여 국위선양에 기여하고 있습니다.

배점 및 등급

구분	배점	등급
COCOON	100점	1~10등급으로 구성
Pre-STARTER	100점	
STARTER	100점	
BASIC	100점	
JUNIOR	100점	
HIGH JUNIOR	100점	
ADVANCED	990점	

문항 수 및 시험시간

구분	Section I Listening & Speaking	Section II Reading & Writing
COCOON	15문항 / 15분	15문항 / 15분
Pre-STARTER	15문항 / 15분	20문항 / 25분
STARTER	20문항 / 15분	20문항 / 25분
BASIC	30문항 / 20분	30문항 / 30분
JUNIOR	30문항 / 20분	30문항 / 30분
HIGH JUNIOR	30문항 / 25분	35문항 / 35분
ADVANCED	70문항 / 45분	70문항 / 55분

응시 방법 안내

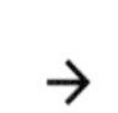

01 홈페이지 접속 → 02 온라인 접수 → 03 응시료 결제 → 04 접수확인 및 수정 → 05 수험표 출력 및 고사장 확인 → 06 시험응시

*지원서 작성은 온라인(www.tosel.org) 및 지역 본부를 통해 가능합니다. 학업성취기록부, 성적표 확인을 위해 회원가입은 필수입니다.

Evaluation —— 평가

기본 원칙

TOSEL은 PBT(PAPER BASED TEST)를 통하여 간접평가와 직접평가를 모두 시행합니다.

TOSEL은 언어의 네 가지 요소인 읽기, 듣기, 말하기, 쓰기 영역을 모두 평가합니다.

문자언어: 읽기능력, 쓰기능력
+
음성언어: 듣기능력, 말하기능력
↓
대한민국 대표 영어능력 인증 시험제도
TOSEL®

Reading 읽기	모든 레벨의 읽기 영역은 직접 평가 방식으로 시행합니다.
Listening 듣기	모든 레벨의 듣기 영역은 직접 평가 방식으로 시행합니다.
Speaking 말하기	모든 레벨의 말하기 영역은 간접 평가 방식으로 시행합니다.
Writing 쓰기	모든 레벨의 쓰기 영역은 간접 평가 방식으로 시행합니다.

TOSEL은 연령별 인지단계를 고려하여 **7단계로 나누어 평가합니다.**

단계	레벨	대상
1 단계	TOSEL® COCOON	5~7세의 미취학 아동
2 단계	TOSEL® Pre-STARTER	초등학교 1~2학년
3 단계	TOSEL® STARTER	초등학교 3~4학년
4 단계	TOSEL® BASIC	초등학교 5~6학년
5 단계	TOSEL® JUNIOR	중학생
6 단계	TOSEL® HIGH JUNIOR	고등학생
7 단계	TOSEL® ADVANCED	대학생 및 성인

TOSEL® History —— 연혁

2002 ~ 2010

- 2002. 02 | 국제토셀위원회 창설 (수능출제위원역임 전국대학 영어전공교수진 중심)
- 2004. 09 | TOSEL 고려대학교 국제어학원 공동인증시험 실시
- 2006. 04 | EBS 한국교육방송공사 주관기관으로 참여
- 2006. 05 | 민족사관고등학교 입학전형에 반영
- 2008. 12 | 고려대학교 편입학시험 TOSEL 유형으로 대체
- 2009. 01 | 서울시 공무원 근무평정에 TOSEL점수 가산점 부여
- 2009. 01 | 전국 대부분 외고, 자사고 입학전형에 TOSEL 반영
  (한영외국어고등학교, 한일고등학교, 고양외국어고등학교, 과천외국어고등학교, 김포외국어고등학교, 명지외국어고등학교, 부산국제외국어고등학교, 부일외국어고등학교, 성남외국어고등학교,인천외국어고등학교, 전북외국어고등학교, 대전외국어고등학교, 청주외국어고등학교, 강원외국어고등학교, 전남외국어고등학교)
- 2009. 12 | 청심국제중, 고등학교 입학전형 TOSEL 반영
- 2009. 12 | 한국외국어교육학회, 팬코리아영어교육학회, 한국음성학회, 한국응용언어학회 TOSEL 인증
- 2010. 03 | 고려대학교, TOSEL 출제기관 및 공동 인증기관으로 참여
- 2010. 07 | 경찰청 공무원 임용 TOSEL 성적 가산점 부여

2011 ~ 현 재

- 2014. 04 | 전국 200개 초등학교 단체 응시 실시
- 2017. 03 | 중앙일보 주관기관으로 참여
- 2018. 11 | 관공서, 대기업 등 100여 개 기관에서 TOSEL 반영
- 2019. 06 | 미얀마 TOSEL 도입 발족식
  베트남 TOSEL 도입 협약식
- 2019. 11 | 고려대학교 편입학전형에 TOSEL 반영

Why TOSEL® — 왜 TOSEL인가

01
학교 시험 폐지
중학교 이하 중간, 기말고사 폐지로 인해 객관적인 영어 평가 제도의 부재가 우려됩니다. 그러나 전국단위로 연간 4번 시행되는 TOSEL 정기시험을 통해 학생들은 정확한 역량과 체계적인 학습 방향을 꾸준히 진단받을 수 있습니다.

02
연령별 / 단계별 대비로 영어학습 점검
TOSEL은 응시자의 연령별 인지단계와 영어 학습 정도 등에 따라 총 7단계로 구성됩니다. 각 단계에 알맞은 문항 유형과 난이도를 적용해 연령 및 학습 과정에 맞추어 가장 효율적으로 영어실력을 평가할 수 있도록 개발된 영어시험입니다.

03
학교 내신성적 향상
TOSEL은 학년별 교과과정과 연계하여 학교에서 배우는 내용을 복습하고 평가할 수 있도록 문항 및 주제를 구성하여, 내신영어 향상을 위한 최적의 솔루션을 제공합니다.

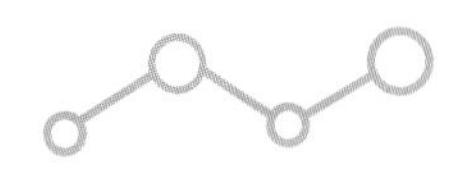

04
수능대비 직결
유아, 초, 중학시절 어렵지 않고 즐겁게 학습해 온 영어이지만, 수능시험준비를 위해 접하는 영어 문항의 유형과 난이도에 주춤하게 됩니다. 이를 대비하기 위해 TOSEL은 유아부터 성인까지 점진적인 학습을 통해 수능대비도 함께 해나갈 수 있도록 설계되어 있습니다.

05
진학과 취업에 대비한 필수 스펙관리
개인별 '학업성취기록부' 발급을 통해 영어학업성취이력을 꾸준히 기록한 영어학습 포트폴리오를 제공하여, 영어학습 이력을 관리할 수 있습니다.

06
자기소개서에 TOSEL 기재
개별적인 진로 적성 Report를 제공하여 진로를 파악하고 자기소개서 작성시 적극적으로 활용할 수 있는 객관적인 자료를 제공합니다.

07
영어학습 동기부여
시험실시 후 응시자 모두에게 수여되는 인증서는 영어학습에 대한 자신감과 성취감을 고취시키고 동기를 부여합니다.

08
미래형 인재 진로지능진단
문항의 주제 및 상황을 각 교과와 연계하여 정량적으로 진단하는 분석 자료를 통해 학생 개인에 대한 이해도를 향상하고 진로선택에 유용한 자료를 제공합니다.

09
명예의 전당, 우수협력기관 지정
성적우수자, 우수교육기관은 'TOSEL 명예의 전당'에 등재되고, 각 시/도별, 레벨별 만점자 및 최고득점자를 명예의 전당에 등재합니다.

TOSEL® —— 성적표 및 인증서

미래형 인재 진로적성지능 진단

십 수년간 전국단위 정기시험으로 축적된 **빅데이터**를 교육공학적으로 분석,
활용하여 산출한 **개인별 성적자료**

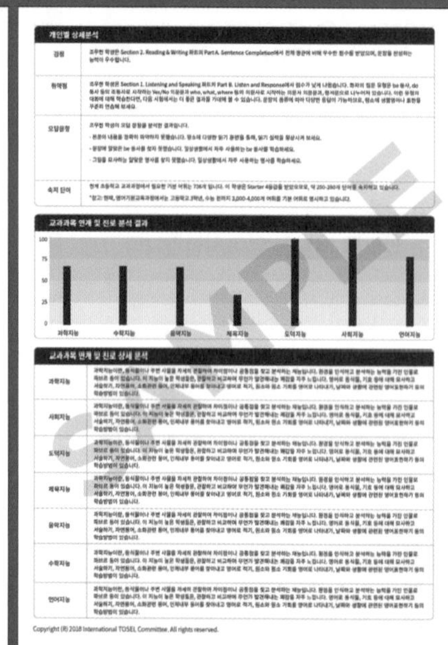

- 정확한 영어능력진단
- 응시지역, 동일학년, 전국에서의 학생의 위치
- 개인별 교과과정, 영어단어 숙지정도 진단
- 강점, 취약점, 오답문항 분석결과 제시

TOSEL 공식인증서

대한민국 초,중,고등학생의 영어숙달능력 평가 결과 공식인증

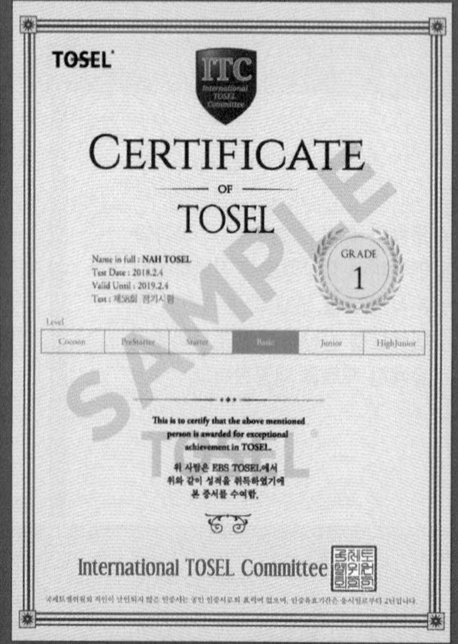

- 2010.03 고려대학교 인증획득
- 2009.10 팬코리아영어교육학회 인증획득
- 2009.11 한국응용언어학회 인증획득
- 2009.12 한국외국어교육학회 인증획득
- 2009.12 한국음성학회 인증획득

‘학업성취기록부’에 TOSEL 인증등급 기재

개인별 **‘학업성취기록부’ 평생 발급**. 진학과 취업을 대비한 **필수 스펙관리**

영어능력 학업성취기록부

Name in full : 나토셀 Date of birth : 2000-03-09

응시회차	날짜	응시레벨	인증취득사항
토셀 제 53회 정기시험	2016-08-20	HIGH JUNIOR	1등급
토셀 제 46회 정기시험	2015-02-28	JUNIOR	1등급
토셀 제 43회 정기시험	2014-06-28	JUNIOR	3등급
토셀 제 39회 정기시험	2013-08-24	BASIC	3등급

국제토셀위원회는 나토셀(NAH TO SEL) 학생의 학업성취기록을 상기와 같이 인증합니다.

International TOSEL Committee

국제토셀위원회

명예의 전당

특별시, 광역시, 도 별 1등 선발 (7개시 9개도 1등 선발)

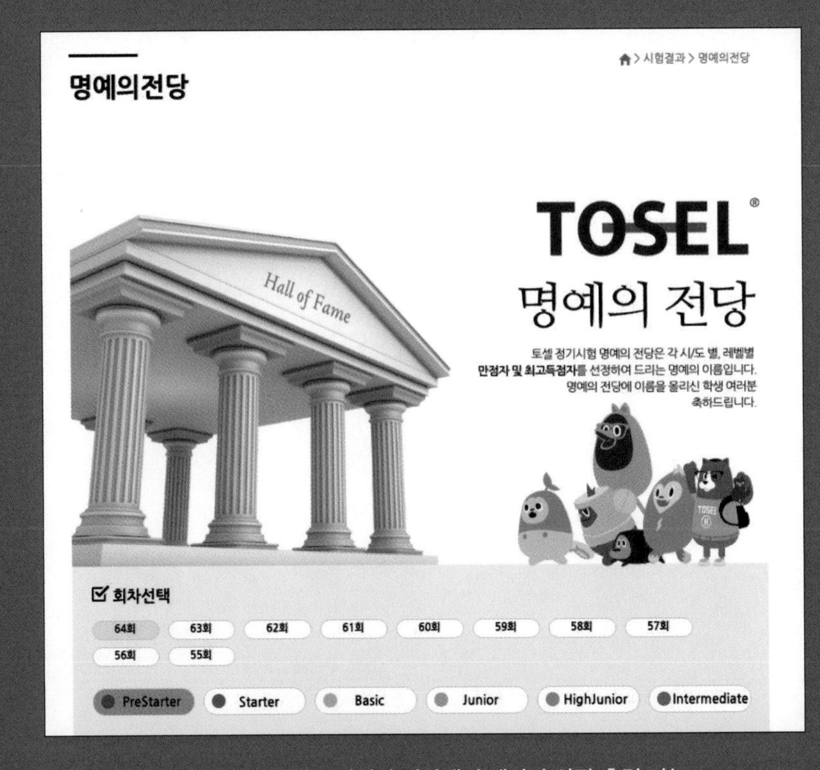

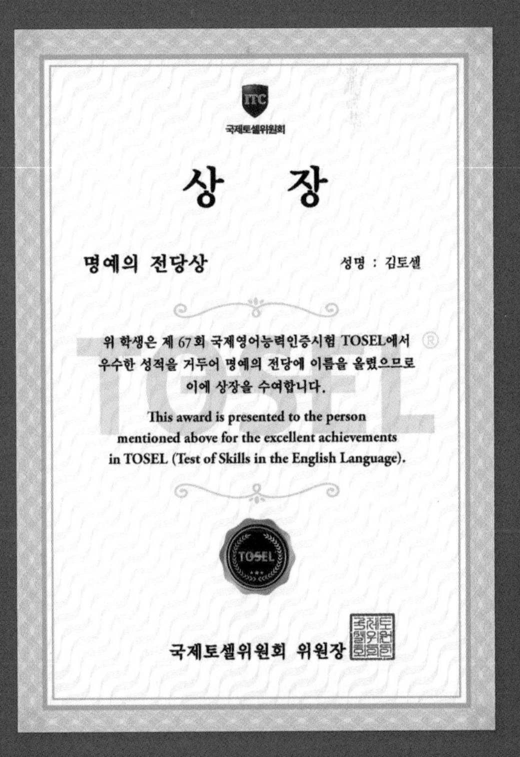

*홈페이지 로그인 - 시험결과 - 명예의 전당에서 해당자 상장 출력 가능

Reading Series 특장점

언어의 4대 영역 균형 학습 + 평가

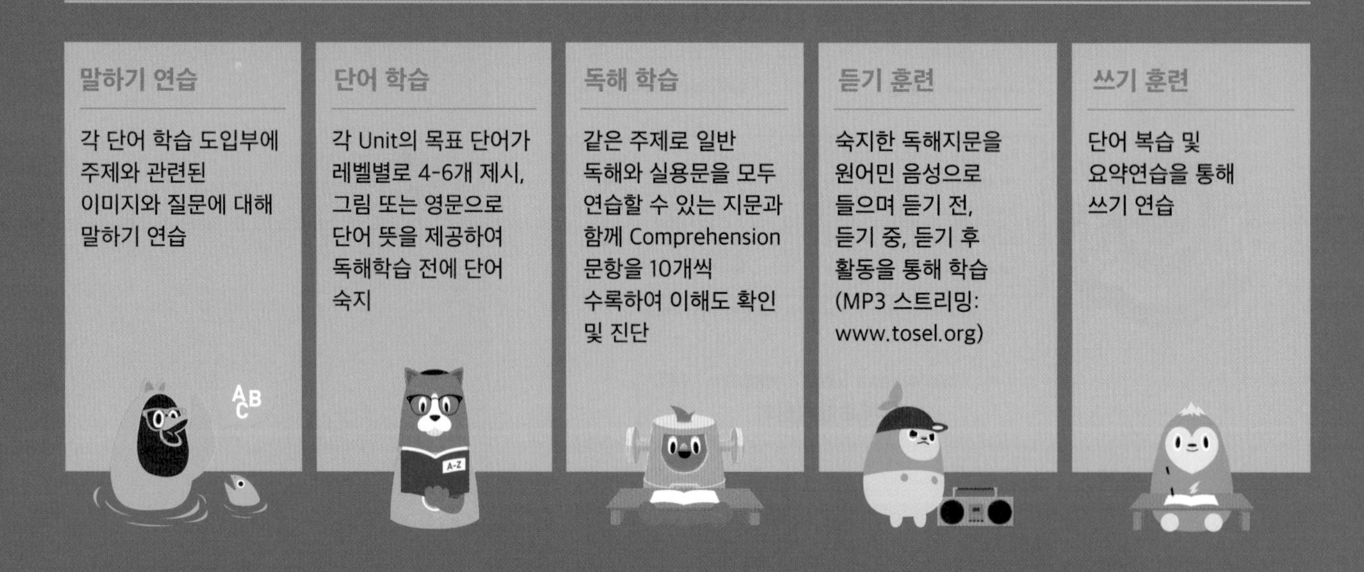

말하기 연습

각 단어 학습 도입부에 주제와 관련된 이미지와 질문에 대해 말하기 연습

단어 학습

각 Unit의 목표 단어가 레벨별로 4-6개 제시, 그림 또는 영문으로 단어 뜻을 제공하여 독해학습 전에 단어 숙지

독해 학습

같은 주제로 일반 독해와 실용문을 모두 연습할 수 있는 지문과 함께 Comprehension 문항을 10개씩 수록하여 이해도 확인 및 진단

듣기 훈련

숙지한 독해지문을 원어민 음성으로 들으며 듣기 전, 듣기 중, 듣기 후 활동을 통해 학습 (MP3 스트리밍: www.tosel.org)

쓰기 훈련

단어 복습 및 요약연습을 통해 쓰기 연습

세분화된 레벨링

20년 간 대한민국 영어 평가 기관으로서 연간 4회 전국적으로 실시되는 정기시험에서 축적된 성적 데이터를 기반으로 정확하고 세분화된 레벨링을 통한 영어 학습 콘텐츠 개발

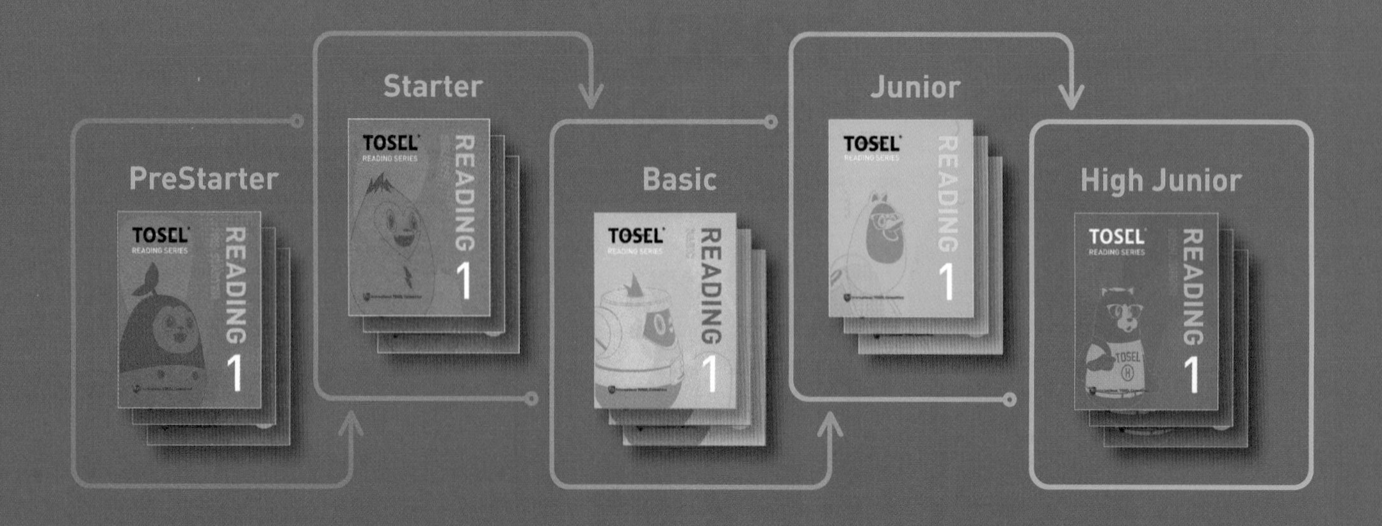

TOSEL 영어 학습 성장 프로그램

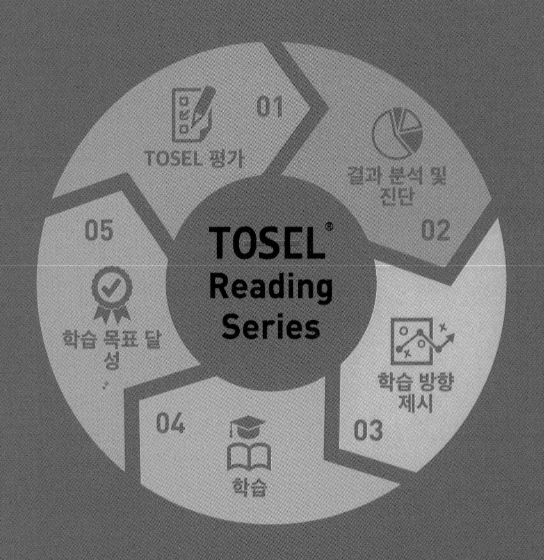

1. TOSEL 평가: 학생의 영어 능력을 정확하게 평가
2. 결과 분석 및 진단: 시험 점수와 결과를 분석하여 학생의 강점, 취약점, 학습자 특성 등을 객관적으로 진단
3. 학습 방향 제시: 객관적 진단 데이터를 기반으로 학습자 특성에 맞는 학습 방향 제시 및 목표 설정
4. 학습: 제시된 방향과 목표에 따라 학생에게 적합한 콘텐츠 / 학습법으로 학습
5. 학습 목표 달성: 학습 후 다시 평가를 통해 목표 달성 여부 확인 및 성장을 위한 다음 학습 목표 설정

학생이 공부하기 쉽고, 교사 / 학부모가 가르치기 편한 교재

교사 / 학부모

- **편의성**
  과학적인 교수설계에 따른 교수지도안 제공
- **활용성**
  풍부한 교수-학습 활용 자료 제공
- **학생 상담 데이터 축적**
  학생 학습 데이터 기록을 통한 전문 상담 도구 제공

학생

- **정확한 수준별 학습**
  학습자 데이터를 통해 레벨링하여 점진적으로 학습 가능
- **효율적 학습**
  1시간 학습으로 말하기, 단어, 독해, 듣기, 쓰기, TOSEL까지 학습 및 훈련
- **학습 성취 및 동기부여**
  수준별로 효율적인 학습을 통해 성취감을 고취, 영어 학습에 재미를 느끼며 동기 부여

About this book

TOSEL Reading Series는 영어 독해 학습에 특화된 교재로서 각 Unit 마다 대상 학생의 **인지능력 수준 및 학습 교과와 연계**한, 흥미롭고 유용한 주제의 읽기 지문을 중심으로 다양한 학습자료와 활동이 제시되어 있습니다.
TOSEL Section II. Reading and Writing에 해당하는 Comprehension Questions 10문항으로 지문에 대한 이해력을 확인하고, 주제에 대한 배경지식을 영어로 말해볼 수 있는 말하기 연습, 플래시카드 또는 영영 사전식 단어학습 및 쓰기 연습, 지문 듣고 받아쓰기 훈련, 요약문 쓰기 훈련 등의 **다양한 활동을 통해 지문을 여러 번 연습 / 복습하도록 구성**되었습니다.

Reading Series는 총 **5개의 레벨** (PreStarter, Starter, Basic, Junior, High Junior), 레벨 당 **1, 2, 3권**으로 이루어져 있습니다. 각 권은 3개의 Chapter, 총 12개의 Unit으로 구성되어 있으며 **Unit 당 1시간 학습**이 가능하도록 설계되었습니다.

레벨마다 **학생용 교재 3권**과 **교사용 교재 1권**으로 이루어져 있습니다.

학생용 교재 (High Junior)

영어 원문과 문항이 수록되어 있으며 학습자들이 활용하는 교재입니다.

학생용 교재 한 권은 주제에 따라 **3개의 Chapter, 총 12개의 Unit**으로 구성되었습니다.

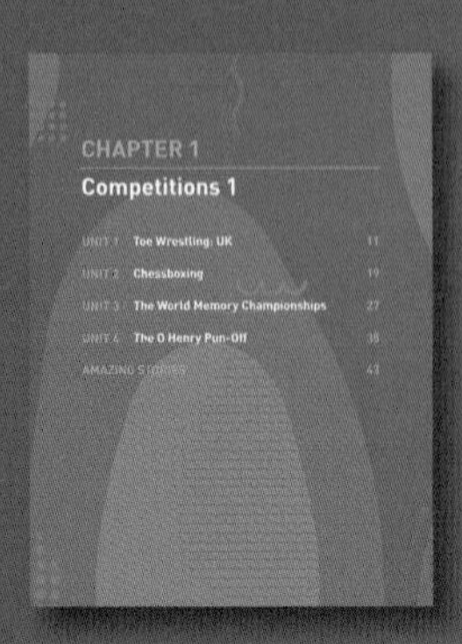

Chapter 1
Unit 1-4

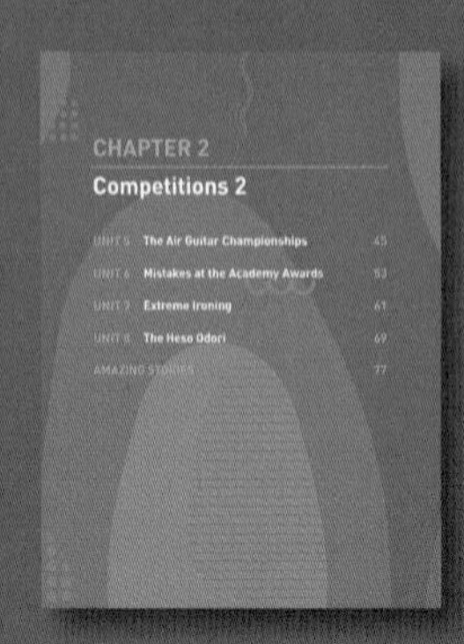

Chapter 2
Unit 5-8

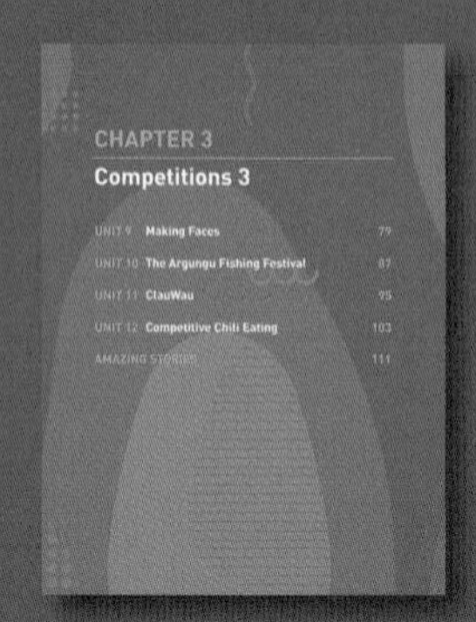

Chapter 3
Unit 9-12

교사용 교재

원문 해석과 문항별 정답 및 해설이 수록되어 있으며, 학생용 교재를 가르치는 데 필요한 **교수 가이드라인과 Reading Series 구성표** 등을 제시합니다.

교사용 교재 한 눈에 보기

Syllabus

TOSEL Reading Series 모든 레벨의 Chapter, Unit별 주제 요목

»

교사용 교재 활용 가이드

1시간 학습 / 지도 가이드라인

»

Book 1 정답 및 해설

영어 원문 해석과 문항 풀이

»

Book 2 정답 및 해설

영어 원문 해석과 문항 풀이

»

Book 3 정답 및 해설

영어 원문 해석과 문항 풀이

1 Syllabus

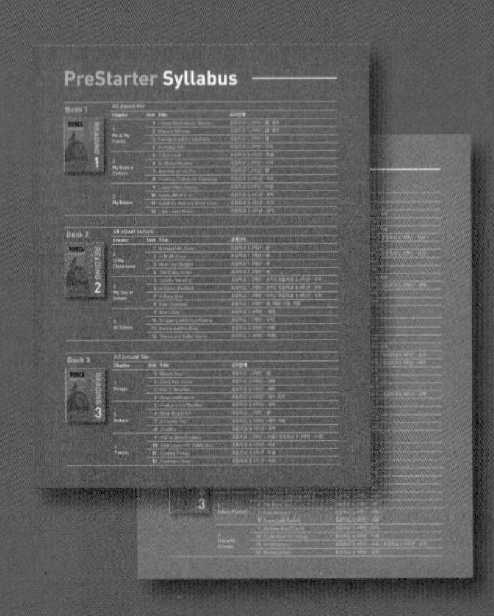

TOSEL Reading Series에 수록된 **각 Chapter와 Unit의 주제와 제목, 교과연계 정보**를 한눈에 보기 쉽게 정리했습니다.

전 레벨(PreStarter, Starter, Basic, Junior, High Junior)의 정리표를 통해 **단기 / 중·장기 수업 계획**을 수립하거나 학생 및 학부모와의 **학습 진도 / 수업 상담** 시 유용하게 활용할 수 있습니다.

2 교사용 교재 활용 가이드

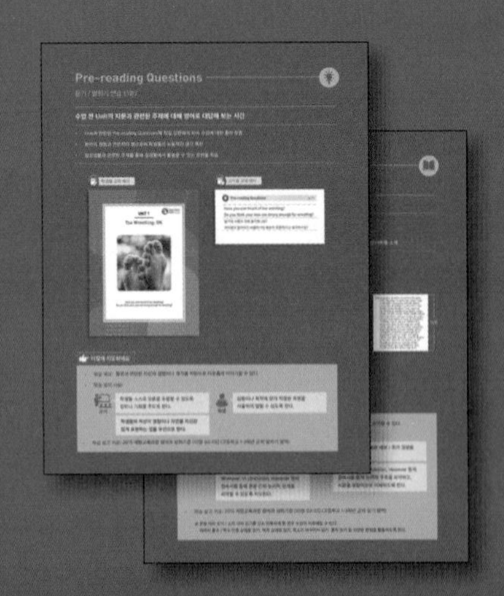

교사용 교재에는 **Unit별 1시간 학습 플랜을 돕기 위해 교재 활용 가이드**를 수록하였으며, 한 Unit에 있는 모든 활동에 대한 지침을 제시합니다.

활동마다 학습 내용, 학습 시간, 학습 목적, 학습 지도 팁 등을 세세하게 설명하여 선생님 또는 학부모의 **지도 방향**을 제시합니다.

3 정답 및 해설

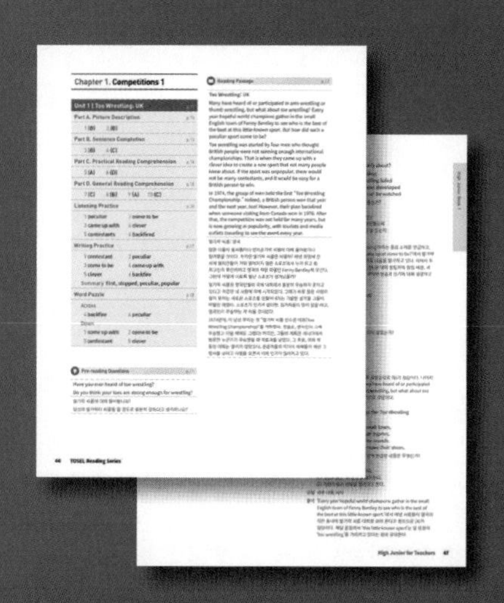

교사용 교재의 정답 및 해설 부분은 **영어 지문 해석, 정답, 풀이**를 상세하게 제공합니다. **문제 유형, 관련 문장, 새겨 두기** 등의 코너를 통해 학생 지도 시 유용하게 활용할 수 있도록 하였습니다.

주요 구성

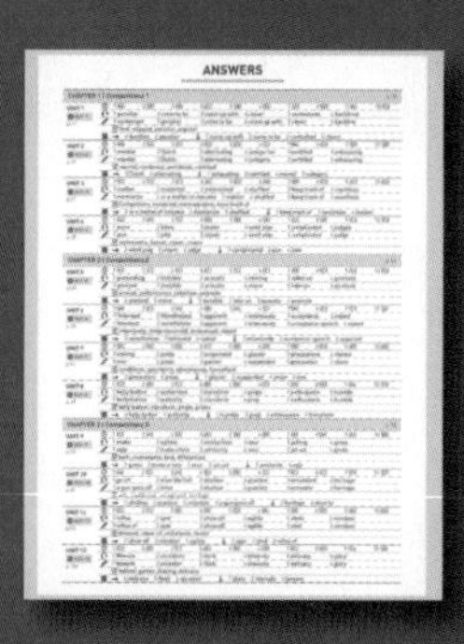

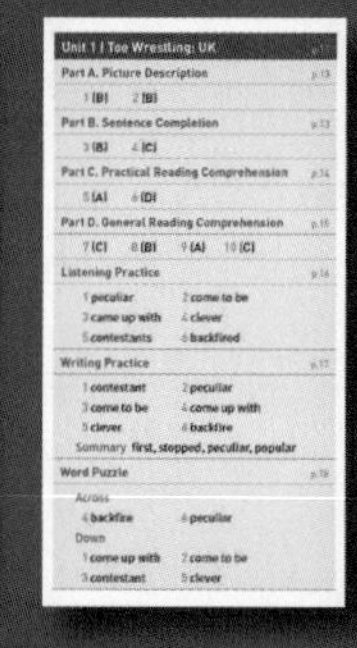

Unit 1 | Toe Wrestling: UK

Part A. Picture Description
1 (B) 2 (B)

Part B. Sentence Completion
3 (B) 4 (C)

Part C. Practical Reading Comprehension
5 (A) 6 (D)

Part D. General Reading Comprehension
7 (C) 8 (B) 9 (A) 10 (C)

Listening Practice
1 peculiar 2 come to be
3 came up with 4 clever
5 contestants 6 backfired

Writing Practice
1 contestant 2 peculiar
3 come to be 4 come up with
5 clever 6 backfire
Summary first, stopped, peculiar, popular

Word Puzzle
Across
4 backfire 6 peculiar
Down
1 come up with 2 come to be
3 contestant 5 clever

- **빠른 정답**
  책 앞에는 전체 Unit 정답표, 각 Unit의 처음에는 빠른 정답표를 배치하여 채점의 용이성을 높였습니다.

- **해석**
  영어 지문과 문항 등 영어 원문에 대한 한국어 해석을 제공합니다.
- **풀이**
  정답을 먼저 자세히 설명하고, 어렵거나 헷갈릴 만한 오답에 대한 설명도 추가하였습니다.

PreStarter Syllabus

Book 1

All about Me

Chapter	Unit	Title	교과연계
1 Me & My Family	1	I Know My Friends' Names	초등학교 1, 2학년 - 봄, 국어
	2	Maria's Monday	초등학교 1, 2학년 - 봄, 국어
	3	Family at a Birthday Party	초등학교 1, 2학년 - 봄
	4	Birthday Gifts	초등학교 1, 2학년 - 수학
2 A Colorful World	5	Color Land	초등학교 3, 4학년 - 미술
	6	So Many Shapes!	초등학교 1, 2학년 - 수학
	7	Animals at the Zoo	초등학교 1, 2학년 - 봄
	8	Packing Clothes for Camping	초등학교 3, 4학년 - 사회
3 My House	9	Linda's New House	초등학교 1, 2학년 - 여름
	10	Guess What It Is!	초등학교 3, 4학년 - 과학
	11	Sandra's Dad Is a Great Cook!	초등학교 3, 4학년 - 사회
	12	Lars Loves Music	초등학교 3, 4학년 - 음악

Book 2

All about School

Chapter	Unit	Title	교과연계
1 In My Classroom	1	A Happy Art Class	초등학교 1, 2학년 - 봄
	2	In Math Class	초등학교 1, 2학년 - 봄
	3	How Taki Studies	초등학교 1, 2학년 - 봄
	4	The Class Rules	초등학교 1, 2학년 - 봄
2 My Day at School	5	Josef's Morning	초등학교 1, 2학년 - 수학 / 초등학교 3, 4학년 - 수학
	6	A School Festival	초등학교 1, 2학년 - 수학 / 초등학교 3, 4학년 - 수학
	7	A Busy Year	초등학교 1, 2학년 - 수학 / 초등학교 3, 4학년 - 수학
	8	Four Seasons	초등학교 1, 2학년 - 봄, 여름, 가을, 겨울
3 At School	9	Olaf's Day	초등학교 3, 4학년 - 국어
	10	Shopping with Your Family	초등학교 1, 2학년 - 수학
	11	Henry and His Bike	초등학교 3, 4학년 - 사회
	12	Tennis and Table Tennis	초등학교 3, 4학년 - 체육

Book 3

All around Me

Chapter	Unit	Title	교과연계
1 People	1	Who Is She?	초등학교 1, 2학년 - 봄
	2	Zoe Likes Korea	초등학교 3, 4학년 - 사회
	3	Kari's Neighbor	초등학교 3, 4학년 - 국어
	4	Anna and Hennie	초등학교 3, 4학년 - 국어, 도덕
2 Nature	5	Paul and the Weather	초등학교 3, 4학년 - 과학
	6	What Bug Is It?	초등학교 1, 2학년 - 봄
	7	A Family Trip	초등학교 3, 4학년 - 과학, 사회
	8	Giraffes	초등학교 3, 4학년 - 과학
3 Places	9	Martin Gets Cookies	초등학교 1, 2학년 - 가을 / 초등학교 3, 4학년 - 사회
	10	Kate Loves Her Teddy Bear	초등학교 3, 4학년 - 사회
	11	Finding Things	초등학교 3, 4학년 - 미술
	12	Finding a Place	초등학교 3, 4학년 - 사회

Starter Syllabus

Book 1

Talking to Friends

Chapter	Unit	Title	교과연계
1 Weekend Activities	1	Sarah's Strange Night	초등학교 3, 4학년 - 국어, 수학
	2	Sunday Morning at Carl's House	초등학교 3, 4학년 - 국어
	3	A Field Trip	초등학교 3, 4학년 - 국어, 체육
	4	Zoe's Busy Weekend	초등학교 3, 4학년 - 사회 / 초등학교 5, 6학년 - 국어
2 Find Out about Your Friends	5	All about Pumpkins	초등학교 3, 4학년 - 과학
	6	Chores at Home	초등학교 3, 4학년 - 도덕 / 초등학교 5, 6학년 - 실과
	7	Having a Party	초등학교 3, 4학년 - 국어
	8	Kelly Learns Chinese Sounds	초등학교 5, 6학년 - 사회
3 Ask More Questions	9	Andrea Loves Sports	초등학교 3, 4학년 - 수학, 체육
	10	Alec Gets Sick in Winter	초등학교 3, 4학년 - 체육 / 초등학교 5, 6학년 - 과학
	11	Mr. Wind and Mr. Sun	초등학교 3, 4학년 - 국어
	12	At the Theme Park	초등학교 3, 4학년 - 국어

Book 2

Family & House

Chapter	Unit	Title	교과연계
1 Daily Life	1	Going to the Movies	초등학교 3, 4학년 - 수학
	2	Tina's Day	초등학교 3, 4학년 - 국어, 수학
	3	Jisoo Cleans Her Room	초등학교 3, 4학년 - 도덕 / 초등학교 5, 6학년 - 실과
	4	At Blue Mountain	초등학교 3, 4학년 - 체육 / 초등학교 5, 6학년 - 국어
2 House	5	Lea's Dream House	초등학교 5, 6학년 - 수학
	6	Milo Sits in Chairs	초등학교 3, 4학년 - 미술
	7	Show and Tell Class	초등학교 3, 4학년 - 국어
	8	Summer Vacation	초등학교 3, 4학년 - 국어 / 초등학교 5, 6학년 - 수학
3 Family Occasion	9	Grandma's Birthday	초등학교 3, 4학년 - 도덕
	10	Eating Out vs. Eating at Home	초등학교 5, 6학년 - 실과
	11	Henry's Family	초등학교 3, 4학년 - 사회
	12	My Aunt's Wedding Day	초등학교 3, 4학년 - 사회

Book 3

School

Chapter	Unit	Title	교과연계
1 School Activity	1	Our Music Teacher	초등학교 3, 4학년 - 음악
	2	A Day at a Gallery	초등학교 3, 4학년 - 미술
	3	How Do You Make Salad?	초등학교 5, 6학년 - 실과
	4	A Book about Street Dogs	초등학교 3, 4학년 - 국어
2 School Festival	5	Field Trip to the Aquarium	초등학교 3, 4학년 - 사회
	6	The Book Fair	초등학교 3, 4학년 - 국어
	7	Fast Runners	초등학교 3, 4학년 - 체육
	8	Buying and Selling	초등학교 3, 4학년 - 사회
3 Fun with Friends	9	My New Best Friend	초등학교 3, 4학년 - 도덕
	10	Clubs Meet on Fridays	초등학교 3, 4학년 - 체육
	11	Word Game!	초등학교 3, 4학년 - 미술 / 초등학교 5, 6학년 - 실과
	12	Weekend Fun	초등학교 3, 4학년 - 도덕

Basic Syllabus

Book 1

My Town

Chapter	Unit	Title	교과연계
1 Neighbors	1	My Perfect Neighborhood	초등학교 5, 6학년 - 국어
	2	Asking People about Jobs	초등학교 5, 6학년 - 실과
	3	Volunteering for the Community	초등학교 5, 6학년 - 도덕
	4	A Great Man in Town	초등학교 5, 6학년 - 도덕
2 Neighborhood	5	Kali's Favorite Park	초등학교 5, 6학년 - 체육
	6	Problems at the Mall	초등학교 5, 6학년 - 사회
	7	A Horror Movie	초등학교 5, 6학년 - 미술
	8	The Best Library in the City	초등학교 5, 6학년 - 국어
3 Stadium in My Town	9	At the Baseball Game	초등학교 5, 6학년 - 체육
	10	A Favorite Sports Star	초등학교 5, 6학년 - 수학, 체육
	11	A Magic Show	초등학교 5, 6학년 - 미술
	12	Quiet Hip Hop Songs	초등학교 5, 6학년 - 음악

Book 2

General Interest

Chapter	Unit	Title	교과연계
1 Healthy Life	1	How to Keep Friends	초등학교 5, 6학년 - 국어
	2	Is Having a Dog Good for You?	초등학교 5, 6학년 - 실과
	3	What Is Hay Fever?	초등학교 5, 6학년 - 과학
	4	Smartphone Posture	초등학교 5, 6학년 - 과학, 국어(글쓴이의 주장)
2 Food Trend	5	Hawaiian Pizza	초등학교 5, 6학년 - 실과
	6	Fourth Meal	초등학교 5, 6학년 - 실과
	7	Jamie and Local Food	초등학교 5, 6학년 - 실과
	8	Good Avocados	초등학교 5, 6학년 - 과학, 실과
3 Arts and Crafts	9	Art Gallery of Saint Peter	초등학교 5, 6학년 - 미술
	10	What Is Origami?	초등학교 5, 6학년 - 미술
	11	Introduction to Webtoons	초등학교 5, 6학년 - 미술, 실과
	12	Haihat's Recycled Pig	초등학교 5, 6학년 - 사회, 미술

Book 3

Travel & the Earth

Chapter	Unit	Title	교과연계
1 Travel	1	Koh Lipe	초등학교 5, 6학년 - 국어, 사회
	2	Flying to London	초등학교 5, 6학년 - 실과
	3	Petronas Towers	초등학교 5, 6학년 - 수학, 미술
	4	Travel Manners	초등학교 5, 6학년 - 도덕
2 Culture	5	Thanksgiving in Detroit	초등학교 5, 6학년 - 사회
	6	Siesta	초등학교 5, 6학년 - 사회
	7	The Mystery of King Tut	초등학교 5, 6학년 - 사회, 미술
	8	The History of the Mexican Flag	초등학교 5, 6학년 - 사회, 미술
3 Nature & the Earth	9	Eric's Book about Habitats	초등학교 5, 6학년 - 과학, 국어
	10	Global Warming: The Sahara	초등학교 5, 6학년 - 사회, 과학
	11	Three Ways to Save the Earth	초등학교 5, 6학년 - 사회
	12	How Will 2035 Be Different?	초등학교 5, 6학년 - 사회

Junior Syllabus

Book 1

Math & Science

Chapter	Unit	Title	교과연계
1 Humans and Animals	1	Animal Communication	중학교 - 기술·가정
	2	Animals and Earthquakes	중학교 - 과학
	3	Super Babies	중학교 - 과학, 기술·가정
	4	Pigeons	중학교 - 기술·가정
2 Math	5	The Fields Medal	중학교 - 수학
	6	Statistics	중학교 - 수학, 사회
	7	The Golden Ratio	중학교 - 수학, 미술
	8	Barcodes	중학교 - 수학, 과학, 기술·가정
3 Science	9	The Water Cycle	중학교 - 과학
	10	Earth Day	중학교 - 과학
	11	Lightning	중학교 - 과학
	12	Superbugs	중학교 - 과학

Book 2

Cultural Life

Chapter	Unit	Title	교과연계
1 Sports	1	Sit-ups	중학교 - 체육
	2	The Skeleton	중학교 - 체육
	3	Doping in Sports	중학교 - 체육, 도덕
	4	Supersuits	중학교 - 체육
2 Art	5	Camera Shots	중학교 - 미술, 기술·가정
	6	The State Hermitage	중학교 - 미술
	7	Persian Miniatures	중학교 - 미술
	8	Animals Symbols	중학교 - 미술
3 Music	9	Musical vs. Opera	중학교 - 음악
	10	Vivaldi's "The Four Seasons"	중학교 - 음악
	11	Dynamics in Music	중학교 - 음악
	12	The Alphorn	중학교 - 음악

Book 3

Famous People

Chapter	Unit	Title	교과연계
1 Famous People 1	1	Linus Pauling	중학교 - 과학
	2	Maryam Mirzakhani	중학교 - 수학
	3	CV Raman	중학교 - 과학
	4	Ada Lovelace	중학교 - 기술·가정
2 Famous People 2	5	Tu Youyou	중학교 - 과학
	6	Rigoberta Menchú	중학교 - 사회
	7	Antoni Gaudi	중학교 - 미술
	8	Wangari Maathai	중학교 - 사회
3 Famous People 3	9	Mary Jackson	중학교 - 과학, 기술·가정
	10	Isabel Allende	중학교 - 국어
	11	Pius Mau Piailug	중학교 - 과학, 기술·가정
	12	Mary Anning	중학교 - 과학

High Junior Syllabus

Book 1

Awards and Award Winners

Chapter	Unit	Title	교과연계
1 Competitions 1	1	Toe Wrestling: UK	고등학교 - 체육
	2	Chessboxing	고등학교 - 체육
	3	The World Memory Championships	고등학교 - 체육
	4	The O Henry Pun-Off	고등학교 - 문학
2 Competitions 2	5	The Air Guitar Championships	고등학교 - 음악
	6	Mistakes at the Academy Awards	고등학교 - 미술
	7	Extreme Ironing	고등학교 - 체육
	8	The Heso Odori	고등학교 - 세계지리
3 Competitions 3	9	Making Faces	고등학교 - 체육
	10	The Argungu Fishing Festival	고등학교 - 세계지리
	11	ClauWau	고등학교 - 세계지리
	12	Competitive Chili Eating	고등학교 - 세계지리

Book 2

Health & Science

Chapter	Unit	Title	교과연계
1 Health	1	Health Literacy	고등학교 - 체육
	2	Yoga	고등학교 - 체육
	3	Digital Eye Strain	고등학교 - 생명과학
	4	Just One Food	고등학교 - 기술·가정
2 Environment	5	Climate Change	고등학교 - 통합사회, 지구과학
	6	Drone-based Delivery	고등학교 - 기술·가정
	7	The Nene	고등학교 - 통합과학
	8	The Amazon	고등학교 - 통합사회, 지구과학
3 Science	9	Memory	고등학교 - 생명과학
	10	Phases of the Moon	고등학교 - 지구과학
	11	Plasma	고등학교 - 물리, 화학
	12	Contagious Yawning	고등학교 - 생명과학

Book 3

Society & Technology

Chapter	Unit	Title	교과연계
1 Social Studies / Psychology	1	Forms of Government	고등학교 - 정치와 법
	2	A Violinist in the Station	고등학교 - 음악, 미술
	3	Biopiracy: The Neem Tree	고등학교 - 통합사회, 생활과 윤리
	4	A Hierarchy of Needs	고등학교 - 통합사회, 사회·문화
2 Culture	5	Mythical Creatures	고등학교 - 문학, 미술
	6	Ramadan: The Fast	고등학교 - 통합사회, 사회·문화
	7	The Bibliomotocarro	고등학교 - 문학, 통합사회
	8	Garífuna Punta	고등학교 - 통합사회, 음악
3 Technology	9	Virtual Reality	고등학교 - 통합과학, 기술·가정
	10	Suspension Bridges	고등학교 - 통합과학, 기술·가정
	11	Bone Conduction	고등학교 - 생명과학, 기술·가정
	12	Videophones	고등학교 - 과학, 기술·가정

TOSEL® READING SERIES FOR TEACHERS

교사용 교재 활용 가이드

1시간 학습 가이드라인

01 Pre-reading Questions

3분

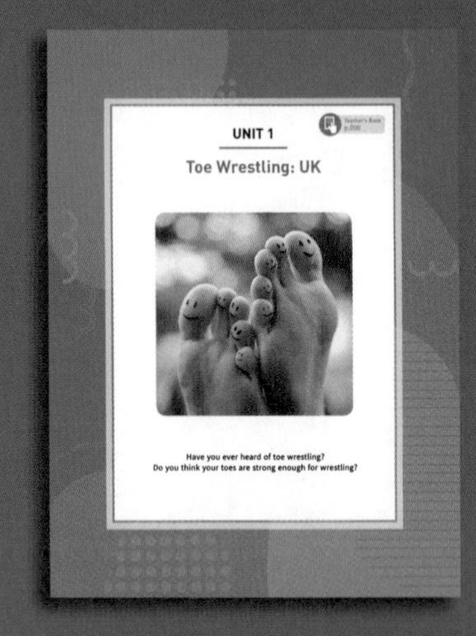
UNIT 1

Toe Wrestling: UK

Have you ever heard of toe wrestling?
Do you think your toes are strong enough for wrestling?

02 Reading Passage

7분

UNIT 1 Toe Wrestling: UK

Many have heard of or participated in arm wrestling or thumb wrestling, but what about toe wrestling? Every year hopeful world champions gather in the small English town of Fenny Bentley to see who is the best of the best at this little-known sport. But how did such a peculiar sport come to be?

Toe wrestling was started by four men who thought British people were not winning enough international championships. That is when they came up with a clever idea to create a new sport that not many people knew about. If the sport was unpopular, there would not be many contestants, and it would be easy for a British person to win.

In 1974, the group of men held the first "Toe Wrestling Championship." Indeed, a British person won that year and the next year, too! However, their plan backfired when someone visiting from Canada won in 1976. After that, the competition was not held for many years, but is now growing in popularity, with tourists and media outlets traveling to see the event every year.

05 Listening Practice

10분

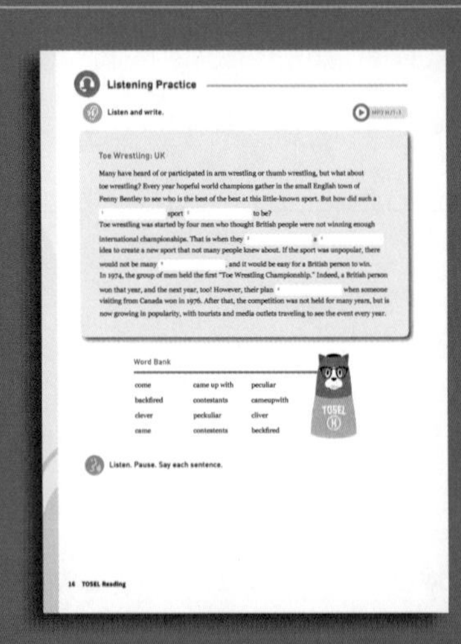
Listening Practice

Listen and write.

Toe Wrestling: UK

Word Bank

come	came up with	peculiar
backfired	contestants	cameupwith
clever	pecluliar	cliver
came	comestants	beckfired

Listen. Pause. Say each sentence.

14 TOSEL Reading

06 Writing Practice

5분

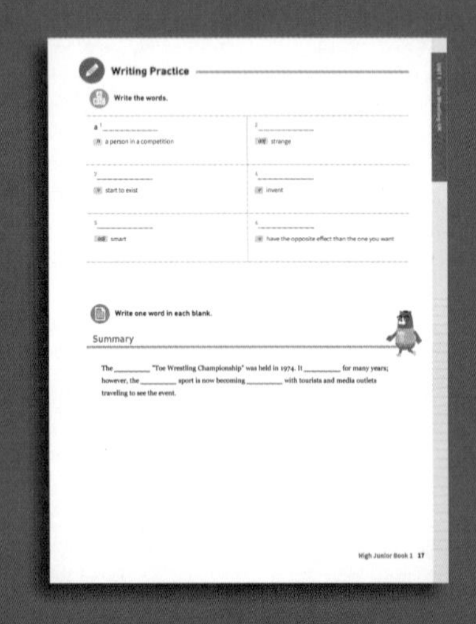
Writing Practice

Write the words.

Write one word in each blank.

Summary

High Junior Book 1 17

03 New Words

10분

New Words

a contestant n. a person in a competition	peculiar adj. strange
come to be v. start to exist	come up with v. invent
clever adj. smart	backfire v. have the opposite effect than the one you want

04 Comprehension Questions

10분

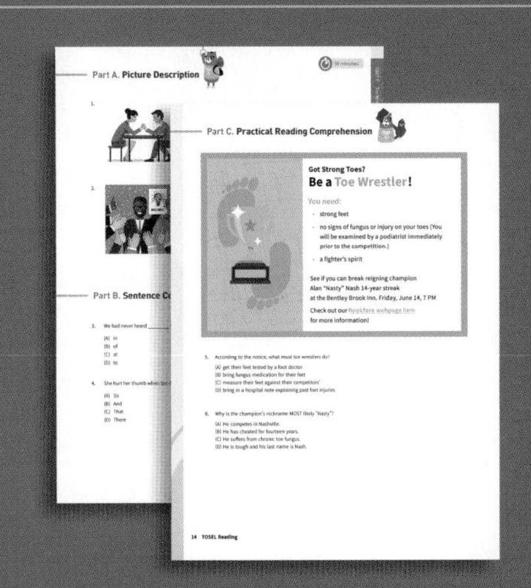
Part A. Picture Description

Part B. Sentence Completion

Part C. Practical Reading Comprehension

Got Strong Toes?

Be a Toe Wrestler!

You need:

- strong feet
- no signs of fungus or injury on your toes (You will be examined by a podiatrist immediately prior to the competition.)
- a fighter's spirit

See if you can break reigning champion Alan "Nasty" Nash 14-year streak at the Bentley Brook Inn. Friday, June 14, 7 PM

Check out our Bopkfare webpage here for more information!

5. According to the notice, what must toe wrestlers do?
   (A) get their feet tested by a foot doctor
   (B) bring fungus medication for their feet
   (C) measure their feet against their competitors'
   (D) bring in a hospital note explaining past foot injuries

6. Why is the champion's nickname MOST likely "Nasty"?
   (A) He competes in Nashville.
   (B) He has cheated for fourteen years.
   (C) He suffers from chronic toe fungus.
   (D) He is tough and his last name is Nash.

14 TOSEL Reading

07 Word Puzzle

5분

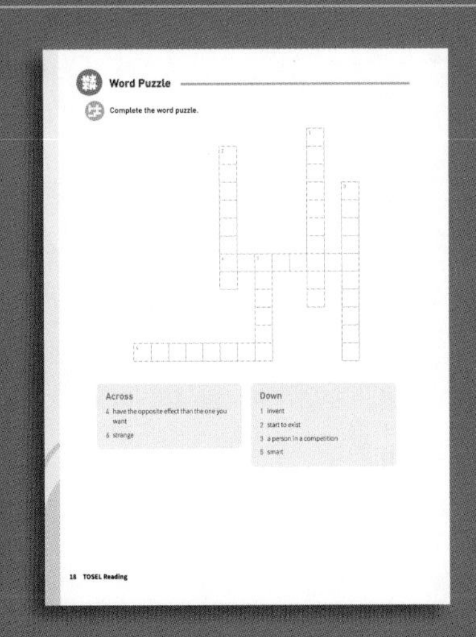
Word Puzzle

Complete the word puzzle.

Across
4 have the opposite effect than the one you want
6 strange

Down
1 invent
2 start to exist
3 a person in a competition
5 smart

16 TOSEL Reading

08 오답노트

10분

TOSEL

날짜 2020 / 1 / 10 (금)

교재 리딩Starter Book2

단원 Unit 2

번호 Part A 1번

난이도 ★★★☆☆

문제

1. She wakes up early.
   (A) wakes
   (B) wakes
   (C) is wake
   (D) waking

정답 (B) wakes

오답 (A) wake

틀린 이유: 3인칭 단수 뒤에 s가 붙는 것을 몰랐음

풀이: 빈칸에는 문장을 완성할 수 있는 자동사가 들어가야 하는데, 주어 She는 3인칭 단수이므로 동사원형 wake에 s를 붙여야 한다.

요점 정리: I, you, we, they → wake up early / he, she → wakes up early

복습체크

Pre-reading Questions

듣기 / 말하기 연습 (3분)

수업 전 Unit의 지문과 관련된 주제에 대해 영어로 대답해 보는 시간

- Unit과 관련된 Pre-reading Questions에 직접 답변하게 하여 수업에 대한 흥미 유발
- 본인의 경험과 연관지어 봄으로써 학생들의 능동적인 생각 촉진
- 일상생활과 관련된 주제를 통해 실생활에서 활용할 수 있는 표현을 학습

학생용 교재 예시

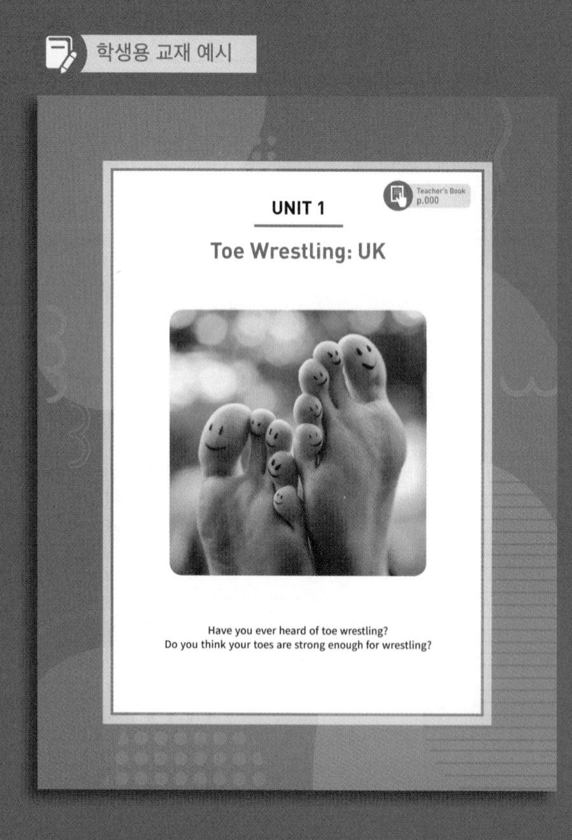

교사용 교재 예시

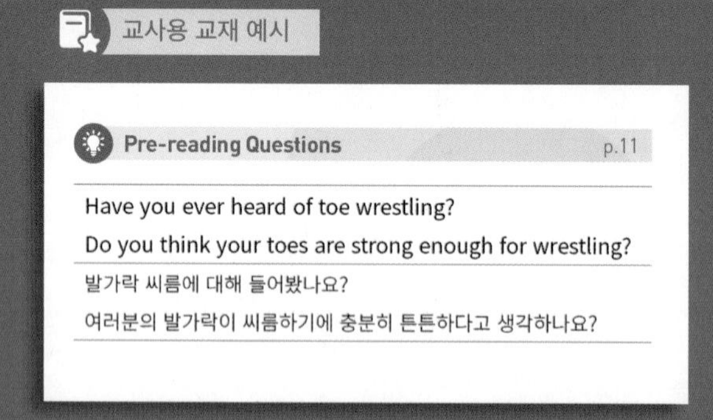

이렇게 지도하세요

- **학습 목표:** 질문과 관련된 자신의 경험이나 생각을 바탕으로 자유롭게 이야기할 수 있다.
- **학습 유의 사항:**

교사

학생들 스스로 오류를 수정할 수 있도록 힌트나 기회를 주도록 한다.

학생들이 자신의 경험이나 의견을 자신감 있게 표현하는 것을 우선으로 한다.

학생

상황이나 목적에 맞게 적절한 표현을 사용하여 말할 수 있도록 한다.

- **학습 참고 지표:** 2015 개정교육과정 영어과 성취기준 [10영 02-03] (고등학교 1-3학년 군의 말하기 영역)

Reading Passage

독해 연습 (7분)

Unit의 해당 지문 내용을 파악하는 시간

- 주어진 시간 내에 지문을 읽고 핵심 내용과 단어를 파악
- TOSEL 독해 문항을 전략적으로 준비 가능
- Unit에서 다루는 새로운 어휘는 학생용 교재 지문에 표시되어 있으며, 교사용 교재에서는 해석과 등장 어휘를 소개

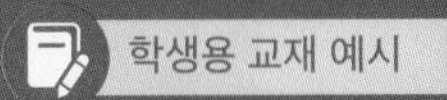

UNIT 1 Toe Wrestling: UK

Many have heard of or participated in arm wrestling or thumb wrestling, but what about toe wrestling? Every year hopeful world champions gather in the small English town of Fenny Bentley to see who is the best of the best at this little-known sport. But how did such a peculiar sport come to be?

Toe wrestling was started by four men who thought British people were not winning enough international championships. That is when they came up with a clever idea to create a new sport that not many people knew about. If the sport was unpopular, there would not be many contestants, and it would be easy for a British person to win.

In 1974, the group of men held the first "Toe Wrestling Championship." Indeed, a British person won that year and the next year, too! However, their plan backfired when someone visiting from Canada won in 1976. After that, the competition was not held for many years, but is now growing in popularity, with tourists and media outlets traveling to see the event every year.

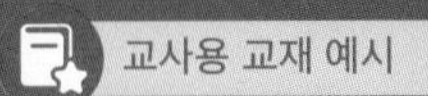

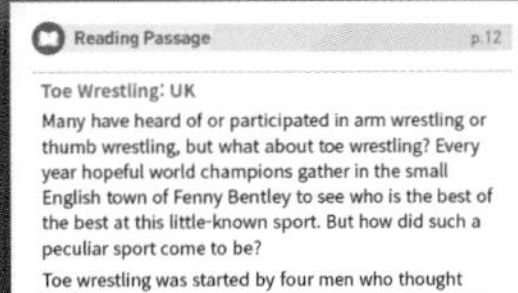

Reading Passage p.12

지문

Toe Wrestling: UK

Many have heard of or participated in arm wrestling or thumb wrestling, but what about toe wrestling? Every year hopeful world champions gather in the small English town of Fenny Bentley to see who is the best of the best at this little-known sport. But how did such a peculiar sport come to be?

Toe wrestling was started by four men who thought British people were not winning enough international championships. That is when they came up with a clever idea to create a new sport that not many people knew about. If the sport was unpopular, there would not be many contestants and it would be easy for a British person to win.

In 1974, the group of men held the first "Toe Wrestling Championship." Indeed, a British person won that year and the next year, too! However, their plan backfired when someone visiting from Canada won in 1976. After that, the competition was not held for many years, but is now growing in popularity, with tourists and media outlets traveling to see the event every year.

해석

발가락 씨름: 영국

많은 이들이 팔씨름이나 엄지손가락 씨름에 대해 들어봤거나 참여했을 텐데, 그렇다면 발가락 씨름은 어떨까? 매년 희망에 찬 세계 챔피언들 이러한 거의 알려지지 않은 스포츠에서 누가 최고 중 최고인지 확인하려고 영국의 작은 마을인 Fenny Bentley에 모인다. 그런데 어떻게 이토록 별난 스포츠가 생겨났을까?

발가락 씨름은 영국인들이 국제 대회에서 충분히 우승하지 못하고 있다고 여겼던 네 사람에 의해 시작되었다. 그때가 바로 많은 사람이 알지 못하는 새로운 스포츠를 만들어내자는 기발한 생각을 그들이 떠올린 때였다. 스포츠가 인기가 없다면, 참가자들이 많이 없을 테고, 영국인이 우승하는 게 쉬울 것이었다.

1974년에, 그 남성 무리는 첫 "발가락 씨름 선수권 대회(Toe Wrestling Championship)"를 개최했다. 정말로, 영국인이 그해 우승했고 다음 해에도 그랬다! 하지만, 그들의 계획은 캐나다에서 방문한 누군가가 우승했을 때 역효과를 낳았다. 그 후로, 여러 해 동안 대회는 열리지 않았으나, 관광객들과 미디어 매체들이 매년 그 행사를 보려고 여행을 오는 등 이제 인기가 커지고 있다.

어휘

어휘 participate in ~에 참가하다 | thumb 엄지손가락 | gather 모이다 | little-known 거의 알려지지 않은 | peculiar 이상한[기이한];독특한 | championship 선수권 대회, 챔피언전 | come up with ~을 생각해내다 | contestant 참가자 | hold 주최하다 | backfire 역효과를 낳다 | media outlet (신문, 방송 따위의) 매스컴, 대중매체 | discover 발견하다 | careful 조심하는, 주의 깊은 | draw 뽑다, 추첨하다, (제비뽑기 추첨으로) 정하다 | silly 어리석은 | ridiculous 터무니없는, 말도 안 되는 | take place 개최되다[일어나다] | involve ~을 수반[포함]하다, ~와 관련되다 | round 한 차례, (스포츠 대회에서) 라운드 | remove 치우다; 없애다, 제거하다 | judge 심판, 심사위원; 심사하다, 판단하다 | share 나누다, 공유하다 | strategy 전략 | fungus 균류, 곰팡이류 | injury 부상, 상처[피해] | examine 검사[진찰]하다; 조사[검토]하다 | podiatrist 발병 전문가 | immediately 즉시 | prior to ~에 앞서, 먼저 | reigning 군림하는 | nasty 위험한, 험악한; 못된 | streak 연속; 줄, 줄무늬, 선 | inn (숙박이 가능한) 주막, 여관, 퍼브(pub) | test 검사[테스트]를 하다; 검사[테스트] | medication 약[약물] | measure 측정하다, 재다 | cheat 부정행위 하다; 속이다, 사기 치다 | chronic (병이) 만성적인 | tough 강인한

이렇게 지도하세요

- **학습 목표:** Reading Passage의 중심 내용과 세부 정보를 구분하고, 논리적 관계에 따라 지문을 요약할 수 있다.
- **학습 유의 사항:**

지문의 주제 / 중요 문장에 학생들이 표시하게 함으로써 중심 내용과 세부 정보를 구분할 수 있게 한다

Moreover, In conclusion, However 등의 접속사를 통해 문장 간의 논리적 관계를 파악할 수 있도록 지도한다.

지문에서 중요 정보와 세부 / 추가 정보를 구분하도록 한다.

Moreover, In conclusion, However 등의 접속사를 통해 논리적 구조를 파악하고, 지문을 종합적으로 이해하도록 한다.

- **학습 참고 지표:** 2015 개정교육과정 영어과 성취기준 [10영 03-01] (고등학교 1-3학년 군의 읽기 영역)

※ 문장 따라 읽기 / 소리 내어 읽기를 단순 반복하게 할 경우 수업이 지루해질 수 있다.
따라서 홀수 / 짝수 번호 교대로 읽기, 짝과 교대로 읽기, 목소리 바꾸어서 읽기, 혼자 읽기 등 다양한 방법을 활용하도록 한다.

New Words

새로운 어휘 암기 연습 (10분)

지문 속 표시된 새로운 어휘를 배우는 시간

학생용 교재 예시

New Words

a contestant n a person in a competition	peculiar adj strange
come to be v start to exist	come up with v invent
clever adj smart	backfire v have the opposite effect than the one you want

지문 속 표시된 새로운 어휘의 이해를 돕기 위해 영문 뜻 혹은 영문 예문 제공

새로운 어휘의 품사는 색깔과 약어로 표시

n	명사	pron	대명사	v	동사	adj	형용사
adv	부사	prep	전치사	conj	접속사	int	감탄사

- 두 단어 이상인 어휘의 경우 지문 내의 역할 기준으로 품사 표시
  예)

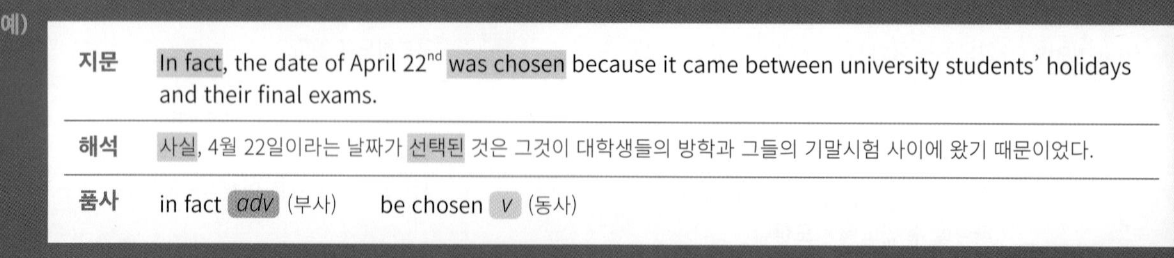

지문	In fact, the date of April 22nd was chosen because it came between university students' holidays and their final exams.
해석	사실, 4월 22일이라는 날짜가 선택된 것은 그것이 대학생들의 방학과 그들의 기말시험 사이에 왔기 때문이었다.
품사	in fact adv (부사)　be chosen v (동사)

- 품사로 구분되기 어려운 관용어구나 표현(expressions) 등은 품사의 색깔이 표시되지 않음
  예) for more information about, that's why, virtually everyone 등

New Words 추가 활동

TOSEL 홈페이지(www.tosel.org)에서 New Words 학습을 위한 Word Cards / Word List 제공
(다운로드 후 출력 사용 가능)

Word Cards

워크시트 예시

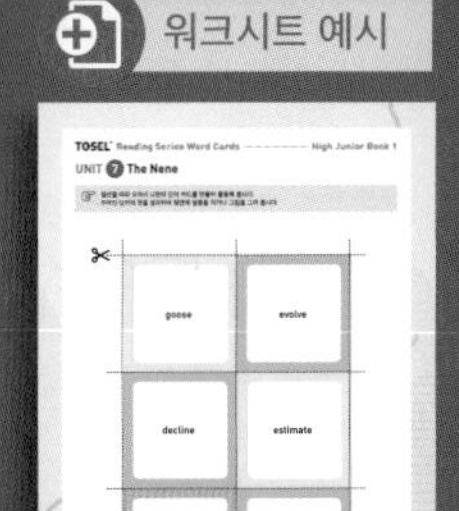

- 활용 방법: 점선을 따라 오린 후 카드 뒷면에 단어의 뜻을 쓰거나 그림으로 뜻을 표현한다.
- 활용 예시: ① Word Cards 한 개를 고른 뒤 카드 뒷면에 단어의 동의어 / 반의어 쓰기
  ② 카드 단어를 그림으로 표현하여 상대방이 맞추기 (Picturesque)
  ③ 팀을 나누어 카드의 철자를 팀원 한 명이 몸으로 표현하고 나머지 팀원이 카드의 단어를 맞추기 (Charades)
  ④ Word Cards를 활용하여 문장을 만든 후 품사의 문장 속 역할 파악하기

  예)

Word List

워크시트 예시

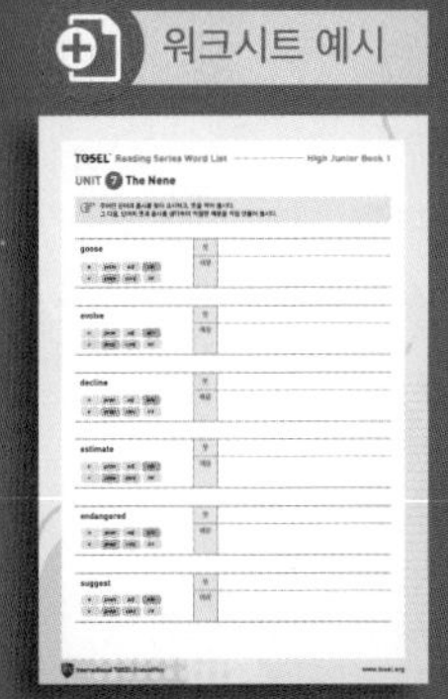

- 활용 방법: 단어 / 어구의 품사 또는 expressions를 선택하여 뜻과 예문을 쓰게 한다.
- 활용 예시: ① 수업 전 예습지 또는 수업 후 복습지로 활용
  ② Unit / Chapter 완료 시 New Words 평가지로 활용
  ③ 지문 외 다양한 장르(뉴스 기사, 책, 포스터 등)에서 New Words의 쓰임을 찾아 예문에 적어보기
  ④ 뜻을 영어로 재표현(paraphrase)하여 자신만의 단어로 만들기
  예) volunteering = helping others for free

Comprehension Questions

독해 문제 풀이 (10분)

새로운 어휘를 익히고 지문과 관련된 문제를 풀어보는 시간

4개의 파트로 구성된 Comprehension Questions를 통해 TOSEL 읽기와 간접 쓰기 유형에 해당하는 문항을 풀어봄으로써 시험을 전략적으로 대비할 수 있다.

1 Part A. Picture Description
그림 / 상황을 가장 알맞게 표현할 수 있는 단어 / 어구를 골라 문장 완성하기

- 제시된 그림 및 상황을 가장 적절히 묘사할 수 있도록 빈칸에 알맞은 단어 / 어구를 고르는 유형
- 연어(collocations) / 관용어(idioms) 등의 적절한 어휘를 사용할 수 있는지 평가

학생용 교재 예시

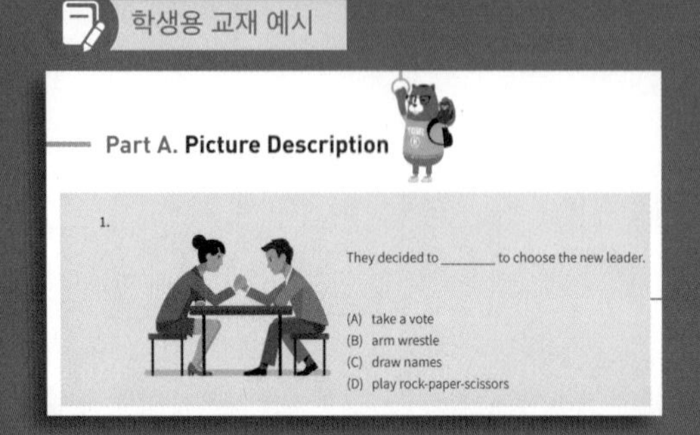
Part A. Picture Description

1.

They decided to ________ to choose the new leader.

(A) take a vote
(B) arm wrestle
(C) draw names
(D) play rock-paper-scissors

지도 팁

학생은 제시된 그림 또는 상황을 묘사하고 있는 문장의 빈칸에 가장 알맞은 단어 / 어구를 선택하도록 한다.

교사용 교재 예시

1. They decided to arm wrestle to choose the new leader.

(A) take a vote
(B) arm wrestle
(C) draw names
(D) play rock-paper-scissors

해석 그들은 새 지도자를 선택하기 위해 팔씨름을 하기로 했다.
(A) 투표하기
(B) 팔씨름하기
(C) 이름 뽑기
(D) 가위바위보하기

풀이 두 사람이 팔을 맞대고 팔씨름을 하고 있으므로 (B)가 정답이다.

관련 문장 Many have heard of or participated in arm wrestling or thumb wrestling, but what about toe wrestling?

1 교사는 교사용 교재의 해석을 참고하여 문제와 선택지를 해석해준다.

2 풀이를 참고하여 관련 문법 사항과 그림을 연계시켜 정답과 오답을 설명한다.

3 관련 문장으로 정답의 근거가 되는 부분을 지문에서 복습한다.

2 Part B. Situational Writing
문법적으로 가장 알맞은 단어 / 어구를 골라 문장 완성하기

- 문맥과 문법 사항을 모두 고려하여 빈칸에 가장 알맞은 단어 / 어구를 고르는 유형
- 문장의 구조 및 문법 요소들을 이해하고 알맞게 사용할 수 있는지 평가

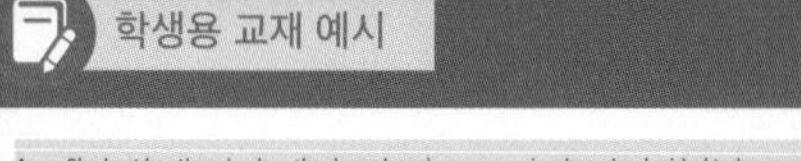

학생용 교재 예시

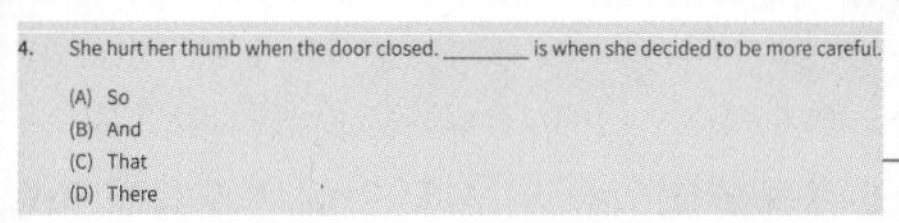

4. She hurt her thumb when the door closed. _______ is when she decided to be more careful.
   (A) So
   (B) And
   (C) That
   (D) There

지도 팁

문맥을 고려하여 빈칸에 문법적으로 가장 알맞은 단어 / 어구를 선택하도록 한다.

교사용 교재 예시

4. She hurt her thumb when the door closed. That is when she decided to be more careful.
   (A) So
   (B) And
   (C) That
   (D) There

해석 그녀는 문이 닫혔을 때 엄지손가락을 다쳤다. 그때가 그녀가 더욱 조심하기로 결심한 때이다.
(A) 그래서
(B) 그리고
(C) 그
(D) 유도부사 there

풀이 '그때가 (바로) ~ 한 시기이다'라는 뜻을 나타낼 때 'That is when S + V'라 표현하므로 (C)가 정답이다.

새겨 두기 'That is + 의문사' 표현은 자주 사용되므로 익혀둔다.
That is why ~ : 그것이 (바로) ~한 이유이다
That is because ~ : 그것은 (바로) ~하기 때문이다
That is where ~ : 그곳이 (바로) ~한 장소이다
That is when ~ : 그때가 (바로) ~한 시기이다

관련 문장 That is when they came up with a clever idea to create a new sport that not many people knew about.

1. 교사는 교사용 교재의 **해석**을 참고하여 문제와 선택지를 해석해준다.
2. **풀이**를 참고하여 정답 및 오답과 관련된 문법 사항을 설명한다.
3. 문제 풀이 시 문법 사항은 **새겨 두기**를 참고한다.
4. **관련 문장**으로 정답의 근거가 되는 부분을 지문에서 복습한다.

3 Part C. Practical Reading and Retelling
실용문 읽고 정보 파악하기

- 실용적 주제와 관련된 자료나 지문을 읽고 구체적인 내용을 파악하여 답하는 유형으로, 수능의 실용문 세부내용 파악 유형과 유사
- 실생활에서 자주 접할 수 있는 지문들을 통해 정보를 파악하고 이해하는 능력 평가

학생용 교재 예시

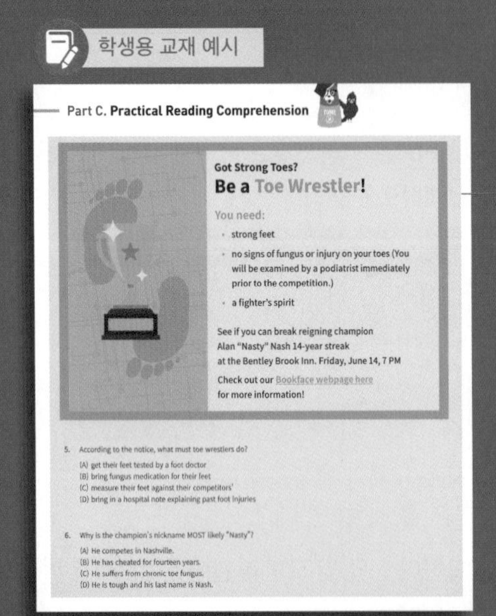
Part C. Practical Reading Comprehension

Got Strong Toes?
Be a Toe Wrestler!

You need:
- strong feet
- no signs of fungus or injury on your toes (You will be examined by a podiatrist immediately prior to the competition.)
- a fighter's spirit

See if you can break reigning champion Alan "Nasty" Nash 14-year streak at the Bentley Brook Inn. Friday, June 14, 7 PM

Check out our Bookface webpage here for more information!

5. According to the notice, what must toe wrestlers do?
   (A) get their feet tested by a foot doctor
   (B) bring fungus medication for their feet
   (C) measure their feet against their competitors'
   (D) bring in a hospital note explaining past foot injuries

6. Why is the champion's nickname MOST likely "Nasty"?
   (A) He competes in Nashville.
   (B) He has cheated for fourteen years.
   (C) He suffers from chronic toe fungus.
   (D) He is tough and his last name is Nash.

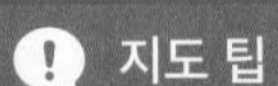

학생은 실용문의 종류를 파악한 뒤 지문 안에서 문제에 필요한 정보를 찾는다.

교사는 실용문의 종류에 따라 내용을 해석하는 방법을 지도한다.

예) • 그래프(가로·세로 막대, 원형 등): 최소 / 최대치 찾기
- 벤 다이어그램: 공통점 / 차이점, 포함 관계가 의미하는 내용
- 초대장: 일시 / 장소 / 대상 / 중심 내용 파악하기
- 광고: 제목 / 일시 / 장소 / 혜택 등의 단서 찾기

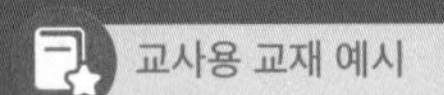

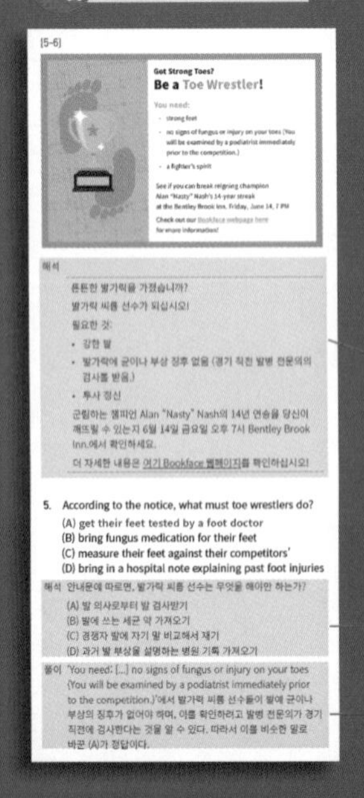
[5-6]

Got Strong Toes?
Be a Toe Wrestler!

You need:
- strong feet
- no signs of fungus or injury on your toes (You will be examined by a podiatrist immediately prior to the competition.)
- a fighter's spirit

See if you can break reigning champion Alan "Nasty" Nash's 14-year streak at the Bentley Brook Inn. Friday, June 14, 7 PM

Check out our Bookface webpage here for more information!

해석

튼튼한 발가락을 가졌습니까?
발가락 씨름 선수가 되십시오!
필요한 것:
- 강한 발
- 발가락에 균이나 부상 징후 없음 (경기 직전 발병 전문의의 검사를 받음.)
- 투사 정신

군림하는 챔피언 Alan "Nasty" Nash의 14년 연승을 당신이 깨뜨릴 수 있는지 6월 14일 금요일 오후 7시 Bentley Brook Inn.에서 확인하세요.
더 자세한 내용은 여기 Bookface 웹페이지를 확인하십시오!

5. According to the notice, what must toe wrestlers do?
   (A) get their feet tested by a foot doctor
   (B) bring fungus medication for their feet
   (C) measure their feet against their competitors'
   (D) bring in a hospital note explaining past foot injuries

해석 안내문에 따르면, 발가락 씨름 선수는 무엇을 해야만 하는가?
(A) 발 의사로부터 발 검사받기
(B) 발에 쓰는 세균 약 가져오기
(C) 경쟁자 발에 자기 발 비교해서 재기
(D) 과거 발 부상을 설명하는 병원 기록 가져오기

풀이 'You need: [...] no signs of fungus or injury on your toes (You will be examined by a podiatrist immediately prior to the competition.)'에서 발가락 씨름 선수들이 발에 균이나 부상의 징후가 없어야 하며, 이를 확인하려고 발병 전문의가 경기 직전에 검사한다는 것을 알 수 있다. 따라서 이를 비슷한 말로 바꾼 (A)가 정답이다.

1. 교사는 교사용 교재를 참고하여 문제와 선택지를 해석한다.
2. 풀이를 참고하여 실용문의 주제 / 목적 / 내용 등과 연계시켜 정답과 오답을 설명한다.

4 Part D. General Reading and Retelling
지문 읽고 내용 파악하기

- 교과나 학술적인 주제와 관련된 지문을 읽고 주제 / 내용을 파악하는 유형으로, 수능의 제목 찾기·일치 / 불일치·세부내용 파악 유형과 유사
- 지문의 주제 및 세부 내용을 파악하고 이해하는 능력 평가

학생용 교재 예시

Part D. **General Reading Comprehension**

Many have heard of or participated in arm wrestling or thumb wrestling, but what about toe wrestling? Every year hopeful world champions gather in the small English town of Fenny Bentley to see who is the best of the best at this little-known sport. But how did such a peculiar sport come to be?
Toe wrestling was started by four men who thought British people were not winning enough international championships. That is when they came up with a clever idea to create a new sport that not many people knew about. If the sport was unpopular, there would not be many contestants, and it would be easy for a British person to win.
In 1974, the group of men held the first "Toe Wrestling Championship." Indeed, a British person won that year, and the next year, too! However, their plan backfired when someone visiting from Canada won in 1976. After that, the competition was not held for many years, but is now growing in popularity, with tourists and media outlets traveling to see the event every year.

7. What is the passage mainly about?
(A) the rules of toe wrestling
(B) reasons why toe wrestling failed
(C) how toe wrestling was developed
(D) where toe wrestling can be watched

8. Which sport is NOT listed?
(A) toe wrestling
(B) ear wrestling
(C) arm wrestling
(D) thumb wrestling

9. What is mentioned about the Toe Wrestling Championship?
(A) It takes place in a small town.
(B) It often involves player injuries.
(C) Competitors play three rounds.
(D) Competitors must remove their shoes.

10. What does the underlined "their plan" refer to?
(A) the judges' idea to change the rules
(B) the winners' decision to share the prize
(C) the organizers' plan for a British person to win
(D) the competitors' strategy to change the contest rules

지도 팁

학생은 지문을 읽고 문제에 따라 중심 / 세부 내용을 파악한다.

교사는 문제 유형별로 접근 방법을 지도한다.

- 주제(제목, 요지) 찾기 유형: 첫 문장과 마지막 문장, 접속사 (Therefore, However, In short 등) 등을 활용한 주제문 찾기
- 세부 내용 파악 유형: 고유명사·숫자·접속사 등을 활용하여 지문의 내용을 단락별로 구분 지은 후 질문에서 요구하는 세부 내용 찾기
- 내용 일치 / 불일치 유형: 질문의 단서를 지문에서 찾은 뒤 선택지를 하나씩 지워나가기, 질문에서 요구하는 세부 정보를 먼저 파악한 뒤 지문 읽기

교사용 교재 예시

[7-10]

Many have heard of or participated in arm wrestling or thumb wrestling, but what about toe wrestling? Every year hopeful world champions gather in the small English town of Fenny Bentley to see who is the best of the best at this little-known sport. But how did such a peculiar sport come to be?
Toe wrestling was started by four men who thought British people were not winning enough international championships. That is when they came up with a clever idea to create a new sport that not many people knew about. If the sport was unpopular, there would not be many contestants and it would be easy for a British person to win.
In 1974, the group of men held the first "Toe Wrestling Championship." Indeed, a British person won that year and the next year, too! However, their plan backfired when someone visiting from Canada won in 1976. After that, the competition was not held for many years, but is now growing in popularity, with tourists and media outlets traveling to see the event every year.

해석
많은 이들이 팔씨름이나 엄지손가락 씨름에 대해 들어봤거나 참여했을 텐데, 그렇다면 발가락 씨름은 어떨까? 매년 희망에 찬 세계 챔피언들 이러한 거의 알려지지 않은 스포츠에서 누가 최고 중 최고인지 확인하려고 영국의 작은 마을인 Fenny Bentley에 모인다. 그런데 어떻게 이토록 별난 스포츠가 생겨났을까?
발가락 씨름은 영국인들이 국제 대회에서 충분히 우승하지 못하고 있다고 여겼던 네 사람에 의해 시작되었다. 그때가 바로 많은 사람이 알지 못하는 새로운 스포츠를 만들어내자는 기발한 생각을 그들이 떠올린 때였다. 스포츠가 인기가 없다면, 참가자들이 많이 없을 테고, 영국인이 우승하는 게 쉬울 것이었다.
1974년에, 그 남성 무리는 첫 "발가락 씨름 선수권 대회(Toe Wrestling Championship)"를 개최했다. 정말로, 영국인이 그해 우승했고 다음 해에도 그랬다! 하지만, 그들의 계획은 캐나다에서 방문한 누군가가 우승했을 때 역효과를 낳았다. 그 후로, 여러 해 동안 대회는 열리지 않았으나, 관광객들과 미디어 매체들이 매년 그 행사를 보려고 여행을 오는 등 이제 인기가 커지고 있다.

7. What is the passage mainly about?
(A) the rules of toe wrestling
(B) reasons why toe wrestling failed
(C) how toe wrestling was developed
(D) where toe wrestling can be watched

해석 지문은 주로 무엇에 관한 내용인가?
(A) 발가락 씨름 규칙
(B) 발가락 씨름이 실패한 원인
(C) 발가락 씨름이 어떻게 발전했는지
(D) 발가락 씨름을 어디서 볼 수 있는지

유형 전체 내용 파악

풀이 첫 번째 문단에서 'toe wrestling'이라는 중심 소재를 언급하고, 'But how did such a peculiar sport come to be?'에서 발가락 씨름의 유래라는 다음에 이어질 내용을 암시하고 있다. 두 번째 문단에서 누가 발가락 씨름 선수권 대회를 창립했고 그 이유는 무엇인지 설명하고, 세 번째 문단에서 씨름 선수권 대회의 성공과 인기에 관해 간략하게 서술하며 글을 마무리 짓고 있다. 따라서 이러한 전체 내용을 잘 반영한 (C)가 정답이다.

1. 교사는 교사용 교재를 참고하여 해당 문제의 유형을 파악한다.
2. 교사는 교사용 교재를 참고하여 지문을 해석 후 문제와 선택지를 해설한다.
3. 풀이를 참고하여 지문에서 정답과 오답의 근거를 찾아 설명한다.

Listening Practice

듣기 연습 (10분)

듣기 훈련을 통해 지문을 듣고 복습하는 시간

- 듣고 받아쓰기: 음원을 들으며 키워드 위주로 빈칸 채우기
- Listening Practice를 듣기 전 활동, 듣기 중 활동, 듣기 후 활동으로 단계별로 나누어 지도

학생용 교재 예시

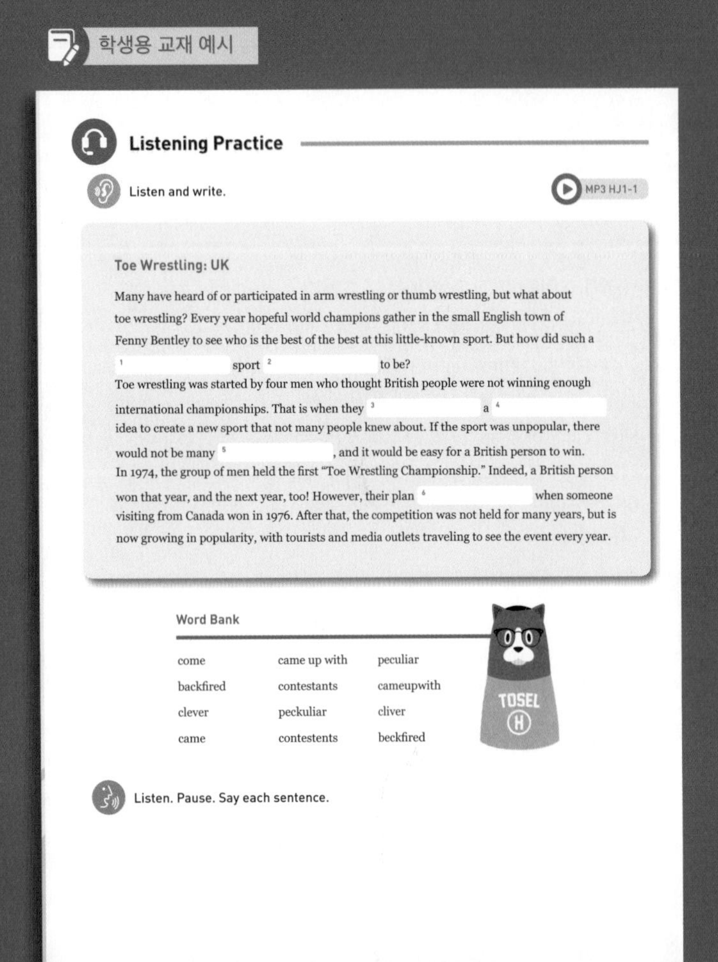

Listening Practice

Listen and write. MP3 HJ1-1

Toe Wrestling: UK

Many have heard of or participated in arm wrestling or thumb wrestling, but what about toe wrestling? Every year hopeful world champions gather in the small English town of Fenny Bentley to see who is the best of the best at this little-known sport. But how did such a [1] ________ sport [2] ________ to be?

Toe wrestling was started by four men who thought British people were not winning enough international championships. That is when they [3] ________ a [4] ________ idea to create a new sport that not many people knew about. If the sport was unpopular, there would not be many [5] ________, and it would be easy for a British person to win.

In 1974, the group of men held the first "Toe Wrestling Championship." Indeed, a British person won that year, and the next year, too! However, their plan [6] ________ when someone visiting from Canada won in 1976. After that, the competition was not held for many years, but is now growing in popularity, with tourists and media outlets traveling to see the event every year.

Word Bank

come	came up with	peculiar
backfired	contestants	cameupwith
clever	peckuliar	cliver
came	contestents	beckfired

Listen. Pause. Say each sentence.

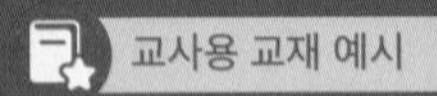

Listening Practice

HJ1-1 p.16

Many have heard of or participated in arm wrestling or thumb wrestling, but what about toe wrestling? Every year hopeful world champions gather in the small English town of Fenny Bentley to see who is the best of the best at this little-known sport. But how did such a <u>peculiar</u> sport <u>come</u> to be?

Toe wrestling was started by four men who thought British people were not winning enough international championships. That is when they <u>came up with</u> a <u>clever</u> idea to create a new sport that not many people knew about. If the sport was unpopular, there would not be many <u>contestants</u> and it would be easy for a British person to win.

In 1974, the group of men held the first "Toe Wrestling Championship." Indeed, a British person won that year and the next year, too! However, their plan <u>backfired</u> when someone visiting from Canada won in 1976. After that, the competition was not held for many years, but is now growing in popularity, with tourists and media outlets traveling to see the event every year.

1. peculiar
2. come
3. came up with
4. clever
5. contestants
6. backfired

1 듣기 전 활동

- 목표: 학생의 적극적인 참여 유도 및 듣기 이해도(listening comprehension)를 높인다.
- 예시: 지문과 관련된 배경 지식이나 주제를 간단히 설명

2 듣기 중 활동

 Dictation 음원을 들으면서 빈칸의 내용 받아쓰기

1. 음원을 1회 들려주고 전체적인 내용이나 주제를 파악하도록 하기
(음원에만 집중하도록 Word Bank는 가린다)
2. 두번째 음원 재생 시 빈칸의 단어나 어구의 철자에 유념하여 Word Bank에서 찾아 쓴다.
3. 빈칸의 정답 공개 후 학생이 쓴 내용 확인
4. 틀린 부분을 반복 청취함으로써 세부 내용 파악 연습
5. 마지막 음원 재생 시 빈칸을 처음부터 다시 채우게 하여 지문을 이해했는지 최종 점검 및 듣기 능력 향상 확인
(음원에만 집중하도록 Word Bank는 가린다)

Shadow Reading 듣고 바로 따라 읽기

듣기 / 말하기 영역 향상을 위해 음원을 들으며, 거의 동시에 한 문장씩 같이 읽기 또는 듣고 바로 따라하기

1. 억양, 발음, 속도, 강세, 리듬, 끊어 읽는 구간 등을 최대한 따라하기
2. 3~5번 정도 반복 훈련하기
3. 학생의 shadow reading 음성을 녹음하거나 모습을 동영상으로 촬영 후,
발음이나 억양, 속도, 강세 등에 대한 피드백 제공하기

3 듣기 후 활동

- 목표: 지문의 세부적인 내용을 이해하고 지문과 관련된 자신의 생각이나 의견을 발표할 수 있다.
- 예시: ① 제시된 빈칸 또는 추가적으로 빈칸을 만들어 음원을 듣지 않고 채워보기
② 지문의 내용을 요약하여 말해보기
③ 지문과 관련된 개인의 경험, 생각 등을 말하거나 써보기

Writing Practice

쓰기 연습 (10분)

Unit에서 익힌 단어를 글로 표현하는 시간

New Words 단어 쓰기

Unit을 마치기 전 New Words 숙지 여부를 철자 쓰기를 통해 확인

학생용 교재 예시

Write the words.

a 1 ________ n a person in a competition	2 ________ adj strange
3 ________ v start to exist	4 ________ v invent
5 ________ adj smart	6 ________ v have the opposite effect than the one you want

교사용 교재 예시

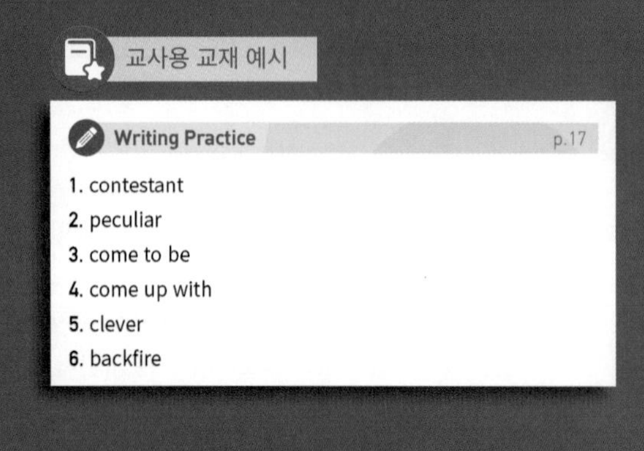
Writing Practice p.17

1. contestant
2. peculiar
3. come to be
4. come up with
5. clever
6. backfire

Summary

수능에 고정적으로 출제되는 유형으로 한 Unit에서 다룬 지문을 요약하는 훈련 및 내용 정리

※ Summary 문장의 빈칸을 채울 때 수, 시제, 능동 / 수동태 등 문법 요소가 문맥에 맞게 잘 지켜졌는지 확인하기

학생용 교재 예시

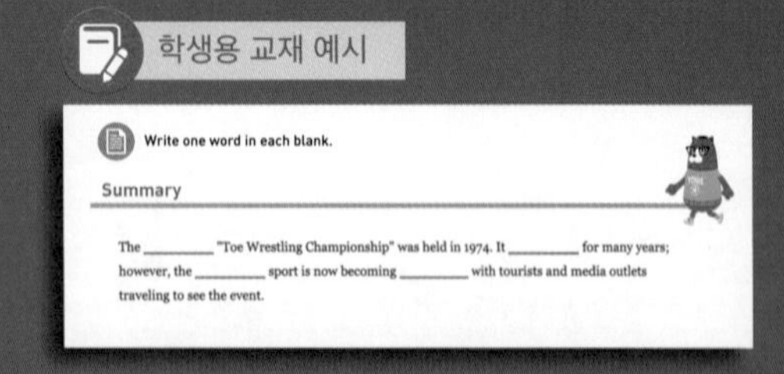
Write one word in each blank.

Summary

The ________ "Toe Wrestling Championship" was held in 1974. It ________ for many years; however, the ________ sport is now becoming ________ with tourists and media outlets traveling to see the event.

교사용 교재 예시

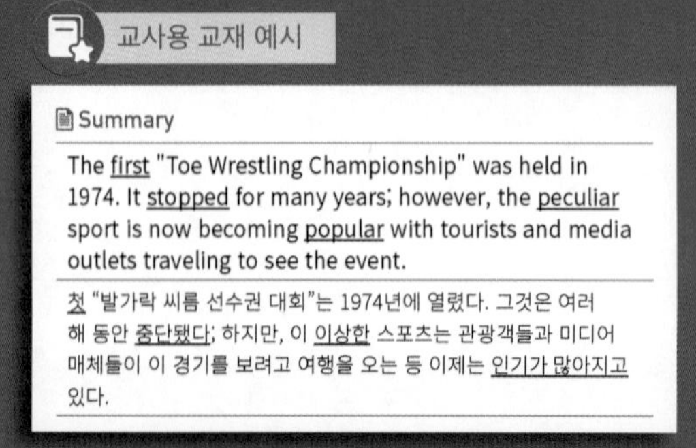
Summary

The first "Toe Wrestling Championship" was held in 1974. It stopped for many years; however, the peculiar sport is now becoming popular with tourists and media outlets traveling to see the event.

첫 "발가락 씨름 선수권 대회"는 1974년에 열렸다. 그것은 여러 해 동안 중단됐다; 하지만, 이 이상한 스포츠는 관광객들과 미디어 매체들이 이 경기를 보려고 여행을 오는 등 이제는 인기가 많아지고 있다.

Writing Practice 추가 활동

Writing Practice 추가 활동의 워크시트는 TOSEL 홈페이지(www.tosel.org) 자료실에서 다운로드 후 사용 가능

워크시트 예시

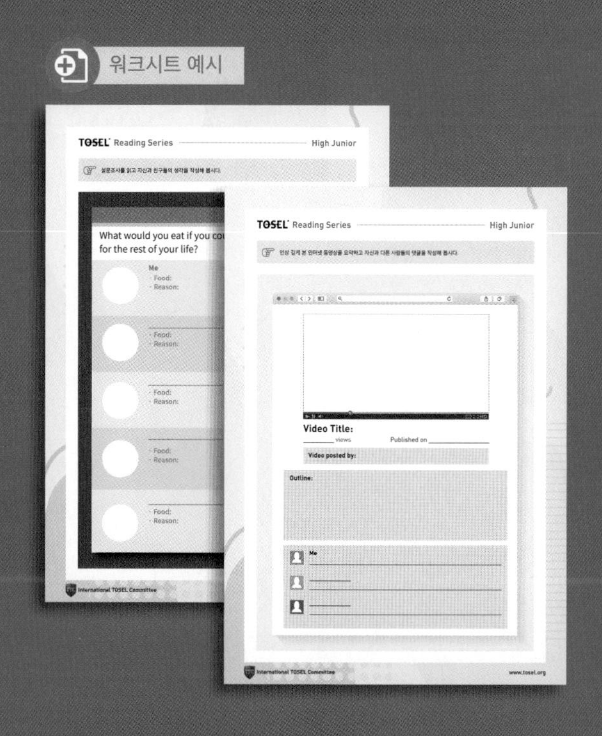

- 목표: 지문에 대한 개인의 생각이나 의견을 자유롭게 영어 표기법을 지켜 쓸 수 있다.
- 예시: ① 주제와 관련된 개인의 생각이나 의견을 다양한 서식(리포트, 이메일, 문자 등)에 내용 작성해보기
  ② 다른 사람의 영작문을 표기법(문장부호, 띄어쓰기, 소문자로 시작된 문장 고쳐쓰기, 철자 등)에 맞게 서로 고쳐주기

Word Puzzle

어휘 퍼즐 (5분)

Unit에서 학습한 단어들을 퍼즐 속에서 찾기

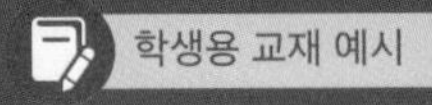

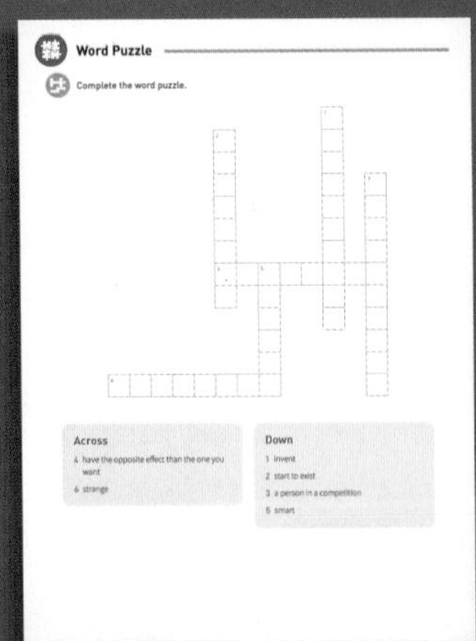

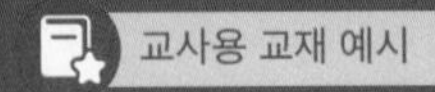

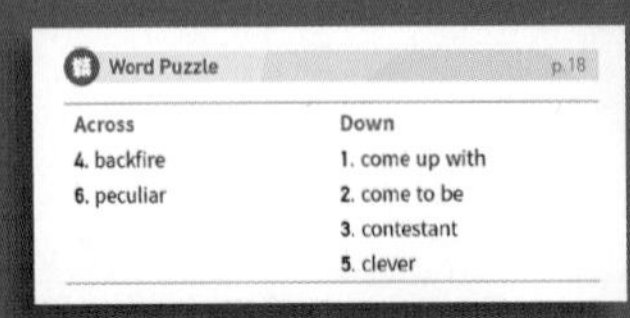

Word Puzzle p.18

Across	Down
4. backfire	1. come up with
6. peculiar	2. come to be
	3. contestant
	5. clever

영영 사전의 뜻을 활용하여 영어 노출 최대화

- 한정된 시간 내 퍼즐 풀기나 퍼즐을 가장 빨리 푸는 학생에게 선물주기 등의 활동을 더하여, 해당 Unit의 복습 및 동기 부여를 하며 수업을 마무리

Amazing Stories

학생들과 가볍게 Chapter를 마무리하는 시간

학생용 교재 예시

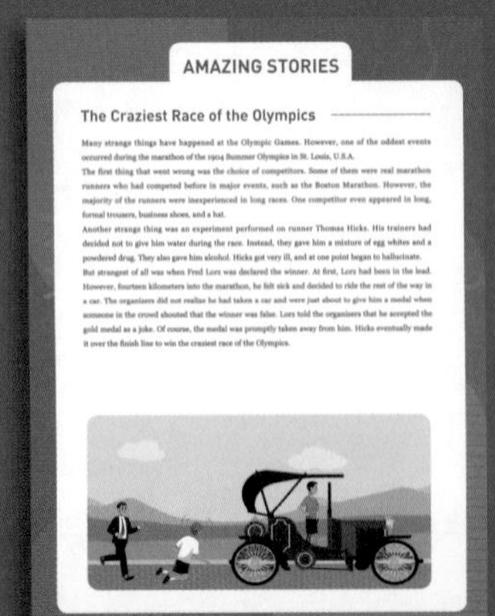

교사용 교재 예시

AMAZING STORIES p.111

The Craziest Race of the Olympics

Many strange things have happened at the Olympic Games. However, one of the oddest events occurred during the marathon of the 1904 Summer Olympics in St. Louis, U.S.A.

The first thing that went wrong was the choice of competitors. Some of them were real marathon runners who had competed before in major events, such as the Boston Marathon. However, the majority of the runners were inexperienced in long races. One competitor even appeared in long, formal trousers, business shoes, and a hat.

Another strange thing was an experiment performed on runner Thomas Hicks. His trainers had decided not to give him water during the race. Instead, they gave him a mixture of egg whites and a powdered drug. They also gave him alcohol. Hicks got very ill, and at one point began to hallucinate.

But strangest of all was when Fred Lorz was declared the winner. At first, Lorz had been in the lead. However, fourteen kilometers into the marathon, he felt sick and decided to ride the rest of the way in a car. The organizers did not realize he had taken a car and were just about to give him a medal when someone in the crowd shouted that the winner was false. Lorz told the organizers that he accepted the gold medal as a joke. Of course, the medal was promptly taken away from him. Hicks eventually made it over the finish line to win the craziest race of the Olympics.

세계적인 미스테리, 기이한 이야기, 기발한 발명품 등의 흥미로운 이야기 수록

- Chapter를 재미있게 마무리하기 위한 독해 지문 / 활동
- 4개 Unit 완료 시 자유롭게 활용 가능, 교사용 교재에 해석 제공

오답노트

취약 부분 점검 (10분)

채점 후 오답노트 작성

Unit을 마친 뒤 학습자 스스로 틀린 문제를 적게 함으로써 해당 학습 내용에 대한 이해 여부와 취약점 등을 파악, 정리

- 한 Chapter가 끝나면 오답노트에 기록한 문제들을 모아 프린트 후 다시 풀어보게 하기
- TOSEL 홈페이지(www.tosel.org) 자료실에서 다운로드 후 사용 또는 오답노트 구매

오답노트 작성 예시

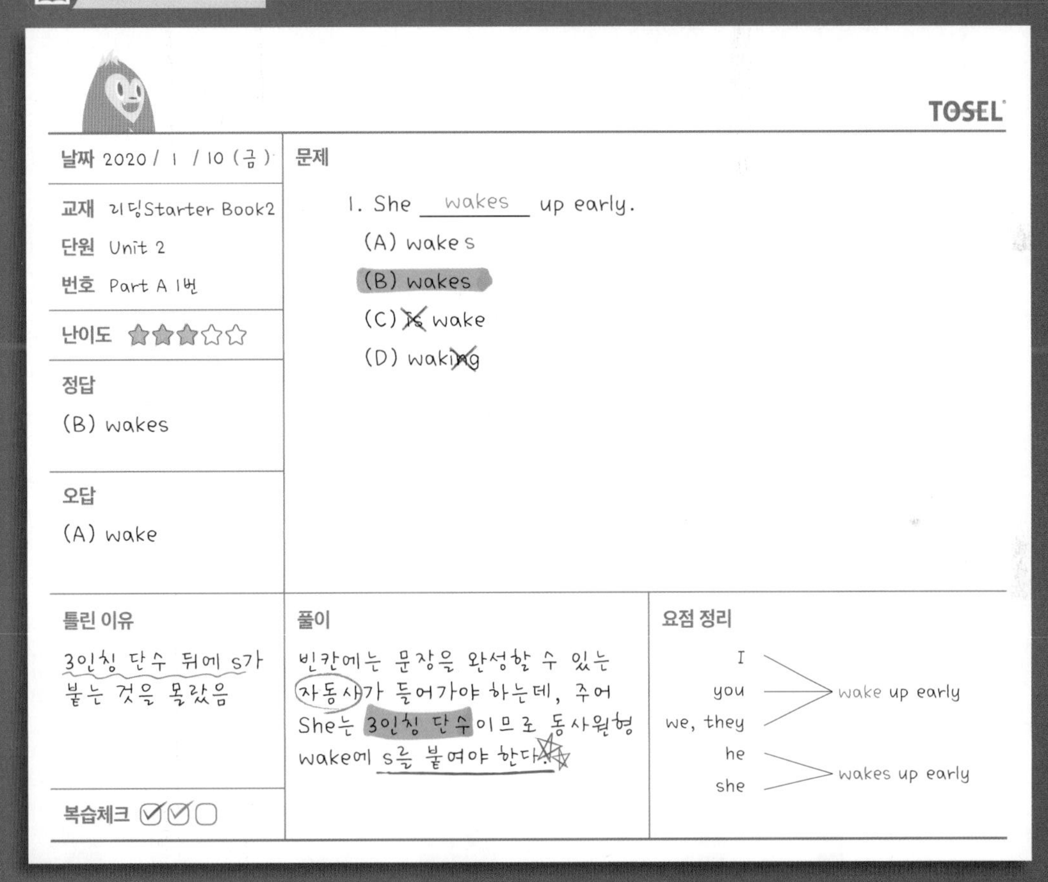

오답노트 활용법

1. 오답노트에 학습 날짜, Reading Series 책 번호, Unit, 틀린 번호를 적는다.
2. 자신이 느끼는 난이도를 표시한다.
3. 정답 및 내가 쓴 답(오답)을 적는다.
4. 문제란에 틀린 문제와 틀린 이유, 풀이를 적는다.
5. 요점 정리로 해당 문제를 마무리하며, 복습을 할 때마다 복습 체크란에 표시한다.

Voca Syllabus

Prestarter

Book	N.S	T.N.W	T.N.U.W
1	138	667	270
2	137	661	274
3	144	700	292

Starter

Book	N.S	T.N.W	T.N.U.W
1	269	1446	456
2	279	1560	409
3	279	1489	428

Basic

Book	N.S	T.N.W	T.N.U.W
1	333	2469	695
2	333	2528	710
3	340	2662	730

Junior

Book	N.S	T.N.W	T.N.U.W
1	289	3012	974
2	263	2985	985
3	232	3206	994

High Junior

Book	N.S	T.N.W	T.N.U.W
1	219	3432	1195
2	223	3522	1145
3	288	4170	1339

- N.S: Number of Sentences, 교재에 사용된 전체 문장 수
- T.N.W: Total Number of Words, 교재에 사용된 전체 단어 수 (중복 포함)
- T.N.U.W: Total Number of Unique Words, 교재에 사용된 전체 단어 수 (중복 미포함)

Reading Series는 각 레벨별 3권, 총 15권의 본교재와 5권의 교사용 교재로 이루어져 있으며, 학생의 수준에 맞는 난이도의 교재를 선택해 학습을 진행하실 수 있습니다. Prestarter 레벨부터 High Junior 레벨까지의 리딩시리즈 교재를 통해 총 3,766개의 문장과 10,866개의 단어를 학습하실 수 있습니다.

TOSEL vs 수학능력시험

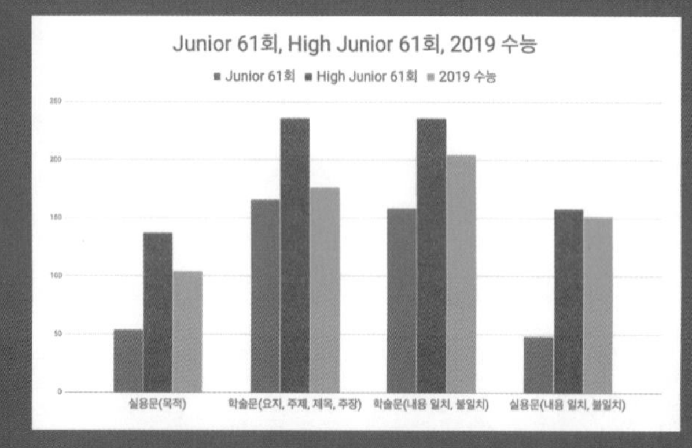

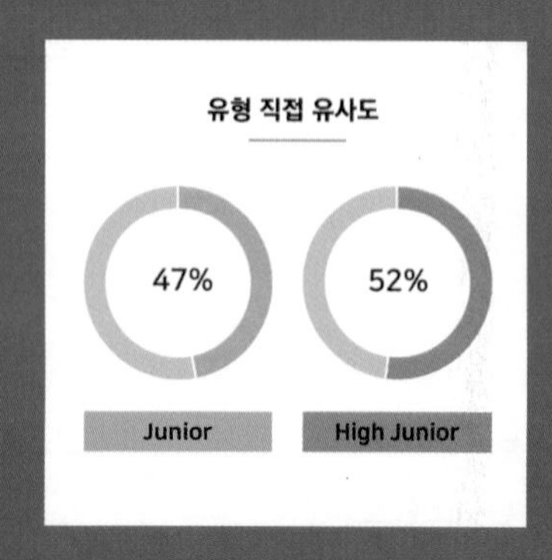

평균적으로 수학 능력 시험 (CSAT) 영어 과목 1등급을 받기 위해 요구되는 단어의 수는 5,000개 이상입니다. TOSEL Reading Series 교재를 통해 학습할 수 있는 단어의 수는 총 10,866개로, 이는 수학 능력 시험을 대비하기에 충분한 숫자입니다. Prestarter, Starter, Basic, Junior, High Junior 레벨의 TOSEL 문항은 각급 학교 내신 시험 및 수학 능력 시험과 높은 문항 일치율을 보인다는 점에서 내신 1등급과 수학 능력 시험 1등급이라는 결과를 동시에 기대할 수 있습니다.

TOSEL® Reading
High Junior Book 1

TOSEL
H

High Junior Book 1

ANSWERS

CHAPTER 1 | Competitions 1

p.10

UNIT 1
HJ1-1
p.11

1 (B) 2 (B) 3 (B) 4 (C) 5 (A) 6 (D) 7 (C) 8 (B) 9 (A) 10 (C)

1 peculiar 2 come to be 3 came up with 4 clever 5 contestants 6 backfired

1 contestant 2 peculiar 3 come to be 4 come up with 5 clever 6 backfire

first, stopped, peculiar, popular

→ 4 backfire 6 peculiar ↓ 1 come up with 2 come to be 3 contestant 5 clever

UNIT 2
HJ1-2
p.19

1 (A) 2 (D) 3 (C) 4 (C) 5 (D) 6 (C) 7 (A) 8 (D) 9 (B) 10 (B)

1 mental 2 Dutch 3 alternating 4 categories 5 certified 6 exhausting

1 mental 2 Dutch 3 alternating 4 category 5 certified 6 exhausting

mental, combined, worldwide, certified

→ 2 Dutch 6 alternating ↓ 1 exhausting 3 certified 4 mental 5 category

UNIT 3
HJ1-3
p.27

1 (D) 2 (C) 3 (C) 4 (A) 5 (D) 6 (B) 7 (B) 8 (D) 9 (C) 10 (C)

1 matter 2 mastered 3 memorized 4 shuffled 5 keep track of 6 countless

1 memorize 2 in a matter of minutes 3 master 4 shuffled 5 keep track of 6 countless

Competitors, mastered, memorization, keep track of

→ 2 in a matter of minutes 4 memorize 5 shuffled ↓ 1 keep track of 3 countless 4 master

UNIT 4
HJ1-4
p.35

1 (D) 2 (A) 3 (C) 4 (D) 5 (B) 6 (A) 7 (C) 8 (A) 9 (C) 10 (C)

1 puns 2 jokes 3 crown 4 word play 5 complicated 6 judges

1 pun 2 joke 3 crown 4 word play 5 complicated 6 judge

statements, humor, clever, crown

→ 2 word play 5 crown 6 judge ↓ 1 complicated 3 pun 4 joke

CHAPTER 2 | Competitions 2

p.44

UNIT 5
HJ1-5
p.45

1 (C) 2 (C) 3 (C) 4 (C) 5 (C) 6 (C) 7 (B) 8 (D) 9 (C) 10 (C)

1 pretending 2 invisible 3 acoustic 4 miming 5 taken on 6 promote

1 pretend 2 invisible 3 acoustic 4 mime 5 take on 6 promote

annual, performance, sideshow, promote

→ 4 pretend 5 mime ↓ 1 invisible 2 take on 3 acoustic 4 promote

UNIT 6
HJ1-6
p.53

1 (A) 2 (C) 3 (A) 4 (B) 5 (A) 6 (C) 7 (A) 8 (D) 9 (C) 10 (A)

1 Televised 2 Nonetheless 3 apparent 4 infamously 5 acceptance 6 naked

1 televised 2 nonetheless 3 apparent 4 infamously 5 acceptance speech 6 naked

Infamously, mispronounced, announced, naked

→ 2 nonetheless 5 televised 6 naked ↓ 1 infamously 3 acceptance speech 4 apparent

UNIT 7
HJ1-7
p.61

1 (B) 2 (A) 3 (D) 4 (C) 5 (B) 6 (D) 7 (B) 8 (D) 9 (B) 10 (B)

1 ironing 2 press 3 suspended 4 glacier 5 precautions 6 chores

1 iron 2 press 3 glacier 4 suspended 5 precaution 6 chore

conditions, spectators, adventurous, household

→ 3 precaution 6 press ↓ 1 glacier 2 suspended 4 chore 5 iron

UNIT 8
HJ1-8
p.69

1 (D) 2 (B) 3 (C) 4 (B) 5 (B) 6 (C) 7 (D) 8 (B) 9 (A) 10 (C)

1 belly button 2 authorities 3 transform 4 props 5 enthusiasm 6 humble

1 belly button 2 authority 3 transform 4 prop 5 enthusiasm 6 humble

belly button, transform, props, prizes

→ 3 belly button 6 authority ↓ 1 humble 2 prop 4 enthusiasm 5 transform

CHAPTER 3 | Competitions 3

p.78

UNIT 9
HJ1-9
p.79

1 (C) 2 (A) 3 (D) 4 (A) 5 (B) 6 (B) 7 (B) 8 (A) 9 (C) 10 (B)

1 make 2 ugliest 3 similarities 4 sour 5 jutting 6 gross

1 ugly 2 make a face 3 similarity 4 sour 5 jut out 6 gross

both, contestants, face, differences

→ 1 gross 3 make a face 4 sour 5 jut out ↓ 2 similarity 6 ugly

UNIT 10
HJ1-10
p.87

1 (A) 2 (C) 3 (A) 4 (C) 5 (B) 6 (C) 7 (C) 8 (C) 9 (D) 10 (D)

1 go off 2 drive the fish 3 shallow 4 practice 5 reinstated 6 heritage

1 a gun goes off 2 drive 3 shallow 4 practice 5 reinstate 6 heritage

aim, traditional, recognized, heritage

→ 1 shallow 3 practice 5 reinstate 6 a gun goes off ↓ 2 heritage 4 drive to

UNIT 11
HJ1-11
p.95

1 (D) 2 (C) 3 (B) 4 (B) 5 (D) 6 (A) 7 (B) 8 (D) 9 (B) 10 (D)

1 influx 2 spar 3 show off 4 agility 5 sleds 6 reindeer

1 influx of 2 spar 3 show off 4 agility 5 sled 6 reindeer

dressed, show off, endurance, resort

→ 2 show off 3 reindeer 5 agility ↓ 1 spar 2 sled 4 influx of

UNIT 12
HJ1-12
p.103

1 (D) 2 (B) 3 (C) 4 (A) 5 (B) 6 (B) 7 (C) 8 (B) 9 (C) 10 (A)

1 Beware 2 ancestors 3 flesh 4 intensity 5 delicacy 6 glory

1 beware 2 ancestor 3 flesh 4 intensity 5 delicacy 6 glory

hottest, gather, blazing, delicacy

→ 4 delicacy 5 flesh 6 ancestor ↓ 1 glory 2 intensity 3 beware

Chapter 1. Competitions 1

Unit 1 | Toe Wrestling: UK p.11

Part A. Picture Description p.13

1 (B) 2 (B)

Part B. Sentence Completion p.13

3 (B) 4 (C)

Part C. Practical Reading Comprehension p.14

5 (A) 6 (D)

Part D. General Reading Comprehension p.15

7 (C) 8 (B) 9 (A) 10 (C)

Listening Practice p.16

1 peculiar 2 come to be
3 came up with 4 clever
5 contestants 6 backfired

Writing Practice p.17

1 contestant 2 peculiar
3 come to be 4 come up with
5 clever 6 backfire

Summary first, stopped, peculiar, popular

Word Puzzle p.18

Across
4 backfire 6 peculiar

Down
1 come up with 2 come to be
3 contestant 5 clever

Pre-reading Questions p.11

Have you ever heard of toe wrestling?

Do you think your toes are strong enough for wrestling?

발가락 씨름에 대해 들어봤나요?

당신의 발가락이 씨름을 할 정도로 충분히 강하다고 생각하나요?

Reading Passage p.12

Toe Wrestling: UK

Many have heard of or participated in arm wrestling or thumb wrestling, but what about toe wrestling? Every year hopeful world champions gather in the small English town of Fenny Bentley to see who is the best of the best at this little-known sport. But how did such a peculiar sport come to be?

Toe wrestling was started by four men who thought British people were not winning enough international championships. That is when they came up with a clever idea to create a new sport that not many people knew about. If the sport was unpopular, there would not be many contestants, and it would be easy for a British person to win.

In 1974, the group of men held the first "Toe Wrestling Championship." Indeed, a British person won that year and the next year, too! However, their plan backfired when someone visiting from Canada won in 1976. After that, the competition was not held for many years, but is now growing in popularity, with tourists and media outlets traveling to see the event every year.

발가락 씨름: 영국

많은 이들이 팔씨름이나 엄지손가락 씨름에 대해 들어봤거나 참여했을 것이다. 하지만 발가락 씨름은 어떨까? 매년 희망에 찬 세계 챔피언들이 거의 알려지지 않은 스포츠에서 누가 최고 중 최고인지 확인하려고 영국의 작은 마을인 Fenny Bentley에 모인다. 그런데 어떻게 이토록 별난 스포츠가 생겨났을까?

발가락 씨름은 영국인들이 국제 대회에서 충분히 우승하지 못하고 있다고 여겼던 네 사람에 의해 시작되었다. 그때가 바로 많은 사람이 알지 못하는 새로운 스포츠를 만들어내자는 기발한 생각을 그들이 떠올린 때였다. 스포츠가 인기가 없다면, 참가자들이 많이 없을 테고, 영국인이 우승하는 게 쉬울 것이었다.

1974년에, 이 남성 무리는 첫 "발가락 씨름 선수권 대회(Toe Wrestling Championship)"를 개최했다. 정말로, 영국인이 그해 우승했고 다음 해에도 그랬다! 하지만, 그들의 계획은 캐나다에서 방문한 누군가가 우승했을 때 역효과를 낳았다. 그 후로, 여러 해 동안 대회는 열리지 않았으나, 관광객들과 미디어 매체들이 매년 그 행사를 보려고 여행을 오면서 이제 인기가 많아지고 있다.

어휘 participate in ~에 참가하다 | gather 모이다 | little-known 거의 알려지지 않은 | peculiar 이상한[기이한]; 독특한 | championship 선수권 대회, 챔피언전 | come up with ~을 생각해내다 | contestant 참가자 | hold 주최하다 | backfire 역효과를 낳다 | media outlet (신문, 방송 따위의) 매스컴, 대중매체 | discover 깨닫다, 알게 되다; 발견하다, 찾아내다 | careful 조심하는, 주의 깊은 | draw 뽑다, 추첨하다, (제비뽑기 추첨으로) 정하다 | silly 어리석은 | clever 기발한, 재치있는 | ridiculous 터무니없는, 말도 안 되는 | take place 개최되다[일어나다] | involve ~을 수반[포함]하다, ~와 관련되다 | round 한 차례, (스포츠 대회에서) 라운드 | remove 치우다; 없애다, 제거하다 | judge 심판, 심사위원; 심사하다, 판단하다 | share 나누다, 공유하다 | strategy 전략 | fungus 균류, 곰팡이류 | injury 부상, 상처[피해] | examine 검사[진찰]하다; 조사[검토]하다 | podiatrist 발병 전문의 | immediately 즉시 | prior to ~에 앞서, 먼저 | reigning 군림하는 | nasty 위험한, 험악한; 못된 | streak 연속; 줄, 줄무늬, 선 | inn (숙박이 가능한) 주막, 여관, 퍼브(pub) | test 검사[테스트]를 하다; 검사[테스트] | medication 약[약물] | measure 측정하다, 재다 | cheat 부정행위 하다; 속이다, 사기 치다 | chronic (병이) 만성적인 | tough 강인한 | organizer 조직자, 주최자

Comprehension Questions p.13

1. They decided to <u>arm wrestle</u> to choose the new leader.
   (A) take a vote
   (B) arm wrestle
   (C) draw names
   (D) play rock-paper-scissors

해석 그들은 새 지도자를 선택하기 위해 <u>팔씨름</u>을 하기로 했다.
(A) 투표하다
(B) 팔씨름하다
(C) 이름 뽑다
(D) 가위바위보하다

풀이 두 사람이 손을 마주잡고 팔씨름을 하고 있으므로 (B)가 정답이다.

관련 문장 Many have heard of or participated in arm wrestling or thumb wrestling, but what about toe wrestling?

2. They thought Daveed's idea was quite <u>clever</u>.
   (A) silly
   (B) clever
   (C) peculiar
   (D) ridiculous

해석 그들은 Daveed의 아이디어가 아주 <u>기발하다고</u> 생각했다.
(A) 어리석은
(B) 기발한
(C) 이상한
(D) 터무니없는

풀이 남자의 아이디어에 동료들이 손뼉을 치거나 엄지를 치켜세우고 있다. 따라서 남자의 아이디어가 기발하다고 하는 것이 그림과 가장 어울리므로 (B)가 정답이다.

관련 문장 That is when they came up with a clever idea to create a new sport that not many people knew about.

3. We had never heard <u>of</u> the town before our trip, but we discovered we loved it!
   (A) in
   (B) of
   (C) at
   (D) to

해석 우리는 여행을 가기 전에 그 동네<u>에 관해</u> 들어본 적이 전혀 없었지만, 우리가 그곳을 아주 좋아한다는 것을 알게 됐다!
(A) ~ 안에
(B) ~의
(C) ~에서
(D) ~로

풀이 '~에 대해 듣다'라는 뜻을 나타낼 때 동사 'hear'과 전치사 'of'를 사용하여 'hear of ~'라 표현하므로 (B)가 정답이다.

관련 문장 Many have heard of or participated in arm wrestling or thumb wrestling, but what about toe wrestling?

4. She hurt her thumb when the door closed. That is when she decided to be more careful.

(A) So
(B) And
(C) That
(D) There

해석 그녀는 문이 닫혔을 때 엄지손가락을 다쳤다. 그때가 그녀가 더욱 조심하기로 결심한 시기이다.

(A) 그래서
(B) 그리고
(C) 그
(D) 유도부사 there

풀이 '그때가 (바로) ~ 한 시기이다'라는 뜻을 나타낼 때 'That is when ~'이라 표현하므로 (C)가 정답이다.

새겨 두기 'That is + 의문사 + 절' 표현은 자주 사용되므로 익혀둔다.
That is why ~ : 그것이 (바로) ~한 이유이다
That is because ~ : 그것은 (바로) ~하기 때문이다
That is where ~ : 그곳이 (바로) ~한 장소이다
That is when ~ : 그때가 (바로) ~한 시기이다

관련 문장 That is when they came up with a clever idea to create a new sport that not many people knew about.

[5-6]

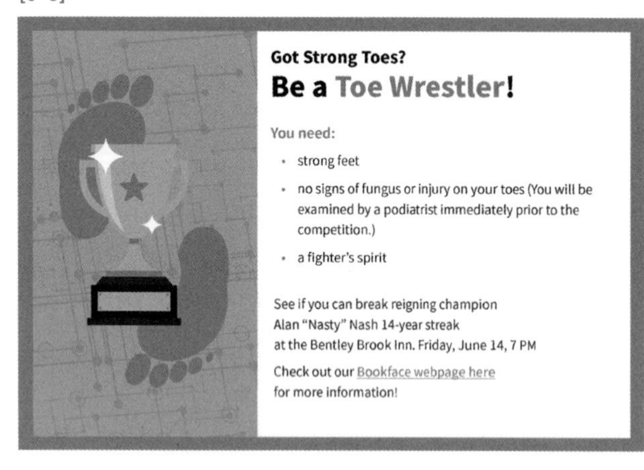

해석

튼튼한 발가락을 가졌습니까?

발가락 씨름 선수가 되십시오!

필요한 것:

- 튼튼한 발
- 발가락에 균이나 부상 징후 없음 (경기 직전 발병 전문의의 검사를 받게 됨.)
- 투사 정신

군림하는 챔피언 Alan "Nasty" Nash의 14년 연승을 당신이 깨뜨릴 수 있는지 6월 14일 금요일 오후 7시 Bentley Brook Inn.에서 확인하세요.

더 자세한 내용은 여기 Bookface 웹페이지를 확인하십시오!

5. According to the notice, what must toe wrestlers do?

(A) get their feet tested by a foot doctor
(B) bring fungus medication for their feet
(C) measure their feet against their competitors'
(D) bring in a hospital note explaining past foot injuries

해석 안내문에 따르면, 발가락 씨름 선수는 무엇을 해야만 하는가?

(A) 발 의사로부터 발 검사받기
(B) 발에 쓰는 세균 약 가져오기
(C) 경쟁자 발에 자기 발을 재어 보기
(D) 과거 발 부상을 설명하는 병원 기록 가져오기

풀이 'You need: [...] no signs of fungus or injury on your toes (You will be examined by a podiatrist immediately prior to the competition.)'에서 발가락 씨름 선수들이 발에 균이나 부상의 징후가 없어야 하고, 이를 확인하려고 발병 전문의가 경기 직전에 검사한다는 것을 알 수 있다. 따라서 (A)가 정답이다.

새겨 두기 안내문의 'podiatrist'(발병 전문의)가 선택지에서 'foot doctor'로 다르게 표현되었다는 점에 유의한다.

6. Why is the champion's nickname most likely "Nasty"?

(A) He competes in Nashville.
(B) He has cheated for fourteen years.
(C) He suffers from chronic toe fungus.
(D) He is tough and his last name is Nash.

해석 챔피언의 별칭이 "Nasty"인 까닭으로 가장 적절한 것은 무엇인가?

(A) 내슈빌에서 경기한다.
(B) 14년 동안 부정행위를 했다.
(C) 만성 발가락 균을 앓고 있다.
(D) 강인하고 그의 성이 Nash이다.

풀이 'nasty'란 단어 자체는 '위험한, 험악한'이란 뜻을 나타내고, 그의 성 'Nash'와 발음이 비슷하다. 또한 'reigning champion', '14-year streak'에서 Alan "Nasty" Nash가 14년 연속 군림하는 발가락 씨름 챔피언이라는 사실을 알 수 있다. 따라서 그가 강인하고 터프한 선수이며 그의 성 'Nash'와 발음이 비슷한 점을 이용하여 'Nasty'란 별칭을 붙였다는 것을 알 수 있으므로 (D)가 정답이다.

[7-10]

Many have heard of or participated in arm wrestling or thumb wrestling, but what about toe wrestling? Every year hopeful world champions gather in the small English town of Fenny Bentley to see who is the best of the best at this little-known sport. But how did such a peculiar sport come to be?

Toe wrestling was started by four men who thought British people were not winning enough international championships. That is when they came up with a clever idea to create a new sport that not many people knew about. If the sport was unpopular, there would not be many contestants, and it would be easy for a British person to win.

In 1974, the group of men held the first "Toe Wrestling Championship." Indeed, a British person won that year and the next year, too! However, <u>their plan</u> backfired when someone visiting from Canada won in 1976. After that, the competition was not held for many years, but is now growing in popularity, with tourists and media outlets traveling to see the event every year.

해석

많은 이들이 팔씨름이나 엄지손가락 씨름에 대해 들어봤거나 참여했을 것이다. 하지만 발가락 씨름은 어떨까? 매년 희망에 찬 세계 챔피언들이 거의 알려지지 않은 스포츠에서 누가 최고 중 최고인지 확인하려고 영국의 작은 마을인 Fenny Bentley에 모인다. 그런데 어떻게 이토록 별난 스포츠가 생겨났을까?

발가락 씨름은 영국인들이 국제 대회에서 충분히 우승하지 못하고 있다고 여겼던 네 사람에 의해 시작되었다. 그때가 바로 많은 사람이 알지 못하는 새로운 스포츠를 만들어내자는 기발한 생각을 그들이 떠올린 때였다. 스포츠가 인기가 없다면, 참가자들이 많이 없을 테고, 영국인이 우승하는 게 쉬울 것이었다.

1974년에, 이 남성 무리는 첫 "발가락 씨름 선수권 대회(Toe Wrestling Championship)"를 개최했다. 정말로, 영국인이 그해 우승했고 다음 해에도 그랬다! 하지만, <u>그들의 계획</u>은 캐나다에서 방문한 누군가가 우승했을 때 역효과를 낳았다. 그 후로, 여러 해 동안 대회는 열리지 않았으나, 관광객들과 미디어 매체들이 매년 그 행사를 보려고 여행을 오면서 이제 인기가 많아지고 있다.

7. What is the passage mainly about?

(A) the rules of toe wrestling
(B) reasons why toe wrestling failed
(C) how toe wrestling was developed
(D) where toe wrestling can be watched

해석 지문은 주로 무엇에 관한 내용인가?

(A) 발가락 씨름 규칙
(B) 발가락 씨름이 실패한 원인
(C) 발가락 씨름이 어떻게 발전했는지
(D) 발가락 씨름을 어디서 볼 수 있는지

유형 전체 내용 파악

풀이 첫 번째 문단에서 'toe wrestling'이라는 중심 소재를 언급하고, 'But how did such a peculiar sport come to be?'에서 발가락 씨름의 유래라는 다음에 이어질 내용을 암시하고 있다. 이어서 두 번째 문단에서 발가락 씨름 선수권 대회 창립자와 창립 배경, 세 번째 문단에서 씨름 선수권 대회의 성공과 인기에 대해 설명하고 있으므로 (C)가 정답이다.

8. Which sport is NOT listed?

(A) toe wrestling
(B) ear wrestling
(C) arm wrestling
(D) thumb wrestling

해석 다음 중 어떤 스포츠가 나열되지 않았는가?

(A) 발가락 씨름
(B) 귀 씨름
(C) 팔씨름
(D) 엄지손가락 씨름

유형 세부 내용 파악

풀이 지문에서 귀 씨름은 언급되지 않았으므로 (B)가 정답이다. 나머지 선택지의 경우, 첫 문장 'Many have heard of or participated in arm wrestling or thumb wrestling, but what about toe wrestling?'에서 언급되었으므로 오답이다.

9. What is mentioned about the Toe Wrestling Championship?

(A) It takes place in a small town.
(B) It often involves player injuries.
(C) Competitors play three rounds.
(D) Competitors must remove their shoes.

해석 발가락 씨름 선수권 대회에 관해 언급된 내용은 무엇인가?

(A) 작은 동네에서 열린다.
(B) 종종 선수 부상을 동반한다.
(C) 경쟁자들은 3라운드를 경기한다.
(D) 경쟁자들은 신발을 벗어야만 한다.

유형 세부 내용 파악

풀이 'Every year hopeful world champions gather in the small English town of Fenny Bentley to see who is the best of the best at this little-known sport.'에서 매년 사람들이 영국의 작은 동네에 발가락 씨름 대회를 보러 온다고 했으므로 (A)가 정답이다. 해당 문장에서 'this little-known sport'는 앞 문장의 'toe wrestling'을 가리키고 있다는 점에 유의한다.

10. What does the underlined "their plan" refer to?

(A) the judges' idea to change the rules
(B) the winners' decision to share the prize
(C) the organizers' plan for a British person to win
(D) the competitors' strategy to change the contest rules

해석 밑줄 친 "그들의 계획"이 가리키는 것은 무엇인가?

(A) 규칙을 바꾸려는 심판의 생각
(B) 상을 나누려는 우승자들의 결정
(C) 영국인이 우승하도록 하려는 창립자들의 계획
(D) 대회 규칙을 바꾸려는 경쟁자들의 전략

유형 세부 내용 파악 & 추론하기

풀이 캐나다 사람이 우승하면서 '그들의 계획'(their plan)이 역효과를 낳았다고 하였다. '그들의 계획'은 두 번째 문단을 통해 영국인들이 더 많이 국제 대회에서 우승하게 하려고 발가락 씨름 대회를 만들었다는 창립자들의 계획을 의미함을 알 수 있다. 이는 세 번째 문단의 'Indeed, a British person won that year and the next year, too!'에서도 확인할 수 있다. 따라서 '그들의 계획'은 영국인이 우승하도록 하려는 대회 창립자들의 계획이므로 (C)가 정답이다. 두 번째 문단의 'four men', 세 번째 문단의 'the group of men'과 'their'는 모두 발가락 씨름 선수권 대회를 만든 네 명의 창립자를 가리킨다는 점에 유의한다.

Listening Practice HJ1-1 p.16

Many have heard of or participated in arm wrestling or thumb wrestling, but what about toe wrestling? Every year hopeful world champions gather in the small English town of Fenny Bentley to see who is the best of the best at this little-known sport. But how did such a <u>peculiar</u> sport <u>come to be</u>?

Toe wrestling was started by four men who thought British people were not winning enough international championships. That is when they <u>came up with</u> a <u>clever</u> idea to create a new sport that not many people knew about. If the sport was unpopular, there would not be many <u>contestants</u>, and it would be easy for a British person to win.

In 1974, the group of men held the first "Toe Wrestling Championship." Indeed, a British person won that year and the next year, too! However, their plan <u>backfired</u> when someone visiting from Canada won in 1976. After that, the competition was not held for many years, but is now growing in popularity, with tourists and media outlets traveling to see the event every year.

1. peculiar
2. come to be
3. came up with
4. clever
5. contestants
6. backfired

 Writing Practice p.17

1. contestant
2. peculiar
3. come to be
4. come up with
5. clever
6. backfire

Summary

The <u>first</u> "Toe Wrestling Championship" was held in 1974. It <u>stopped</u> for many years; however, the <u>peculiar</u> sport is now becoming <u>popular</u> with tourists and media outlets traveling to see the event.

<u>첫</u> "발가락 씨름 선수권 대회"는 1974년에 열렸다. 그것은 여러 해 동안 <u>중단됐다</u>; 하지만, 이 <u>특이한</u> 스포츠는 관광객들과 미디어 매체들이 이 경기를 보려고 여행을 오면서 이제는 <u>인기가 많아지고</u> 있다.

Word Puzzle p.18

Across	Down
4. backfire	1. come up with
6. peculiar	2. come to be
	3. contestant
	5. clever

Unit 2 | Chessboxing p.19

Part A. Picture Description p.21

1 (A) 2 (D)

Part B. Sentence Completion p.21

3 (C) 4 (C)

Part C. Practical Reading Comprehension p.22

5 (D) 6 (C)

Part D. General Reading Comprehension p.23

7 (A) 8 (D) 9 (B) 10 (B)

Listening Practice p.24

1 mental	2 Dutch
3 alternating	4 categories
5 certified	6 exhausting

Writing Practice p.25

1 mental	2 Dutch
3 alternating	4 category
5 certified	6 exhausting

Summary **mental, combined, worldwide, certified**

Word Puzzle p.26

Across

2 Dutch	6 alternating

Down

1 exhausting	3 certified
4 mental	5 category

Pre-reading Questions p.19

Chess and boxing are different but can go together.

Ice cream and spicy peppers are also different but can go together.

Name other things that seem different but that go together.

체스와 복싱은 다르지만 어우러질 수 있어요.

아이스크림과 매운 고추도 또한 다르지만 어우러질 수 있어요.

다르지만 어우러질 수 있어 보이는 다른 것들의 이름을 대보세요.

Reading Passage p.20

Chessboxing

Few would think that the physical sport of boxing and the mental sport of chess have much in common, but the two have been combined into a worldwide sporting event since 2003. The first chessboxing match was organized by Iepe Rubingh, a Dutch performance artist. With alternating 3-minute rounds of chess and boxing, a win in any of the rounds would win the entire match. Rubingh wanted to break down the barriers humans make by putting things into categories, so he combined two very different competitions. Viewers of the art performance loved the newly-invented sport, and fandoms quickly grew in several countries, including Great Britain, Russia, India, and Germany.

In order to enter the World Chessboxing Championships, all participants must have a certified level of skill in both chess and boxing. This prevents the athletes from only focusing on one of the two sports. Each match consists of 13 rounds, 7 rounds of chess with 6 rounds of boxing in between. With only a 60-second resting time between each round, a full match of chessboxing is an exhausting 51 minutes of fast-paced back-and-forth battle of both brains and muscles.

체스 복싱

복싱이라는 신체 스포츠와 체스라는 정신 스포츠가 공통점이 많다고 생각하는 사람은 거의 없을 것이다. 하지만 이 둘은 2003년부터 한 세계 스포츠 행사에서 결합되어 왔다. 최초의 체스복싱 경기는 네덜란드 공연예술가인, Iepe Rubingh에 의해 기획되었다. 3분짜리 체스와 복싱 라운드를 번갈아 치르면서, 어떤 라운드에서든 이기면 전체 경기에서 승리하는 것이었다. Rubingh은 사물을 범주로 분류하면서 인간이 만든 장벽을 무너 뜨리고 싶었고, 그래서 그는 아주 다른 두 가지 경쟁을 결합한 것이었다. 예술 공연 관람자들은 이 새로 발명된 스포츠를 아주 좋아했고, 영국, 러시아, 인도, 그리고 독일을 비롯한 몇몇 나라에서 팬덤이 빠르게 커졌다.

세계 체스복싱 선수권 대회에 참가하려면, 모든 참가자는 체스와 복싱에서 모두 공인된 수준의 기술을 보유해야 한다. 이는 운동 선수들이 두 스포츠 중 하나에만 집중하는 것을 막는다. 각 경기는 13라운드이고, 체스 7라운드와 그 사이에 복싱 6라운드로 구성된다. 각 라운드 사이 휴식 시간이 60초밖에 되지 않아서, 체스복싱의 전체 경기는 두뇌와 근육 다툼이 번갈아가며 빠르게 진행되는 고단한 51분의 시간이다.

어휘 spicy 양념 맛이 강한 | pepper 후추; 고추 | physical 육체[신체]의; 물리적인 | mental 정신의, 마음의 | in common 공동으로; 공통적으로 | combine 결합하다 | worldwide 전 세계적인 | match 경기 | organize 준비[조직]하다; 체계화하다 | performance 공연; 실적, 성과 | alternate 번갈아 나오다 | entire 전체의, 온 | barrier (어떤 일에 대한) 장애물[장벽] | category 범주 | invent 발명하다 | fandom (스포츠·영화 등의) 팬 층, 팬들, 팬덤 | championship 선수권 대회, 챔피언전 | participant 참가자 | certified 공인의, 보증[증명]된 | prevent A from B A가 B하는 것을 막다, 예방하다 | athlete (운동) 선수 | focus on ~에 집중하다 | consist of ~으로 이루어지다[구성되다] | exhausting 진을 빼는, 기진맥진하게 만드는 | pace 속도[리듬]를 유지하다; 걸음, 보폭; 속도 | fast-paced 속도가 빠른 | back-and-forth 앞뒤로의; 여기저기의 | intersect 교차하다[만나다]; 가로지르다 | criss-cross 십자 무늬를 만들다; 십자형의 | perpendicular 수직의, 직각의 | effortless 수월한, 힘이 들지 않는 | unusual 특이한, 흔치 않은, 드문; 색다른 | defend 방어[수비]하다; (말이나 글로) 옹호[변호]하다 | rank 지위; 계급 | organizer 조직자, 주최자 | brain-based 두뇌를 기반으로 하는 | one-on-one 일대일의 | combat 전투, 싸움 | crush 으스러[쭈그러]뜨리다; 짓밟다 | lasting 지속적인 | psychological 심리적인 | scar (지울 수 없는) 마음의 상처[상흔]; (피부에 생긴) 흉터 | sweat 땀 | effect 영향; 결과, 효과 | stuck 갇힌 | defeat 패배시키다, 물리치다, 이기다 | disappoint 실망시키다

Comprehension Questions p.21

1. The pattern has alternating yellow and black lines.
   (A) alternating
   (B) intersecting
   (C) criss-crossing
   (D) perpendicular

해석 그 무늬에는 번갈아 가며 나타나는 노란색과 검은색 선이 있다.
(A) 번갈아 나오는
(B) 교차하는
(C) 십자형의
(D) 수직의

풀이 노란색 선과 검은색 선이 번갈아 나타나며 무늬를 이루고 있으므로 (A)가 정답이다.

관련 문장 With alternating 3-minute rounds of chess and boxing, a win in any of the rounds would win the entire match.

2. The journey was exhausting.
   (A) easy
   (B) effortless
   (C) expensive
   (D) exhausting

해석 그 여행은 고단했다.
(A) 쉬운
(B) 수월한
(C) 비싼
(D) 고단한

풀이 여행을 다녀온 남자가 피곤해하고 있는 모습이므로 (D)가 정답이다.

관련 문장 [...] a full match of chessboxing is an exhausting 51 minutes of fast-paced back-and-forth battle of both brains and muscles.

3. Turning off your TV can prevent you from staying up too late.
   (A) on
   (B) for
   (C) from
   (D) over

해석 TV를 끄는 것은 당신이 너무 늦게까지 깨어있는 것을 예방할 수 있다.
(A) ~(위)에
(B) ~을 위해
(C) ~로부터
(D) ~의 위로

풀이 'A가 V 하는 것을 막다[예방/방지하다]'라는 뜻을 나타낼 때 'prevent A from V-ing'이라고 표현하므로 (C)가 정답이다.

관련 문장 This prevents the athletes from only focusing on one of the two sports.

4. Diana's birthday party is organized by her parents and friends.
   (A) organize
   (B) organizes
   (C) organized
   (D) organizing

해석 Diana의 생일 파티는 그녀의 부모님과 친구들에 의해 준비되었다.
(A) 준비하다
(B) 준비하다
(C) 준비된
(D) 준비하는

풀이 주어가 생일 파티이고, 생일 파티는 누군가에 의해 준비되는 것이므로 수동태 문장을 써야 한다. 수동태는 'be + p.p + (by)'의 형태로 표현하므로 (C)가 정답이다.

관련 문장 The first chessboxing match was organized by Iepe Rubingh, a Dutch performance artist.

[5-6]

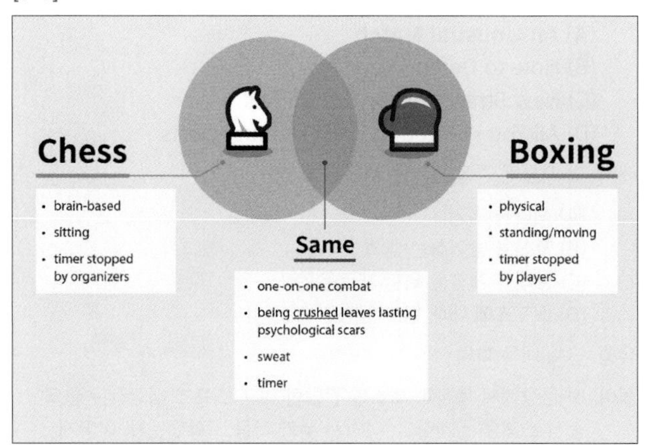

해석

체스	공통점	복싱
• 두뇌 기반 • 앉아서 • 주최자들이 타이머를 멈춤	• 일대일 싸움 • 짓밟히는 것은 지속되는 심리적 상처를 남김 • 땀 • 타이머	• 신체적 • 서서/움직이며 • 선수들이 타이머를 멈춤

5. Which is mentioned about the sports?
   (A) what players wear
   (B) how long matches last
   (C) the building players use
   (D) the mental effects on players

해석 다음 중 스포츠에 관해 언급된 내용은 무엇인가?
(A) 선수들이 무엇을 입는지
(B) 시합이 얼마나 지속되는지
(C) 선수들이 사용하는 건물
(D) 선수들에게 미치는 정신적 영향

풀이 'being crushed leaves lasting psychological scars'에서 체스와 복싱 모두 패배하면 심리적 상처를 남긴다고 했다. 이는 선수들에게 미치는 정신적 영향에 대한 것이므로 (D)가 정답이다.

6. The underlined "crushed" is most similar in meaning to:
   (A) stuck
   (B) stopped
   (C) defeated
   (D) disappointed

해석 밑줄 친 "crushed"와 의미가 가장 가까운 것은 무엇인가?
(A) 꼼짝 못 하는
(B) 정지된
(C) 패배한
(D) 실망한

풀이 해당 부분에서 'being crushed'가 경기에서 심리적 상처를 남긴다고 언급하고 있다. 경기에서 심리적 상처를 남길만한 요소는 경기에서 패배하는 것이므로 'crushed'가 '(경기에서) 패배한, 진'이라는 뜻을 나타낸다는 것을 추측할 수 있다. 또한 'crush'는 본래 '으스러뜨리다; 짓밟다'라는 뜻을 나타내는 단어이므로 이와 비슷한 뜻을 가진 (C)가 정답이다.

[7-10]

Few would think that the physical sport of boxing and the mental sport of chess have much in common, but the two have been combined into a worldwide sporting event since 2003. The first chessboxing match was organized by Iepe Rubingh, a Dutch performance artist. With alternating 3-minute rounds of chess and boxing, a win in any of the rounds would win the entire match. Rubingh wanted to break down the barriers humans make by putting things into categories, so he combined two very different competitions. Viewers of the art performance loved the newly-invented sport, and fandoms quickly grew in several countries, including Great Britain, Russia, India, and Germany.

In order to enter the World Chessboxing Championships, all participants must have a certified level of skill in both chess and boxing. This prevents the athletes from only focusing on one of the two sports. Each match consists of 13 rounds, 7 rounds of chess with 6 rounds of boxing in between. With only a 60-second resting time between each round, a full match of chessboxing is an exhausting 51 minutes of fast-paced back-and-forth battle of both brains and muscles.

해석

복싱이라는 신체 스포츠와 체스라는 정신 스포츠가 공통점이 많다고 생각하는 사람은 거의 없을 것이다. 하지만 이 둘은 2003년부터 한 세계 스포츠 행사에서 결합되어 왔다. 최초의 체스복싱 경기는 네덜란드 공연예술가인, Iepe Rubingh에 의해 기획되었다. 3분 짜리 체스와 복싱 라운드를 번갈아 치르면서, 어떤 라운드에서든 이기면 전체 경기에서 승리하는 것이었다. Rubingh은 사물을 범주로 분류하면서 인간이 만든 장벽을 무너 뜨리고 싶었고, 그래서 그는 아주 다른 두 가지 경쟁을 결합한 것이었다. 예술 공연 관람자들은 이 새로 발명된 스포츠를 아주 좋아했고, 영국, 러시아, 인도, 그리고 독일을 비롯한 몇몇 나라에서 팬덤이 빠르게 커졌다.

세계 체스복싱 선수권 대회에 참가하려면, 모든 참가자는 체스와 복싱에서 모두 공인된 수준의 기술을 보유해야 한다. 이는 운동 선수들이 두 스포츠 중 하나에만 집중하는 것을 막는다. 각 경기는 13라운드이고, 체스 7라운드와 그 사이에 복싱 6라운드로 구성된다. 각 라운드 사이 휴식 시간이 60초밖에 되지 않아서, 체스복싱의 전체 경기는 두뇌와 근육 다툼이 번갈아가며 빠르게 진행되는 고단한 51분의 시간이다.

7. What would be the best title for this passage?

(A) An Unusual Match
(B) How to Defend Yourself
(C) New Strategies for Old Games
(D) All You Wanted to Know About Sports

해석 이 지문에 가장 알맞은 제목은 무엇인가?

(A) 색다른 경기
(B) 자신을 방어하는 방법
(C) 오래된 게임을 위한 새로운 전략
(D) 스포츠에 대해 알고 싶었던 모든 것

유형 전체 내용 파악

풀이 첫 문장에서 복싱과 체스를 결합한 이색 스포츠 대회라는 글의 중심 소재를 소개하고, 이어서 누가 처음 기획했는지, 어떻게 진행하는지, 참가 자격은 무엇인지 등 체스복싱 대회에 관해 설명하고 있다. 따라서 (A)가 정답이다.

8. What country was the creator of Chessboxing from?

(A) Russia
(B) Germany
(C) Great Britain
(D) the Netherlands

해석 체스복싱의 창시자는 어느 나라 사람인가?

(A) 러시아
(B) 독일
(C) 영국
(D) 네덜란드

유형 세부 내용 파악

풀이 'The first chessboxing match was organized by Iepe Rubingh, a Dutch performance artist.'에서 체스복싱 경기를 최초로 조직한 사람이 네덜란드 출신임을 알 수 있으므로 (D)가 정답이다.

9. How many minutes long is each round of boxing?

(A) 1
(B) 3
(C) 6
(D) 7

해석 복싱 각 라운드는 몇 분인가?

(A) 1
(B) 3
(C) 6
(D) 7

유형 세부 내용 파악

풀이 'With alternating 3-minute rounds of chess and boxing, a win in any of the rounds would win the entire match.'에서 체스와 복싱 모두 한 라운드 경기 시간이 3분임을 알 수 있으므로 (B)가 정답이다.

10. According to the passage, which of the following statements is true?

(A) A chessboxing match always starts with boxing.
(B) Matches can end before the final round is played.
(C) Chessboxing has been an official sport for five decades.
(D) Contestants only need a high rank in either chess or boxing.

해석 지문에 따르면, 다음 설명 중 옳은 내용은 무엇인가?

(A) 체스복싱 경기는 항상 복싱으로 시작한다.
(B) 경기는 마지막 라운드를 하기 전에 끝날 수 있다.
(C) 체스복싱은 50년 동안 공식 스포츠였다.
(D) 참가자는 체스나 복싱 중 한 가지에서만 높은 등급이 필요하다.

유형 세부 내용 파악

풀이 'With alternating 3-minute rounds of chess and boxing, a win in any of the rounds would win the entire match.'에서 어느 라운드에서든 이기기만 하면 전체 경기에서 우승하는 것이라고 설명하고 있다. 이는 중간에 한 번 이기기만 해도 마지막 라운드 이전에 경기가 끝날 수 있음을 의미하므로 (B)가 정답이다. (A)는 'Each match consists of 13 rounds, 7 round of chess with 6 rounds of boxing in between.'에서 체스 경기가 먼저 시작하고 복싱 경기가 사이사이 번갈아 들어간다고 했으므로 오답이다. (C)는 최초 체스복싱 대회가 2003년에 주최되었으므로 오답이다. (D)는 'In order to enter the World Chessboxing Championships, all participants must have a certified level of skill in both chess and boxing.'에서 선수권 대회에 참가하려면 체스와 복싱 둘 다 검증된 능력이 필요하다고 했으므로 오답이다.

Listening Practice

HJ1-2 p.24

Few would think that the physical sport of boxing and the <u>mental</u> sport of chess have much in common, but the two have been combined into a worldwide sporting event since 2003. The first chessboxing match was organized by Iepe Rubingh, a <u>Dutch</u> performance artist. With <u>alternating</u> 3-minute rounds of chess and boxing, a win in any of the rounds would win the entire match. Rubingh wanted to break down the barriers humans make by putting things into <u>categories</u>, so he combined two very different competitions. Viewers of the art performance loved the newly-invented sport, and fandoms quickly grew in several countries, including Great Britain, Russia, India, and Germany.

In order to enter the World Chessboxing Championships, all participants must have a <u>certified</u> level of skill in both chess and boxing. This prevents the athletes from only focusing on one of the two sports. Each match consists of 13 rounds, 7 rounds of chess with 6 rounds of boxing in between. With only a 60-second resting time between each round, a full match of chessboxing is an <u>exhausting</u> 51 minutes of fast-paced back-and-forth battle of both brains and muscles.

1. mental
2. Dutch
3. alternating
4. categories
5. certified
6. exhausting

Writing Practice

p.25

1. mental
2. Dutch
3. alternating
4. category
5. certified
6. exhausting

Summary

Two very different competitions, the physical sport of boxing and the <u>mental</u> sport of chess have been <u>combined</u> into the World Chessboxing Championships. To enter this <u>worldwide</u> sporting event, all participants must have a <u>certified</u> level of skill in both chess and boxing.

두 가지 매우 다른 경기, 복싱이라는 신체 스포츠와 체스라는 <u>정신</u> 스포츠가 세계 체스복싱 선수권대회에서 <u>결합되어</u> 왔다. 이 <u>세계</u> 스포츠 행사에 참여하려면, 모든 참가자는 체스와 복싱 모두에서 <u>공인된</u> 수준의 기술을 지녀야 한다.

Word Puzzle p.26

Across	Down
2. Dutch	1. exhausting
6. alternating	3. certified
	4. mental
	5. category

Unit 3 | The World Memory Championships p.27

Part A. Picture Description p.29

1 (D) 2 (C)

Part B. Sentence Completion p.29

3 (C) 4 (A)

Part C. Practical Reading Comprehension p.30

5 (D) 6 (B)

Part D. General Reading Comprehension p.31

7 (B) 8 (D) 9 (C) 10 (C)

Listening Practice p.32

1 matter	2 mastered
3 memorized	4 shuffled
5 keep track of	6 countless

Writing Practice p.33

1 memorize	2 in a matter of minutes
3 master	4 shuffled
5 keep track of	6 countless

Summary Competitors, mastered, memorization, keep track of

Word Puzzle p.34

Across

2 in a matter of minutes

4 memorize 5 shuffled

Down

1 keep track of 3 countless

4 master

Pre-reading Questions p.27

Imagine that you have a deck of cards.
Shuffle the cards. Then memorize the order of the cards.
How many cards can you remember?

당신에게 한 묶음의 카드가 있다고 상상해 보세요.
그 카드들을 섞으세요. 그런 다음 카드의 순서를 기억하세요.
얼마나 많은 카드를 기억할 수 있나요?

Reading Passage p.28

The World Memory Championships

Most people can remember things like phone numbers and faces of classmates. However, the majority are not used to memorizing the order of an entire deck of playing cards in a matter of minutes — a skill that competitors at the World Memory Championships have mastered. The competition challenges contestants in a number of categories, including ones related to names, faces, numbers, and even random words. In 2019, the winner of the competition's children's category memorized the order of over seven decks of shuffled cards within an hour, 1,155 numbers within half an hour, and 87 names and faces within a quarter of an hour.

The majority of the contestants in the competition use the ancient Roman technique of "memory palaces" to keep track of long lists of information. This technique involves linking items of information to a place that the memorizer knows well. Using methods such as memory palaces and preparing with countless hours of practice, contestants at the World Memory Championships remind us that the ability to learn things by heart is not just a born gift, but rather a skill that can be coached and built up over time.

세계 기억력 선수권 대회

대부분의 사람은 전화번호나 급우들의 얼굴 같은 것들을 기억할 수 있다. 하지만, 대부분은 카드 덱 전체의 순서를 몇 분 안에 암기하는 데 익숙하지 않다 — 세계 기억력 선수권 대회의 참가자들이 통달한 기술 말이다. 이 대회는 이름, 얼굴, 번호, 그리고 심지어 무작위 단어와 관련된 부문을 포함한 많은 부문에서 참가자들을 도전하게 한다. 2019년에, 이 대회 어린이 부문의 우승자는 섞은 카드들의 순서를 한 시간 이내에 일곱 묶음 넘게, 30분 이내에 1,155개의 숫자를, 15분 이내에 87개의 이름과 얼굴을 암기했다.

이 대회에서 참가자 대부분은 "암기 궁전"이라는 고대 로마 기법을 사용하여 긴 목록의 정보를 계속 기억해둔다. 이 기법은 정보 항목들을 암기자가 잘 아는 장소에 연결하는 것을 필요로 한다. 암기 궁전과 같은 기법을 활용하고 수많은 시간의 연습을 통해 준비하면서, 세계 암기 선수권 대회 참가자들은 무언가를 외우는 능력이 단순히 타고난 재능이 아니라, 오히려 시간이 지남에 따라 지도받을 수 있고 축적될 수 있는 기술이라는 점을 우리에게 상기시킨다.

어휘 memory 기억; 추억 | deck 덱, (카드의) 한 벌[묶음] | shuffle (카드 게임에서 카드를) 섞다 | memorize 암기하다 | majority 대부분 | order 순서; 명령 | master ~에 숙달[통달]하다, ~을 완전히 익히다 | challenge (경쟁, 싸움 등을) 걸다[도전하다]; (도전이 될 일을) 요구하다 | random 무작위의, 임의의 | category 부문, 범주 | within (특정한 기간/거리) 이내에[안에] | quarter 4분의 1 | ancient 고대의; 아주 오래된 | technique 기술 | keep track of ~에 대해 계속 알고[파악하고] 있다 | involve ~을 포함[수반]하다; 관련[연루]시키다 | item 항목[사항] | method 방법 | prepare 준비하다 | countless 무수한, 셀 수 없이 많은 | remind 상기시키다 | learn 외우다, 암기하다; ~을 알게 되다 | by heart 외워서 | born 타고난, 천부적인 | gift 재능, 재주 | coach 지도하다, 코치하다 | build up ~을 더 높이다 | over time 시간이 흐르면서 | beat 두드리다[때리다] | deal (카드 게임에서 카드를) 돌리다, 나누다 | earn 얻다, (돈 등을) 벌다 | make fun of ~을 놀리다 | historic 역사적으로 중요한, 역사적인 | match 연결시키다; 일치하다, 맞다 | description 서술[기술/묘사/표현] | formal 공식적인, 정식의 | royal 국왕의 | connect 잇다, 연결하다 | lyrics 가사, 노랫말 | link 연결하다; 관련짓다 | mental 정신의, 마음의 | unwanted 원치 않는, 반갑지 않은 | thought 생각 | residence 주택, 거주지 | vehicle 탈 것, 차량, 운송 수단; 매개체 | select 선택하다 | recall 기억해 내다, 상기하다 | orally 구두로, 입을 통해서 | appearance 외관 | incorrect 부정확한, 맞지 않는 | incomplete 불완전한 | eliminate 제거하다 | domestic 가정(용)의, 집안의; 국내의 | recite 죽 말하다, 나열하다; 암송[낭송/낭독]하다

Comprehension Questions p.29

1. Can you <u>shuffle</u> this deck for us?
   (A) beat
   (B) deal
   (C) move
   (D) shuffle

해석 이 (카드) 덱을 우리에게 <u>섞어</u> 줄 수 있니?
(A) 두드리다
(B) 돌리다
(C) 움직이다
(D) 섞다

풀이 카드를 섞고 있는 모습이므로 (D)가 정답이다.

관련 문장 In 2019, the winner of the competition's children's category memorized the order of over seven decks of shuffled cards within an hour, [...]

2. Keiko is <u>keeping track of</u> the money she has earned.
   (A) making fun of
   (B) standing up for
   (C) keeping track of
   (D) getting away from

해석 Keiko는 그녀가 번 돈을 <u>계속 파악하고</u> 있다.
(A) 놀리다
(B) 옹호하다
(C) 계속 파악하다
(D) 벗어나다

풀이 돈을 세며 수첩에 기록하고 있는 모습이다. '~을 기록하다, ~을 계속 파악하다/기억하다'라는 뜻을 나타낼 때 'to keep track of'라고 표현할 수 있으므로 (C)가 정답이다.

관련 문장 The majority of the contestants in the competition use the ancient Roman technique of "memory palaces" to keep track of long lists of information.

3. My mom had to get used to <u>driving</u> on the left-hand side of the road in Japan.
   (A) drive
   (B) driver
   (C) driving
   (D) be drive

해석 우리 엄마는 일본에서 도로 왼편에서 <u>운전하는 것</u>에 익숙해져야 했다.
(A) 운전하다
(B) 운전자
(C) 운전하기
(D) 어색한 표현

풀이 'V 하는 데 익숙해지다/익숙하다'라는 뜻을 나타낼 때 'get/be used to V-ing'이라고 표현하므로 (C)가 정답이다.

새겨 두기 'get used to'에서 'to'는 전치사이므로 뒤에 동명사가 와야 한다.

관련 문장 However, the majority are not used to memorizing the order of an entire deck of playing cards in a matter of minutes [...]

4. For this test, you need to remember a lot of random information.

(A) information
(B) informations
(C) these information
(D) these informations

해석 이 시험에서는, 많은 무작위 정보를 기억해야 한다.

(A) 정보
(B) 어색한 표현
(C) 어색한 표현
(D) 어색한 표현

풀이 'information'은 셀 수 없는 명사로서 단수 형태로만 사용할 수 있으므로 (A)가 정답이다. 나머지 선택지는 'information'이 셀 수 없는 명사이기 때문에 복수 명사를 수식하는 'these'나 복수 명사를 나타내는 '-s'와 함께 쓰일 수 없으므로 오답이다.

새겨 두기 'information'의 복수 의미를 나타내려면 'lists of information', 'items of information', 'bits of information' 등으로 표현할 수 있다.

관련 문장 [...] use the ancient Roman technique of "memory palaces" to keep track of long lists of information. This technique involves linking items of information to a place that the memorizer knows well.

[5-6]

"Three Strikes You're Out"

In this challenge, eight mental athletes (MAs) get 20 minutes to hear facts about seven different random people. The information includes the person's name, birthday (including day, month, and year), current town of residence, email address, pet type and name, two hobbies, two favorite foods, and favorite vehicle make and model. Each MA will see the information in writing and hear it spoken.

After 20 minutes, the MAs will be selected at random to recall the information orally. The seven people will be brought back to appear before the MAs, but in a different order than their original appearance. The time limit to answer about each person is only 15 seconds. All information must be correct and complete. After three incorrect or incomplete answers, the MA will be eliminated.

해석

"스트라이크 세 번이면 아웃"

이 도전에서는, 여덟 명의 정신 운동선수(MA)들이 20분 동안 일곱 명의 다른 무작위 사람들에 대한 사실을 듣게 된다. 정보에는 그 사람의 이름, 생일(요일, 월, 년도를 포함한), 현재 거주 동네, 이메일 주소, 반려동물의 종류와 이름, 취미 두 가지, 좋아하는 음식 두 가지, 그리고 좋아하는 차량 제품과 모델이 포함되어 있다. 각 MA는 정보를 서면으로 보고 그것이 말해지는 것을 듣는다.

20분이 지나면, MA들은 무작위로 선택되어 구두로 정보를 기억해낸다. 일곱 명의 사람은 다시 불려서 MA들 앞에 나타나게 되는데, 그들의 원래 모습과 다른 순서로 나타난다. 각 사람에 관해 대답하는 제한 시간은 15초밖에 되지 않는다. 모든 정보는 정확하고 완전해야 한다. 부정확하거나 불완전한 답변을 세 번 하면, 그 MA는 탈락된다.

5. Which of the following bits of information are the MAs NOT asked to memorize about each person?

(A) preferred food
(B) domestic animal
(C) free time activity
(D) languages spoken

해석 다음 정보 중 각 개인에 대해 MA들이 암기하도록 요구되지 않는 정보는 무엇인가?

(A) 선호 음식
(B) 집에서 기르는 동물
(C) 여가 활동
(D) 구사 언어

풀이 암기 항목에서 구사 언어는 언급되지 않았으므로 (D)가 정답이다. (A)는 'two favorite foods'에서, (B)는 'pet type and name'에서, (C)는 'two hobbies'에서 확인할 수 있으므로 오답이다.

6. Which of the following is true about the challenge?

(A) MAs are given 15 seconds to memorize.
(B) MAs leave after three incorrect answers.
(C) MAs appear in a new order to recite answers.
(D) MAs have 20 minutes to talk to random people.

해석 다음 중 이 도전에 관해 옳은 내용은 무엇인가?

(A) MA들은 암기하는 데 15초가 주어진다.
(B) MA들은 세 번 틀린 답을 하면 떠난다.
(C) MA들은 새로운 순서로 나타나 답을 말한다.
(D) MA들은 20분 동안 임의의 사람들과 대화할 수 있다.

풀이 'After three incorrect or incomplete answers, the MA will be eliminated.'에서 부정확하거나 불완전한 답변을 세 번 말하면 탈락한다고 하였으므로 (B)가 정답이다. (A)는 암기 시간이 아니라 대답하는 데 주어진 제한 시간이 15초이므로 오답이다. (D)는 MA들이 20분 동안 임의의 사람들과 대화를 하는 게 아니라, 그들의 정보에 대해 20분 동안 서면으로 보고 듣는 것이므로 오답이다.

[7-10]

Most people can remember things like phone numbers and faces of classmates. However, the majority are not used to memorizing the order of an entire deck of playing cards in a matter of minutes — a skill that competitors at the World Memory Championships have mastered. The competition challenges contestants in a number of categories, including ones related to names, faces, numbers, and even random words. In 2019, the winner of the competition's children's category memorized the order of over seven decks of shuffled cards within an hour, 1,155 numbers within half an hour, and 87 names and faces within a quarter of an hour.

The majority of the contestants in the competition use the ancient Roman technique of "memory palaces" to keep track of long lists of information. This technique involves linking items of information to a place that the memorizer knows well. Using methods such as memory palaces and preparing with countless hours of practice, contestants at the World Memory Championships remind us that the ability to learn things by heart is not just a born gift, but rather a skill that can be coached and built up over time.

해석

대부분의 사람은 전화번호나 급우들의 얼굴 같은 것들을 기억할 수 있다. 하지만, 대부분은 카드 덱 전체의 순서를 몇 분 안에 암기하는 데 익숙하지 않다 — 세계 기억력 선수권 대회의 참가자들이 통달한 기술 말이다. 이 대회는 이름, 얼굴, 번호, 그리고 심지어 무작위 단어와 관련된 부문을 포함한 많은 부문에서 참가자들을 도전하게 한다. 2019년에, 이 대회 어린이 부문의 우승자는 섞은 카드들의 순서를 한 시간 이내에 일곱 묶음 넘게, 30분 이내에 1,155개의 숫자를, 15분 이내에 87개의 이름과 얼굴을 암기했다.

이 대회에서 참가자 대부분은 "암기 궁전"이라는 고대 로마 기법을 사용하여 긴 목록의 정보를 계속 기억해둔다. 이 기법은 정보 항목들을 암기자가 잘 아는 장소에 연결하는 것을 필요로 한다. 암기 궁전과 같은 기법을 활용하고 수많은 시간의 연습을 통해 준비하면서, 세계 암기 선수권 대회 참가자들은 무언가를 외우는 능력이 단순히 타고난 재능이 아니라, 오히려 시간이 지남에 따라 지도받을 수 있고 축적될 수 있는 기술이라는 점을 우리에게 상기시킨다.

7. Which World Memory Championship event category is NOT mentioned in the passage?

(A) numbers
(B) historic dates
(C) random words
(D) names and faces

해석 다음 중 지문에서 세계 암기 선수권 대회 부문으로 언급되지 않은 것은 무엇인가?

(A) 숫자
(B) 역사적 날짜
(C) 무작위 단어
(D) 이름과 얼굴

유형 세부 내용 파악

풀이 '[...] including ones related to names, faces, numbers, and even random words.'에서 이름과 얼굴, 숫자, 무작위 단어가 암기 대회 항목으로 나열되었고, 역사적 날짜는 언급되지 않았으므로 (B)가 정답이다.

8. What did one 2019 champion do?

(A) match 30 pictures of people to a description
(B) shuffle seven decks of cards in the same order
(C) take one hour to learn over 87 names and faces
(D) memorize over one thousand numbers in half an hour

해석 2019년의 한 우승자는 무엇을 하였는가?

(A) 인물 사진 30장과 묘사 일치시키기
(B) 카드 일곱 묶음을 똑같은 순서로 섞기
(C) 한 시간 동안 87개가 넘는 이름과 얼굴 익히기
(D) 30분 이내에 천 개가 넘는 숫자 암기하기

유형 세부 내용 파악

풀이 'In 2019, the winner of the competition's children's category memorized [...] 1,155 numbers within half an hour, and 87 names and faces within a quarter of an hour.'에서 2019년 어린이 부문 우승자가 30분 이내에 숫자 1,155개를 암기했다고 했으므로 (D)가 정답이다. (C)는 15분 이내('within a quarter of an hour')에 외웠다고 했으므로 오답이다.

9. What is the main idea of the second paragraph?
   (A) Formal memorization techniques began in Rome.
   (B) Most contestants dislike practicing for competitions.
   (C) Contestants practice to become memorization champions.
   (D) Memorizing is generally easier for people with natural ability.

해석 두 번째 문단의 요지는 무엇인가?
(A) 공식적인 암기 기법은 로마에서 시작되었다.
(B) 참가자 대부분은 대회를 위해 연습하는 것을 싫어한다.
(C) 참가자들은 암기 우승자가 되려고 연습한다.
(D) 암기는 보통 타고난 능력을 가진 사람들에게 더 쉽다.

유형 전체 내용 파악 & 세부 내용 파악

풀이 두 번째 문단에서 수많은 시간을 들여 암기 기법을 연습하는 참가자들을 통해 암기 능력이 타고난 재능에만 의지하는 게 아니라 노력해서 얻어지는 능력임을 알 수 있다고 하였다. 이처럼 글쓴이는 두 번째 문단에서 우승을 위해 열심히 노력하는 암기 대회 참가자들을 강조하고 있으므로 (C)가 정답이다. (D)는 암기가 타고난 능력만이 아니라 노력을 통해 성장할 수 있다는 것이 두 번째 문단의 논지이므로 오답이다.

10. According to the passage, how does a memory palace work?
   (A) Memorizers think about royal names.
   (B) Memorizers connect data to song lyrics.
   (C) Memorizers link information to a place they know.
   (D) Memorizers put up a mental barrier against unwanted thoughts.

해석 지문에 따르면, 암기 궁전은 어떻게 작용하는가?
(A) 암기자들이 왕의 이름들을 떠올린다.
(B) 암기자들이 정보를 노래 가사에 연결짓는다.
(C) 암기자들이 정보를 그들이 아는 장소에 연결짓는다.
(D) 암기자들이 원치 않는 생각들에 맞서 정신적 장벽을 세운다.

유형 세부 내용 파악

풀이 '[...] the ancient Roman technique of "memory palaces" to keep track of long lists of information. This technique involves linking items of information to a place that the memorizer knows well.'에서 암기 궁전 기법은 정보를 친숙한 장소에 연결하는 기법이라는 것을 알 수 있다. 따라서 (C)가 정답이다.

Listening Practice

 HJ1-3 p.32

Most people can remember things like phone numbers and faces of classmates. However, the majority are not used to memorizing the order of an entire deck of playing cards in a <u>matter</u> of minutes — a skill that competitors at the World Memory Championships have <u>mastered</u>. The competition challenges contestants in a number of categories, including ones related to names, faces, numbers, and even random words. In 2019, the winner of the competition's children's category <u>memorized</u> the order of over seven decks of <u>shuffled</u> cards within an hour, 1,155 numbers within half an hour, and 87 names and faces within a quarter of an hour.

The majority of the contestants in the competition use the ancient Roman technique of "memory palaces" to <u>keep track of</u> long lists of information. This technique involves linking items of information to a place that the memorizer knows well. Using methods such as memory palaces and preparing with <u>countless</u> hours of practice, contestants at the World Memory Championships remind us that the ability to learn things by heart is not just a born gift, but rather a skill that can be coached and built up over time.

1. matter
2. mastered
3. memorized
4. shuffled
5. keep track of
6. countless

Writing Practice

p.33

1. memorize
2. in a matter of minutes
3. master
4. shuffled
5. keep track of
6. countless

Summary

<u>Competitors</u> at the World Memory Championships have <u>mastered</u> the art of <u>memorization</u>. Most of the contestants in the competition use special methods to <u>keep track of</u> long lists of information.

세계 암기 선수권 대회 <u>참가자들</u>은 <u>암기</u> 기술을 <u>숙달해</u>왔다. 대회의 참가자 대부분은 긴 목록의 정보를 <u>계속 기억해두기</u> 위해 특별한 기법들을 사용한다.

Word Puzzle p.34

Across	Down
2. in a matter of minutes	1. keep track of
4. memorize	3. countless
5. shuffled	4. master

Unit 4 | The O Henry Pun-Off p.35

Part A. Picture Description p.37

1 (D) 2 (A)

Part B. Sentence Completion p.37

3 (C) 4 (D)

Part C. Practical Reading Comprehension p.38

5 (B) 6 (A)

Part D. General Reading Comprehension p.39

7 (C) 8 (A) 9 (C) 10 (C)

Listening Practice p.40

1 puns	2 jokes
3 crown	4 word play
5 complicated	6 judges

Writing Practice p.41

1 pun	2 joke
3 crown	4 word play
5 complicated	6 judge

Summary **statements, humor, clever, crown**

Word Puzzle p.42

Across

2 word play	5 crown
6 judge	

Down

1 complicated	3 pun
4 joke	

Pre-reading Questions p.35

Tell a joke based on word play.

It can be in English or in your own language.

말장난에 기반한 우스갯소리 해보세요.

영어나 당신의 언어 모두 괜찮아요.

Reading Passage p.36

The O Henry Pun-Off

Some people love them, and some people hate them, but almost everyone seems to have a strong opinion about puns. Often called "dad jokes" by people who do not find them funny, puns are usually short statements that play with the meanings (or sounds) of words to produce humor. Fans of such jokes gather every year in Austin, Texas to participate in the O. Henry Pun-Off and crown the person with the best puns.

The competition is named after the author O. Henry (born "William Sydney Porter," 1862-1910), who was known for writing short stories with surprising endings and clever word play. The founders of the Pun-Off wanted to continue this tradition and began the competition in 1978. As time went on, the number of contestants grew, and the rules became more and more complicated. Now, a panel of six judges gives participants a score from 1 to 10. The top and bottom scores are removed, and the contestant with the highest score out of 40 is named "Punniest of Show" that year.

O Henry 말장난 대회

어떤 사람들은 그것들을 아주 좋아하고, 어떤 사람들은 그것들을 싫어하지만, 거의 모든 사람이 말장난에 대해 확고한 의견을 가지고 있는 듯 보인다. 종종 그것들을 재밌다고 여기지 않는 사람들에 의해 "아빠 개그(아재 개그)"라고 불리는 말장난은 보통 단어의 의미(혹은 소리)를 활용하여 유머를 만들어내는 짧은 표현들이다. 그러한 개그를 좋아하는 팬들은 O. Henry 말장난 대회에 참가하고 최고의 말장난을 한 사람에게 왕관을 씌우기 위해 매년 텍사스 오스틴으로 모인다.

이 대회는 뜻밖의 결말과 재치 있는 말장난을 지닌 짧은 이야기로 알려진 작가 O. Henry(본명 "William Sydney Porter", 1862-1910)의 이름을 따서 지어졌다. 말장난 대회의 창시자들은 이 전통을 이어가기를 원했고 1978년에 이 대회를 시작했다. 시간이 흐르면서, 참가자들의 수는 늘어났고, 규칙들은 점점 더 복잡해졌다. 이제, 6명의 심사위원단이 1점부터 10점까지 참가자들에게 점수를 매긴다. 가장 높은 점수와 낮은 점수는 제외되고, 40점 만점에서 가장 높은 점수를 받은 참가자가 그 해 "대회에서 가장 잼있는(Punniest)* 사람"으로 명명된다.

* 'Pun'과 'Funniest'를 연결하여 말장난한 이름이다.

어휘 pun (다의어, 동음이의어를 이용한) 말장난 | pun-off 말장난 대회 | joke 우스개 (소리, 행동), 농담 | word play 재담, 재치 있는 말장난 | dad joke 아빠 개그(아재 개그) | find A B A를 B라고 여기다[생각하다] | statement 표현(법); 진술, 서술 | humor 유머, 익살, 해학 | crown 왕관을 씌우다, 왕위에 앉히다 | name after ~의 이름을 따서 짓다| ending 결말 | founder 창립자, 설립자 | tradition 전통 | judge 심사위원, 심판; 심사하다 | remove 제거하다, 없애다 | predictable 뻔한, 새로운게 없는; 예측[예견]할 수 있는 | crowded 붐비는; ~이 가득한 | relatively 비교적; 상대적으로 | calm 침착한, 차분한; 잔잔한 | accused 피의자, 피고인 | defendant 피고 | spelling bee 철자법(에 맞게 글자 쓰기) 대회 | storytelling 이야기하기; 이야기를 하는 | tournament 토너먼트 | panel 패널, 심사원단, 토론자단, 위원단, -단 | edit 편집하다; 수정하다 | ethics 윤리학; 도덕 원리, 윤리 | due ~하기로 되어 있는[예정된]; 지불해야 하는; 적절한, 마땅한 | downstairs 아래층으로 | freeze (컴퓨터 화면 등이) 정지되다, 멈추다 | blurry 흐릿한, 모호한 | fail 고장 나다, 작동이 안 되다 | essay (짧은 논문식) 과제물, 글, 소론, 수필

Comprehension Questions p.37

1. Path 2 is relatively <u>complicated</u>.

(A) calm
(B) simple
(C) straight
(D) complicated

해석 길 2는 상대적으로 <u>복잡하다</u>.

(A) 차분한
(B) 간단한
(C) 똑바른
(D) 복잡한

풀이 길 2가 길 1보다 훨씬 더 많이 구부러져 있어 복잡하므로 (D)가 정답이다.

관련 문장 As time went on, the number of contestants grew, and the rules became more and more complicated.

2. One of the <u>judges</u> has a mustache.

(A) judges
(B) lawyers
(C) accused
(D) defendants

해석 <u>심사위원</u> 중 한 명은 콧수염이 있다.

(A) 심사위원
(B) 변호사
(C) 피고
(D) 피고

풀이 점수판을 들어 점수를 매기고 있는 심사위원들의 모습이고, 3점을 든 남성에게 콧수염이 있으므로 (A)가 정답이다.

관련 문장 Now, a panel of six judges give participants a score from 1 to 10.

3. The beginning of the movie was very predictable, but the ending was <u>surprising</u>.

(A) surprise
(B) surprised
(C) surprising
(D) the surprised

해석 그 영화의 시작 부분은 매우 뻔했지만, 결말은 <u>놀라웠다</u>.

(A) 놀라움
(B) 놀란
(C) 놀라운
(D) 놀란 사람(들)

풀이 빈칸에는 주어 'the ending'을 수식하는 주격 보어가 들어가야 한다. 'the ending'은 놀라는 대상이 아니라 놀라게 하는 주체이므로 능동의 의미가 있는 '-ing' 형태의 형용사를 쓰는 것이 적합하다. 따라서 (C)가 정답이다.

관련 문장 [...] who was known for writing short stories with surprising endings and clever word play.

4. This city is getting <u>more and more</u> crowded each year.

(A) more to more
(B) most or more
(C) more and most
(D) more and more

해석 이 도시는 해마다 <u>점점 더</u> 붐빈다.

(A) 좀더에서 좀더
(B) 최대 혹은 좀더
(C) 좀더 그리고 최대
(D) 점점 더

풀이 '점점 더 ~해지다'라는 뜻을 나타낼 때 'get/become more and more ~'라고 표현하므로 (D)가 정답이다.

관련 문장 As time went on, the number of contestants grew and the rules became more and more complicated.

[5-6]

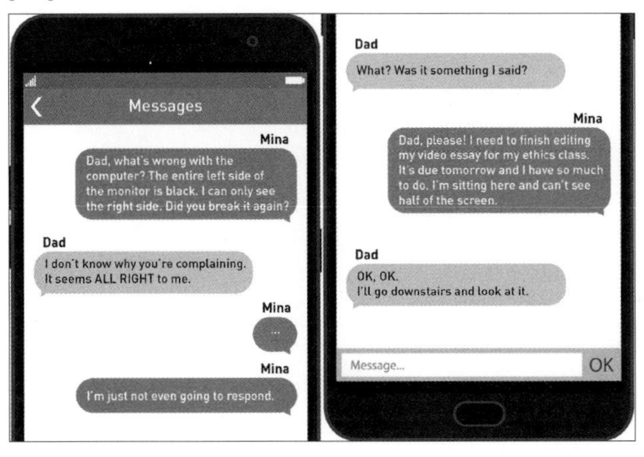

해석

메시지

Mina: 아빠, 컴퓨터 왜 이래요? 모니터 왼쪽 부분 전체가 까매요. 오른쪽 부분만 볼 수 있어요. 또 망가뜨리신 거예요?

아빠: 네가 왜 불평하는지 모르겠다. 나한테는 괜찮아(ALL RIGHT)* 보이는 데 말이다.

Mina: …

Mina: 그냥 반응조차 안 할 거예요.

아빠: 뭐? 내가 한 말 때문이니?

Mina: 아빠, 제발요! 윤리학 수업 비디오 에세이 편집 끝내야 한단 말이에요. 내일이 기한이고 할 일이 너무 많아요. 여기 앉아 있는데 화면의 절반을 볼 수 없다고요.

Dad: 알았다, 알았어. 내려가서 봐볼게.

* 컴퓨터 화면이 오른쪽만 나오는 상황에서, Mina의 아빠가 'all right'의 '괜찮은'과 '전부 오른쪽인'이라는 두 가지 의미를 활용하여 말장난하고 있다.

5. What is Mina's problem?

(A) Her computer has frozen.
(B) One half of her monitor is dark.
(C) Her monitor has become blurry.
(D) One side of her keyboard has failed.

해석 Mina의 문제는 무엇인가?

(A) 컴퓨터가 멈췄다.
(B) 모니터의 절반이 어둡다.
(C) 모니터가 흐려졌다.
(D) 키보드 한 쪽이 고장났다.

풀이 'The entire left side of the monitor is black. I can only see the right side.'와 'I'm sitting here and can't see half of the screen'에서 모니터 화면 절반이 까매서 볼 수가 없어 Mina가 곤란을 겪고 있다는 것을 알 수 있으므로 (B)가 정답이다.

6. What does Mina most likely mean when she says, "I'm just not even going to respond"?

(A) She will not mention her dad's pun.
(B) She has decided not to do her homework.
(C) She will not help her father with a video essay.
(D) She does not understand her computer problem.

해석 Mina가 "그냥 반응조차 안 할 거예요"라고 말한 의도는 무엇인가?

(A) 아빠의 말장난에 관해 언급하지 않을 것이다.
(B) 숙제를 하지 않기로 결심했다.
(C) 비디오 에세이에 관해 아버지를 돕지 않을 것이다.
(D) 컴퓨터 문제가 이해가 되지 않는다.

풀이 모니터 화면의 오른쪽 절반만 보인다는 Mina의 말에 아빠가 'all right'의 '괜찮은', '전부 오른쪽인'이라는 두 가지 의미를 활용하여 말장난하고 있다. Mina는 모니터 화면 고장에 대해 진지하게 이야기하고 있지만, 아빠가 말장난하자 Mina가 'I'm just not even going to respond.'라고 대답하고 있는 상황임을 파악할 수 있다. 따라서 (A)가 정답이다.

[7-10]

Some people love them, and some people hate them, but almost everyone seems to have a strong opinion about puns. Often called "dad jokes" by people who do not find them funny, puns are usually short statements that play with the meanings (or sounds) of words to produce humor. Fans of such jokes gather every year in Austin, Texas to participate in the O. Henry Pun-Off and crown the person with the best puns.

The competition is named after the author O. Henry (born "William Sydney Porter," 1862-1910), who was known for writing short stories with surprising endings and clever word play. The founders of the Pun-Off wanted to continue this tradition and began the competition in 1978. As time went on, the number of contestants grew, and the rules became more and more complicated. Now, a panel of six judges gives participants a score from 1 to 10. The top and bottom scores are removed, and the contestant with the highest score out of 40 is named "Punniest of Show" that year.

해석

어떤 사람들은 그것들을 아주 좋아하고, 어떤 사람들은 그것들을 싫어하지만, 거의 모든 사람이 말장난에 대해 확고한 의견을 가지고 있는 듯 보인다. 종종 그것들을 재밌다고 여기지 않는 사람들에 의해 "아빠 개그(아재 개그)"라고 불리는 말장난은 보통 단어의 의미(혹은 소리)를 활용하여 유머를 만들어내는 짧은 표현들이다. 그러한 개그를 좋아하는 팬들은 O. Henry 말장난 대회에 참가하고 최고의 말장난을 한 사람에게 왕관을 씌우기 위해 매년 텍사스 오스틴으로 모인다.

이 대회는 뜻밖의 결말과 재치 있는 말장난을 지닌 짧은 이야기로 알려진 작가 O. Henry(본명 "William Sydney Porter", 1862-1910)의 이름을 따서 지어졌다. 말장난 대회의 창시자들은 이 전통을 이어가기를 원했고 1978년에 이 대회를 시작했다. 시간이 흐르면서, 참가자들의 수는 늘어났고, 규칙들은 점점 더 복잡해졌다. 이제, 6명의 심사위원단이 1점부터 10점까지 참가자들에게 점수를 매긴다. 가장 높은 점수와 낮은 점수는 제외되고, 40점 만점에서 가장 높은 점수를 받은 참가자가 그 해 "대회에서 가장 잼있는(Punniest)* 사람"으로 명명된다.

* 'Pun'과 'Funniest'를 연결하여 말장난한 이름이다.

7. What is the main topic of this passage?
   (A) a spelling bee
   (B) a clever author
   (C) a joke competition
   (D) a storytelling tournament

해석 이 지문의 중심 소재는 무엇인가?
   (A) 철자 맞추기 대회
   (B) 영리한 작가
   (C) 농담 대회
   (D) 이야기하기 대회

유형 전체 내용 파악

풀이 첫 번째 문단에서 말장난의 일종인 'pun'과 O. Henry 말장난 대회를 소개하고, 두 번째 문단에서 O. Henry 말장난 대회 명칭의 유래, 시작 연도, 규칙 등을 설명하고 있다. 따라서 중심 소재는 O. Henry 말장난 대회라는 농담 대회이므로 (C)가 정답이다.

8. According to the passage, which of these best describes "puns"?
   (A) based on word sounds
   (B) started in Austin, Texas
   (C) enjoyed by most people
   (D) made famous by O. Henry

해석 지문에 따르면, 다음 중 "말장난"을 가장 잘 묘사하는 것은 무엇인가?
   (A) 단어 소리에 기반을 둔
   (B) 텍사트 오스틴에서 시작된
   (C) 대부분 사람이 즐기는
   (D) O. Henry에 의해 유명해진

유형 세부 내용 파악

풀이 '[...] puns are usually short statements that play with the meanings (or sounds) of words to produce humor.'에서 'pun'은 단어의 의미나 소리를 활용한 말장난이라는 것을 알 수 있으므로 (A)가 정답이다. (C)는 첫 문장에서 어떤 사람들은 'pun'을 좋아하지만 어떤 사람들은 'pun'을 싫어한다고 했으므로 오답이다.

9. When did the O. Henry Pun-Off begin?
   (A) 1862
   (B) 1910
   (C) 1978
   (D) 2003

해석 O. Henry 말장난 대회는 언제 시작했는가?
   (A) 1862
   (B) 1910
   (C) 1978
   (D) 2003

유형 세부 내용 파악

풀이 'The founders of the Pun-Off wanted to continue this tradition and began the competition in 1978.'에서 O. Henry 말장난 대회가 1978년에 시작되었다는 것을 알 수 있으므로 (C)가 정답이다.

10. How many judges are in the panel at the O. Henry Pun-Off?
    (A) 1
    (B) 4
    (C) 6
    (D) 10

해석 O. Henry 말장난 대회의 심사위원단에는 몇 명의 심사위원이 있는가?
    (A) 1
    (B) 4
    (C) 6
    (D) 10

유형 세부 내용 파악

풀이 'Now, a panel of six judges give participants a score from 1 to 10.'에서 여섯 명의 심사위원단이 점수를 매긴다고 하였으므로 (C)가 정답이다.

Listening Practice

HJ1-4 p.40

Some people love them, and some people hate them, but almost everyone seems to have a strong opinion about <u>puns</u>. Often called "dad jokes" by people who do not find them funny, puns are usually short statements that play with the meanings (or sounds) of words to produce humor. Fans of such <u>jokes</u> gather every year in Austin, Texas to participate in the O. Henry Pun-Off and <u>crown</u> the person with the best puns.

The competition is named after the author O. Henry (born "William Sydney Porter," 1862-1910), who was known for writing short stories with surprising endings and clever <u>word play</u>. The founders of the Pun-Off wanted to continue this tradition and began the competition in 1978. As time went on, the number of contestants grew, and the rules became more and more <u>complicated</u>. Now, a panel of six <u>judges</u> gives participants a score from 1 to 10. The top and bottom scores are removed, and the contestant with the highest score out of 40 is named "Punniest of Show" that year.

1. puns
2. jokes
3. crown
4. word play
5. complicated
6. judges

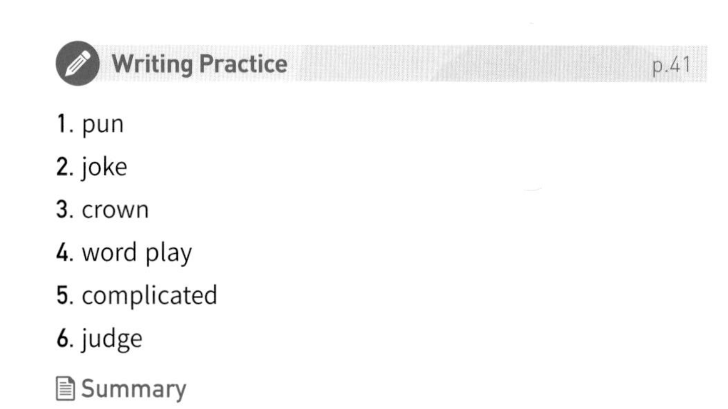

Writing Practice

p.41

1. pun
2. joke
3. crown
4. word play
5. complicated
6. judge

Summary

Puns are short <u>statements</u> that play with the meanings or sounds of words to produce <u>humor</u>. Every year, the O. Henry Pun-Off, named after the famously <u>clever</u> author, is held to <u>crown</u> the person with the best puns.

말장난은 단어의 의미와 소리를 활용하여 <u>유머</u>를 만들어내는 짧은 <u>표현(법)</u>이다. 해마다, <u>영리한</u> 유명작가의 이름을 딴 O. Henry 말장난 대회가 최고의 말장난을 한 사람에게 <u>왕관을 씌우기</u> 위해 열린다.

Word Puzzle

p.42

Across	Down
2. word play	1. complicated
5. crown	3. pun
6. judge	4. joke

AMAZING STORIES

p.43

Henry Molaison: Patient H.M.

Henry Molaison was a young American who had long suffered from terrible seizures. In 1953, when he was 27 years old, a team of doctors performed surgery on his brain in an effort to help stop the seizures. After the surgery, Molaison did have fewer seizures. But he also had something else: an inability to store any new memories. He could only remember memories created before the age of sixteen. After the surgery, he would forget new information within 30 seconds. Molaison, known only as Patient H.M., would go on to become the most famous patient in the new field of brain science.

Brain scientists learned many new things from Molaison's case. One of the most important discoveries was that memories are not "stored" by the whole brain; rather, certain parts of the brain control certain types of memories. They also discovered the difference between unconscious and conscious memory. For example, Molaison could still learn new physical skills, like how to use a walking tool when he hurt his ankle.

However, the brain and the mind still remain scientific mysteries. What is more, research into Molaison's case has revealed other mysteries. When Molaison died in 2008, a cut on his brain was discovered that had been little studied before. In addition, a lead researcher was quoted in an interview as saying that she had destroyed original data from experiments conducted on Molaison. However, because Molaison's brain was cut into over 2,000 pieces for scientific study, the mysteries surrounding the case of Patient H.M. may remain secrets forever.

Henry Molaison: 환자 H.M.

Henry Molaison은 끔찍한 발작으로 오래 고통받았던 젊은 미국인이었다. 1953년에, 그가 27살이었을 때, 한 팀의 의사들이 그의 발작이 멈추도록 도우려고 그의 뇌를 수술했다. 수술 후에, Molaison은 발작을 더 적게 겪었다. 그러나 그에게 다른 무언가도 생겼다: 그 어떤 새로운 기억도 저장하지 못하는 것이었다. 그는 열여섯 살 이전에 생긴 기억만 기억할 수 있었다. 수술 후에, 그는 새로운 정보를 30초 이내에 잊어버리곤 했다. 환자 H.M.이라고만 알려진 Molaison은 뇌 과학이라는 새 분야에서 가장 유명한 환자가 될 참이었다.

뇌 과학자들은 Molaison의 사례로부터 많은 새로운 것을 알게 됐다. 가장 중요한 발견 중 하나는 기억이 뇌 전체에 의해 "저장되는" 게 아니라는 점이다; 오히려, 뇌의 특정 부분이 특정 유형의 기억을 통제한다. 그들은 또한 무의식과 의식 기억의 차이점을 발견하기도 했다. 예를 들어, Molaison은 발목을 다쳤을 때 보행 도구를 사용하는 법처럼 새로운 육체 능력을 여전히 학습할 수 있었다.

하지만, 뇌와 정신은 여전히 과학적 미스터리로 남아있다. 더욱이, Molaison 사례에 관한 연구는 다른 미스터리를 드러냈다. Molaison이 2008년에 죽었을 때, 그의 뇌에서 이전에 거의 연구되지 않았던 상처 하나가 발견되었다. 게다가, 한 수석 연구원이 인터뷰에서 Molaison에 실시한 실험의 원본 자료를 자신이 파기했다고 말한 것으로 알려졌다. 하지만, Molaison의 뇌가 과학 연구를 위해 2,000개가 넘는 조각으로 잘려 나뉘었기 때문에, 환자 H.M.을 둘러싼 수수께끼들은 영원히 비밀로 남을지도 모른다.

Chapter 2. **Competitions 2**

Unit 5 | The Air Guitar Championships p.45

Part A. Picture Description p.47

1 (C) 2 (C)

Part B. Sentence Completion p.47

3 (C) 4 (C)

Part C. Practical Reading Comprehension p.48

5 (C) 6 (C)

Part D. General Reading Comprehension p.49

7 (B) 8 (D) 9 (C) 10 (C)

Listening Practice p.50

1 pretending	2 invisible
3 acoustic	4 miming
5 taken on	6 promote

Writing Practice p.51

1 pretend	2 invisible
3 acoustic	4 mime
5 take on	6 promote

Summary **annual, performance, sideshow, promote**

Word Puzzle p.52

Across

4 pretend	5 mime

Down

1 invisible	2 take on
3 acoustic	4 promote

Pre-reading Questions p.45

Pretend you are playing a musical instrument.
Your friend guesses:
1) What instrument is it?
2) What song are you playing?

악기를 연주하고 있는 척해보세요. 당신의 친구들이 알아맞혀요:
1) 그것은 무슨 악기인가요?
2) 어떤 노래를 연주하고 있나요?

Reading Passage p.46

The Air Guitar Championships

At a yearly competition in Oulu, Finland, contestants do not need to be able to make a single sound on a real instrument. They just need to be the best at playing a guitar that does not exist. Air guitar involves a performer pretending to play an invisible electric or acoustic guitar. And at the Air Guitar World Championships in Oulu, only the best get to show their skills at dancing, making faces, and miming the act of playing the guitar.

The competition includes two rounds. In the first round, competitors perform a 60-second song they prepare in advance. In the second round, competitors perform a 60-second song chosen by the contest organizers. They hear the song right before they perform it. The performances are given a maximum score of 6.0 points for each round; both rounds count for the total.

The Air Guitar World Championships started out as a sideshow during a music video festival. However, it has now taken on a bigger meaning. According to the organization's official website, the championships serve to "promote world peace." As the organizers remind us, we should all "make air, not war."

에어 기타 챔피언전

핀란드 오울루에서 열리는 연례 대회에서, 참가자들은 실제 악기로 어떤 소리도 낼 수 있을 필요가 없다. 그들은 그저 존재하지 않는 기타를 연주하는 데 최고이면 된다. 에어 기타는 보이지 않는 전자 혹은 어쿠스틱 기타를 연주하는 척하는 연주자를 포함한다. 그리고 오울루의 에어 기타 세계 챔피언전에서는, 오직 최고만이 자신들의 춤, 인상 쓰기, 그리고 기타 연주 행위 흉내 내기 기술을 보여주게 된다.

이 대회는 두 라운드를 포함한다. 첫 번째 라운드에서, 경쟁자들은 미리 준비한 60초짜리 노래를 공연한다. 두 번째 라운드에서는, 경쟁자들은 대회 주최 측이 선정한 60초짜리 노래를 공연한다. 그들은 공연하기 직전에 그 노래를 듣는다. 공연에는 라운드마다 최대 6.0점이 주어진다; 두 라운드는 총 점수로 합산된다.

에어 기타 세계 챔피언전은 뮤직비디오 축제 기간에 부차적인 쇼로 시작했다. 하지만, 그것은 이제 더 큰 의미를 띠게 되었다. 단체의 공식 웹사이트에 따르면, 이 챔피언전은 "세계 평화를 장려하는" 역할을 한다고 한다. 주최 측이 우리에게 상기 시켜 주듯, 우리는 모두 "전쟁이 아니라, 공기(air)를 만들어야" 한다.

어휘 air guiat 에어 기타; 기타를 안 든 채 연주를 흉내내는 것 | pretend ~인 척하다, ~라고 가장하다 | instrument 악기; 기구 | performer 공연자 | invisible 보이지 않는 | acoustic (악기나 공연이) 전자 장치를 쓰지 않는; 음향의; 청각의 | make faces 얼굴을 찌푸리다 | mime (말을 하지 않고) 몸짓으로 표현하다, 무언극을 하다 | in advance 미리, 사전에 | organizer 주최자, 조직자 | maximum 최대[최고] | count for ~의 가치가 있다 | sideshow 사이드 쇼 (서커스 등에서 손님을 끌기 위해 따로 보여주는 소규모의 공연); 부차적인 일 | take on (특정한 특질·모습 등을) 띠다 | official 공식적인 | promote 고취하다; 홍보하다 | for fun 재미로 | lean on ~에 기대다 | trip 발을 헛디디다; ~을 넘어뜨리다 | imaginary 상상의, 가상의 | feature (배우를) 주연[출연]시키다 | vision 비전, 미래상 | symbolize 상징하다 | revenge 복수 | cancel 취소하다 | registration 등록 | form 서식; 형식 | fee 요금 | submit 제출하다 | contact person 연락할 수 있는 사람 | youth 젊은이, 청년 | swearing 욕, 욕설 | reserve (권한 등을) 갖다 | right 권리 | deem (~로) 여기다, 간주하다 | appropriate 적절한 | present (특정 장소에) 있는, 참석[출석] 한 | memorial 기념하기 위한 | notify A of B A에게 B를 알리다 | entrant (대회의) 출전자; 응시생 | required 요구되는, 필수의 | contain ~이 들어[함유되어] 있다 | obscene 음란한, 외설적인

Comprehension Questions p.47

1. He mimed leaning on chair.
   (A) fell
   (B) began
   (C) mimed
   (D) tripped

해석 그는 의자에 기대는 흉내를 냈다.
(A) 떨어졌다
(B) 시작했다
(C) 몸짓으로 표현했다
(D) 발을 헛디뎠다

풀이 무언가에 기댄 것처럼 몸동작으로 흉내 내고 있는 모습이다. 말을 하지 않고 몸동작으로 표현하거나 무언극을 'mime'이라고 표현하므로 (C)가 정답이다.

관련 문장 [...] only the best get to show their skills at dancing, making faces, and miming the act of playing the guitar.

2. My guitar is acoustic.
   (A) electric
   (B) missing
   (C) acoustic
   (D) invisible

해석 내 기타는 어쿠스틱이다.
(A) 전기의
(B) 분실된
(C) 어쿠스틱인, 전자 장치를 쓰지 않는
(D) 보이지 않는

풀이 통기타를 'acoustic guitar'(어쿠스틱 기타)라고 표현하므로 (C)가 정답이다.

관련 문장 Air guitar involves a performer pretending to play an invisible electric or acoustic guitar.

3. For this contest, you need to be able to dance well.
   (A) can
   (B) able to
   (C) be able to
   (D) can be able to

해석 이 대회에서는, 춤을 잘 출 수 있어야 한다.
(A) ~할 수 있다
(B) ~할 수 있는
(C) ~할 수 있다
(D) 어색한 표현

풀이 'need to'(~해야 한다)라는 동사구 뒤에는 동사 원형이 들어가야 하므로 be 동사의 원형으로 시작하는 (C)가 정답이다. (A)는 조동사 can이 to 부정사 뒤에 올 수 없으므로 오답이다. (B)는 'able to'가 형용사구이므로 오답이다.

새겨 두기 조동사는 두 개 이상 중복해서 사용할 수 없다. 특히 'can'과 다른 조동사를 함께 사용하려면 'can'을 'be able to'로 바꾸어 표현한다.
ex) 'will can' (X) → 'will be able to' (O)
'need to can' (X) → 'need to be able to' (O)

관련 문장 At a yearly competition in Oulu, Finland, contestants do not need to be able to make a single sound on a real instrument.

4. We started the event just for fun, but it has now taken on an important meaning.

(A) take
(B) took
(C) taken
(D) been taken

해석 우리는 그저 재미로 그 행사를 시작했지만, 그것은 이제 중요한 의미를 가지고 있다.

(A) 가져오다
(B) 가져왔다
(C) 가져온
(D) 가져와 진

풀이 빈칸은 두 번째 절의 동사 자리이며, 조동사 'has'가 있는 것으로 보아 현재 완료 시제라는 것을 알 수 있다. 현재 시점에서 결과를 나타낼 때 사용하는 현재 완료 시제는 'have + p.p'로 표현하므로 (C)가 정답이다.

관련 문장 However, it has now taken on a bigger meaning.

[5-6]

Registration Form for All-ages Winfield Air Band/ Lip Sync Contest

Saturday March 14, 2020
7:30 PM (doors open at 6:30)

Form and fees must be submitted between February 21 and March 7, 2020

Name(s): ______
Contact person: ______ Email of contact person: ______
Phone #: ______ Category: ☐ Kids ☐ Adults

Name of your song: ______ Time of song (maximum 4 minutes long): ______

Registration fee: ___ band members × $5.00 = ___
Family tickets needed: ___ adults × $8.00 = ___
___ youth (under 16) × $5.00 = ___
Do you want a DVD recording of the show?: ___ × $10.00 each = ___ Total $ ______

Note:
- Songs may not contain any swearing. It is an all-ages show. The organizers reserve the right to refuse any song deemed not appropriate.
- All performers must be present at a technical rehearsal on Saturday, March 7, 2020 between 1:30 PM and 5:00 PM at the Century Memorial hall. You will be notified of the exact schedule by February 26.

해석

모든 연령대 Winfield 에어 밴드/ 립싱크 대회 등록 양식

2020년 3월 14일 토요일
오후 7시 30분 (출입구 6시 30분에 개방)

양식과 등록비는 2020년 2월 21일에서 3월 7일 사이에 제출해야 합니다

이름: ______

담당자: ______ 담당자 이메일: ______

전화번호 #: ______ 분류: ☐어린이 / ☐성인

노래 제목: ______ 노래 길이 (최대 4분): ____

등록비: ____ 밴드 구성원 × 5달러 = ____

가족 입장권 필요 여부: ____ 성인 × 8달러 = ____
____청소년 (16세 미만) × 5달러 = ____

공연의 DVD 녹화를 원하시나요?: ____ × 각 10달러 = ____

합계: ______ 달러

참고:
- 노래에는 욕설이 포함되지 않아야 합니다. 모든 연령대 공연입니다. 주최 측은 적절치 않다고 간주되는 노래를 거부할 권리가 있습니다.
- 모든 공연자는 2020년 3월 7일 토요일 오후 1시 30분에서 오후 5시까지 백주년 기념관에서 진행하는 테크 리허설에 반드시 참석해야 합니다. 2월 26일까지 정확한 일정이 통보될 것입니다.

5. The band "Krystal" has four members. Two want a DVD, and each member is bringing one youth and one adult guest. How much is the total?

(A) 20
(B) 56
(C) 92
(D) 112

해석 "Krystal" 밴드에는 네 명의 멤버가 있다. 두 명이 DVD를 원하고, 각 멤버가 청소년 한 명과 성인 한 명을 손님으로 데려온다. 총 얼마인가?

(A) 20
(B) 56
(C) 92
(D) 112

풀이 멤버들의 등록비('Registration fee')는 총 20달러(4명 × 5달러)이고, DVD 녹화비는 총 20달러(2명 × 10달러)이다. 또한 각 멤버가 청소년 한 명과 성인 한 명을 손님으로 데려온다고 하였으므로 멤버 한 명의 가족 입장권 비용은 13달러(청소년 5달러 + 성인 8달러)이며, 총 가족 입장권 비용은 52달러(4명 × 13달러)가 된다. 따라서 비용을 모두 합하면 92달러(20달러 + 20달러 + 52달러)이므로 (C)가 정답이다.

6. Which is most likely a reason why organizers would refuse an entrant?

(A) They are under the required age.
(B) Their song is under four minutes.
(C) Their song contains an obscene word.
(D) They submitted their form on March 6th.

해석 다음 중 주최 측이 참가를 거부하는 이유로 가장 적절한 것은 무엇인가?

(A) 요구 연령 미만이다.
(B) 노래가 4분 미만이다.
(C) 노래에 외설적인 말이 포함되어 있다.
(D) 3월 6일에 양식을 제출했다.

풀이 'Songs may not contain any swearing. It is an all-ages show. The organizers reserve the right to refuse any song deemed not appropriate.'에서 노래에 욕설이 있어서는 안 되며, 주최 측에서 적절치 않다고 간주되면 거부권을 행사할 수 있다고 밝히고 있다. 따라서 노래에 외설적인 말이 담겨 있으면 거부할 수 있으므로 (C)가 정답이다. (B)는 최대 노래 길이가 4분으로, 허용될 수 있으므로 오답이다. (D)는 제출 마감 기한은 다음 날인 2020년 3월 7일까지이므로 오답이다.

[7-10]

At a yearly competition in Oulu, Finland, contestants do not need to be able to make a single sound on a real instrument. They just need to be the best at playing a guitar that does not exist. Air guitar involves a performer pretending to play an invisible electric or acoustic guitar. And at the Air Guitar World Championships in Oulu, only the best get to show their skills at dancing, making faces, and miming the act of playing the guitar.

The competition includes two rounds. In the first round, competitors perform a 60-second song they prepare in advance. In the second round, competitors perform a 60-second song chosen by the contest organizers. They hear the song right before they perform it. The performances are given a maximum score of 6.0 points for each round; both rounds count for the total.

The Air Guitar World Championships started out as a sideshow during a music video festival. However, it has now taken on a bigger meaning. According to the organization's official website, the championships serve to "promote world peace." As the organizers remind us, we should all "make air, not war."

해석

핀란드 오울루에서 열리는 연례 대회에서, 참가자들은 실제 악기로 어떤 소리도 낼 수 있을 필요가 없다. 그들은 그저 존재하지 않는 기타를 연주하는 데 최고이면 된다. 에어 기타는 보이지 않는 전자 혹은 어쿠스틱 기타를 연주하는 척하는 연주자를 포함한다. 그리고 오울루의 에어 기타 세계 챔피언전에서는, 오직 최고만이 자신들의 춤, 인상 쓰기, 그리고 기타 연주 행위 흉내 내기 기술을 보여주게 된다.

이 대회는 두 라운드를 포함한다. 첫 번째 라운드에서, 경쟁자들은 미리 준비한 60초짜리 노래를 공연한다. 두 번째 라운드에서는, 경쟁자들은 대회 주최 측이 선정한 60초짜리 노래를 공연한다. 그들은 공연하기 직전에 그 노래를 듣는다. 공연에는 라운드마다 최대 6.0점이 주어진다; 두 라운드는 총 점수로 합산된다.

에어 기타 세계 챔피언전은 뮤직비디오 축제 기간에 부차적인 쇼로 시작했다. 하지만, 그것은 이제 더 큰 의미를 띠게 되었다. 단체의 공식 웹사이트에 따르면, 이 챔피언전은 "세계 평화를 장려하는" 역할을 한다고 한다. 주최 측이 우리에게 상기 시켜 주듯, 우리는 모두 "전쟁이 아니라, 공기(air)를 만들어야" 한다.

7. What would be the best title of the passage?

(A) How Oulu Invented the Guitar
(B) Playing Imaginary Guitars in Oulu
(C) Oulu: A Hub for Musicians from Finland
(D) Why Finland's Oulu Sells the Most Guitars

해석 지문에 가장 알맞은 제목은 무엇인가?

(A) 어떻게 오울루에서 기타를 발명했는가
(B) 오울루에서 상상의 기타 연주하기
(C) 오울루: 핀란드 음악가들의 중심지
(D) 왜 핀란드의 오울루에서 기타를 가장 많이 파는가

유형 전체 내용 파악

풀이 첫 번째 문단에서 핀란드 오울루에서 열리는 'Air Guitar World Championships'이 무엇인지, 두 번째 문단에서 챔피언전이 어떻게 구성되는지, 세 번째 문단에서 에어 기타 챔피언전의 유래와 의미에 대해 설명하고 있는 글이다. 따라서 글의 중심 내용은 오울루의 에어 기타 챔피언전이므로 (B)가 정답이다.

8. Which is NOT listed as a skill performed in the competition?

(A) mime
(B) dance
(C) face-making
(D) body-painting

해석 다음 중 대회에서 공연되는 기술로 나열되지 않은 것은 무엇인가?

(A) 마임
(B) 춤
(C) 인상 쓰기
(D) 보디 페인팅

유형 세부 내용 파악

풀이 에어기타 대회에서 선보이는 기술로 'body-painting'은 언급되지 않았으므로 (D)가 정답이다. 나머지 선택지는 'And at the Air Guitar World Championships in Oulu, only the best get to show their skills at dancing, making faces, and miming the act of playing the guitar.'에서 확인할 수 있으므로 오답이다.

9. What is the maximum score a competitor could get in the competition?

(A) 6
(B) 10
(C) 12
(D) 24

해석 대회에서 선수가 받을 수 있는 최대 점수는 무엇인가?

(A) 6
(B) 10
(C) 12
(D) 24

유형 세부 내용 파악 & 추론하기

풀이 'The competition includes two rounds. [...] The performances are given a maximum score of 6.0 points for each round; both rounds count for the total.'에서 대회는 총 두 라운드로 구성되어 있고, 각 라운드에서 받을 수 있는 최대 점수는 6점이며, 두 라운드의 점수를 합산한다고 설명하고 있다. 따라서 참가 선수가 받을 수 있는 최대 성적은 총 12점(6점 × 2라운드)이므로 (C)가 정답이다.

10. Which quote would a competition organizer most likely write?

(A) "This show features the world's best singers."
(B) "This performance festival is mainly for military music."
(C) "This competition promotes our vision of peace on Earth."
(D) "This contest symbolizes revenge for our cancelled music video."

해석 다음 중 대회 주최자가 작성했을 인용문으로 가장 적절한 것은 무엇인가?

(A) "이 쇼는 세계 최고의 가수들이 출연합니다."
(B) "이 공연 축제는 주로 군악을 위한 것입니다."
(C) "이 대회는 지구 평화에 관한 저희의 비전을 장려합니다."
(D) "이 대회는 저희의 취소된 뮤직비디오에 대한 복수를 상징합니다."

유형 세부 내용 파악 & 추론하기

풀이 'According to the organization's official website, the championships serve to "promote world peace."'를 통해 주최 측에서 에어 기타 챔피언전이 세계 평화를 장려한다고 강조하고 있음을 알 수 있다. 따라서 (C)가 정답이다.

Listening Practice ▶HJ1-5 p.50

At a yearly competition in Oulu, Finland, contestants do not need to be able to make a single sound on a real instrument. They just need to be the best at playing a guitar that does not exist. Air guitar involves a performer pretending to play an invisible electric or acoustic guitar. And at the Air Guitar World Championships in Oulu, only the best get to show their skills at dancing, making faces, and miming the act of playing the guitar.

The competition includes two rounds. In the first round, competitors perform a 60-second song they prepare in advance. In the second round, competitors perform a 60-second song chosen by the contest organizers. They hear the song right before they perform it. The performances are given a maximum score of 6.0 points for each round; both rounds count for the total.

The Air Guitar World Championships started out as a sideshow during a music video festival. However, it has now taken on a bigger meaning. According to the organization's official website, the championships serve to "promote world peace." As the organizers remind us, we should all "make air, not war."

1. pretending
2. invisible
3. acoustic
4. miming
5. taken on
6. promote

Writing Practice p.51

1. pretend
2. invisible
3. acoustic
4. mime
5. take on
6. promote

Summary

The Air Guitar World Championships is an annual competition in Finland which crowns a person with the best air guitar performance. Although this competition started as a sideshow of a festival, now it has a bigger meaning to "promote world peace."

에어 기타 세계 챔피언전은 가장 최고의 에어 기타 공연을 선보인 사람에게 타이틀을 주는 핀란드에서 열리는 연례 대회이다. 이 대회는 한 축제의 부차적인 볼거리로 시작했지만, 이제 그것은 "세계 평화를 장려한다"는 더 큰 의미를 가진다.

Word Puzzle p.52

Across
4. pretend
5. mime

Down
1. invisible
2. take on
3. acoustic
4. promote

Unit 6 | Mistakes at the Academy Awards p.53

Part A. Picture Description p.55

1 (A) 2 (C)

Part B. Sentence Completion p.55

3 (A) 4 (B)

Part C. Practical Reading Comprehension p.56

5 (A) 6 (C)

Part D. General Reading Comprehension p.57

7 (A) 8 (D) 9 (C) 10 (A)

Listening Practice p.58

1 Televised 2 Nonetheless
3 apparent 4 infamously
5 acceptance 6 naked

Writing Practice p.59

1 televised 2 nonetheless
3 apparent 4 infamously
5 acceptance speech
6 naked

Summary Infamously, mispronounced, announced, naked

Word Puzzle p.60

Across
2 nonetheless 5 televised
6 naked

Down
1 infamously 3 acceptance speech
4 apparent

 **Pre-reading Questions** p.53

Have you ever planned a big event?

If so, did anything go wrong? If not, what might go wrong?

큰 행사를 계획해 본 적이 있나요?

그렇다면, 무언가 일이 잘못된 적 있나요? 그렇지 않다면, 어떤 것이 잘못될 수 있을까요?

 **Reading Passage** p.54

Mistakes at the Academy Awards

Televised award shows are big events that require a lot of careful planning. Nonetheless, because they happen live, many things can go wrong. Nowhere is this more apparent than at the Academy Awards in Hollywood, California.

The ceremony infamously had a horrible moment in 2014. A presenter was introducing the singer who would perform "Let It Go" from the movie *Frozen*. "Ladies and gentlemen... Adela Dazeem!" said the presenter. The singer's actual name was Idina Menzel.

A worse mistake happened at the 2017 ceremony. During the category for Best Picture, the biggest award of the night, the presenter was given the wrong card. He ended up announcing *La La Land* as the best movie instead of the real winner, *Moonlight*. Sadly, the makers of *La La Land* were already on stage giving an acceptance speech when the mistake was discovered.

However, perhaps the most embarrassing occurrence was at the 46th Academy Awards in 1974. Just as the presenters were preparing to announce a winner, a man ran naked across the stage. As these and other events demonstrate, even carefully planned events like the Academy Awards can have major issues.

아카데미 시상식에서의 실수

텔레비전으로 방송하는 시상식 프로그램은 많은 세심한 계획을 필요로 하는 큰 행사이다. 그렇더라도, 실시간으로 진행하기 때문에, 많은 것들이 잘못될 수 있다. 캘리포니아, 할리우드에서 열리는 아카데미 시상식보다 이것이 분명한 곳은 없다.

이 시상식에서는 2014년에 불명예스럽게도 끔찍한 순간이 있었다. 발표자가 *겨울왕국(Frozen)* 영화의 "Let It Go"를 공연할 가수를 소개하고 있었다. "신사와 숙녀 여러분... Adela Dazeem입니다!"라고 발표자가 말했다. 그 가수의 실제 이름은 Idina Menzel이었다.
더 심한 실수가 2017년 시상식에서 일어났다. 그 밤의 가장 커다란 상인 최우수 작품상 부문에서, 발표자는 잘못된 카드를 받았다. 그는 결국 실제 수상작인 *문라이트(Moonlight)* 대신 *라라랜드(La La Land)*가 최고의 영화라고 발표하게 되었다. 안타깝게도, 실수가 발견됐을 때 *라라랜드*의 제작진들은 이미 무대에서 수상 연설을 하고 있었다.

그렇지만, 아마도 가장 당혹스러운 일은 1974년 제46회 아카데미 시상식에서 있었던 사건일 것이다. 발표자들이 수상자 발표를 준비하려는 찰나, 한 남성이 벌거벗은 채로 무대를 가로질러 달렸다. 이와 같은 사건들이 보여주듯이, 아카데미 시상식처럼 세심하게 계획된 행사들에서조차도 중대한 문제가 생길 수 있다.

어휘 go wrong (일이) 잘못되다, 문제를 겪다 | televise 텔레비전으로 방송하다 | live 생방송의, 생중계의 | nowhere 아무데도[어디에도] (~않다[없다]) | apparent 분명한 | infamously 악명 높게; 불명예스럽게도 | horrible 지긋지긋한, 끔찍한 | end up V-ing 결국 V하게 되다 | acceptance speech 수락[수상] 연설 | discover 발견하다 | occurrence 발생, 존재, 나타남 | announce 발표하다, 알리다 | naked 벌거벗은, 아무것도 걸치지 않은 | demonstrate 입증[실증]하다, 보여주다 | telescope (서로 포개져) 짧게 만들다, 단축[압축]하다; 망원경 | telegram 전보, 전문 | lengthy 너무 긴, 장황한 | video conference 화상 회의, 영상 회의 | protest 항의; 시위; 항의하다, 이의를 제기하다 | mispronounce 잘못 발음하다 | nude 나체의, 알몸인 | disrupt 방해하다, 지장을 주다 | nominee 후보 | yell at ~에게 소리치다, 고함치다| interrupt (말·행동을) 방해하다[중단시키다/가로막다] | prestigious 명망 있는, 일류의 | rush 급히 움직이다[하다], (너무 급히) 서두르다 | mishear 잘못 (알아)듣다

Comprehension Questions p.55

1. The game was televised.
   (A) televised
   (B) telephoned
   (C) telescoped
   (D) telegrammed

해석 그 경기는 TV로 방송되었다.

(A) TV로 방송되는
(B) 전화로 전해지는
(C) 단축[압축]된
(D) 전보로 보내지는

풀이 세 사람이 TV로 방송되는 축구 경기를 보고 있으므로 (A)가 정답이다.

관련 문장 Televised award shows are big events that require a lot of careful planning.

2. He thanked his parents in his acceptance speech.
   (A) lengthy letter
   (B) text message
   (C) acceptance speech
   (D) video conference call

해석 그는 수상 연설에서 부모님께 감사를 표했다.

(A) 장문의 편지
(B) 문자 메시지
(C) 수상 연설
(D) 화상 회의 통화

풀이 남자가 트로피를 치켜들고 수상 소감을 말하고 있는 모습이다. '수상 소감, 수상 연설'은 'acceptance speech'라고 표현하므로 (C)가 정답이다.

관련 문장 Sadly, the makers of *La La Land* were already on stage giving an acceptance speech when the mistake was discovered.

3. I love winter, and nowhere is it more beautiful than in my hometown in Russia.
   (A) is it
   (B) it is
   (C) has there
   (D) there has

해석 나는 겨울을 아주 좋아해, 그리고 러시아에 있는 내 고향보다 (겨울이) 더 아름다운 곳은 없어.

(A) be 동사 is + 대명사 it
(B) 대명사 it + be 동사 is
(C) 조동사 has + 부사 there
(D) 부사 there + 조동사 has

풀이 본래 'It is more beautiful nowhere than in my hometown in Russia.'(내러시아의 고향에서보다 (겨울이) 더 아름다운 곳은 아무 데도 없다.)라는 문장에서 'nowhere'이 문장 앞에 오면서 주어와 동사가 도치된 것이다. 따라서 (A)가 답이다.

새겨 두기 'never', 'not only', 'nowhere', 'only + 부사' 등과 같이 부정의 의미가 있는 부사구가 문장 앞에 나오면 주어와 동사는 도치된다. 주로 동사의 의미를 강조하고 싶을 때 사용한다.

예) I have never eaten a snail.
→ Never have I eaten a snail.

관련 문장 Nowhere is this more apparent than at the Academy Awards in Hollywood, California.

4. We ended up leaving the party early because Martin felt sick.
   (A) leave
   (B) leaving
   (C) to leave
   (D) had to leave

해석 Martin이 속이 안 좋아서 우리는 결국 파티에서 일찍 떠나게 되었다.

(A) 떠나다
(B) 떠나기
(C) 떠나는 것
(D) 떠나야 했다

풀이 '결국 V 하게 되다'라는 뜻을 나타낼 때 'end up V-ing'라고 표현하므로 (B)가 정답이다.

관련 문장 He ended up announcing *La La Land* as the best movie instead of the real winner, *Moonlight*.

[5-6]

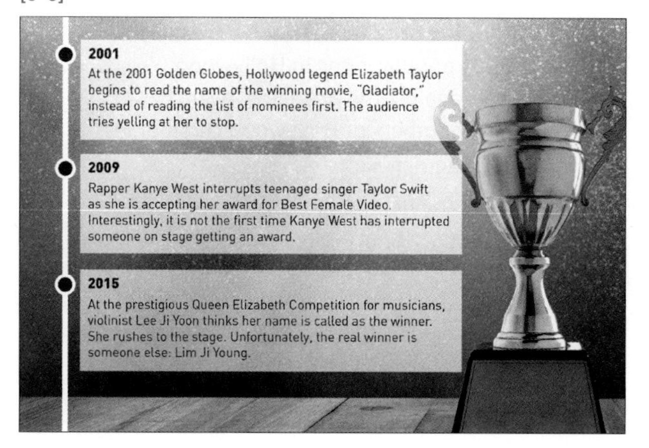
2001
At the 2001 Golden Globes, Hollywood legend Elizabeth Taylor begins to read the name of the winning movie, "Gladiator," instead of reading the list of nominees first. The audience tries yelling at her to stop.

2009
Rapper Kanye West interrupts teenaged singer Taylor Swift as she is accepting her award for Best Female Video. Interestingly, it is not the first time Kanye West has interrupted someone on stage getting an award.

2015
At the prestigious Queen Elizabeth Competition for musicians, violinist Lee Ji Yoon thinks her name is called as the winner. She rushes to the stage. Unfortunately, the real winner is someone else: Lim Ji Young.

해석

2001년

2001년 골든 글로브 시상식에서, 할리우드 전설인 Elizabeth Taylor가 후보자 명단을 먼저 읽는 대신에 수상 영화의 제목인 "글래디에이터(Gladiator)"를 읽으려던 참이다. 관중들은 그녀에게 멈추라고 소리친다.

2009년

래퍼 Kanye West가 최우수 여자 비디오상을 받고 있는 십대 가수 Taylor Swift를 방해한다. 흥미롭게도, Kanye West가 무대에서 상을 받고 있는 누군가를 방해한 것은 이번이 처음이 아니다.

2015년

명망 있는 Elizabeth 여왕 음악 대회에서, 바이올리니스트 Lee Ji Yoon은 자신의 이름이 우승자로 불렸다고 생각한다. 그녀는 무대로 달려간다. 불행히도, 실제 우승자는 다른 사람이다: Lim Ji Young이다.

5. When did someone forget to read the list of nominees?

(A) 2001
(B) 2009
(C) 2015
(D) both 2009 and 2015

해석 누군가가 후보자 명단 읽는 것을 잊어 버린 때는 언제인가?

(A) 2001년
(B) 2009년
(C) 2015년
(D) 2009년 2015년 둘 다

풀이 'At the 2001 Golden Globes, Hollywood legend Elizabeth Taylor [...] instead of reading the list of nominees first.'에서 Elizabeth Taylor가 2001년 시상식에서 후보자 명단 읽는 것을 깜빡하고 수상작을 발표하려 했던 일화를 소개하고 있으므로 (A)가 정답이다.

6. What happened to a violinist?

(A) She fell off a stage.
(B) She won Best Female Video.
(C) She misheard the winner's name.
(D) She yelled at an audience member.

해석 바이올리니스트에게 무슨 일이 생겼는가?

(A) 무대에서 떨어졌다.
(B) 최우수 여자 비디오상을 받았다.
(C) 우승자의 이름을 잘못 들었다.
(D) 관객 한 명에게 소리 질렀다.

풀이 'violinist Lee Ji Yoon thinks her name is called as the winner. [...] the real winner is someone else'에서 한 바이올리니스트가 자신의 이름을 우승자로 잘못 들어 무대로 달려간 일화를 소개하고 있으므로 (C)가 정답이다.

[7-10]

Televised award shows are big events that require a lot of careful planning. Nonetheless, because they happen live, many things can go wrong. Nowhere is this more apparent than at the Academy Awards in Hollywood, California.

The ceremony infamously had a horrible moment in 2014. A presenter was introducing the singer who would perform "Let It Go" from the movie *Frozen*. "Ladies and gentlemen... Adela Dazeem!" said the presenter. The singer's actual name was Idina Menzel.

A worse mistake happened at the 2017 ceremony. During the category for Best Picture, the biggest award of the night, the presenter was given the wrong card. He ended up announcing *La La Land* as the best movie instead of the real winner, *Moonlight*. Sadly, the makers of *La La Land* were already on stage giving an acceptance speech when the mistake was discovered.

However, perhaps the most embarrassing occurrence was at the 46th Academy Awards in 1974. Just as the presenters were preparing to announce a winner, a man ran naked across the stage. As these and other events demonstrate, even carefully planned events like the Academy Awards can have major issues.

해석

텔레비전으로 방송하는 시상식 프로그램은 많은 세심한 계획을 필요로 하는 큰 행사이다. 그렇더라도, 실시간으로 진행하기 때문에, 많은 것들이 잘못될 수 있다. 캘리포니아, 할리우드에서 열리는 아카데미 시상식보다 이것이 분명한 곳은 없다.

이 시상식에서는 2014년에 불명예스럽게도 끔찍한 순간이 있었다. 발표자가 *겨울왕국(Frozen)* 영화의 "Let It Go."를 공연할 가수를 소개하고 있었다. "신사와 숙녀 여러분... Adela Dazeem입니다!" 라고 발표자가 말했다. 그 가수의 실제 이름은 Idina Menzel이었다. 더 심한 실수가 2017년 시상식에서 일어났다. 그 밤의 가장 커다란 상인 최우수 작품상 부문에서, 발표자는 잘못된 카드를 받았다. 그는 결국 실제 수상작인 *문라이트(Moonlight)* 대신 *라라랜드(La La Land)*가 최고의 영화라고 발표하게 되었다. 안타깝게도, 실수가 발견됐을 때 *라라랜드*의 제작진들은 이미 무대에서 수상 연설을 하고 있었다.

그렇지만, 아마도 가장 당혹스러운 일은 1974년 제46회 아카데미 시상식에서 있었던 사건일 것이다. 발표자들이 수상자 발표를 준비하려는 찰나, 한 남성이 벌거벗은 채로 무대를 가로질러 달렸다. 이와 같은 사건들이 보여주듯이, 아카데미 시상식처럼 세심하게 계획된 행사들에서조차도 중대한 문제가 생길 수 있다.

7. What is the passage mainly about?

(A) problems at the Academy Awards
(B) the least popular films in Hollywood
(C) protests against the Academy Awards
(D) viewing numbers of Hollywood ceremonies

해석 지문은 주로 무엇에 관한 내용인가?

(A) 아카데미 시상식에서의 문제 상황
(B) 할리우드에서 가장 인기 없는 영화
(C) 아카데미 시상식 대항 시위
(D) 할리우드 시상식의 시청자 수

유형 전체 내용 파악

풀이 첫 번째 문단에서 TV로 방송되는 아카데미 시상식이라는 중심 소재를 밝히고, 'many things can go wrong'에서 다음에 나올 내용을 암시하고 있다. 이어서 2014년, 2017년, 1974년 아카데미 시상식에서 어떤 사건 사고가 있었는지 설명하고 있으므로 (A)가 정답이다.

8. According to the passage, what problem happened in 2014?

(A) An actor fell off the stage.
(B) A singer forgot some lyrics.
(C) An animation film clip did not play.
(D) A presenter mispronounced a name.

해석 지문에 따르면, 2014년 무슨 문제가 발생했는가?

(A) 배우가 무대에서 떨어졌다.
(B) 가수가 가사를 잊어버렸다.
(C) 애니메이션 영화 클립이 재생되지 않았다.
(D) 발표자가 이름을 잘못 발음했다.

유형 세부 내용 파악

풀이 두 번째 문단 '"Ladies and gentlemen... Adela Dazeem!" said the presenter. The singer's actual name was Idina Menzel.'에서 2014년 시상식에서 한 발표자가 'Idina Menzel'이라는 가수의 이름을 'Adela Dazeem'이라고 잘못 발음했다는 것을 알 수 있으므로 (D)가 정답이다.

9. According to the passage, what went wrong in 2017?

(A) A presenter dropped his card.
(B) A presenter could not stop laughing.
(C) The wrong Best Picture winner was announced.
(D) The winners of Best Picture left the theater early.

해석 지문에 따르면, 2017년에 무엇이 잘못되었는가?

(A) 발표자가 카드를 떨어뜨렸다.
(B) 발표자가 웃음을 멈출 수가 없었다.
(C) 잘못된 최우수 작품상 수상자가 발표되었다.
(D) 최우수 작품상 수상자들이 극장을 일찍 떠났다.

유형 세부 내용 파악

풀이 세 번째 문단 'A worse mistake happened at the 2017 ceremony. [...] the presenter was given the wrong card. He ended up announcing *La La Land* as the best movie instead of the real winner, *Moonlight*.'에서 2017년 시상식에서 발표자가 잘못된 카드를 받아 최우수 작품 수상작을 잘못 발표했다는 것을 알 수 있으므로 (C)가 정답이다.

10. According to the passage, in which year(s) did a nude person disrupt the ceremony?

(A) 1974
(B) 2017
(C) 1974 and 2014
(D) 2014 and 2017

해석 지문에 따르면, 다음 중 어느 해에 알몸인 사람이 시상식을 방해했는가?

(A) 1974년
(B) 2017년
(C) 1974년과 2014년
(D) 2014년과 2017년

유형 세부 내용 파악

풀이 네 번째 문단의 '[...] at the 46th Academy Awards in 1974. Just as the presenters were preparing to announce a winner, a man ran naked across the stage.'에서 1974년 시상식에서 알몸의 남성이 무대에 난입했다는 것을 알 수 있으므로 (A)가 정답이다.

Listening Practice

HJ1-6 p.58

Televised award shows are big events that require a lot of careful planning. Nonetheless, because they happen live, many things can go wrong. Nowhere is this more apparent than at the Academy Awards in Hollywood, California.

The ceremony infamously had a horrible moment in 2014. A presenter was introducing the singer who would perform "Let It Go" from the movie *Frozen*. "Ladies and gentlemen... Adela Dazeem!" said the presenter. The singer's actual name was Idina Menzel.

A worse mistake happened at the 2017 ceremony. During the category for Best Picture, the biggest award of the night, the presenter was given the wrong card. He ended up announcing *La La Land* as the best movie instead of the real winner, *Moonlight*. Sadly, the makers of *La La Land* were already on stage giving an acceptance speech when the mistake was discovered.

However, perhaps the most embarrassing occurrence was at the 46th Academy Awards in 1974. Just as the presenters were preparing to announce a winner, a man ran naked across the stage. As these and other events demonstrate, even carefully planned events like the Academy Awards can have major issues.

1. Televised
2. Nonetheless
3. apparent
4. infamously
5. acceptance
6. naked

Writing Practice

p.59

1. televised
2. nonetheless
3. apparent
4. infamously
5. acceptance speech
6. naked

Summary

The Academy Awards in Hollywood, California has had several problems over the years. Infamously, a presenter mispronounced the name of a singer, the wrong Best Picture winner was announced, and a naked man ran across the stage.

캘리포니아 할리우드에서 열리는 아카데미 시상식에서는 여러 해 동안 여러 문제 상황이 있었다. 불명예스럽게도, 발표자가 가수의 이름을 잘못 발음했고, 잘못된 최우수 작품상 수상작이 발표되었으며, 벌거벗은 남성이 무대를 가로질러 달렸다.

Word Puzzle

p.60

Across	Down
2. nonetheless	1. infamously
5. televised	3. acceptance speech
6. naked	4. apparent

Unit 7 | Extreme Ironing p.61

Part A. Picture Description p.63

1 (B) 2 (A)

Part B. Sentence Completion p.63

3 (D) 4 (C)

Part C. Practical Reading Comprehension p.64

5 (B) 6 (D)

Part D. General Reading Comprehension p.65

7 (B) 8 (D) 9 (B) 10 (B)

Listening Practice p.66

1 ironing	2 press
3 suspended	4 glacier
5 precautions	6 chores

Writing Practice p.67

1 iron	2 press
3 glacier	4 suspended
5 precaution	6 chore

Summary conditions, spectators, adventurous, household

Word Puzzle p.68

Across

3 precaution	6 press

Down

1 glacier	2 suspended
4 chore	5 iron

Pre-reading Questions p.61

Have you ever used an iron? What did you iron?

다리미를 사용해본 적이 있나요? 무엇을 다렸나요?

 Reading Passage p.62

Extreme Ironing

Ironing a shirt is a challenge for many people. In the competitive sport of extreme ironing, however, that challenge is taken to a different level as competitors press clothing in extreme places and conditions.

There are different rules for the diverse extreme ironing competitions held around the world, but the general rules are similar. Ironers must have a full-sized ironing board, a real iron, and a piece of clothing larger than a face towel. Very importantly, the ironers need to be video-recorded so that others can see them compete.

Spectators cannot typically view the competitors in action because the ironing needs to take place in extreme conditions. In the past, contestants have ironed in trees, on rooftops, on steep cliffs, on mountaintops, on ropes suspended between rocks, in icy glacier water, and in dry deserts. Extreme ironing has even happened on the ocean floor by ironers who were divers.

Extreme ironers are advised to take safety precautions. However, like all extreme sports, this kind of ironing comes with some risks. For adventurous athletes who also want to complete household chores, extreme ironing might be just the right kind of competition.

극한 다림질

셔츠를 다리는 것은 많은 이들에게 도전이다. 극한 다림질이라는 경쟁 스포츠에서는, 그러나, 그 도전은 참가자들이 극한의 장소와 조건 속에서 의류를 다림질하는 다른 수준으로 넘어간다.

전 세계에서 열리는 극한 다림질 대회들에는 서로 다른 규칙이 있지만, 일반적인 규칙은 비슷하다. 다림질 선수들은 실물 크기의 다리미판과, 진짜 다리미, 그리고 세안 수건보다 큰 옷가지가 있어야 한다. 매우 중요한 것은, 다림질 선수들은 다른 사람들이 그들이 경쟁하는 것을 볼 수 있도록 비디오 녹화를 해야 한다.

다림질은 극한의 조건에서 이루어져야 하므로 관중은 일반적으로 경쟁자가 경기하는 것을 볼 수 없다. 과거에는, 참가자들이 숲에서, 옥상에서, 가파른 절벽에서, 산꼭대기에서, 바위 사이 밧줄에 매달려서, 차가운 빙하 물에서, 그리고 건조한 사막에서 다림질했다. 심지어 극한 다림질은 잠수부였던 다림질 선수들에 의해 해저 바닥에서 이루어지기도 했다.

극한 다림질 선수들은 안전 예방 조치를 취하도록 권고된다. 하지만, 모든 극한 스포츠가 그렇듯, 이런 종류의 다림질은 일부 위험을 수반한다. 집안일도 끝내고 싶은 모험심 강한 운동선수들에게는, 극한 다림질이 딱 적절한 종류의 대회일지도 모른다.

어휘 extreme 극도의, 극심한 | iron 다림질을 하다; 다리미 | challenge 도전 | competitive 경쟁을 하는; 경쟁력 있는 | press 다리다, 다림질하다; 누르다 | condition 환경[상황]; 조건 | diverse 다양한 | board 판자, 널, -판 | clothing 옷[의복] | compete 경쟁하다 | spectator 관중 | in action 활동[작동] 하는 | rooftop 옥상 | steep 가파른, 비탈진 | mountaintop 산꼭대기 | suspend 매달다, 걸다 | icy 얼음같이 찬, 얼음에 뒤덮인 | glacier 빙하 | be advised to ~하도록 충고[권고]를 받다 | precaution 예방책, 예방 조치[수단] | adventurous 모험심이 강한, 모험적인 | household 가정 | chore 일 | recent 최근의 | cage 우리, 새장 | patch 덧대다 | mend 수선하다 | discard 버리다 | regulation 규정; 규제, 통제, 단속 | stadium 경기장, 스타디움 | represent 대표하다; 대변하다 | garment 의복, 옷 | burn 화상 덴 상처[자국]; 태우다, 화상을 입히다 | real-life 실제[현실/실생활]의 | pleat 주름 | collar 칼라, 깃 | valley 계곡, 골짜기 | a variety of 다양한 | button-down (셔츠의 칼라를) 단추로 채우게 되어 있는

Comprehension Questions p.63

1. I saw bears <u>on a glacier</u> during my recent trip.
   (A) being fed
   (B) on a glacier
   (C) in zoo cages
   (D) in a snowstorm

해석 나는 최근 여행 중 <u>빙하 위에 있는</u> 곰들을 봤다.
(A) 사육되고 있는
(B) 빙하 위에 있는
(C) 동물원 우리에서
(D) 눈보라 속에서

풀이 북극곰이 빙하 위에 있으므로 (B)가 정답이다.

관련 문장 In the past, contestants have ironed [...] in icy glacier water [...]

2. He is <u>ironing</u> his shirt.
   (A) ironing
   (B) patching
   (C) mending
   (D) discarding

해석 그는 그의 셔츠를 <u>다리고</u> 있다.
(A) 다리는
(B) 덧대는
(C) 수선하는
(D) 버리는

풀이 다리미로 셔츠를 다리고 있으므로 (A)가 정답이다.

관련 문장 Ironing a shirt is a challenge for many people.

3. Gina is into all kinds of extreme sports these days. She's very <u>adventurous</u>.
   (A) adventure
   (B) adventurer
   (C) adventuring
   (D) adventurous

해석 Gina는 요즘 온갖 극한 스포츠에 빠져 있다. 그녀는 매우 <u>모험심이 강하다</u>.
(A) 모험
(B) 모험가
(C) 모험하는
(D) 모험심이 강한

풀이 빈칸에는 주어 'She'의 보어가 되면서 부사 'very'가 수식할 수 있는 형용사가 와야 한다. 또한 문맥상 그녀의 성격을 묘사하는 단어가 들어가야 하므로 (D)가 정답이다. (B)는 부사 'very'가 명사를 바로 수식하면 어색하므로 오답이다.

관련 문장 For adventurous athletes who also want to complete household chores, extreme ironing might be just the right kind of competition.

4. This event <u>has taken</u> place in all kinds of weather.
   (A) took it
   (B) was taken
   (C) has taken
   (D) has been taken

해석 이 행사는 온갖 날씨 속에서 <u>진행됐다</u>.
(A) 그것을 가져갔다
(B) 가져와졌다
(C) 가져왔다
(D) 가져와졌다

풀이 '~이 개최되다, 일어나다' 등의 뜻을 표현할 때 능동형으로 'take place'라고 표현하므로 (C)가 정답이다. (B)와 (D)는 'take place'가 자동사이고 수동형으로 쓰이면 어색하므로 오답이다.

관련 문장 Spectators cannot typically view the competitors in action because the ironing needs to take place in extreme conditions.

[5-6]

Extreme Ironing Player Chart
Marion Kilgaard
Representing: Germany
Garments ironed competitively: 7
Burns received from iron: 3
Most extreme ironing moment: skydiving from a plane
Least favorite real-life ironing: pleats in skirts
Sanjay Anand
Representing: India
Garments ironed competitively: 8
Burns received from iron: 1
Most extreme ironing moment: during a bicycle race
Least favorite real-life ironing: shirt collars
Kris Parnmore
Representing: Canada
Garments ironed competitively: 5
Burns received from iron: 4
Most extreme ironing moment: in the middle of the desert
Least favorite real-life ironing: pockets
Tiana Ballas
Representing: Greece
Garments ironed competitively: 7
Burns received from iron: 6
Most extreme ironing moment: paragliding over a valley
Least favorite real-life ironing: any item with buttons

해석

극한 다림질 선수 차트	
Marion Kilgaard • 대표 국가: 독일 • 경쟁에서 다림질한 옷: 7 • 다리미로 입은 화상: 3 • 가장 극한의 다림질 순간: 비행기에서 스카이다이빙하면서 • 가장 싫어하는 실생활 다림질: 치마 속 주름	Sanjay Anand • 대표 국가: 인도 • 경쟁에서 다림질한 옷: 8 • 다리미로 입은 화상: 1 • 가장 극한의 다림질 순간: 자전거 경주 도중에 • 가장 싫어하는 실생활 다림질: 셔츠 칼라
Kris Parnmore • 대표 국가: 캐나다 • 경쟁에서 다림질한 옷: 5 • 다리미로 입은 화상: 4 • 가장 극한의 다림질 순간: 사막 한가운데서 • 가장 싫어하는 실생활 다림질: 주머니	Tiana Ballas • 대표 국가: 그리스 • 경쟁에서 다림질한 옷: 7 • 다리미로 입은 화상: 6 • 가장 극한의 다림질 순간: 계곡 위로 패러글라이딩하면서 • 가장 싫어하는 실생활 다림질: 단추가 있는 모든 것

5. Who most likely got burned while cycling?

(A) Marion Kilgaard
(B) Sanjay Anand
(C) Kris Parnmore
(D) Tiana Ballas

해석 자전거를 타다가 화상을 입었을 사람으로 가장 적절한 이는 누구인가?

(A) Marion Kilgaard
(B) Sanjay Anand
(C) Kris Parnmore
(D) Tiana Ballas

풀이 Sanjay Anand의 차트에 있는 'Most extreme ironing moment: during a bicycle race'를 통해 Sanjay Anand가 자전거 경주 도중에 다림질한 경험이 있다는 것을 알 수 있다. 따라서 자전거를 타다 화상을 입었을 사람으로 가능성이 가장 높으므로 (B)가 정답이다.

6. According to the chart, which of the following is true?

(A) An Indian competitor ironed silk pockets.
(B) An athlete from Germany ironed in a desert.
(C) A Canadian received five burns while ironing.
(D) A Greek athlete dislikes ironing button-down shirts.

해석 차트에 따르면, 다음 중 옳은 내용은 무엇인가?

(A) 인도 참가자가 실크 주머니를 다림질했다.
(B) 독일 출신 운동선수가 사막에서 다림질했다.
(C) 캐나다인이 다림질하다가 화상을 다섯 번 입었다.
(D) 그리스 운동선수가 단추로 된 셔츠 다림질하는 것을 싫어한다.

풀이 그리스 출신 선수는 Tiana Ballas이고, 'Least favorite real-life ironing: any item with buttons'에서 그녀가 단추가 있는 모든 의류 다림질하는 것을 싫어함을 알 수 있으므로 (D)가 정답이다. (B)는 캐나다 선수인 Kris Parnmore가 사막에서 다림질했던 것이므로 오답이다. (C)는 캐나다 선수 Kris Parnmore는 다림질하다 네 번 화상을 입었다고 나와 있으므로 오답이다.

[7-10]

[1] Ironing a shirt is a challenge for many people. In the competitive sport of extreme ironing, however, that challenge is taken to a different level as competitors press clothing in extreme places and conditions.

[2] There are different rules for the diverse extreme ironing competitions held around the world, but the general rules are similar. Ironers must have a full-sized ironing board, a real iron, and a piece of clothing larger than a face towel. Very importantly, the ironers need to be video-recorded so that others can see them compete.

[3] Spectators cannot typically view the competitors in action because the ironing needs to take place in extreme conditions. In the past, contestants have ironed in trees, on rooftops, on steep cliffs, on mountaintops, on ropes suspended between rocks, in icy glacier water, and in dry deserts. Extreme ironing has even happened on the ocean floor by ironers who were divers.

[4] Extreme ironers are advised to take safety precautions. However, like all extreme sports, this kind of ironing comes with some risks. For adventurous athletes who also want to complete household chores, extreme ironing might be just the right kind of competition.

해석

[1] 셔츠를 다리는 것은 많은 이들에게 도전이다. 극한 다림질이라는 경쟁 스포츠에서는, 그러나, 그 도전은 참가자들이 극한의 장소와 조건 속에서 의류를 다림질하는 다른 수준으로 넘어간다.

[2] 전 세계에서 열리는 극한 다림질 대회들에는 서로 다른 규칙이 있지만, 일반적인 규칙은 비슷하다. 다림질 선수들은 실물 크기의 다리미판과, 진짜 다리미, 그리고 세안 수건보다 큰 옷가지가 있어야 한다. 매우 중요한 것은, 다림질 선수들은 다른 사람들이 그들이 경쟁하는 것을 볼 수 있도록 비디오 녹화를 해야 한다.

[3] 다림질은 극한의 조건에서 이루어져야 하므로 관중은 일반적으로 경쟁자가 경기하는 것을 볼 수 없다. 과거에는, 참가자들이 숲에서, 옥상에서, 가파른 절벽에서, 산꼭대기에서, 바위 사이 밧줄에 매달려서, 차가운 빙하 물에서, 그리고 건조한 사막에서 다림질했다. 심지어 극한 다림질은 잠수부였던 다림질 선수들에 의해 해저 바닥에서 이루어지기도 했다.

[4] 극한 다림질 선수들은 안전 예방 조치를 취하도록 권고된다. 하지만, 모든 극한 스포츠가 그렇듯, 이런 종류의 다림질은 일부 위험을 수반한다. 집안일도 끝내고 싶은 모험심 강한 운동선수들에게는, 극한 다림질이 딱 적절한 종류의 대회일지도 모른다.

7. Which paragraph is mainly about the competition's regulations?

(A) paragraph 1
(B) paragraph 2
(C) paragraph 3
(D) paragraph 4

해석 다음 중 대회 규정에 관해 주로 다룬 문단은 무엇인가?

(A) 문단 1
(B) 문단 2
(C) 문단 3
(D) 문단 4

유형 전체 내용 파악 & 세부 내용 파악

풀이 두 번째 문단에서 극한 다림질 대회 선수들에게 반드시 있어야 할 물품 항목과 비디오 녹화라는 일반적인 대회 규정을 언급하고 있으므로 (B)가 정답이다.

8. How are competitors generally seen by spectators?

(A) in a stadium
(B) in a living room
(C) via photographs
(D) via video recordings

해석 일반적으로 관중들은 어떻게 참가자들 보는가?

(A) 경기장에서
(B) 거실에서
(C) 사진을 통해
(D) 비디오 녹화를 통해

유형 세부 내용 파악

풀이 두 번째 문단의 'Very importantly, the ironers need to be video-recorded so that others can see them compete.'에서 관중들이 볼 수 있도록 다림질 대회 참가자들이 비디오 녹화를 해야 한다고 했으므로 (D)가 정답이다.

9. What location of extreme ironing is NOT mentioned?

(A) deserts
(B) surfboards
(C) glacier water
(D) mountaintops

해석 극한 다림질의 장소로 언급되지 않은 곳은 어디인가?

(A) 사막
(B) 서핑 보드
(C) 빙하의 물
(D) 산꼭대기

유형 세부 내용 파악

풀이 극한 다림질을 했던 장소로 서핑 보드는 언급되지 않았으므로 (B)가 정답이다. 나머지 선택지는 세 번째 문단의 'In the past, contestants have ironed [...] on mountaintops, [...] in icy glacier water, and in dry deserts.'에서 확인할 수 있으므로 오답이다.

10. Which of the following are competitors warned to remember?

(A) price
(B) safety
(C) face towels
(D) colorful clothing

해석 다음 중 참가자들이 명심하도록 주의받은 사항은 무엇인가?

(A) 가격
(B) 안전
(C) 세안 수건
(D) 다채로운 옷

유형 세부 내용 파악

풀이 네 번째 문단의 첫 문장 'Extreme ironers are advised to take safety precautions.'에서 극한 다림질 선수들에게 안전 예방 조치를 취할 것을 권고하고 있으므로 (B)가 정답이다.

Listening Practice

HJ1-7 p.66

Ironing a shirt is a challenge for many people. In the competitive sport of extreme ironing, however, that challenge is taken to a different level as competitors press clothing in extreme places and conditions.

There are different rules for the diverse extreme ironing competitions held around the world, but the general rules are similar. Ironers must have a full-sized ironing board, a real iron, and a piece of clothing larger than a face towel. Very importantly, the ironers need to be video-recorded so that others can see them compete.

Spectators cannot typically view the competitors in action because the ironing needs to take place in extreme conditions. In the past, contestants have ironed in trees, on rooftops, on steep cliffs, on mountaintops, on ropes suspended between rocks, in icy glacier water, and in dry deserts. Extreme ironing has even happened on the ocean floor by ironers who were divers.

Extreme ironers are advised to take safety precautions. However, like all extreme sports, this kind of ironing comes with some risks. For adventurous athletes who also want to complete household chores, extreme ironing might be just the right kind of competition.

1. ironing
2. press
3. suspeneded
4. glacier
5. precautions
6. chores

Writing Practice

p.67

1. iron
2. press
3. glacier
4. suspended
5. precaution
6. chore

Summary

In extreme ironing competitions, competitors iron clothing in a variety of extreme conditions. The ironers need to be video-recorded for spectators. The competition is good for adventurous athletes who want to take some risk while completing household chores.

극한 다림질 대회에서는, 참가자들이 여러 극한 조건에서 옷을 다림질한다. 다림질 선수들은 관중을 위해 비디오 녹화를 해야 한다. 이 대회는 집안일을 끝내면서 위험을 감수하고 싶어 하는 모험심 강한 운동선수들에게 좋다.

Word Puzzle

p.68

Across	Down
3. precaution	1. glacier
6. press	2. suspended
	4. chore
	5. iron

Unit 8 | The Heso Odori p.69

Part A. Picture Description p.71

1 (D) 2 (B)

Part B. Sentence Completion p.71

3 (C) 4 (B)

Part C. Practical Reading Comprehension p.72

5 (B) 6 (C)

Part D. General Reading Comprehension p.73

7 (D) 8 (B) 9 (A) 10 (C)

Listening Practice p.74

1 belly button 2 authorities
3 transform 4 props
5 enthusiasm 6 humble

Writing Practice p.75

1 belly button 2 authority
3 transform 4 prop
5 enthusiasm 6 humble
Summary belly button, transform, props, prizes

Word Puzzle p.76

Across
3 belly button 6 authority
Down
1 humble 2 prop
4 enthusiasm 5 transform

Pre-reading Questions p.69

Look at the picture. Which country does it remind you of?

그림을 보세요. 어떤 나라가 떠오르나요?

Reading Passage p.70

The Heso Odori

The Heso Odori, or Belly Button Dance competition, was not always popular. The competition, which is part of a larger festival celebrating the belly button in Hokkaido, Japan, was started because city authorities thought the town of Furano needed its own festival for economic reasons. They chose the belly button theme based on the town's location in the middle of Hokkaido. In 1969, the first year of the dance, there were only eleven dancers. However, over time, the dance grew into a major event for the town. Half a century later, there are over 4,000 dancers and tens of thousands of locals and tourists watching them each year.

In the Heso Odori, dancers must transform their belly button into a face through decorations. They can use special costumes, props, and paint to do so. The dancers then parade through the town, dancing with humor and enthusiasm. Prizes are given in a range of categories, but the connecting theme is to have fun by celebrating the seemingly humble yet important belly button.

Heso Odori

Heso Odori, 혹은 배꼽 무용 대회는 항상 인기 있지는 않았다. 일본 홋카이도에서 배꼽을 기념하는 더 큰 축제의 일부인 이 대회는 시 당국이 후라노 시가 경제적 이유로 자체 축제가 필요하다고 생각하여 시작되었다. 그들은 홋카이도 중앙에 있는 마을의 위치를 바탕으로 배꼽이란 테마를 선택했다. 이 무용의 첫해인 1969년에, 무용수는 열한 명뿐이었다. 하지만, 시간이 지나면서, 이 무용은 시의 주요 행사로 성장했다. 반세기 후, 매년 4,000명이 넘는 무용수들과 그들을 구경하는 수만 명의 현지인 및 관광객들이 있다.

Heso Odori에서는, 무용수들이 그들의 배꼽을 장식을 통해 얼굴로 변형시켜야 한다. 그들은 그러기 위해 특수 의상, 소품, 그리고 물감을 사용할 수 있다. 그런 다음 무용수들은 유머와 열정으로 춤을 추며 시내를 행진한다. 다양한 부문에서 상이 주어지지만, 연결되는 테마는 소박해 보이면서도 중요한 배꼽을 기념하면서 즐거운 시간을 보내는 것이다.

어휘 remind A of B A에게 B를 상기시키다 | spectator 관중 | earlobe 귓불 | knee cap 무릎뼈, 슬개골 | belly button 배꼽 | wig 가발 | prop 소품 | script 대본 | celebrate 기념하다 | authority 당국; 권위자; 권한 | reason 이유 | grow into ~로 성장하다 | major 주요한 | century 세기 | local 주민, 현지인 | transform 변형시키다 | parade 행진하다; 퍼레이드, 가두 행진 | enthusiasm 열정 | prize 상, 상품 | a range of 다양한 | seemingly 보아하니, 겉보기에는 | humble 소박한, 초라한; 겸손한 | ritual 의식 | financial 재정적인 | purpose 목적 | clown 광대 | marshland 습지 | delicacy 별미 | ferry 여객선 | compass 나침반 | centennial 100년마다의, 100년간의; 100주년

Comprehension Questions p.71

1. She is cleaning the baby's belly button.
   (A) wrists
   (B) earlobe
   (C) knee caps
   (D) belly button

해석 그녀는 아기의 배꼽을 닦고 있다.
(A) 손목
(B) 귓불
(C) 무릎뼈
(D) 배꼽

풀이 아기의 배꼽을 면봉으로 닦고 있는 모습이므로 (D)가 정답이다.

관련 문장 They chose the belly button theme based on the town's location in the middle of Hokkaido.

2. These are the props we will need for the show.
   (A) wigs
   (B) props
   (C) scripts
   (D) costumes

해석 이것들이 우리가 공연에 필요할 소품들이야.
(A) 가발
(B) 소품
(C) 대본
(D) 의상

풀이 무대 배경에 공연에 쓰이는 소품들을 보여주는 그림이므로 (B)가 정답이다.

관련 문장 They can use special costumes, props, and paint to do so.

3. I thought this room needed some color, so I painted the walls.
   (A) need
   (B) needs
   (C) needed
   (D) has been needed

해석 이 방에 색깔이 좀 필요하다고 생각했고, 그래서 벽을 칠했다.
(A) 필요하다
(B) 필요하다
(C) 필요했다
(D) 필요 있어 왔다

풀이 빈칸은 'this room ______ some color' 절의 동사 자리이다. 'I thought'와 'I painted the walls'가 모두 과거 시제이고 등위 접속사 'so'로 연결되어 있으므로 과거 시제여야 자연스럽다. 따라서 (C)가 정답이다.

관련 문장 [...] because city authorities thought the town of Furano needed its own festival for economic reasons.

4. Hundreds of spectators watch the performers every year.
   (A) Hundreds
   (B) Hundreds of
   (C) A hundred of
   (D) The hundreds

해석 수백 명의 관중이 매년 공연자들을 구경한다.
(A) 수백 (명)
(B) 수백 (명)의
(C) ~의 백 (명)
(D) 그 수백 (명)

풀이 빈칸에는 복수 명사 'spectators'를 꾸밀 수 있는 수식어구가 들어가야 하므로 '수백 (명)의'를 뜻하는 (B)가 정답이다. (C)는 'A hundred spectators'가 되어야 자연스러우므로 오답이다.

관련 문장 Half a century later, there are over 4,000 dancers and tens of thousands of locals and tourists watching them each year.

[5-6]

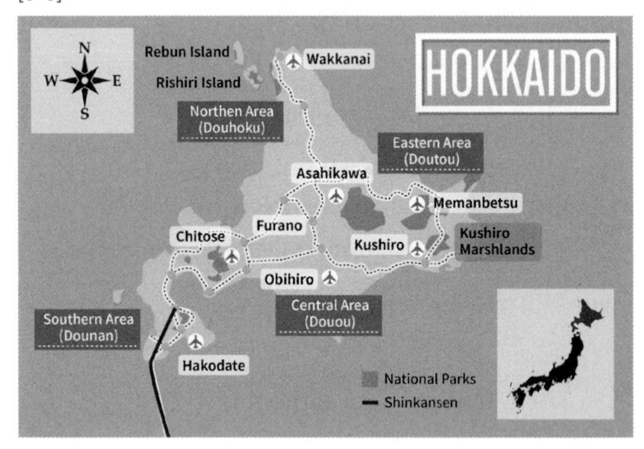

해석

	홋카이도(Hokkaido)
북부(Douhoku)	동부(Doutou)
중부(Douou)	남부(Dounan)
레분(Rebun)섬	왓카나이(Wakkanai) 시
리시리(Rishiri)섬	아사히카와(Asahikawa) 시
지토세(Chitose) 시	후라노(Furano) 시
메만베쓰(Memanbetsu) 시	
구시로(Kushiro) 시	구시로 습지(Kushiro Marshlands)
오비히로(Obihiro) 시	
하코다테(Hakodate) 시	
	국립공원
	신칸센(Shinkansen)

5. According to the map, which of the following is true?

(A) Furano is in the Dounan.
(B) Obihiro is northeast of Hakodate.
(C) The Marshlands are in the Douou.
(D) Wakkanai is to the west of Rebun Island.

해석 지도에 따르면, 다음 중 옳은 내용은 무엇인가?

(A) 후라노 시는 남부에 있다.
(B) 오비히로 시는 하코다테 시의 북동쪽에 있다.
(C) 구시로 습지는 중부에 있다.
(D) 왓카나이 시는 리분 섬의 서쪽에 있다.

풀이 중부에 있는 오비히로 시는 남부에 있는 하코다테 시의 북동쪽에 있으므로 (B)가 정답이다. (A)는 후라노 시는 홋카이도의 남부가 아니라 중앙에 있으므로 오답이다. (C)는 구시로 습지는 중부가 아니라 동쪽 끝에 있으므로 오답이다. (D)는 왓카나이 시는 리분 섬의 동쪽에 있으므로 오답이다.

6. Which of the following is on the map?

(A) local delicacies
(B) ferry information
(C) compass directions
(D) town populations

해석 다음 중 지도에 있는 것은 무엇인가?

(A) 지역 별미
(B) 여객선 정보
(C) 나침반 방향
(D) 시 인구수

풀이 동서남북 방향을 나타내는 방위표가 지도 왼쪽 상단에 있으므로 (C)가 정답이다.

[7-10]

The Heso Odori, or Belly Button Dance competition, was not always popular. The competition, which is part of a larger festival celebrating the belly button in Hokkaido, Japan, was started because city authorities thought the town of Furano needed its own festival for economic reasons. They chose the belly button theme based on the town's location in the middle of Hokkaido. In 1969, the first year of the dance, there were only eleven dancers. However, over time, the dance grew into a major event for the town. Half a century later, there are over 4,000 dancers and tens of thousands of locals and tourists watching them each year.

In the Heso Odori, dancers must transform their belly button into a face through decorations. They can use special costumes, props, and paint to do so. The dancers then parade through the town, dancing with humor and enthusiasm. Prizes are given in a range of categories, but the connecting theme is to have fun by celebrating the seemingly humble yet important belly button.

해석

Heso Odori, 혹은 배꼽 무용 대회는 항상 인기 있지는 않았다. 일본 홋카이도에서 배꼽을 기념하는 더 큰 축제의 일부인 이 대회는 시 당국이 후라노 시가 경제적 이유로 자체 축제가 필요하다고 생각하여 시작되었다. 그들은 홋카이도 중앙에 있는 마을의 위치를 바탕으로 배꼽이란 테마를 선택했다. 이 무용의 첫해인 1969년에, 무용수는 열한 명뿐이었다. 하지만, 시간이 지나면서, 이 무용은 시의 주요 행사로 성장했다. 반세기 후, 매년 4,000명이 넘는 무용수들과 그들을 구경하는 수만 명의 현지인 및 관광객들이 있다.

Heso Odori에서는, 무용수들이 그들의 배꼽을 장식을 통해 얼굴로 변형시켜야 한다. 그들은 그러기 위해 특수 의상, 소품, 그리고 물감을 사용할 수 있다. 그런 다음 무용수들은 유머와 열정으로 춤을 추며 시내를 행진한다. 다양한 부문에서 상이 주어지지만, 연결되는 테마는 소박해 보이면서도 중요한 배꼽을 기념하면서 즐거운 시간을 보내는 것이다.

7. What would be the best title for the passage?

(A) Heso Odori: An Ancient Ritual
(B) Japanese Foods and Festivals
(C) Heso Odori: Hokkaido Snow Dance
(D) Japan's Belly Button Dance Contest

해석 지문에 가장 알맞은 제목은 무엇인가?

(A) Heso Odori: 고대의 의식
(B) 일본 음식과 축제들
(C) Heso Odori: 일본 눈 무용
(D) 일본의 배꼽 무용 대회

유형 전체 내용 파악

풀이 일본의 배꼽 무용 대회인 Heso Odori의 유래와 내용 등을 설명하고 있는 글이므로 (D)가 정답이다.

8. Why did Furano choose the festival theme of belly buttons?

   (A) The town is full of medical schools.
   (B) The town is in the middle of Hokkaido.
   (C) The town is in the shape of a belly button.
   (D) The town is where Japan's oldest person lives.

해석 후라노 시에서 배꼽이라는 축제 테마를 고른 이유는 무엇인가?

(A) 시가 의과 대학으로 가득하다.
(B) 시가 홋카이도의 중앙에 있다.
(C) 시가 배꼽 모양을 하고 있다.
(D) 시가 일본의 최고령자가 사는 곳이다.

유형 세부 내용 파악

풀이 'They chose the belly button theme based on the town's location in the middle of Hokkaido.'에서 후라노 시가 홋카이도의 중앙에 있어서 축제 테마를 배꼽으로 정했다는 것을 알 수 있으므로 (B)가 정답이다.

9. Which of the following is true about the Heso Odori?

   (A) It was started for financial purposes.
   (B) In 1969, it celebrated its centennial year.
   (C) Over a hundred people joined the first dance.
   (D) The mayor selects 11 people to join each year.

해석 다음 중 Heso Odori에 관해 옳은 설명은 무엇인가?

(A) 재정적인 목적으로 시작되었다.
(B) 1969년에, 백주년을 기념했다.
(C) 백 명이 넘는 사람이 첫 무용에 참여했다.
(D) 시장은 매년 참가할 11명을 선발한다.

유형 세부 내용 파악

풀이 'The competition [...] was started because city authorities thought the town of Furano needed its own festival for economic reasons.'에서 시 당국에서 경제적 이유로 Heso Odori 대회를 시작하였다는 사실을 알 수 있으므로 (A)가 정답이다. 지문의 'economic reasons'가 선택지에서 'financial purposes'로 표현되었다는 점에 유의한다. (B)는 1969년은 Heso Odori 대회가 시작한 첫해이므로 오답이다. (C)는 처음에는 11명의 무용수만 있었다고 하였으므로 오답이다.

10. Which of the following is NOT mentioned in the passage?

   (A) paint
   (B) props
   (C) clowns
   (D) costumes

해석 다음 중 지문에서 언급되지 않은 것은 무엇인가?

(A) 물감
(B) 소품
(C) 광대
(D) 의상

유형 세부 내용 파악

풀이 'They can use special costumes, props, and paint to do so.'에서 Heso Odori 무용수들이 의상, 소품, 물감을 사용한다고 설명하였으며, 지문에서 'clowns'는 언급되지 않았으므로 (C)가 정답이다.

 Listening Practice

HJ1-8 p.74

The Heso Odori, or Belly Button Dance competition, was not always popular. The competition, which is part of a larger festival celebrating the belly button in Hokkaido, Japan, was started because city authorities thought the town of Furano needed its own festival for economic reasons. They chose the belly button theme based on the town's location in the middle of Hokkaido. In 1969, the first year of the dance, there were only eleven dancers. However, over time, the dance grew into a major event for the town. Half a century later, there are over 4,000 dancers and tens of thousands of locals and tourists watching them each year.

In the Heso Odori, dancers must transform their belly button into a face through decorations. They can use special costumes, props, and paint to do so. The dancers then parade through the town, dancing with humor and enthusiasm. Prizes are given in a range of categories, but the connecting theme is to have fun by celebrating the seemingly humble yet important belly button.

1. belly button
2. authorities
3. transform
4. props
5. enthusiasm
6. humble

Writing Practice

p.75

1. belly button
2. authority
3. transform
4. prop
5. enthusiasm
6. humble

Summary

The Heso Odori is a competition in Hokkaido that celebrates the belly button. In this event, dancers transform their belly button into a face and use special costumes, props, and paint. Also, prizes are given to have fun by celebrating the belly button.

Heso Odori는 배꼽을 기념하는 홋카이도의 대회이다. 이 행사에서는, 무용수들이 자신의 배꼽을 얼굴로 변형하고 특수 의상, 소품, 그리고 물감을 사용한다. 또한, 배꼽을 기념하며 즐거운 시간을 보내도록 상이 주어진다.

Word Puzzle p.76

Across	Down
3. belly button	1. humble
6. authority	2. prop
	4. enthusiasm
	5. transform

AMAZING STORIES p.77

El Santo: Mexico's Masked Man of Mystery

In the sport of Mexican wrestling, or *lucha libre*, competitors wear masks. They only remove their masks if they lose in the ring. Rodolfo Guzmán Huerta was undoubtedly Mexico's most famous wrestler. However, to most people, his actual face was a complete mystery. That is because in 1942, he put on his mask under the wrestling name "El Santo." And because he rarely lost, he did not remove the mask.

El Santo was like a superhero. First, he became the star of a comic book series. Then, he became a movie star, playing the lead in more than fifty films. In every movie, he wore his mask. If he walked down the street, he walked in his mask. Even when he went to eat, he wore a special mask. The whole time, he kept wrestling. He competed as a wrestler until the age of 64 in 1982. For forty years, Guzmán Huerta had been El Santo, complete with his mask on at all times.

In 1984, El Santo appeared on a talk show. During his appearance, he finally took off his mask. It was a huge moment for the Mexican public and for fans of *lucha libre*. The mystery of the face of El Santo had been solved. However, ten days after removing his mask, El Santo died of a heart attack. Did he sense he was going to die? Is that why he removed his mask? It is one of the unsolved mysteries of the wrestling world. What we do know is that El Santo was not buried with his face uncovered, but wearing his famous mask.

El Santo: 멕시코의 복면을 쓴 미스터리한 남자

멕시코 레슬링, 혹은 *루차 리브레(lucha libre)*라는 스포츠에서는 경쟁자들이 복면을 착용한다. 그들은 링에서 질 때만 복면을 벗는다. Rodolfo Guzmán Huerta는 의심할 여지 없이 멕시코의 가장 유명한 레슬링 선수였다. 하지만, 대부분의 사람들에게, 그의 실제 얼굴은 완전한 미스터리였다. 그것은 바로 1942년에, 그가 "El Santo"라는 레슬링(용) 이름 아래 복면을 썼기 때문이다. 그리고 그가 좀처럼 지지 않았기 때문에, 그는 복면을 벗지 않았다.

El Santo는 슈퍼히어로 같았다. 먼저, 그는 만화책 시리즈의 스타가 되었다. 그런 다음, 그는 오십편이 넘는 영화에서 주연을 하면서, 영화 스타가 되었다. 모든 영화에서, 그는 그의 복면을 썼다. 그가 거리를 걸으면, 그는 복면을 쓰고 걸었다. 그가 식사하러 갈 때조차도, 그는 특수 복면을 썼다. 줄곧, 그는 레슬링을 계속했다. 그는 1982년 64살 때까지 레슬링 선수로 출전했다. 사십 년 동안, Guzmán Huerta는 El Santo였고, 항상 복면을 완전히 착용한 채였다.

1984년에, El Santo는 토크쇼에 출연했다. 출연하는 동안, 그는 마침내 복면을 벗었다. 이는 멕시코 대중과 *루차 리브레* 팬들에게 엄청난 순간이었다. El Santo의 얼굴에 대한 미스터리가 풀렸다. 하지만, 복면을 벗은 지 열흘이 지나고, El Santo는 심장마비로 사망했다. 그는 자신이 죽을 것을 감지했던 걸까? 그래서 복면을 벗은 것일까? 이는 레슬링 세계에서 풀리지 않는 미스터리 중 하나이다. 우리가 아는 것은 El Santo가 얼굴을 드러낸 채가 아니라 그의 유명한 복면을 쓴 채 묻혔다는 것이다.

Chapter 3. **Competitions 3**

Unit 9 | Making Faces				p.79
Part A. Picture Description				p.81
1 (C)	2 (A)			
Part B. Sentence Completion				p.81
3 (D)	4 (A)			
Part C. Practical Reading Comprehension				p.82
5 (B)	6 (B)			
Part D. General Reading Comprehension				p.83
7 (B)	8 (A)	9 (C)	10 (B)	
Listening Practice				p.84
1 make	2 ugliest			
3 similarities	4 sour			
5 jutting	6 gross			
Writing Practice				p.85
1 ugly	2 make a face			
3 similarity	4 sour			
5 jut out	6 gross			
Summary	both, contestants, face, differences			
Word Puzzle				p.86
Across				
1 gross	3 make a face			
4 sour	5 jut out			
Down				
2 similarity	6 ugly			

Pre-reading Questions p.79

How many different ugly faces can you make?

못생긴 표정을 몇 가지나 지을 수 있나요?

Reading Passage p.80

Making Faces

The Spanish city of Bilbao and the English town of Egremont share an interesting type of competition: one in which the contestants have to make the ugliest face they can. While both competitions share some similarities, they also have a few differences.

Egremont's contest is called the World Gurning Championships. "Gurning" is the act of making an ugly face on purpose. In the competition, contestants put their head through a horse collar as they make the face. The face can be similar to someone eating something very sour. Indeed, the competition may have started back in the year 1267, when a royal lord gave sour fruit to the villagers at a fair.

The Bilbao contest, on the other hand, is much more recent. It began in 1978 as part of the town's "Aste Nagusia" ("Great Week") festival. In this contest, rather than jutting out the teeth, contestants try to look as gross as possible. This often involves using their hands to pull the skin around the eyes while pushing up their nose. Whereas competitors in the World Gurning Championships tend to be adults, in Bilbao, people of all ages participate.

얼굴 찌푸리기

빌바오(Bilbao)라는 스페인 도시와 에그레몬트(Egremont)라는 영국 소도시는 흥미로운 유형의 대회를 공통으로 갖는다: 참가자들이 능력껏 가장 추한 표정을 지어야 하는 대회이다. 두 대회는 몇몇 비슷한 점이 있긴 하지만, 약간의 차이점도 있다.

에그레몬트의 대회는 세계 거닝(Gurning) 챔피언전이라고 불린다. "거닝"은 일부러 추한 표정을 짓는 행동이다. 이 대회에서, 참가자들은 얼굴을 찌푸리면서 말 목사리에 머리를 통과시킨다. 표정은 누군가가 매우 시큼한 것을 먹는 것과 비슷할 수 있다. 정말로, 이 대회는 한 왕실 귀족이 축제에서 주민들에게 시큼한 과일을 주었던 1267년도에 시작되었을지도 모른다.

빌바오의 대회는, 한편, 훨씬 더 최근의 것이다. 그것은 도시의 "Aste Nagusia"("굉장한 일주일")의 일부로 1978년에 시작되었다. 이 대회에서는, 치아를 드러내기 보다는, 참가자들은 가능한 한 징그러워 보이려고 노력한다. 이는 종종 손을 사용해 코를 밀어 올리며 눈 주위 피부를 당기는 행동을 수반한다. 세계 거닝 챔피언전의 참가자들이 성인인 경향이 있는 반면, 빌바오에서는, 모든 연령대의 사람들이 참가한다.

어휘 make a face 얼굴을 찌푸리다, 추한[웃긴] 표정을 짓다 | share 공통으로 갖다, 같은 ~을 갖다, 공유하다 | gurn 우스꽝스러운[기분 나쁜] 표정을 짓다 | on purpose 고의로, 일부러 | collar 칼라, 깃 | horse collar 말의 목사리, 가슴걸이 | sour (맛이) 신, 시큼한 | royal 국왕[여왕]의 | lord (남자) 귀족, 경(卿) | fair 축제 마당, 풍물 장터 | jut (out) 돌출하다, 튀어나오다 | gross 징그러운, 역겨운 | of all ages 모든 연령대의 | sink 가라앉다, 주저앉다; 침몰시키다 | run into ~와 충돌하다; ~와 (우연히) 만나다 | float (물 위나 공중에서) 떠[흘러]가다 | savory 매콤한; 맛 좋은| adopt 채택하다 | disgusting 역겨운 | set out ~을 보여주다, 전시하다; 배열하다 | ban A from B A를 B로부터 금지하다 | twist 비틀다; 휘다[구부리다] | surgically 외과적으로 | remove 제거하다, 없애다 | nationality 국적 | good-looking 잘생긴, 보기 좋은, 준수한 | in general 전반적으로; 보통, 대개 | judge 심사하다; 심사위원 | transformation 변형, 변신, 탈바꿈 | attractive 매력적인, 멋진 | expression 표정; 표현 | witness 목격하다; 목격자; 증인 | award 수여하다

Comprehension Questions p.81

1. A big rock juts out from the middle of the island.
   (A) runs into
   (B) sinks into
   (C) juts out from
   (D) floats away from

해석 큰 바위가 섬 중앙에서 돌출되어 있다.
(A) ~와 충돌하다
(B) ~로 가라앉다
(C) ~에서 튀어나오다
(D) ~로부터 떠다니다

풀이 큰 바위가 섬 가운데에서 돌출되어 있는 모습이므로 (C)가 정답이다.

관련 문장 In this contest, rather than jutting out the teeth, contestants try to look as gross as possible.

2. His face shows he ate something sour.
   (A) sour
   (B) sweet
   (C) savory
   (D) special

해석 그의 얼굴이 무언가 신 것을 먹었음을 보여준다.
(A) 신
(B) 달콤한
(C) 맛 좋은; 매콤한
(D) 특별한

풀이 한 손에 레몬 같아 보이는 것을 듣고 눈을 질끈 감고 있는 모습이므로 신 것을 먹었다고 하는 것이 가장 적절하다. 따라서 (A)가 정답이다.

관련 문장 The face can be similar to someone eating something very sour.

3. You're in a contest? What does that involve?
   (A) that involves
   (B) involves that
   (C) is that involve
   (D) does that involve

해석 경연대회에 참가한다고? 거기서 무엇을 하는데?
(A) 그것이 포함하다
(B) 그것을 포함하다
(C) 어색한 표현
(D) 그것이 포함하니

풀이 'A가 B를 포함/수반하다', 'A에 B가 관련되다' 등 포함이나 관련[연관]의 뜻을 나타낼 때 영어로 'A involves B'라고 표현할 수 있다. 이를 의문문으로 나타내야 하므로 'What + do 조동사 + 주어 + involve'의 구조를 가진 (D)가 정답이다.

새겨 두기 해당 의문문에서 주어 'that'은 첫 문장의 'a contest'를 가리킨다.

관련 문장 This often involves using their hands to pull the skin around the eyes while pushing up their nose.

4. This book is similar to the one that I read last month.
   (A) to
   (B) in
   (C) for
   (D) around

해석 이 책은 내가 지난달에 읽은 것과 비슷해.
(A) ~에
(B) ~ 안에
(C) ~을 위해
(D) ~의 주변에

풀이 '~와 비슷하다, 유사하다'이란 뜻을 나타낼 때 형용사 'similiar'와 전치사 'to'를 사용하여 'be similar to'라고 표현하므로 (A)가 정답이다.

관련 문장 The face can be similar to someone eating something very sour.

[5-6]

____

1. **Have no teeth.**
It makes it easier to twist your mouth into crazy positions. That's why one gurning champion had his teeth surgically removed.

2. **It helps to be British.**
No other nationality has won!

3. **Be good-looking in general.**
Gurning is judged by the size of the transformation you make. If you already have a naturally attractive face, the transformation to an ugly gurning expression can be very big!

해석

____

1. 치아를 없애라.
이로 인해 입을 꼬아서 말도 안 되는 모양으로 만드는 것이 더 쉬워진다. 이것이 한 거닝 챔피언이 외과수술로 그의 치아를 제거한 이유이다.

2. 영국인인 것이 도움이 된다.
다른 국적이 이긴 적이 없다!

3. 전반적으로 준수한 외모를 지녀라.
거닝은 당신이 만드는 변형의 정도로 심사한다. 만약 당신이 이미 자연적으로 매력적인 얼굴을 지녔다면, 추한 거닝 표정으로의 변형은 매우 클 수 있다!

5. What would be the best title for the passage?
(A) Where to Witness Gurning
(B) How to Win a Gurning Contest
(C) Where to Go to Practice Gurning
(D) How to Judge a Gurning Championship

해석 지문에 가장 알맞은 제목은 무엇인가?
(A) 거닝을 목격할 수 있는 곳
(B) 거닝 대회에서 이기는 법
(C) 거닝 연습하러 갈 곳
(D) 거닝 챔피언전 심사하는 법

풀이 1번 항목에서는 치아가 없으면 입을 이상한 모양으로 만드는 데 유리하다며 한 거닝 챔피언을 예시로 들고 있고, 3번 항목에서는 거닝의 심사 기준을 언급하며 준수한 외모를 지녔다면 유리하다고 하였다. 따라서 해당 목록은 모두 거닝 대회에서 이기는 데 유리한 조건을 설명하고 있는 목록이므로 (B)가 정답이다.

6. According to the passage, which of the following statements is true?
(A) A gurner must be British.
(B) A champion's teeth were removed.
(C) Points are given to gurners for smiling at the judges.
(D) Points are awarded for showing attractive expressions.

해석 지문에 따르면, 다음 설명 중 옳은 내용은 무엇인가?
(A) 거닝 선수는 영국인이어야만 한다.
(B) 한 챔피언의 치아는 제거되었다.
(C) 심사위원에게 웃으면 거닝 선수에게 점수가 부여된다.
(D) 매력적인 표정을 보여주면 점수가 부여된다.

풀이 1번 항목 'Have no teeth.'의 'That's why one gurning champion had his teeth surgically removed.'에서 한 거닝 챔피언이 대회에서 유리하려고 수술로 치아를 제거했다는 것을 알 수 있으므로 (B)가 정답이다. (A)는 2번 항목 'It helps to be British.'는 그동안 우승자가 영국인밖에 없었으므로 영국인이면 우승하기에 유리하다는 것이지, 거닝 대회 참가자가 반드시 영국인이어야 한다는 의미는 아니므로 오답이다.

[7-10]

The Spanish city of Bilbao and the English town of Egremont share an interesting type of competition: one in which the contestants have to make the ugliest face they can. While both competitions share some similarities, they also have a few differences.

Egremont's contest is called the World Gurning Championships. "Gurning" is the act of making an ugly face on purpose. In the competition, contestants put their head through a horse collar as they make the face. The face can be similar to someone eating something very sour. Indeed, the competition may have started back in the year 1267, when a royal lord gave sour fruit to the villagers at a fair.

The Bilbao contest, on the other hand, is much more recent. It began in 1978 as part of the town's "Aste Nagusia" ("Great Week") festival. In this contest, rather than jutting out the teeth, contestants try to look as gross as possible. This often involves using their hands to pull the skin around the eyes while pushing up their nose. Whereas competitors in the World Gurning Championships tend to be adults, in Bilbao, people of all ages participate.

해석

빌바오(Bilbao)라는 스페인 도시와 에그레몬트(Egremont)라는 영국 소도시는 흥미로운 유형의 대회를 공통으로 갖는다: 참가자들이 능력껏 가장 추한 표정을 지어야 하는 대회이다. 두 대회는 몇몇 비슷한 점이 있긴 하지만, 약간의 차이점도 있다.

에그레몬트의 대회는 세계 거닝(Gurning) 챔피언전이라고 불린다. "거닝"은 일부러 추한 표정을 짓는 행동이다. 이 대회에서, 참가자들은 얼굴을 찌푸리면서 말 목사리에 머리를 통과시킨다. 표정은 누군가가 매우 시큼한 것을 먹는 것과 비슷할 수 있다. 정말로, 이 대회는 한 왕실 귀족이 축제에서 주민들에게 시큼한 과일을 주었던 1267년도에 시작되었을지도 모른다.

빌바오의 대회는, 한편, 훨씬 더 최근의 것이다. 그것은 도시의 "Aste Nagusia"("굉장한 일주일")의 일부로 1978년에 시작되었다. 이 대회에서는, 치아를 드러내기 보다는, 참가자들은 가능한 한 징그러워 보이려고 노력한다. 이는 종종 손을 사용해 코를 밀어 올리며 눈 주위 피부를 당기는 행동을 수반한다. 세계 거닝 챔피언전의 참가자들이 성인인 경향이 있는 반면, 빌바오에서는, 모든 연령대의 사람들이 참가한다.

7. Which of the following would be the best title for the passage?

(A) The Long History of Gurning
(B) How To Get Ugly in Two Competitions
(C) How to Gurn at the Aste Nagusia
(D) Why Spain Adopted an English Custom

해석 다음 중 지문에 가장 알맞은 제목은 무엇인가?

(A) 거닝의 오랜 역사
(B) 두 대회에서 어떻게 추해지는지 (추한 표정을 짓는지)
(C) Aste Nagusia에서 추한 표정 짓는 법
(D) 스페인이 영국 관습을 채택한 이유

유형 전체 내용 파악

풀이 첫 번째 문단에서 가장 추한 표정을 짓는 대회인 빌바오와 에그레몬트의 두 대회를 처음 언급하며, 마지막 문장 'While both competitions share some similarities, they also have a few differences.'를 통해 다음에 이어질 내용을 암시하고 있다. 이에 따라 두 번째 문단에서는 에그레몬트 대회의 내용 및 유래를 설명하고, 세 번째 문단에서는 빌바오 대회의 유래와 내용을 설명하고 있으며, 마지막 문장에서 두 대회 간 참가자 연령대의 차이점을 언급하며 글을 마치고 있다. 따라서 해당 지문의 중심 내용은 추한 표정을 짓는 두 가지 대회이므로 (B)가 정답이다.

8. What kind of face would competitors in Egremont most likely make?

(A) one like they were eating a lemon
(B) one like they were eating soft cake
(C) one like they were riding a fast horse
(D) one like they were riding a slow bicycle

해석 에그레몬트의 참가자들이 지을 표정으로 가장 적절한 것은 무엇인가?

(A) 레몬을 먹고 있는 듯한 표정
(B) 부드러운 케이크를 먹고 있는 듯한 표정
(C) 빠른 말을 타고 있는 듯한 표정
(D) 느린 자전거를 타고 있는 듯한 표정

유형 세부 내용 파악 & 추론하기

풀이 두 번째 문단의 'Egremont's contest [...] The face can be similar to someone eating something very sour.'에서 에그레몬트 대회 참가자들의 표정이 무언가 시큼한 것을 먹었을 때와 비슷하다고 설명하고 있다. 선택지 중 레몬이 시큼한 음식에 속하므로 (A)가 정답이다.

9. What do competitors in the Bilbao contest do differently from those in Egremont?

(A) put a collar on a horse
(B) pull the skin on their stomach
(C) use their hands to look disgusting
(D) set their teeth out as far as possible

해석 빌바오 대회의 참가자들이 에그레몬트의 참가자들과 다르게 하는 것은 무엇인가?

(A) 말에 목사리 달기
(B) 뱃가죽 잡아당기기
(C) 손을 이용해 역겨워 보이기
(D) 최대한 치아 드러내기

유형 세부 내용 파악

풀이 세 번째 문단의 'The Bilbao contest [...] rather than jutting out the teeth, contestants try to look as gross as possible. This often involves using their hands to pull the skin around the eyes while pushing up their nose.'에서 빌바오 대회 참가자들이 역겨워 보이려고 손을 사용해 눈가 피부를 당긴다고도 했으므로 (C)가 정답이다. (B)는 배가 아니라 눈가 피부를 잡아당긴다고 했으므로 오답이다. (D)는 'rather than jutting out the teeth'에서 치아를 드러내지는 않는다고 했으므로 오답이다.

10. When did Bilbao's contest begin?

(A) 1267
(B) 1978
(C) when a royal lord gave villages fruit
(D) when children were banned from the festival

해석 빌바오의 대회는 언제 시작되었는가?

(A) 1267년
(B) 1978년
(C) 한 왕실 귀족이 마을에 과일을 주었을 때
(D) 어린이들이 축제에서 금지되었을 때

유형 세부 내용 파악

풀이 'The Bilbao contest, on the other hand, is much more recent. It began in 1978 as part of the town's "Aste Nagusia" ("Great Week") festival.'에서 빌바오의 대회는 1978년에 시작되었다는 사실을 알 수 있으므로 (B)가 정답이다. (A)와 (C)는 에그레몬트의 대회가 시작되었을 시기로 언급되었으므로 오답이다.

Listening Practice

HJ1-9 p.84

The Spanish city of Bilbao and the English town of Egremont share an interesting type of competition: one in which the contestants have to make the ugliest face they can. While both competitions share some similarities, they also have a few differences.

Egremont's contest is called the World Gurning Championships. "Gurning" is the act of making an ugly face on purpose. In the competition, contestants put their head through a horse collar as they make the face. The face can be similar to someone eating something very sour. Indeed, the competition may have started back in the year 1267, when a royal lord gave sour fruit to the villagers at a fair.

The Bilbao contest, on the other hand, is much more recent. It began in 1978 as part of the town's "Aste Nagusia" ("Great Week") festival. In this contest, rather than jutting out the teeth, contestants try to look as gross as possible. This often involves using their hands to pull the skin around the eyes while pushing up their nose. Whereas competitors in the World Gurning Championships tend to be adults, in Bilbao, people of all ages participate.

1. make
2. ugliest
3. similarities
4. sour
5. jutting
6. gross

Writing Practice

p.85

1. ugly
2. make a face
3. similarity
4. sour
5. jut out
6. gross

Summary

Egremont in the UK and Bilbao in Spain both have contests in which contestants make the ugliest face they can. But there are also some differences between each of the contests.

영국의 에그레몬트와 스페인의 빌바오는 모두 참가자들이 능력껏 가장 추한 얼굴(표정)을 짓는 대회를 가지고 있다. 하지만 각 대회 간 차이점도 몇몇 있다.

Word Puzzle p.86

Across	Down
1. gross	2. similarity
3. make a face	6. ugly
4. sour	
5. jut out	

Unit 10 | The Argungu Fishing Festival p.87

Part A. Picture Description p.89

1 (A) 2 (C)

Part B. Sentence Completion p.89

3 (A) 4 (C)

Part C. Practical Reading Comprehension p.90

5 (B) 6 (C)

Part D. General Reading Comprehension p.91

7 (C) 8 (C) 9 (D) 10 (D)

Listening Practice p.92

1 go off 2 drive the fish
3 shallow 4 practice
5 reinstated 6 heritage

Writing Practice p.93

1 a gun goes off 2 drive
3 shallow 4 practice
5 reinstate 6 heritage
Summary aim, traditional, recognized, heritage

Word Puzzle p.94

Across
1 shallow 3 practice
5 reinstate 6 a gun goes off
Down
2 heritage 4 drive to

Pre-reading Questions p.87

Have you ever caught a fish?

물고기를 잡아본 적 있나요?

Reading Passage p.88

The Argungu Fishing Festival

At the four-day Argungu International Fishing and Cultural Festival in northwestern Nigeria, events include a series of "kabanci," or water competitions. There are canoe races and duck catching on the Matan Fada River. But the main event on the final day is hand fishing.

During the hand fishing competition, over 5,000 fishermen and women get to the edge of the river. When they hear a gun go off, they jump into the water in search of the biggest fish. Modern fishing equipment is not permitted. Instead, the competitors use traditional nets and a gourd* made out of a dried squash.

Once the fishermen and women are in the water, drummers on canoes come out to drive the fish to shallow water with loud sounds. Fish, people, and nets are everywhere. The cash prize goes to the person who catches the largest fish.

The fishing competition and festival help maintain peace between neighboring communities, who join together in a cultural practice that also keeps the river water clear and protected. Although the festival had been stopped for years, in 2018 it was reinstated. Since 2016, the festival and its various competitions have been listed as important cultural heritage by UNESCO.

* gourd = a hard-shelled fruit, like a pumpkin

아르군구 낚시 축제

나이지리아 북서부에서 나흘간 열리는 아르군구(Argungu) 국제낚시문화축제에서, 잇따른 "kabanci", 혹은 수상 대회가 행사들에 포함된다. Matan Fada 강에서는 카누 경주와 오리잡이가 있다. 하지만 마지막 날의 주요 행사는 손 낚시이다.

손 낚시 대회 중에는, 5,000명이 넘는 남성과 여성 낚시꾼들이 강 가장자리에 이른다. 총이 발사되는 것을 들으면, 그들은 가장 큰 물고기를 찾아 물속으로 뛰어든다. 현대 낚시 장비는 허용되지 않는다. 대신에, 참가자들은 전통 그물과 마른 호박으로 만든 박을 사용한다.

낚시꾼들이 물속으로 들어가면, 카누를 탄 (북을 치는) 고수들이 나와 큰 소리로 물고기를 얕은 물가로 내몬다. 물고기, 사람, 그리고 그물이 사방에 있다. 상금은 가장 커다란 물고기를 잡은 사람에게 돌아간다.

이 낚시 대회와 축제는 이웃 공동체 간의 평화를 유지하는 데 도움을 주는데, 이들은 강물을 맑게 하고 보호하는 데도 도움을 주는 문화 관습에 함께 참여한다. 이 축제는 몇 년 동안 중단되었지만, 2018년에 부활했다. 2016년부터, 이 축제와 그것의 각종 대회는 유네스코에 의해 중요 문화유산으로 등재됐다.

어휘 a series of 일련의 | canoe 카누 | catch 잡다, 포착하다; 잡기; 잡은 양 | fisherman(woman) 낚시꾼, 어부 | go off 발사하다 | in search of ~을 찾아서 | equipment 장비 | permit 허용하다 | net 그물[망]; 순이익을 올리다; 획득하다; 득점하다; 그물로 잡다 | gourd (식물) 박 | made out of ~로 만든 | squash 호박 | drummer (북을 치는) 고수, 드럼 연주자 | drive (어떤 방향으로) 몰다; 추진시키다; 운전하다 | shallow 얕은 | neighboring 이웃의, 근처의, 인접한 | practice 관행, 관례, 관습 | reinstate 복귀시키다 | list 목록에 언급하다[포함시키다]; 열거하다 | heritage 유산 | win 따다, 얻다; 이기다 | recognize 공인[승인]하다; 인정[인식]하다 | firework 불꽃 | relatively 비교적 | sandy 모래의, 모래가 든, 모래로 뒤덮인 | wrestle 몸싸움을 벌이다, 맞붙어 싸우다; 씨름하다 | by hand 사람 손으로 | worth ~의 가치가 있는 | gear 장비; 장치 | pilgrim 순례자 | onlooker 구경꾼 | a row of 일련의 | V.I.P.(= Very Important Person) 중요한 인물, 브이아이피, 귀빈 | bank 둑, 제방 | weigh 무게[체중]를 달다; 무게[체중]가 …이다 | select 선택하다 | beat the record 기록을 깨뜨리다 | haul 어획량; 많은 양 | set the record 기록을 세우다 | all-time 역대의 | aim to ~하는 것을 목표로 하다 | rowing 노 젓기; 조정(漕艇) | chase 뒤쫓다, 추적하다 | status 지위

Comprehension Questions p.89

1. The firework is about to <u>go off</u>.

(A) go off
(B) turn on
(C) stay up
(D) turn round

해석 불꽃이 막 <u>발사되려고</u> 한다.

(A) 발사되다
(B) 켜다
(C) 그대로 있다
(D) 회전하다

풀이 폭죽에 불꽃이 붙여져 있고 발사되기 직전이므로 (A)가 정답이다.

관련 문장 When they hear a gun go off [...]

2. On the left, the water is relatively <u>shallow</u>.

(A) deep
(B) sandy
(C) shallow
(D) dangerous

해석 왼쪽에는, 물이 상대적으로 <u>얕다</u>.

(A) 깊은
(B) 모래의
(C) 얕은
(D) 위험한

풀이 왼쪽 물이 오른쪽 물에 비해 더 얕으므로 (C)가 정답이다.

관련 문장 [...] drummers on canoes come out to drive the fish to shallow water with loud sounds.

3. The prize will go to <u>whoever</u> catches the biggest fish. I hope I win this year!

(A) whoever
(B) however
(C) whenever
(D) whatsoever

해석 상은 <u>누구든</u> 가장 큰 물고기를 <u>잡은 사람</u>에게 간다. 올해 내가 우승하길 바란다!

(A) 누구든 ~하는 사람
(B) 아무리 ~해도
(C) ~할 때마다
(D) 어떤 ~이든

풀이 '______ catches the biggest fish'는 전치사 'to' 뒤에 나오는 명사절로, 동사 'catches'의 주어 부분이 비어있으므로 주어 역할을 할 수 있는 관계대명사가 필요하다. '누구든 ~하는 사람'이라는 뜻을 나타낼 때 주격 복합 관계대명사 'whoever'를 사용하므로 (A)가 정답이다.

관련 문장 The cash prize goes to the person who catches the largest fish.

4. This cultural practice <u>has been recognized</u> by UNESCO since 2016.

(A) has recognized
(B) will have recognized
(C) has been recognized
(D) will have been recognized

해석 이 문화 관행은 2016년부터 유네스코에 의해 <u>인정되었다</u>.

(A) 인정해왔다
(B) 인정해왔을 것이다
(C) 인정됐다
(D) 인정돼왔을 것이다

풀이 주어가 'This cultural practice'로 사물이고 빈칸 뒤에 by가 있으므로 수동형이 들어가는 것이 적절하다. 또한 'since 2016'이 있으므로 현재 완료 시제가 들어가는 것이 자연스러우므로 (C)가 정답이다. (A)는 해당 문장에서 'recognize'(인정하다)를 능동형으로 사용하면 의미가 매우 어색하고 동사의 목적어도 없으므로 오답이다. (D)는 미래 완료 시제는 미래의 특정 시점을 기준으로 하기 때문에 'since 2016'이라는 과거 시점과 어울리지 않으므로 오답이다.

새겨 두기 수동형 문장에서 자주 쓰이는 전치사 'by'와 완료 시제 문장에서 자주 쓰이는 전치사 'since'에 주목한다.

관련 문장 Since 2016, the festival and its various competitions have been listed as important cultural heritage by UNESCO.

[5-6]

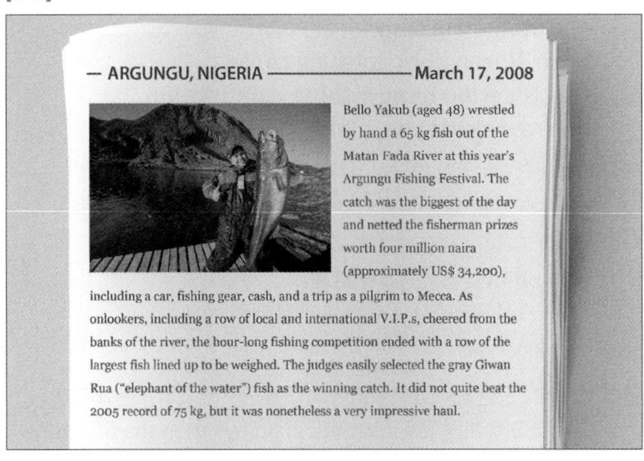

— ARGUNGU, NIGERIA —————— March 17, 2008

Bello Yakub (aged 48) wrestled by hand a 65 kg fish out of the Matan Fada River at this year's Argungu Fishing Festival. The catch was the biggest of the day and netted the fisherman prizes worth four million naira (approximately US$ 34,200), including a car, fishing gear, cash, and a trip as a pilgrim to Mecca. As onlookers, including a row of local and international V.I.P.s, cheered from the banks of the river, the hour-long fishing competition ended with a row of the largest fish lined up to be weighed. The judges easily selected the gray Giwan Rua ("elephant of the water") fish as the winning catch. It did not quite beat the 2005 record of 75 kg, but it was nonetheless a very impressive haul.

해석

나이지리아, 아르군구 2008년 3월 17일

Bello Yakub(48세)은 올해 아르군구 낚시 축제에서 65kg 짜리 물고기를 손으로 씨름하여 Matan Fada 강 밖으로 꺼냈다. 이 수확은 그날 가장 컸으며, 그 낚시꾼에게 차 한 대, 낚시 장비, 현금, 그리고 메카(Mecca)로의 순례 여행을 포함해 사백만 나이라 (대략 34,200 US달러) 상당의 상을 안겨주었다. 일련의 지역 및 국제 귀빈들을 비롯한 구경꾼들이 강둑에서 환호하면서, 한 시간 동안 이어진 낚시 대회는 무게를 재기 위해 줄지은 대형 물고기들과 함께 막을 내렸다. 심사위원들은 회색 Giwan Rua ("물의 코끼리") 물고기를 우승 수확으로 손쉽게 선정했다. 그것은 2005년 기록인 75kg을 크게 넘어서지는 못 했으나, 그럼에도 불구하고 매우 인상적인 어획이었다.

5. According to the article, what is true about the winner?

(A) He was 49 years old.
(B) He netted a gray fish.
(C) He set the all-time record.
(D) He won 4,000,000 naira in cash.

해석 기사에 따르면, 우승자에 관해 옳은 설명은 무엇인가?

(A) 49살이었다.
(B) 회색 물고기를 잡았다.
(C) 사상 최고 기록을 세웠다.
(D) 현금으로 400만 나이라를 얻었다.

풀이 'The judges easily selected the great Giwan Rua ("elephant of the water") fish as the winning catch.'에서 대회 우승자가 잡은 물고기가 회색이라는 것을 알 수 있으므로 (B)가 정답이다. (A)는 우승자 Bello Yakub은 48살('aged 48') 이었으므로 오답이다. (C)는 'It did not quite beat the 2005 record of 75kg'에서 2005년 기록을 깨지 못했다고 하였으므로 오답이다. (D)는 'The catch [...] netted the fishermen prizes worth four million naira, [...] including a car, fishing gear, cash, and a trip as a pilgrim to Mecca.'에서 우승 보상으로 받은 400만 나이라가 모두 현금이 아님을 알 수 있으므로 오답이다.

6. Who is NOT mentioned in the passage?

(A) judges
(B) spectators
(C) visiting family
(D) important locals

해석 지문에서 언급되지 않은 내용은 무엇인가?

(A) 심사위원
(B) 구경꾼
(C) 방문 가족
(D) 중요한 지역주민

풀이 'visiting family'(방문 가족)에 관한 내용은 기사에서 언급되지 않았으므로 (C)가 정답이다. (A)는 'The judges easily selected the gray Giwan Rua [...]'에서, (B)와 (D)는 'As onlookers, including a row of local and international V.I.P.s'에서 확인할 수 있으므로 오답이다.

[7-10]

At the four-day Argungu International Fishing and Cultural Festival in northwestern Nigeria, events include a series of "kabanci," or water competitions. There are canoe races and duck catching on the Matan Fada River. But the main event on the final day is hand fishing.

During the hand fishing competition, over 5,000 fishermen and women get to the edge of the river. When they hear a gun go off, they jump into the water in search of the biggest fish. Modern fishing equipment is not permitted. Instead, the competitors use traditional nets and a gourd* made out of a dried squash.

Once the fishermen and women are in the water, drummers on canoes come out to drive the fish to shallow water with loud sounds. Fish, people, and nets are everywhere. The cash prize goes to the person who catches the largest fish.

The fishing competition and festival help maintain peace between neighboring communities, who join together in a cultural practice that also keeps the river water clear and protected. Although the festival had been stopped for years, in 2018 it was reinstated. Since 2016, the festival and its various competitions have been listed as important cultural heritage by UNESCO.

* gourd = a hard-shelled fruit, like a pumpkin

해석

나이지리아 북서부에서 나흘간 열리는 아르군구(Argungu) 국제낚시문화축제에서, 잇따른 "kabanci", 혹은 수상 대회가 행사들에 포함된다. Matan Fada 강에서는 카누 경주와 오리잡이가 있다. 하지만 마지막 날의 주요 행사는 손 낚시이다.

손 낚시 대회 중에는, 5,000명이 넘는 남성과 여성 낚시꾼들이 강 가장자리에 이른다. 총이 발사되는 것을 들으면, 그들은 가장 큰 물고기를 찾아 물속으로 뛰어든다. 현대 낚시 장비는 허용되지 않는다. 대신에, 참가자들은 전통 그물과 마른 호박으로 만든 박을 사용한다.

낚시꾼들이 물속으로 들어가면, 카누를 탄 (북을 치는) 고수들이 나와 큰 소리로 물고기를 얕은 물가로 내몬다. 물고기, 사람, 그리고 그물이 사방에 있다. 상금은 가장 커다란 물고기를 잡은 사람에게 돌아간다.

이 낚시 대회와 축제는 이웃 공동체 간의 평화를 유지하는 데 도움을 주는데, 이들은 강물을 맑게 하고 보호하는 데도 도움을 주는 문화 관습에 함께 참여한다. 이 축제는 몇 년 동안 중단되었지만, 2018년에 부활했다. 2016년부터, 이 축제와 그것의 각종 대회는 유네스코에 의해 중요 문화유산으로 등재됐다.

7. What is the passage mainly about?

(A) a drumming show near water
(B) an African duck-catching contest
(C) a Nigerian hand-fishing competition
(D) a rowing race on a lake in Argungu

해석 주로 무엇에 관한 지문인가?

(A) 물가의 북 치기 공연
(B) 아프리카 오리잡이 대회
(C) 나이지리아의 손 낚시 대회
(D) 아르군구의 호수에서 하는 조정 경주

유형 전체 내용 파악

풀이 첫 번째 문단에서 나이지리아의 아르군구 국제낚시문화축제를 언급하고 마지막 문장 'But the main event on the final day is hand fishing.'을 통해 손 낚시라는 중심 소재를 소개하고 있다. 그다음 두 번째, 세 번째 문단에서 손 낚시 대회 참가자 수와 도구 및 대회 내용, 네 번째 문단에서 손 낚시 대회를 비롯한 나이지리아 축제의 의의 등을 설명하고 있다. 따라서 중심 소재는 나이지리아 축제의 손 낚시 대회이므로 (C)가 정답이다.

8. Which of the following is NOT mentioned?

(A) the usual number of competitors
(B) the place where the competition happens
(C) the month in which the competition occurs
(D) the equipment that is used by competitors

해석 다음 중 언급되지 않은 내용은 무엇인가?

(A) 통상적인 참가자 수
(B) 대회가 열리는 장소
(C) 대회가 열리는 달
(D) 참가자들이 사용하는 장비

유형 세부 내용 파악

풀이 손 낚시 대회가 어떤 달에 열리는지는 지문에서 언급되지 않았으므로 (C)가 정답이다. (A)는 두 번째 문단의 'During the hand fishing competition, over 5,000 fishermen and women get to the edge of the river.'에서, (B)는 첫 번째 문단의 'in northwestern Nigeria', 'the Matan Fada River' 등에서, (D)는 두 번째 문단의 'Instead, the competitors use traditional nets and a gourd made out of a dried squash.' 에서 확인할 수 있으므로 오답이다.

9. What role do the drummers play?
   (A) helping fish to jump
   (B) hitting fish with drumsticks
   (C) catching fish in large drums
   (D) chasing fish to shallow water

해석 드럼 주자들은 어떤 역할을 하는가?
   (A) 물고기가 뛰어오르게 돕기
   (B) 북채로 물고기 치기
   (C) 큰 북에 물고기 잡기
   (D) 얕은 물로 물고기 쫓기

유형 세부 내용 파악

풀이 세 번째 문단의 '[...] drummers on canoes come out to drive the fish to shallow water with loud sounds.'에서 드럼 주자들이 카누 위에서 시끄러운 소리로 물고기를 얕은 물가로 유인한다고 하였으므로 (D)가 정답이다.

10. According to the passage, what is true about the festival?
   (A) It lasts three days each year.
   (B) It makes the river dirtier overall.
   (C) It was banned in 2016 by the U.N.
   (D) It has official important heritage status.

해석 지문에 따르면, 축제에 관해 옳은 내용은 무엇인가?
   (A) 매년 3일 동안 열린다.
   (B) 강을 전체적으로 더 더럽힌다.
   (C) UN에 의해 2016년에 금지되었다.
   (D) 공식적인 중요 유산 지위가 있다.

유형 세부 내용 파악

풀이 네 번째 문단의 'Since 2016, the festival and its various competitions have been listed as important cultural heritage by UNESCO.'에서 2016년부터 축제가 유네스코 문화유산으로 지정되었다는 사실을 알 수 있다. 이는 축제가 공식적으로 중요한 문화유산 지위를 지녔다는 의미이므로 (D)가 정답이다. (A)는 4일('the four-day')동안 열리는 축제이므로 오답이다.

Listening Practice

HJ1-10 p.92

At the four-day Argungu International Fishing and Cultural Festival in northwestern Nigeria, events include a series of "kabanci," or water competitions. There are canoe races and duck catching on the Matan Fada River. But the main event on the final day is hand fishing.

During the hand fishing competition, over 5,000 fishermen and women get to the edge of the river. When they hear a gun go off, they jump into the water in search of the biggest fish. Modern fishing equipment is not permitted. Instead, the competitors use traditional nets and a gourd made out of a dried squash.

Once the fishermen and women are in the water, drummers on canoes come out to drive the fish to shallow water with loud sounds. Fish, people, and nets are everywhere. The cash prize goes to the person who catches the largest fish.

The fishing competition and festival help maintain peace between neighboring communities, who join together in a cultural practice that also keeps the river water clear and protected. Although the festival had been stopped for years, in 2018 it was reinstated. Since 2016, the festival and its various competitions have been listed as important cultural heritage by UNESCO.

1. go off
2. drive the fish
3. shallow
4. practice
5. reinstated
6. heritage

Writing Practice p.93

1. a gun goes off
2. drive
3. shallow
4. practice
5. reinstate
6. heritage

Summary

During the hand fishing competition at Argungu's International Fishing and Cultural Festival in Nigeria, people aim to catch the biggest fish using only traditional tools. The festival has been recognized as important cultural heritage by UNESCO.

나이지리아에서 아르군구 국제낚시문화축제의 손 낚시 대회가 열리는 동안, 사람들은 전통 도구들만을 이용해서 가장 큰 물고기를 잡는 것을 목표로 한다. 이 축제는 유네스코에 의해 중요한 문화유산으로 인정돼왔다.

Word Puzzle p.94

Across	Down
1. shallow	2. heritage
3. practice	4. drive to
5. reinstate	
6. a gun goes off	

Unit 11 | ClauWau p.95

Part A. Picture Description p.97

1 (D) 2 (C)

Part B. Sentence Completion p.97

3 (B) 4 (B)

Part C. Practical Reading Comprehension p.98

5 (D) 6 (A)

Part D. General Reading Comprehension p.99

7 (B) 8 (D) 9 (B) 10 (D)

Listening Practice p.100

1 influx 2 spar
3 show off 4 agility
5 sleds 6 reindeer

Writing Practice p.101

1 influx of 2 spar
3 show off 4 agility
5 sled 6 reindeer
Summary dressed, show off, endurance, resort

Word Puzzle p.102

Across
2 show off 3 reindeer
5 agility
Down
1 spar 2 sled
4 influx of

Pre-reading Questions p.95

Which would you rather do, and why:
1) ride on a sled, or
2) drive a snowmobile?

다음 중 어떤 것을 더 하고 싶나요, 그리고 이유는 무엇인가요?:
1) 썰매 타기, 혹은
2) 스노모빌 몰기

Reading Passage p.96

ClauWau

Each November the Swiss winter resort of Samnaum sees a giant influx of Santas. The red-suited competitors are there for the Santa Claus World Championships, also known as ClauWau.

Over two days, 32 teams of four people per team spar in five snow-related events over six hours while dressed as Santa Claus. It might be expected that Santa Claus competitors would have to do such Santa-associated tasks as climbing down chimneys, eating milk and cookies, and delivering presents. However, at ClauWau, contestants must show off their physical endurance and agility by doing things like racing on sleds, climbing up (not down) a chimney, riding on mechanical reindeer without falling off, and driving snowmobiles while catching gifts in a fishing net.

One key purpose of ClauWau is likely just to draw visitors to the ski resort; however, both competing in and watching the events are free of charge. For any travelers heading to Switzerland, ClauWau can be a festive way to celebrate the winter season before heading down the ski hill.

ClauWau

매년 11월 스위스의 겨울 휴양지인 Samnaum에서는 엄청난 산타들의 유입을 목격한다. 붉은색으로 입은 시합 참가자들은 ClauWau라고도 알려진, 세계산타대회를 위해 거기에 있는 것이다.

이틀에 걸쳐, 네 명으로 구성된 32개 팀이 산타클로스 복장을 한 채 여섯 시간 넘게 다섯 개의 눈 관련 종목에서 경기를 펼친다. 산타클로스 참가자들이 굴뚝 타고 내려가기, 우유와 쿠키 먹기, 그리고 선물 배달하기와 같은 산타 관련 과업을 해야 할 것으로 예상될지도 모른다. 하지만, ClauWau에서는, 참가자들이 썰매 타고 경주하기, 굴뚝 타고 올라가기(내려가는 게 아니라), 떨어지지 않고 기계 순록 타기, 그리고 낚시 그물에 선물 낚아채며 스노모빌 운전하기와 같은 것들을 하면서 그들의 신체적 지구력과 민첩성을 뽐내야만 한다.

ClauWau의 한 가지 주요 목적은 단순히 스키 휴양지에 방문객들을 끌어들이기 위한 것일 수 있다; 하지만, 경기에 참여하거나 대회를 관람하는 것은 모두 무료다. 스위스에 가는 모든 여행객에게, ClauWau는 스키 언덕을 내려가기 전 겨울 시즌을 기념하는 축제의 방법이 될 수 있다.

어휘 sled 썰매 | snowmobile 스노모빌(눈이나 얼음 위를 쉽게 달릴 수 있게 만든 차량), 설상차 | resort 휴양지, 리조트 | influx 밀어닥침[밀려듦] | suited ~한 옷을 입은 | spar 치고 덤비다, 스파링하다, 옥신각신하다 | It is expected (that/to) (~일 것이라고) 예상[기대]되다 | associated 관련된 | chimney 지붕 | show off 뽐내다, 과시하다 | endurance 인내, 참을성 | agility 민첩; 명민함 | mechanical 기계적인 | reindeer 순록 | fall off 떨어지다 | key 주요한 | draw 끌다; 끌어당기다 | free of charge 무료로 | head (to/down) (특정 방향으로) 가다, 향하다 | festive 축제의, 기념일의, 축하하는 | beaver 비버 | buffalo 물소, 버팔로 | raccoon 미국너구리, 라쿤 | tear down ~을 허물다 | opening ceremony 개회식 | play 희곡, 연극 | spring 확 움직이다, (갑자기) 뛰어오르다 | timed relay race 시간제한 계주 | identify (신원 등을) 알아보다[확인하다] | landmark 랜드마크, 주요 지형지물 | one-by-one 차례차례, 하나하나씩 | sack 자루, 부대 | device 장치[기구] | formal 공식적인; 격식을 차린 | fake 가짜의, 거짓된 | take place 개최되다, 일어나다 | all at once 모두 함께, 동시에 | sculpture 조각 | display 전시

Comprehension Questions p.97

1. It's a <u>reindeer</u> in a scarf!
   (A) bear
   (B) husky
   (C) penguin
   (D) reindeer

해석 목도리를 두른 <u>순록</u>이야!
(A) 곰
(B) 허스키 개
(C) 펭귄
(D) 순록

풀이 목도리를 두르고 있는 동물은 순록이므로 (D)가 정답이다.

관련 문장 [...] riding on mechanical reindeer without falling off [...]

2. Rex the dog is <u>showing off</u> his agility.
   (A) looking up
   (B) hiding away
   (C) showing off
   (D) tearing down

해석 개 Rex가 그의 민첩성을 <u>뽐내고</u> 있다.
(A) 찾아보는
(B) 감추는
(C) 뽐내는
(D) 허무는

풀이 개가 장애물을 뛰어넘으며 민첩함을 뽐내고 있는 듯한 모습이므로 (C)가 정답이다.

관련 문장 However, at ClauWau, contestants must show off their physical endurance and agility [...]

3. How long can you stand on a skateboard without <u>falling</u> off?
   (A) fall
   (B) falling
   (C) you fall
   (D) being fallen

해석 스케이트보드에서 <u>떨어지지</u> 않고 얼마나 오랫동안 서 있을 수 있니?
   (A) 떨어지다
   (B) 떨어지는 것
   (C) 당신이 떨어지다
   (D) 떨어진 상태

풀이 빈칸은 전치사 'without'의 목적어 자리로서 명사구가 필요하므로 동명사가 들어가는 것이 적절하다. 또한 문맥상 능동형이 의미상 어울리므로 (B)가 정답이다.

관련 문장 [...] riding on mechanical reindeer without falling off [...]

4. <u>It might be expected</u> that we would need to bring our own pens to class, but why do we need our own computers?
   (A) Might it be expected
   (B) It might be expected
   (C) There might be expected
   (D) Might there be expectation

해석 저희가 수업에 자기 펜을 가져와야 한다<u>는 건 예상할 수 있지만</u>, 왜 자기 컴퓨터가 필요한가요?
   (A) (~을) 예상할 수 있는가
   (B) (~을) 예상할 수 있다
   (C) (~가) 예상될 수 있다
   (D) 예상이 있을 수 있다

풀이 '~가 예상/기대된다', '~라는 것이 당연하다고 생각된다' 등의 뜻을 나타낼 때 'be expected'라는 동사구를 사용할 수 있다. 그런데 해당 문장에서 that 이하 절('we would need to bring our own pens to class')은 필요 문장 성분이 모두 있는 완전한 절이다. 따라서 가주어 it과 진주어(that 절) 구조를 사용하여 'It might be expected that ~'(~가 예상될 수 있다)이라고 표현해야 자연스러우므로 (B)가 정답이다.

새겨 두기 가주어 it의 다양한 쓰임새를 유념한다.

관련 문장 It might be expected that Santa Claus competitors would have to do such Santa-associated tasks [...]

[5-6]

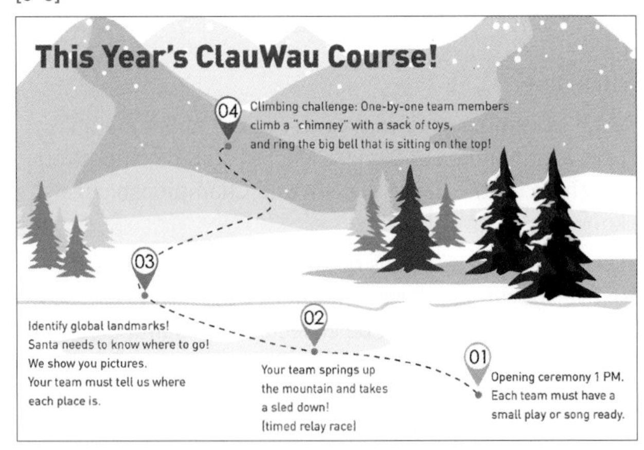

해석

올해의 ClauWau 코스!

01 개회식 오후 1시. 각 팀은 소규모 연극이나 노래를 준비해야 합니다.

02 여러분의 팀은 재빨리 산을 올라가 썰매를 타고 내려옵니다! (시간제한 계주)

03 전 세계 랜드마크 식별하기! 산타라면 어디로 가야 하는지 알아야 하죠! 여러분에게 사진을 보여줍니다. 팀은 각 장소가 어디인지 말해줘야 합니다.

04 등반 도전: 팀원들이 한 명씩 장난감 자루를 들고 "굴뚝"에 오르고, 꼭대기에 있는 큰 종을 울립니다!

5. What do competitors need to prepare?
   (A) a GPS device
   (B) a sack of toys
   (C) a formal speech
   (D) a short performance

해석 참가자들은 무엇을 준비해야 하는가?
   (A) GPS 장치
   (B) 장난감 자루
   (C) 정식 연설
   (D) 짧은 공연

풀이 1번 코스의 'Each team must have a small play or song ready.'에서 각 팀은 소규모 연주나 노래를 준비해야 한다고 했으므로 (D)가 정답이다. (B)는 4번 코스에서 'sack of toys'가 언급되었으나 준비물이라고 하지는 않았으므로 오답이다.

6. What can be inferred about the climbing challenge?

(A) **The chimney is fake.**
(B) It takes place before 1 PM.
(C) Competitors must carry a bell.
(D) Team members compete all at once.

해석 등반 도전에 관해 추론할 수 있는 것은 무엇인가?

(A) 굴뚝은 가짜다.
(B) 오후 1시 이전에 진행한다.
(C) 참가자들은 종을 날라야 한다.
(D) 팀원들은 한꺼번에 경쟁한다.

풀이 '[...] climb a "chimney" with a sack of toys, [...]'에서 'chimney'라는 단어에 큰따옴표가 쓰인 것은 글쓴이가 독자의 주의를 환기하고자 하는 인용 부호이며, 이는 주로 아이러니(irony)를 표현하거나 비꼬는 등에 사용된다. 여기서 큰따옴표의 의미는 "chimney"가 산타들이 집을 들어갈 때 올라가는 실제 집의 굴뚝이 아니라 대회용 가짜 굴뚝이라는 것을 암시한다. 따라서 (A)가 정답이다. (B)는 등반 도전은 개회식 시각인 오후 1시 이후에 진행하므로 오답이다. (C)는 종을 옮기는 게 아니라 꼭대기에 있는 종을 치는 것이므로 오답이다. (D)는 'One-by-one team members'에서 한꺼번에 경쟁하는 것이 아니라 한 명씩 경쟁한다는 것을 알 수 있으므로 오답이다.

새겨 두기 주의를 환기하는 큰따옴표를 'scare quotes'라고 부르며, 이를 통해 아이러니(irony), 비꼼(sarcasm), 의심(skepticism), 의견 불일치(disagreement) 등을 표현한다. '소위 말해서'(so-called)라는 의미가 함축된 것으로 이해해도 좋다.

[7-10]

Each November the Swiss winter resort of Samnaum sees a giant influx of Santas. The red-suited competitors are there for the Santa Claus World Championships, also known as ClauWau.

Over two days, 32 teams of four people per team spar in five snow-related events over six hours while dressed as Santa Claus. It might be expected that Santa Claus competitors would have to do such Santa-associated tasks as climbing down chimneys, eating milk and cookies, and delivering presents. However, at ClauWau, contestants must show off their physical endurance and agility by doing things like racing on sleds, climbing up (not down) a chimney, riding on mechanical reindeer without falling off, and driving snowmobiles while catching gifts in a fishing net.

One key purpose of ClauWau is likely just to draw visitors to the ski resort; however, both competing in and watching the events are free of charge. For any travelers heading to Switzerland, ClauWau can be a festive way to celebrate the winter season before heading down the ski hill.

해석

매년 11월 스위스의 겨울 휴양지인 Samnaum에서는 엄청난 산타들의 유입을 목격한다. 붉은색으로 입은 시합 참가자들은 ClauWau라고도 알려진, 세계산타대회를 위해 거기에 있는 것이다.

이틀에 걸쳐, 네 명으로 구성된 32개 팀이 산타클로스 복장을 한 채 여섯 시간 넘게 다섯 개의 눈 관련 종목에서 경기를 펼친다. 산타클로스 참가자들이 굴뚝 타고 내려가기, 우유와 쿠키 먹기, 그리고 선물 배달하기와 같은 산타 관련 과업을 해야 할 것으로 예상될지도 모른다. 하지만, ClauWau에서는, 참가자들이 썰매 타고 경주하기, 굴뚝 타고 올라가기(내려가는 게 아니라), 떨어지지 않고 기계 순록 타기, 그리고 낚시 그물에 선물 낚아채며 스노모빌 운전하기와 같은 것들을 하면서 그들의 신체적 지구력과 민첩성을 뽐내야만 한다.

ClauWau의 한 가지 주요 목적은 단순히 스키 휴양지에 방문객들을 끌어들이기 위한 것일 수 있다; 하지만, 경기에 참여하거나 대회를 관람하는 것은 모두 무료다. 스위스에 가는 모든 여행객에게, ClauWau는 스키 언덕을 내려가기 전 겨울 시즌을 기념하는 축제의 방법이 될 수 있다.

7. What is the main topic of this passage?
(A) a gift giving charity
(B) a holiday sporting event
(C) a snow sculpture display
(D) a Santa skiing competition

해석 이 지문의 중심 소재는 무엇인가?
(A) 선물 증정 자선 행사
(B) 휴일 스포츠 행사
(C) 눈 조각 전시
(D) 산타 스키 대회

유형 전체 내용 파악

풀이 첫 번째 문단에서 스위스 세계산타대회인 ClauWau라는 중심 소재를 드러내고, 두 번째 문단에서 대회 기간, 참가자, 시간, 경기 내용을 설명한 뒤, 세 번째 문단에서 대회의 주요 목적을 설명하고 독자들에게 관람을 독려하며 글이 마무리되고 있다. 따라서 해당 지문의 중심 소재는 겨울 휴양지에서 열리는 스포츠 대회 ClauWau이므로 (B)가 정답이다. (D)는 ClauWau는 스키 대회가 아닌 여러 다양한 종목으로 이루어진 스포츠 대회이므로 오답이다.

8. How many people can compete in ClauWau each year?
(A) 4
(B) 6
(C) 32
(D) 128

해석 매년 ClauWau에서 몇 명의 사람이 경쟁할 수 있는가?
(A) 4
(B) 6
(C) 32
(D) 128

유형 세부 내용 파악 & 추론하기

풀이 두 번째 문단의 첫 문장 'Over two days, 32 teams of four people per team spar [...]'에서 각각 4인으로 구성된 32개 팀이 경기를 펼친다는 것을 알 수 있다. 따라서 총 128명(4명 × 32개 팀)이 대회에 참가해 경쟁하는 것이므로 (D)가 정답이다.

9. Where is ClauWau held?
(A) Sweden
(B) Switzerland
(C) the North Pole
(D) the Netherlands

해석 ClauWau는 어디서 열리는가?
(A) 스웨덴
(B) 스위스
(C) 북극
(D) 네덜란드

유형 세부 내용 파악

풀이 첫 번째 문단의 'Each November the Swiss winter resort of Samnaum sees a giant influx of Santas.'에서 ClauWau가 스위스의 겨울 휴양지에서 열린다는 것을 알 수 있으므로 (B)가 정답이다.

10. Which is NOT an event held during the ClauWau?
(A) catching presents
(B) climbing up chimneys
(C) riding a fake reindeer
(D) eating milk and cookies

해석 다음 중 ClauWau 중에 열리는 행사가 아닌 것은 무엇인가?
(A) 선물 낚아채기
(B) 굴뚝 오르기
(C) 가짜 순록 타기
(D) 우유와 쿠키 먹기

유형 세부 내용 파악

풀이 두 번째 문단의 'It might be expected that (1). However, at ClauWau, contestants must (2).'라는 문장 구성을 보면, ClauWau에서 참가자들이 (1)을 할 것 같지만 그렇지 않고 사실은 (2)를 한다는 의미임을 알 수 있다. 따라서 (1)의 'eating milk and cookies'에 해당하는 (D)가 정답이다. (A)는 'catching gifts in a fishing net'에서, (B)는 'climbing up (not down) a chimney'에서, (C)는 'riding on mechanical reindeer'에서 확인할 수 있으므로 오답이다.

 **Listening Practice** 

HJ1-11 p.100

Each November the Swiss winter resort of Samnaum sees a giant influx of Santas. The red-suited competitors are there for the Santa Claus World Championships, also known as ClauWau.

Over two days, 32 teams of four people per team spar in five snow-related events over six hours while dressed as Santa Claus. It might be expected that Santa Claus competitors would have to do such Santa-associated tasks as climbing down chimneys, eating milk and cookies, and delivering presents. However, at ClauWau, contestants must show off their physical endurance and agility by doing things like racing on sleds, climbing up (not down) a chimney, riding on mechanical reindeer without falling off, and driving snowmobiles while catching gifts in a fishing net.

One key purpose of ClauWau is likely just to draw visitors to the ski resort; however, both competing in and watching the events are free of charge. For any travelers heading to Switzerland, ClauWau can be a festive way to celebrate the winter season before heading down the ski hill.

1. influx
2. spar
3. show off
4. agility
5. sleds
6. reindeer

Writing Practice p.101

1. influx of
2. spar
3. show off
4. agility
5. sled
6. reindeer

Summary

Every November, competitors dressed as Santa Claus show off their physical endurance in the Santa Claus World Championships, or ClauWau, at a winter resort in Switzerland.

매년 11월, 산타클로스 복장을 한 참가자들이 스위스의 겨울 휴양지에서 열리는 세계산타대회, 혹은 ClauWau에서 그들의 신체적 지구력을 뽐낸다.

Word Puzzle p.102

Across	Down
2. show off	1. spar
3. reindeer	2. sled
5. agility	4. influx of

Unit 12 | Competitive Chili Eating p.103

Part A. Picture Description p.105

1 (D) 2 (B)

Part B. Sentence Completion p.105

3 (C) 4 (A)

Part C. Practical Reading Comprehension p.106

5 (B) 6 (B)

Part D. General Reading Comprehension p.107

7 (C) 8 (B) 9 (C) 10 (A)

Listening Practice p.108

1 Beware 2 ancestors
3 flesh 4 intensity
5 delicacy 6 glory

Writing Practice p.109

1 beware 2 ancestor
3 flesh 4 intensity
5 delicacy 6 glory
Summary hottest, gather, blazing, delicacy

Word Puzzle p.110

Across
4 delicacy 5 flesh
6 ancestor
Down
1 glory 2 intensity
3 beware

Pre-reading Questions p.103

What's the spiciest thing you've ever eaten?

지금까지 먹어본 것 중에 가장 매운 것은 무엇인가요?

Reading Passage p.104

Competitive Chili Eating

Beware the Bhut Jolokia, or as it is also known, the ghost pepper. This extremely hot chili pepper, one of the hottest in the world, must be handled with great care. In fact, it is so hot that the tribal ancestors of the Naga people would use cooked ghost peppers to clean flesh off the skulls of beheaded enemies. The ghost pepper's spiciness level has been measured at up to 1,500,000 Scoville heat units (SHU). In comparison, Korea's Cheongyang chili pepper has an intensity of around 10,000 SHU. Yet each year in Nagaland, India, competitors line up to see who can eat the most of this fiery delicacy.

The competition typically features local Naga people and a few international contestants. Gloved attendants hand the ghost peppers to the contestants on plates, and then wait on the side with powdered milk, considered a way to reduce the effects of the chili's heat. The time limit is 20 seconds, and usually the winner eats 5 or 6 peppers within that time. Winners walk away with glory, a cash prize of 20,000 rupees (278 USD), and a blazing hot feeling in their mouth.

칠리 고추 먹기 경쟁

부트 졸로키아(Bhut Jolokia), 혹은 또 다르게 알려진 대로, 유령 고추를 조심하라. 세계에서 가장 매운 것 중 하나인 이 극도로 매운 고추는 세심한 주의와 함께 다뤄져야 한다. 사실, 이것은 너무 매워서 나가(Naga)인 부족의 조상들은 참수된 적의 두개골에서 살을 씻어내기 위해 익힌 유령 고추를 사용하곤 했다. 유령 고추의 매운 정도는 최대 1,500,000 Scoville 열지수(SHU)로 측정되었다. 이에 비해, 한국의 청양고추는 10,000 SHU 정도의 강도를 갖고 있다. 그런데도 매년 인도의 나갈랜드(Nagaland)에서는, 참가자들이 이 불타는 별미를 누가 가장 많이 먹을 수 있는지 확인하려고 줄을 선다.

이 대회에는 주로 현지 나가족과 몇몇 외국인 참가자들이 참가한다. 장갑을 낀 수행원들은 참가자들에게 유령 고추를 접시에 건네주고, 그런 다음 고추의 열 효과를 줄여주는 방법으로 여겨지는 분유를 소지한 채 옆에서 기다린다. 시간제한은 20초이고, 보통 우승자는 그 시간 안에 5개 혹은 6개의 고추를 먹는다. 우승자들은 영광과 2만 루피(278 USD) 상금, 그리고 입 안의 격렬한 매운 느낌과 함께 걸어 나간다.

어휘 competitive 경쟁을 하는; 경쟁력 있는 | chili 고추, 칠리 | as much as ~이긴 하지만 | of all time 역대의, 역사상 | dosa 도사(쌀가루로 만드는 인도 남부 지역의 팬케이크) | bloom 꽃; 꽃을 피우다 | vehicle 차량, 탈 것, 운송 수단; 매개체 | delicacy 별미 | glory 영광, 영예 | beware 조심[주의]하다 | extremely 극도로 | handle 다루다, 처리하다 | with care 주의 깊게, 신중히 | tribal 부족의, 종족의 | ancestor 조상, 선조 | flesh 피부; 살, 고기 | skull 두개골 | behead 목을 베다, 참수하다 | measure 측정하다, 재다 | intensity 강도[세기]; 강렬함 | line up 줄을 서다[이루다] | fiery 불타는 듯한; 불의 | feature 특별히 포함하다, 특징으로 삼다 | gloved 장갑을 낀 | attendant 수행원 | hand 건네주다 | powdered milk 분유 | heat 매운 맛; 열기 | cash prize 상금 | blazing 이글거리는, 타는 듯이 더운; 맹렬한, 격렬한 | spice 향신료, 양념 | spice up 양념 치다, 풍미를 돋우다 | beat 이기다 | hot head 성급한 사람 | native to ~에 고유한, 토종의 | pack ~을 가지다[지니다]

Comprehension Questions p.105

1. The dosa is a <u>delicacy</u> of Southern India.
   (A) bloom
   (B) market
   (C) vehicle
   (D) delicacy

해석 이 도사(dosa)는 인도 남부의 <u>별미</u>야.

(A) 꽃
(B) 시장
(C) (운송) 수단
(D) 별미

풀이 인도 남부의 음식인 도사(dosa)와 여러 곁들임 소스가 접시 위에 함께 올라와 있는 모습이다. 이러한 음식은 일종의 별미이므로 (D)가 정답이다.

관련 문장 Yet each year in Nagaland, India, competitors line up to see who can eat the most of this fiery delicacy.

2. Today, the red team gets the <u>glory</u>!
   (A) boot
   (B) glory
   (C) sadness
   (D) disappointment

해석 오늘, 빨간색 팀이 <u>영광</u>을 차지했다!
   (A) 부츠 한 짝
   (B) 영광
   (C) 슬픔
   (D) 실망

풀이 빨간색 유니폼을 입은 팀이 트로피를 들고 좋아하고 있다. 따라서 빨간색 팀이 영광을 차지했다는 내용이 그림과 가장 어울리므로 (B)가 정답이다.

관련 문장 Winners walk away with glory, a cash prize of 20,000 rupees (278 USD), and a blazing hot feeling in their mouth.

3. <u>As much as I may</u> love spicy food, I'm not eating that pepper!
   (A) I although may
   (B) Although may I
   (C) As much as I may
   (D) As much as may I

해석 <u>내가</u> 매운 음식을 아주 좋아<u>할지라도</u>, 저 고추는 먹지 않을 거야!
   (A) 어색한 표현
   (B) 어색한 표현
   (C) 내가 ~할지라도
   (D) 어색한 표현

풀이 '비록 ~이긴 하지만, 비록 ~할지라도'라는 뜻을 나타낼 때 동급비교 표현 '(as) much as + 주어 + 동사'를 사용할 수 있으므로 (C)가 정답이다. (B)는 'Although I may'가 되어야 적절하므로 오답이다.

4. This is the Barry Diamond, <u>considered</u> one of the most valuable diamonds of all time.
   (A) considered
   (B) which considered
   (C) which it is considered
   (D) which considered to be

해석 이건 역대 가장 귀중한 다이아몬드 중 하나로 <u>여겨지는</u>, Barry 다이아몬드야.
   (A) 여겨지는
   (B) 관계대명사 which + 여겨지는
   (C) 관계대명사 which + 그것이 여겨지다
   (D) 어색한 표현

풀이 '~라고 여겨지는'이라는 뜻을 나타낼 때 'consider'의 수동형을 사용하여 '(which is) considered ~'라고 표현하므로 (A)가 정답이다. (B)는 'which is considered'와 같이 be 동사가 함께 쓰여야 적절하므로 오답이다.

관련 문장 [...] and then wait on the side with powdered milk, considered a way to reduce the effects of the chili's heat.

[5-6]

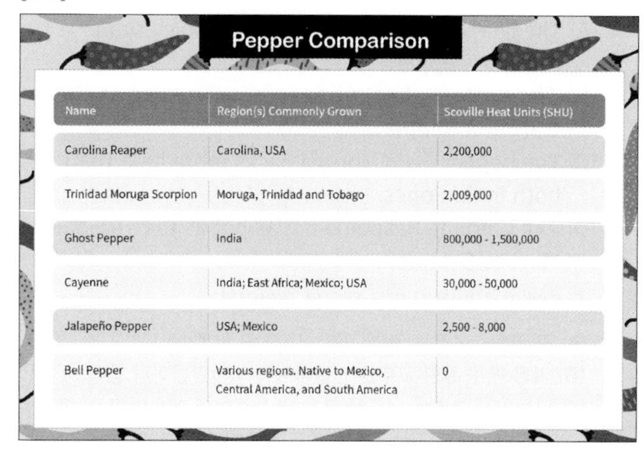

Pepper Comparison

Name	Region(s) Commonly Grown	Scoville Heat Units (SHU)
Carolina Reaper	Carolina, USA	2,200,000
Trinidad Moruga Scorpion	Moruga, Trinidad and Tobago	2,009,000
Ghost Pepper	India	800,000 - 1,500,000
Cayenne	India; East Africa; Mexico; USA	30,000 - 50,000
Jalapeño Pepper	USA; Mexico	2,500 - 8,000
Bell Pepper	Various regions. Native to Mexico, Central America, and South America	0

해석

고추 비교

이름	주로 재배되는 지역(들)	Scoville 열지수 (SHU)
캐롤라이나 리퍼 (Carolina Reaper)	캐롤라이나 주, 미국	2,200,000
트리니다드 모루가 전갈(Trinidad Moruga Scorpion)	모루가, 트리니다드 토바고	2,009,000
유령 고추 (Ghost Pepper)	인도	800,000 - 1,500,000
카옌(Cayenne)	인도; 동아프리카; 멕시코; 미국	30,000 - 50,000
할라페뇨 고추 (Jalapeño Pepper)	미국; 멕시코	2,500 - 8,000
피망(Bell Pepper)	다양한 지역. 멕시코, 중앙아메리카, 그리고 남아메리카가 원산지	0

5. Which specific region is NOT mentioned in the chart?
   (A) East Africa
   (B) West Africa
   (C) North America
   (D) Central America

해석 다음 중 도표에서 언급되지 않은 특정 지역은 어디인가?
   (A) 동아프리카
   (B) 서아프리카
   (C) 북아메리카
   (D) 중앙아메리카

풀이 도표에서 'West Africa'는 언급되지 않았으므로 (B)가 정답이다. (A)는 카옌 고추의 재배 지역으로 언급되었으므로 오답이다. (C)는 'North America'에 해당하는 미국과 멕시코가 언급되었으므로 오답이다. (D)는 피망의 재배 지역 등으로 언급되었으므로 오답이다.

6. According to the chart, what is NOT true?

(A) The jalapeño pepper is much less spicy than cayenne pepper.

(B) The hottest ghost pepper is just as hot as the Carolina Reaper.

(C) The pepper from Moruga packs more heat than both Indian ones.

(D) The Carolina Reaper is not as hot as the Trinidad Moruga Scorpion.

해석 도표에 따르면, 옳지 않은 내용은 무엇인가?

(A) 할라페뇨 고추는 카옌 고추보다 훨씬 덜 맵다.

(B) 가장 매운 유령 고추는 캐롤라이나 리퍼만큼이나 맵다.

(C) 모루가산 고추는 인도산 고추 두 종류보다 매운맛이 더 많다.

(D) 캐롤라이나 리퍼는 트리니다드 모루가 전갈과 매운맛이 같지 않다.

풀이 가장 매운 유령 고추는 SHU가 1,500,000이며 이는 캐롤라이나 리퍼의 매운 맛(SHU: 2,200,000)에 미치지 못 하므로 (B)가 정답이다. (A)는 할라페뇨 고추(SHU: 2,500-8,000)가 카옌 고추(SHU: 30,000-50,000)보다 덜 매우므로 오답이다. (C)는 트리니다드 모루가 전갈 고추가 인도산 고추인 유령 고추와 카옌 고추보다 더 매우므로 오답이다. (D)는 캐롤라이나 리퍼(SHU: 2,200,000)와 트리니다드 모루가 전갈 고추(SHU: 2,009,000)의 매운 정도는 서로 다르므로 오답이다.

[7-10]

Beware the Bhut Jolokia, or as it is also known, the ghost pepper. This extremely hot chili pepper, one of the hottest in the world, must be handled with great care. In fact, it is so hot that the tribal ancestors of the Naga people would use cooked ghost peppers to clean flesh off the skulls of beheaded enemies. The ghost pepper's spiciness level has been measured at up to 1,500,000 Scoville heat units (SHU). In comparison, Korea's Cheongyang chili pepper has an intensity of around 10,000 SHU. Yet each year in Nagaland, India, competitors line up to see who can eat the most of this fiery delicacy.

The competition typically features local Naga people and a few international contestants. Gloved attendants hand the ghost peppers to the contestants on plates, and then wait on the side with powdered milk, considered a way to reduce the effects of the chili's heat. The time limit is 20 seconds, and usually the winner eats 5 or 6 peppers within that time. Winners walk away with glory, a cash prize of 20,000 rupees (278 USD), and a blazing hot feeling in their mouth.

해석

부트 졸로키아(Bhut Jolokia), 혹은 또 다르게 알려진 대로, 유령 고추를 조심하라. 세계에서 가장 매운 것 중 하나인 이 극도로 매운 고추는 세심한 주의와 함께 다뤄져야 한다. 사실, 이것은 너무 매워서 나가(Naga)인 부족의 조상들은 참수된 적의 두개골에서 살을 씻어내기 위해 익힌 유령 고추를 사용하곤 했다. 유령 고추의 매운 정도는 최대 1,500,000 Scoville 열지수(SHU)로 측정되었다. 이에 비해, 한국의 청양고추는 10,000 SHU 정도의 강도를 갖고 있다. 그런데도 매년 인도의 나갈랜드(Nagaland)에서는, 참가자들이 이 불타는 별미를 누가 가장 많이 먹을 수 있는지 확인하려고 줄을 선다.

이 대회에는 주로 현지 나가족과 몇몇 외국인 참가자들이 참가한다. 장갑을 낀 수행원들은 참가자들에게 유령 고추를 접시에 건네주고, 그런 다음 고추의 열 효과를 줄여주는 방법으로 여겨지는 분유를 소지한 채 옆에서 기다린다. 시간제한은 20초이고, 보통 우승자는 그 시간 안에 5개 혹은 6개의 고추를 먹는다. 우승자들은 영광과 2만 루피(278 USD) 상금, 그리고 입 안의 격렬한 매운 느낌과 함께 걸어 나간다.

7. What would be the best title for the passage?
(A) The History of Spice
(B) Spicing Up Your Cooking
(C) Could You Beat the Heat?
(D) How Do I Deal with a Hot Head?

해석 이 지문의 가장 알맞은 제목은 무엇인가?
(A) 향신료의 역사
(B) 요리의 풍미 높이기
(C) 매운맛을 이겨낼 수 있나요?
(D) 성급한 사람과 어떻게 상대하나요?

유형 전체 내용 파악

풀이 첫 번째 문단에서 극도로 매운 고추인 유령 고추라는 중심 소재를 드러내고, 유령 고추의 과거 용도, 매운 정도, 인도의 유령 고추 먹기 대회를 차례대로 설명하고 있다. 이어서 두 번째 문단에서 이 대회의 내용과 우승 상품에 관해 설명하고 있으므로 매운맛을 이겨낼 수 있는지 ('Beat the Heat') 물어보며 중심 소재를 암시하는 제목인 (C)가 정답이다.

새겨 두기 'heat'은 '열기, 열'이라는 뜻에서 확장되어 '매운맛'이라는 의미도 지닌다. 매운 것을 먹고 얼굴에 열이 나고 달아오른 모습을 생각하면 이해가 쉽다.

8. According to the passage, what can be inferred about the ghost pepper?
(A) It is too spicy to eat.
(B) It can burn people's skin.
(C) It was recently discovered.
(D) It has been grown in Korea.

해석 지문에 따르면, 다음 중 유령 고추에 관해 추론할 수 있는 것은 무엇인가?
(A) 너무 매워서 먹을 수 없다.
(B) 사람의 피부를 태울 수 있다.
(C) 최근에 발견되었다.
(D) 한국에서 재배되었다.

유형 추론하기

풀이 첫 번째 문단의 'In fact, it is so hot that the tribal ancestors of the Naga people would use cooked ghost peppers to clean flesh off the skulls of beheaded enemies.'에서 과거에 나가인들의 조상이 유령 고추를 이용해 적의 두개골에서 살을 벗겨냈을 정도로 유령 고추가 맵다고 설명하고 있다. 이는 피부 살을 태워 뼈에서 분리할 정도로 유령 고추의 매운 열기가 강력하다는 의미이므로 (B)가 정답이다. (A)는 유령 고추 먹기 대회를 하는 것으로 보아 유령 고추를 먹을 수 있는 있으므로 오답이다. (C)는 나가인 조상들이 유령 고추를 사용했다는 점으로 보아 최근에 발견된 것이 아니므로 오답이다.

9. What is NOT mentioned as something received by the winner of this competition?
(A) glory
(B) money
(C) a trophy
(D) a spicy mouth

해석 이 대회 우승자가 받는 것으로 언급되지 않은 것은 무엇인가?
(A) 영광
(B) 돈
(C) 트로피
(D) 매운 입

유형 세부 내용 파악

풀이 지문의 마지막 문장 'Winners walk away with glory, a cash prize of 20,000 rupees (278 USD), and a blazing hot feeling in their mouth.'에서 우승자가 얻는 것으로 트로피는 언급되지 않았으므로 (C)가 정답이다. (A)는 'glory'에서, (B)는 'a cash prize of 20,000 rupees'에서, (D)는 'a blazing hot feeling in their mouth'에서 확인할 수 있으므로 오답이다.

10. According to the passage, what is used to measure a pepper's spiciness?
(A) SHU
(B) USD
(C) Naga
(D) rupees

해석 지문에 따르면, 고추의 매운 정도를 측정하려고 무엇이 사용되는가?
(A) SHU
(B) USD
(C) 나가(Naga)
(D) 루피(rupees)

유형 세부 내용 파악 & 추론하기

풀이 첫 번째 문단의 'The ghost pepper's spiciness level has been measured at up to 1,500,000 Scoville heat units (SHU). [...] an intensity of around 10,000 SHU.'에서 고추의 매운 정도를 측정할 때 Scoville 열지수(SHU)라는 단위를 사용한다는 것을 파악할 수 있으므로 (A)가 정답이다.

Listening Practice

HJ1-12 p.108

Beware the Bhut Jolokia, or as it is also known, the ghost pepper. This extremely hot chili pepper, one of the hottest in the world, must be handled with great care. In fact, it is so hot that the tribal ancestors of the Naga people would use cooked ghost peppers to clean flesh off the skulls of beheaded enemies. The ghost pepper's spiciness level has been measured at up to 1,500,000 Scoville heat units (SHU). In comparison, Korea's Cheongyang chili pepper has an intensity of around 10,000 SHU. Yet each year in Nagaland, India, competitors line up to see who can eat the most of this fiery delicacy.

The competition typically features local Naga people and a few international contestants. Gloved attendants hand the ghost peppers to the contestants on plates, and then wait on the side with powdered milk, considered a way to reduce the effects of the chili's heat. The time limit is 20 seconds, and usually the winner eats 5 or 6 peppers within that time. Winners walk away with glory, a cash prize of 20,000 rupees (278 USD), and a blazing hot feeling in their mouth.

1. Beware
2. ancestors
3. flesh
4. intensity
5. delicacy
6. glory

Writing Practice

p.109

1. beware
2. ancestor
3. flesh
4. intensity
5. delicacy
6. glory

Summary

Bhut Jolokia, also known as the ghost pepper, is one of the hottest chili peppers in the world. Yet every year in an Indian village, competitors gather to see who can eat the most of a blazing hot delicacy.

유령 고추라고도 알려진, 부트 졸로키아는 세계에서 가장 매운 칠리 고추 중 하나이다. 그런데도 매년 한 인도 마을에서, 참가자들은 누가 강렬한 매운 별미를 가장 많이 먹는지 확인하려고 모인다.

Word Puzzle

p.110

Across	Down
4. delicacy	1. glory
5. flesh	2. intensity
6. ancestor	3. beware

AMAZING STORIES

p.111

The Craziest Race of the Olympics

Many strange things have happened at the Olympic Games. However, one of the oddest events occurred during the marathon of the 1904 Summer Olympics in St. Louis, U.S.A.

The first thing that went wrong was the choice of competitors. Some of them were real marathon runners who had competed before in major events, such as the Boston Marathon. However, the majority of the runners were inexperienced in long races. One competitor even appeared in long, formal trousers, business shoes, and a hat.

Another strange thing was an experiment performed on runner Thomas Hicks. His trainers had decided not to give him water during the race. Instead, they gave him a mixture of egg whites and a powdered drug. They also gave him alcohol. Hicks got very ill, and at one point began to hallucinate.

But strangest of all was when Fred Lorz was declared the winner. At first, Lorz had been in the lead. However, fourteen kilometers into the marathon, he felt sick and decided to ride the rest of the way in a car. The organizers did not realize he had taken a car and were just about to give him a medal when someone in the crowd shouted that the winner was false. Lorz told the organizers that he accepted the gold medal as a joke. Of course, the medal was promptly taken away from him. Hicks eventually made it over the finish line to win the craziest race of the Olympics.

가장 비정상적인 올림픽 경주

많은 이상한 일이 올림픽 경기에서 일어났다. 하지만, 가장 이상한 사건 중 하나는 미국 세인트 루이스에서 열린 1904년 하계 올림픽의 마라톤 경기 도중 일어났다.

가장 먼저 잘못된 것은 참가자 선택이었다. 그들 중 몇몇은 보스턴 마라톤과 같은 주요 경기에서 경쟁해본 적 있는 실제 마라톤 선수들이었다. 하지만, 달리기 선수 대부분은 장거리 경주에서의 경험이 없었다. 한 참가자는 심지어 긴 정장 바지, 정장 구두, 그리고 모자를 착용한 채 나타났다.

또 다른 이상한 것은 Thomas Hicks라는 달리기 선수에게 행해진 실험이었다. 그의 트레이너들은 그에게 경주 도중 물을 주지 않기로 결정했다. 대신에, 그들은 그에게 달걀흰자와 가루약을 섞은 것을 주었다. 그들은 또한 그에게 술을 주었다. Hicks는 매우 아파왔고, 어느 시점에서 환각을 느끼기 시작했다.

하지만 가장 이상한 것은 Fred Lorz가 우승자로 선언되었을 때였다. 처음에, Lorz는 선두에 있었다. 하지만, 마라톤에서 14km에 접어들었을 때, 그는 속이 안 좋아졌고 나머지 코스를 차를 타고 가기로 결정했다. 주최자들은 그가 차를 탔다는 사실을 알지 못 했고 그에게 메달을 막 주려던 그때 군중 속 누군가가 우승자는 가짜라고 소리쳤다. Lorz는 주최자들에게 장난으로 금메달을 받아들였다고 말했다. 물론, 메달은 즉시 그에게서 회수되었다. 결국 Hicks가 결승선을 통과해 올림픽에서 가장 비정상적인 경주에서 우승했다.

MEMO

TOSEL® Reading
High Junior Book 2

TOSEL
H

High Junior Book 2

ANSWERS

CHAPTER 1 | Health
p.10

UNIT 1 HJ2-1 p.11

1 (C) 2 (B) 3 (B) 4 (B) 5 (C) 6 (A) 7 (B) 8 (C) 9 (B) 10 (A)
1 scenario 2 diabetes 3 relieved 4 literacy 5 societal 6 providers
1 scenario 2 diabetes 3 relieved 4 literacy 5 societal 6 health care providers
literacy, recognition, government, low
→ 4 scenario 5 diabetes ↓ 1 literacy 2 health care providers 3 relieved 4 societal

UNIT 2 HJ2-2 p.19

1 (C) 2 (A) 3 (A) 4 (A) 5 (C) 6 (A) 7 (B) 8 (A) 9 (D) 10 (A)
1 Virtually 2 metabolism 3 cardiovascular 4 significant 5 traumatic 6 enhance
1 virtually everyone 2 metabolism 3 cardiovascular 4 statistically significant 5 traumatic 6 enhance
both, mental, muscle, enhance
→ 6 virtually everyone ↓ 1 statistically significant 2 cardiovascular 3 enhance 4 traumatic 5 metabolism

UNIT 3 HJ2-3 p.27

1 (A) 2 (B) 3 (C) 4 (A) 5 (C) 6 (D) 7 (A) 8 (D) 9 (A) 10 (B)
1 strain 2 eyewear 3 blinking 4 combat 5 humidifier 6 modified
1 strain 2 eyewear 3 blink 4 combat 5 humidifier 6 modify
blue light, mobile, fake, combat
→ 5 modify 6 strain ↓ 1 combat 2 humidifier 3 blink 4 eyewear

UNIT 4 HJ2-4 p.35

1 (C) 2 (B) 3 (A) 4 (C) 5 (D) 6 (B) 7 (C) 8 (C) 9 (C) 10 (C)
1 diet 2 apocalypse 3 nutritionists 4 fiber 5 appetite 6 starvation
1 diet 2 apocalypse 3 nutritionist 4 fiber 5 appetite 6 starvation
diet, white, nutrients, bored
→ 4 starvation 6 apocalypse ↓ 1 fiber 2 nutritionist 3 diet 5 appetite

CHAPTER 2 | Environment
p.44

UNIT 5 HJ2-5 p.45

1 (B) 2 (B) 3 (B) 4 (B) 5 (C) 6 (D) 7 (A) 8 (B) 9 (A) 10 (D)
1 underway 2 documented 3 invasive 4 ticks 5 droughts 6 drastic
1 underway 2 documented 3 invasive species 4 tick 5 drought 6 drastic
underway, occur, take, effects
→ 1 tick 3 drastic 4 underway 5 documented ↓ 2 invasive species 5 drought

UNIT 6 HJ2-6 p.53

1 (A) 2 (C) 3 (C) 4 (A) 5 (B) 6 (B) 7 (C) 8 (C) 9 (D) 10 (C)
1 prompted 2 retailers 3 Proponents 4 claim 5 fuels 6 adjusted
1 prompt 2 retailer 3 proponent 4 claim 5 fossil fuel 6 adjust
explored, delivery, alternative, saves
→ 4 fossil fuel 5 prompt ↓ 1 retailer 2 adjust 3 claim 5 proponent

UNIT 7 HJ2-7 p.61

1 (A) 2 (B) 3 (A) 4 (B) 5 (D) 6 (A) 7 (D) 8 (D) 9 (A) 10 (D)
1 goose 2 evolved 3 declined 4 Estimates 5 endangered 6 suggest
1 goose 2 evolve 3 decline 4 estimate 5 endangered 6 suggest
endangered, zoologists, save, taken
→ 5 endangered 6 evolve ↓ 1 estimate 2 goose 3 suggest 4 decline

UNIT 8 HJ2-8 p.69

1 (C) 2 (D) 3 (B) 4 (C) 5 (C) 6 (C) 7 (D) 8 (B) 9 (C) 10 (C)
1 winding 2 body of water 3 continents 4 broke away 5 Eventually 6 flow
1 winding 2 body of water 3 continent 4 break away 5 flow 6 eventually
drastically, flow, formed, direction
→ 1 body of water 4 winding 5 flow ↓ 1 break away 2 eventually 3 continent

CHAPTER 3 | Science
p.78

UNIT 9 HJ2-9 p.79

1 (C) 2 (C) 3 (B) 4 (A) 5 (C) 6 (B) 7 (B) 8 (D) 9 (A) 10 (B)
1 broadly 2 neurons 3 implicit 4 explicit 5 clump 6 activated
1 broadly 2 neuron 3 implicit 4 explicit 5 clump 6 activate
long-term, create, accessed, activated
→ 2 broadly 4 implicit 5 clump 6 neuron ↓ 1 explicit 3 activate

UNIT 10 HJ2-10 p.87

1 (B) 2 (A) 3 (A) 4 (D) 5 (B) 6 (C) 7 (C) 8 (D) 9 (B) 10 (A)
1 waning 2 comprises 3 aligned 4 sliver 5 orbit 6 phases
1 comprise 2 aligned 3 wane 4 sliver of 5 orbit around 6 phase
waning, phases, grows, cycle
→ 4 phase 6 aligned ↓ 1 sliver of 2 comprise 3 wane 5 orbit around

UNIT 11 HJ2-11 p.95

1 (C) 2 (A) 3 (A) 4 (D) 5 (A) 6 (D) 7 (A) 8 (A) 9 (A) 10 (B)
1 fundamental 2 state 3 matter 4 electrons 5 nucleus 6 molecules
1 matter 2 fundamental 3 state 4 electron 5 nucleus 6 molecule
matter, pumped, rare, contemplate
→ 1 nucleus 3 fundamental 5 molecule ↓ 2 state 4 electron 5 matter

UNIT 12 HJ2-12 p.103

1 (B) 2 (B) 3 (C) 4 (B) 5 (A) 6 (D) 7 (D) 8 (D) 9 (A) 10 (B)
1 yawn 2 involuntary 3 contagious 4 empathy 5 disorder 6 mimic
1 yawn 2 contagious 3 involuntary 4 empathy 5 disorder 6 mimic
contagious, phenomenon, neurons, yawning
→ 1 mimic 3 disorder 4 contagious 5 empathy 6 yawn ↓ 2 involuntary

Chapter 1. Health

Unit 1 | Health Literacy				p.11
Part A. Picture Description				p.13
1 (C)	2 (B)			
Part B. Sentence Completion				p.13
3 (B)	4 (B)			
Part C. Practical Reading Comprehension				p.14
5 (C)	6 (A)			
Part D. General Reading Comprehension				p.15
7 (B)	8 (C)	9 (B)	10 (A)	
Listening Practice				p.16
1 scenario	2 diabetes			
3 relieved	4 literacy			
5 societal	6 providers			
Writing Practice				p.17
1 scenario	2 diabetes			
3 relieved	4 literacy			
5 societal	6 health care providers			
Summary	literacy, recognition, government, low			
Word Puzzle				p.18
Across				
4 scenario	5 diabetes			
Down				
1 literacy	2 health care providers			
3 relieved	4 societal			

Pre-reading Questions p.11

Where would you most likely see these signs?
Do you know what they mean?

이 표시들을 볼 가능성이 가장 높은 곳은 어디인가요?
무엇을 의미하는지 알고 있나요?

 Reading Passage p.12

Health Literacy

Imagine the following scenario. David is told by his doctor that he has tested positive for diabetes. Mistakenly thinking that "testing positive" means he does not have the disease, David is relieved. Or imagine that Lei cannot understand the symbols on the signs at a hospital. Too embarrassed to ask for directions, she leaves the hospital and misses her appointment. These two cases are examples of low health literacy, a problem that is receiving increasing recognition in the medical community.

Broadly speaking, health literacy is the extent to which an individual is able to access and understand health-related information and services. The concept includes issues related to cultural knowledge, language differences, math skills, and communication skills. Health literacy is not just about understanding instructions. It also has to do with patients' ability to figure out what questions they need to ask as well as their capacity to make decisions about their health.

In the past, low health literacy was considered individuals' problem. Now it is generally acknowledged that health literacy is a societal concern. Health care providers, the government, and the education system need to do a better job of helping people to understand crucial information that could mark the difference between life and death.

건강 정보 이해 능력

다음과 같은 시나리오를 상상해보라. David는 그의 의사로부터 당뇨병에 양성반응이 있다는 말을 들었다. "양성반응이 있다"라는 말을 그 병에 걸리지 않은 것을 의미한다고 잘못 생각하면서, David은 안도한다. 혹은 Lei가 병원의 표지판 기호들을 이해하지 못하는 상황을 상상해보라. 방향을 물어보기 너무 창피해서, 그녀는 병원에서 나오고 예약을 놓치게 된다. 이 두 가지 사례는 의료계에서 점점 더 많이 인식되고 있는 문제인 건강 정보 이해 능력 부족의 사례이다.

일반적으로 말하자면, 건강 정보 이해 능력은 개인이 건강 관련 정보와 서비스에 접근하고 이해할 수 있는 정도를 뜻한다. 이 개념은 문화 지식, 언어 차이, 수학 능력, 그리고 의사소통 능력과 관련한 사안들을 포함한다. 건강 정보 이해 능력은 단순히 지시 사항을 이해하는 것만이 아니다. 그것은 건강에 대한 결정을 내릴 수 있는 환자의 역량뿐만 아니라 어떠한 질문을 해야 하는지를 생각해낼 수 있는 능력과도 관련이 있다.

과거에는, 건강 정보 이해 능력 부족은 개인의 문제라고 간주했다. 현재는 건강 정보 이해 능력이 사회적 관심사라는 것이 보편적으로 인정된다. 의료 서비스 제공자, 정부, 그리고 교육 시스템은 사람들이 생사를 가를 수 있는 중대한 정보를 이해할 수 있도록 돕는 책무를 더 잘할 필요가 있다.

어휘 literacy 읽고 쓰는 능력, 식자 | sign 표지판; 표시, 신호 | test 검사[테스트]를 하다 | positive 양성의; 긍정적인 | test positive/negative 양성/음성으로 판정 나다 | diabetes 당뇨병 | relieved 안도하는, 마음이 놓이는 | symbol 기호; 상징 | appointment 예약, (특히 업무 관련) 약속 | increasing 증가하는 | recognition 인식 | broadly 대략; 폭넓게 | broadly speaking 대체로, 대략 말하자면 | the extent to (which) ~ ~하는 정도, 범위 | access 접근하다 | concept 개념 | instruction 지시 | figure out (생각한 끝에) ~을 이해하다[알아내다] | capacity 능력 | acknowledge 인정하다 | concern 관심사, 중요한 것; 우려, 걱정 | health care 의료 서비스, 보건 | provider 제공자 | do a job of V-ing V 하는 일을 하다 | crucial 중대한, 결정적인 | mark 표시하다[나타내다] | refer to ~을 나타내다[~와 관련이 있다] | state 상태 | wellbeing (건강과) 행복, 웰빙, 안녕 | essential 필수적인; 본질적인 | frantic 제정신이 아닌 | ecstatic 황홀해하는, 열광하는 | boastful 뽐내는, 자랑하는 | solo 단독의 | societal 사회의 | scholarly 학자의; 학술의, 학문적인 | surgeon 외과의 | bill 고지서, 청구서 | misunderstand 오해하다, 잘못 이해하다 | term 용어, 말 | symptom 증상 | respectful 존중하는, 공손한, 존경심을 보이는 | intercultural 다른 문화 간의 | interpreter 통역가 | utilize 활용하다 | bilingual 2개 국어를 하는

Comprehension Questions

p.13

1. She was worried before. Now she seems <u>relieved</u>.
   (A) frantic
   (B) ecstatic
   (C) relieved
   (D) boastful

해석 그녀는 예전에 걱정했었다. 이제 <u>안도하는</u> 듯 보인다.
(A) (두려움·걱정으로) 제정신이 아닌
(B) 열광하는
(C) 안도하는
(D) 뽐내는

풀이 안도의 한숨을 쉬고 있는 모습이므로 (C)가 정답이다.

관련 문장 Mistakenly thinking that "testing positive" means he does not have the disease, David is relieved.

2. As picture B shows, this is a major <u>societal</u> issue.
   (A) solo
   (B) societal
   (C) scientific
   (D) scholarly

해석 그림 B가 보여주듯이, 이는 주요 <u>사회적인</u> 이슈이다.
(A) 단독의
(B) 사회의
(C) 과학의
(D) 학술의

풀이 사람이 한 명만 있는 그림 A와 대비해 그림 B에는 여러 사람들이 모여 있다. 이는 여러 사람이 모여 구성되는 사회와 가장 관련이 깊으므로 '사회의, 사회적인'을 뜻하는 (B)가 정답이다.

관련 문장 Now it is generally acknowledged that health literacy is a societal concern.

3. <u>Broadly speaking</u>, the term "health" refers to a state of wellbeing.
   (A) Broad speaking
   (B) Broadly speaking
   (C) To speak of it broad
   (D) To be spoken broadly

해석 <u>대체로</u>, "건강"이란 용어는 건강하고 행복한 상태를 나타낸다.
(A) 어색한 표현
(B) 대체로
(C) 어색한 표현
(D) 어색한 표현

풀이 '대체로, 폭넓게 말하자면' 등의 뜻을 나타낼 때 'Broadly speaking'이라고 표현할 수 있으므로 (B)가 정답이다. 부사 'broadly'가 동사 활용형인 'speaking'을 수식하고 있는 점에 유의한다. (A)는 형용사가 동사 활용형을 바로 수식하면 어색하므로 오답이다.

관련 문장 Broadly speaking, health literacy is the extent to which an individual is able to access and understand health-related information and services.

4. Sewing used to be considered an essential skill. Now fewer people know how to do it.

(A) to consider
(B) considered
(C) considering
(D) we considered

해석 바느질은 필수 기술로 여겨지곤 했다. 이제는 보다 더 적은 사람들이 그것(바느질)을 할 줄 안다.

(A) 여기려고
(B) 여겨지는
(C) 여기는
(D) 우리는 여겼다

풀이 'A를 B라고 여기다'를 나타낼 때 'consider A B'라고 표현할 수 있다. 이를 수동 표현으로 바꾸면 'A + (be 동사) + considered + B'(A가 B라고 여겨지다)라고 표현할 수 있으므로 (B)가 정답이다.

새겨 두기 'used to'는 '~하곤 했다'를 나타내는 조동사구이다.

관련 문장 In the past, low health literacy was considered individuals' problem.

[5-6]

The way you communicate with your patients will help with their care. Your communication style is a part of health literacy.

To make health information easier to understand, do the following:

- Limit how many messages you give.
- Use simple language. Medical terms are usually too difficult for most people to understand.
- Practice respectful intercultural speech.
- Focus on action. What do you need your patients to do?
- Check for understanding. Get your patients to say what you told them in their own words.
- Use pictures to help people to understand.
- Use an interpreter or translator who has medical training. Not every medical issue can be put into simple words.

해석

환자와 의사소통 하는 방법은 그들의 치료에 도움이 될 것이다. 당신의 의사소통 방식은 (환자들의) 건강 정보 이해 능력의 일부이다.

건강 정보를 이해하기 더 쉽게 하려면, 다음과 같이 하라:

- 전달하려는 내용의 분량을 제한하라.
- 간단한 언어를 사용하라. 의학 용어는 보통 대부분의 사람들이 이해하기 너무 어렵다.
- 다른 문화를 존중하는 화법을 연습하라.
- 행동에 집중하라. 당신의 환자가 무엇을 하기를 원하는가?
- 이해했는지 확인하라. 환자가 그들 자신의 말로 당신이 무엇을 말했는지 이야기하도록 하라.
- 이해를 돕기 위해 그림을 사용하라.
- 의료 교육을 받은 통역가나 번역가를 고용하라. 모든 의학 사안이 간단한 단어로 표현될 수 있는 것은 아니다.

5. For whom is this information most likely written?

(A) hospital patients
(B) science teachers
(C) health care workers
(D) parents of sick children

해석 이 정보는 누구를 위해 작성되었겠는가?

(A) 병원 환자
(B) 과학 교사
(C) 의료 서비스 종사자
(D) 병든 아이의 부모

풀이 첫 부분 'The way you communicate with your patients [...]'에서 'your patients'라고 나와 있는 점으로 보아 이 조언의 대상이 환자를 치료하는 의료 서비스 종사자라는 것을 추론할 수 있다. 조언의 내용 또한 어떻게 환자가 건강 정보를 잘 이해할 수 있게 하는지에 대한 내용이므로 (C)가 정답이다.

6. Which of the following is mentioned as a tip?

(A) utilizing images
(B) becoming bilingual
(C) never using medical language
(D) repeating the message three times

해석 다음 중 조언으로 언급된 것은 무엇인가?

(A) 이미지 활용하기
(B) 2개 국어 구사자 되기
(C) 의학 용어 절대 쓰지 않기
(D) 내용 세 번 반복하기

풀이 'Use pictures to help people to understand'에서 사람들의 이해를 돕기 위해 'pictures'(그림, 사진)를 사용하라고 언급하고 있으므로 (A)가 정답이다. (C)는 어려운 의학 용어보다 간단한 언어를 사용하라는 것이지 의학 용어를 아예 사용하지 말라는 것은 아니므로 오답이다.

[7-10]

Imagine the following scenario. David is told by his doctor that he has tested positive for diabetes. Mistakenly thinking that "testing positive" means he does not have the disease, David is relieved. Or imagine that Lei cannot understand the symbols on the signs at a hospital. Too embarrassed to ask for directions, she leaves the hospital and misses her appointment. These two cases are examples of low health literacy, a problem that is receiving increasing recognition in the medical community.

Broadly speaking, health literacy is the extent to which an individual is able to access and understand health-related information and services. The concept includes issues related to cultural knowledge, language differences, math skills, and communication skills. Health literacy is not just about understanding instructions. It also has to do with patients' ability to figure out what questions they need to ask as well as their capacity to make decisions about their health.

In the past, low health literacy was considered individuals' problem. Now it is generally acknowledged that health literacy is a societal concern. Health care providers, the government, and the education system need to do a better job of helping people to understand crucial information that could mark the difference between life and death.

해석

다음과 같은 시나리오를 상상해보라. David는 그의 의사로부터 당뇨병에 양성반응이 있다는 말을 들었다. "양성반응이 있다"라는 말을 그 병에 걸리지 않은 것을 의미한다고 잘못 생각하면서, David은 안도한다. 혹은 Lei가 병원의 표지판 기호들을 이해하지 못하는 상황을 상상해보라. 방향을 물어보기 너무 창피해서, 그녀는 병원에서 나오고 예약을 놓치게 된다. 이 두 가지 사례는 의료계에서 점점 더 많이 인식되고 있는 문제인 건강 정보 이해 능력 부족의 사례이다.

일반적으로 말하자면, 건강 정보 이해 능력은 개인이 건강 관련 정보와 서비스에 접근하고 이해할 수 있는 정도를 뜻한다. 이 개념은 문화 지식, 언어 차이, 수학 능력, 그리고 의사소통 능력과 관련한 사안들을 포함한다. 건강 정보 이해 능력은 단순히 지시 사항을 이해하는 것만이 아니다. 그것은 건강에 대한 결정을 내릴 수 있는 환자의 역량뿐만 아니라 어떠한 질문을 해야 하는지를 생각해낼 수 있는 능력과도 관련이 있다.

과거에는, 건강 정보 이해 능력 부족은 개인의 문제라고 간주했다. 현재는 건강 정보 이해 능력이 사회적 관심사라는 것이 보편적으로 인정된다. 의료 서비스 제공자, 정부, 그리고 교육 시스템은 사람들이 생사를 가를 수 있는 중대한 정보를 이해할 수 있도록 돕는 책무를 더 잘할 필요가 있다.

7. What is the main idea of the passage?

(A) Computers can be used to help patients.
(B) Low health literacy is a recognized problem.
(C) Errors by surgeons are increasing in number.
(D) People dislike asking their doctors questions.

해석 이 지문의 요지는 무엇인가?

(A) 컴퓨터는 환자들을 돕는 데 사용될 수 있다.
(B) 건강 정보 이해 능력 부족은 알려진 문제이다.
(C) 외과의들의 실수의 수가 늘어나고 있다.
(D) 사람들은 의사에게 질문하는 것을 싫어한다.

유형 전체 내용 파악

풀이 첫 번째 문단에서 두 사례를 통해 사회 문제로 인식되고 있는 'low health literacy'라는 중심 소재를 언급하고, 두 번째 문단에서 'health literacy'의 정의와 포함 요소를, 세 번째 문단에서 'low health literacy'가 과거에는 개인의 문제로 여겨졌으나 지금은 사회적 관심사가 되었고, 관련 종사자들이 이를 해결하도록 노력해야 한다고 강조하며 글을 마무리하고 있다. 따라서 요지는 'low health literacy'가 사회 문제라는 것이므로 (B)가 정답이다.

8. In the examples, what mistake does David make?

(A) leaving a hospital without paying a bill
(B) going to his appointment at the wrong time
(C) misunderstanding the meaning of a medical term
(D) forgetting to tell his doctor about some symptoms

해석 사례들에서, David은 무슨 실수를 하는가?

(A) 진료비를 지불하지 않고 병원 나오기
(B) 잘못된 시간에 (진료) 예약에 가기
(C) 의학 용어의 의미 잘못 이해하기
(D) 의사에게 증상을 말하는 것 잊어버리기

유형 세부 내용 파악

풀이 첫 번째 문단의 'Mistakenly thinking that "testing positive" means he does not have the disease, David is relieved.'에서 David가 'testing positive'(양성 반응)라는 의학 용어를 병이 없다는 의미로 잘못 이해한 경우를 언급하고 있으므로 (C)가 정답이다.

9. Which is NOT listed as a part of health literacy?

(A) math skills
(B) physical abilities
(C) cultural knowledge
(D) language differences

해석 다음 중 건강 정보 이해 능력의 일부로 나열되지 않은 것은 무엇인가?

(A) 수학 능력
(B) 신체 능력
(C) 문화 지식
(D) 언어 차이

유형 세부 내용 파악

풀이 두 번째 문단의 'The concept includes issues related to cultural knowledge, language differences, math skills, and communication skills.'에서 건강 정보 이해 능력의 일부로 'physical abilities'는 언급되지 않았으므로 (B)가 정답이다.

10. Which statement would the writer most likely agree with?

(A) Health literacy should be taught in schools.
(B) Schools used to be better at teaching about health.
(C) Health literacy should no longer be taught in schools.
(D) Schools should reduce time for physical education classes.

해석 다음 중 글쓴이가 동의할 문장으로 가장 적절한 것은 무엇인가?

(A) 건강 정보 이해 능력은 학교에서 가르쳐야 한다.
(B) 학교들이 건강에 대해 더 잘 가르치곤 했다.
(C) 건강 정보 이해 능력은 학교에서 더 이상 가르쳐서는 안 된다.
(D) 학교는 체육 수업 시간을 줄여야 한다.

유형 추론하기

풀이 세 번째 문단의 마지막 문장 'Health care providers, the government, and the education system need to do a better job of helping people to understand [...]'에서 교육 시스템을 비롯하여 여러 관련 종사자들이 사람들이 중요한 건강 정보를 이해할 수 있도록 노력해야 한다고 강조하고 있다. 이는 교육 시스템의 한 부분인 학교에서 건강 정보 이해 능력을 가르쳐야 한다는 주장과 일맥상통하므로 (A)가 정답이다.

Listening Practice

p.16

Imagine the following scenario. David is told by his doctor that he has tested positive for diabetes. Mistakenly thinking that "testing positive" means he does not have the disease, David is relieved. Or imagine that Lei cannot understand the symbols on the signs at a hospital. Too embarrassed to ask for directions, she leaves the hospital and misses her appointment. These two cases are examples of low health literacy, a problem that is receiving increasing recognition in the medical community.

Broadly speaking, health literacy is the extent to which an individual is able to access and understand health-related information and services. The concept includes issues related to cultural knowledge, language differences, math skills, and communication skills. Health literacy is not just about understanding instructions. It also has to do with patients' ability to figure out what questions they need to ask as well as their capacity to make decisions about their health.

In the past, low health literacy was considered individuals' problem. Now it is generally acknowledged that health literacy is a societal concern. Health care providers, the government, and the education system need to do a better job of helping people to understand crucial information that could mark the difference between life and death.

1. scenario
2. diabetes
3. relieved
4. literacy
5. societal
6. providers

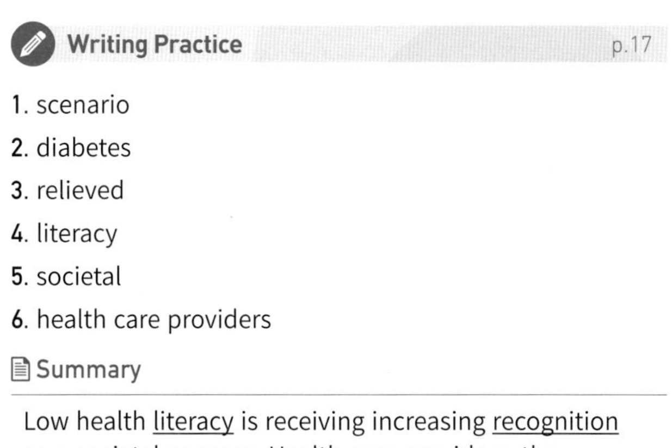

Writing Practice p.17

1. scenario
2. diabetes
3. relieved
4. literacy
5. societal
6. health care providers

Summary

Low health literacy is receiving increasing recognition as a societal concern. Health care providers, the government, and the education system should work hard to solve the problems related to low health literacy.

건강 정보 이해 능력 부족은 사회적 관심사로서 점점 더 많이 인식되고 있다. 의료 서비스 제공자, 정부, 그리고 교육 시스템은 건강 정보 이해 능력 부족과 관련한 문제를 해결하기 위해 열심히 노력해야 한다.

Word Puzzle p.18

Across	Down
4. scenario	1. literacy
5. diabetes	2. health care providers
	3. relieved
	4. societal

Unit 2 | Yoga p.19

Part A. Picture Description p.21

1 (C) 2 (A)

Part B. Sentence Completion p.21

3 (A) 4 (A)

Part C. Practical Reading Comprehension p.22

5 (C) 6 (A)

Part D. General Reading Comprehension p.23

7 (B) 8 (A) 9 (D) 10 (A)

Listening Practice p.24

1 Virtually 2 metabolism
3 cardiovascular 4 significant
5 traumatic 6 enhance

Writing Practice p.25

1 virtually everyone
2 metabolism 3 cardiovascular
4 statistically significant
5 traumatic 6 enhance
Summary both, mental, muscle, enhance

Word Puzzle p.26

Across
6 virtually everyone
Down
1 statistically significant
2 cardiovascular 3 enhance
4 traumatic 5 metabolism

Pre-reading Questions p.19

Have you tried yoga?
What do you think the benefits of yoga might be?

요가를 해본 적이 있나요?
요가의 이점이 무엇이라고 생각하나요?

Reading Passage p.20

Yoga

Virtually everyone knows that yoga can help increase flexibility. However, there are numerous other advantages to this ancient practice. These comprise both physical and mental improvements.

The physical benefits of yoga include better muscle strength, a faster metabolism, cardiovascular health, and protection against injuries. Yoga can also improve the breathing of those who practice it. In one research study, college students took a 15-week yoga class. By the end of the course, participants had increased their vital capacity by a statistically significant amount. Vital capacity measures how much air a person can breathe out of their lungs at one time, and is an important way to see lung function.

In addition to the physical rewards, many mental benefits of yoga include better mental clarity, improved awareness of how one's body works, enhanced concentration, a sense of relaxation, and stress relief. Yoga can also help people with anxiety. In one study of 64 women who suffered from post-traumatic stress disorder (a condition of severe anxiety after trauma), more than half had far fewer symptoms of the condition after two and a half months of yoga.

In short, many activities can enhance either physical or mental health. However, for anyone looking to do both at the same time, they need look no further than yoga.

요가

사실상 거의 모든 사람이 요가가 유연성을 늘리는 데 도움이 될 수 있다는 것을 안다. 하지만, 이 오래된 운동에는 많은 다른 이점들이 있다. 이들에는 신체적, 정신적 향상 둘 다 포함된다.

요가의 신체적 이점에는 근육의 힘 향상, 신진대사 속도 향상, 심혈관 건강, 그리고 부상 예방 등이 포함된다. 요가는 또한 요가를 훈련하는 사람들의 호흡을 향상할 수 있다. 한 연구 조사에서, 대학생들이 15주 요가 수업을 받았다. 이 과정이 끝날 때쯤, 참가자들은 통계적으로 유의미한 양만큼 폐활량이 증가했다. 폐활량은 사람이 한 번에 폐에서 얼마나 많은 공기를 내쉴 수 있는지 측정하고, 폐 기능을 보는 중요한 방법이다.

신체적 보상 외에도, 요가의 많은 정신적 이점들에는 더 맑은 정신, 신체 작동 방식에 대한 인식 향상, 집중력 향상, 이완감, 그리고 스트레스 해소가 포함된다. 요가는 또한 불안이 있는 사람도 도울 수 있다. 외상 후 스트레스 장애(외상 후 극도의 불안 상태)를 앓고 있는 64명의 여성을 대상으로 한 연구에서, 절반 이상은 두 달 반 요가를 하고 난 후 이 질환의 증상이 훨씬 감소했다.

요컨대, 많은 활동이 신체적 또는 정신적 건강을 증진할 수 있다. 하지만, 동시에 두 가지를 다 하려는 사람의 경우, 요가 이외에 다른 것을 더 찾아볼 필요가 없다.

어휘 benefit 이점, 이득, 혜택 | flexibility 유연성 | numerous 많은 | advantage 장점, 이점 | comprise [be comprised of~] ~으로 구성되다 | improvement 향상 | strength 힘 | metabolism 신진대사 | cardiovascular 심혈관의 | protection 보호 | breathing 호흡 | vital 생명 유지와 관련된, 생명 유지에 필수적인; 필수적인 | capacity 용량, 수용력; 능력 | vital capacity 폐활량 | statistically 통계적으로 | significant 의미 있는, 중요한 | awareness 인식 | enhance 향상하다, 증진하다 | concentration 집중 | relief 완화, 경감; 안도 | anxiety 불안 | post-traumatic stress disorder (=PTSD) 외상 후 스트레스 장애(큰 정신적 충격 때문에 겪게 되는 의학적 증상) | severe 극심한, 심각한 | symptom 증상 | look no further than ~말고[이외에] 더 볼 필요가 없다, ~보다 더 멀리 볼 필요가 없다 | traumatic (정신적으로) 괴로운, 충격적인, 정신적 외상을 초래할 정도의 | hilarious 우스운, 재미있는 | worsen 악화하다 | see 겪다; 보다 | reduction 감소, 축소 | on top of ~ 위에 | tantrum 성질부리기 | intent 의도 | release (긴장 등을) 풀다; (감정을) 발산하다[표출시키다] | stomp 쿵쿵거리며 걷다; 발을 구르다 | aerial 공중의 | hammock 해먹(나무 등에 달아매는 그물·천 등으로 된 침대) | acrobatics 곡예, 아크로바틱 | lunar 달의 | solar 태양의 | agriculture 농업

Comprehension Questions p.21

1. Being on a tiny stage is <u>traumatic</u> for the elephant.

(A) normal
(B) hilarious
(C) traumatic
(D) enjoyable

해석 조그마한 무대 위에 있는 것은 코끼리에게 <u>괴롭다</u>.

(A) 정상적인
(B) 우스운
(C) (정신적으로) 괴로운
(D) 즐거운

풀이 코끼리가 자기 몸보다 훨씬 작은 무대 위에 서서 힘들어하는 모습이므로 '정신적으로 괴로운, 충격적인'을 뜻하는 (C)가 정답이다.

관련 문장 In one study of 64 women who suffered from post-traumatic stress disorder (a condition of severe anxiety after trauma), [...]

2. It seems this medicine has enhanced his wellbeing.

(A) enhanced
(B) destroyed
(C) worsened
(D) threatened

해석 이 약이 그의 건강을 향상시킨 듯 보인다.

(A) 향상시켰다
(B) 파괴했다
(C) 악화했다
(D) 위협했다

풀이 약을 먹고 건강('wellbeing')이 좋아진 그림이므로 '향상하다, 높이다'를 뜻하는 (A)가 정답이다.

관련 문장 In short, many activities can enhance either physical or mental health.

3. The physical benefits of this exercise include feeling stronger and being flexible.

(A) include
(B) includes
(C) would be include
(D) would have include

해석 이 운동의 신체적 이점에는 더 튼튼해지고 유연해지는 것이 포함된다.

(A) 포함하다
(B) 포함하다
(C) 어색한 표현
(D) 어색한 표현

풀이 빈칸은 동사 자리이며, 주어 'The physical benefits [...]'가 3인칭 복수이므로 동사 원형을 그대로 사용한 (A)가 정답이다.

관련 문장 The physical benefits of yoga include better muscle strength [...] In addition to the physical rewards, the many mental benefits of yoga include better mental clarity [...]

4. This test measures how much you learned in the first half of the semester.

(A) how much you learned
(B) how much did you learn
(C) much how did you learn
(D) much of how you had learn

해석 이 시험은 학기 전반부에 여러분이 얼마나 학습했는지를 측정합니다.

(A) 여러분이 얼마나 학습했는지
(B) 얼마나 학습했나요
(C) 어색한 표현
(D) 어색한 표현

풀이 빈칸은 동사 'measures'의 목적어 자리이고, 의문사절이 목적어의 역할을 할 수 있다. 의문사절은 '의문사구 + 주어 + 동사'의 구조를 가지므로 제시된 선택지 중에서 'how much + you + learned'가 올바른 순서이다. 따라서 (A)가 정답이다. (B)는 간접의문문을 만들 때는 주어와 동사를 도치하지 않으므로 오답이다.

관련 문장 Vital capacity measures how much air a person can breathe out of their lungs at one time, and is an important way to see lung function.

[5-6]

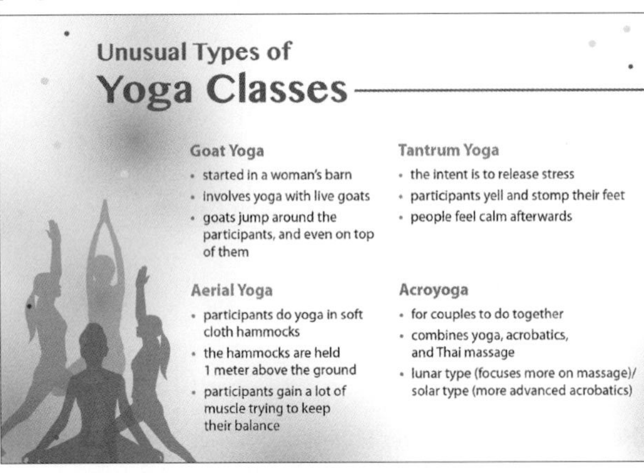

Unusual Types of
Yoga Classes
Goat Yoga
• started in a woman's barn
• involves yoga with live goats
• goats jump around the participants, and even on top of them
Tantrum Yoga
• the intent is to release stress
• participants yell and stomp their feet
• people feel calm afterwards
Aerial Yoga
• participants do yoga in soft cloth hammocks
• the hammocks are held 1 meter above the ground
• participants gain a lot of muscle trying to keep their balance
Acroyoga
• for couples to do together
• combines yoga, acrobatics, and Thai massage
• lunar type (focuses more on massage)/ solar type (more advanced acrobatics)

해석

특이한 종류의 요가 수업	
염소(Goat) 요가 • 한 여성의 헛간에서 시작되었음 • 살아있는 염소들과 요가를 함 • 염소가 참가자들 주변을, 심지어 그들 위로 뛰어다님	성질(Tantrum) 요가 • 의도는 스트레스를 해소하는 것임 • 참가자들은 소리를 지르고 발을 세게 구름 • 그 후에 사람들은 기분이 차분해짐
공중(Aerial) 요가 • 참가자들은 부드러운 천 해먹에서 요가를 함 • 해먹은 땅 위로 1m 높이에 떠 있음 • 참가자들은 균형을 유지하려고 하면서 근육을 많이 키울 수 있음	아크로요가(Acroyoga) • 커플이 함께함 • 요가, 곡예, 그리고 타이 마사지를 결합함 • 달형 (마사지에 더 집중)/ 태양형 (더 상급 수준의 곡예)

5. In which type is rope netting required?

(A) goat yoga
(B) tantrum yoga
(C) aerial yoga
(D) acroyoga

해석 다음 중 어떤 종류에서 그물 밧줄이 필요한가?

(A) 염소 요가
(B) 성질 요가
(C) 공중 요가
(D) 아크로요가

풀이 공중 요가(Aerial Yoga) 참가자들이 부드러운 천 해먹('soft cloth hammocks')에서 요가를 하고, 이 해먹이 땅에서 1m 떨어져 있다고 하였다. 해먹은 기둥이나 나무에 달아서 매는 그물침대이고 공중에 해먹을 설치하려면 그물 밧줄이 필요하므로 (C)가 정답이다.

6. Which of the following is true?

(A) Tantrum yoga involves shouting.
(B) Goat yoga began in a farmer's field.
(C) Acroyoga blends agriculture and yoga.
(D) People are in trees when they do aerial yoga.

해석 다음 중 옳은 내용은 무엇인가?

(A) 성질 요가에는 소리치는 것이 포함된다.
(B) 염소 요가는 한 농부의 밭에서 시작되었다.
(C) 아크로요가는 농업과 요가를 혼합한다.
(D) 사람들은 공중 요가를 할 때 나무에 있다.

풀이 성질 요가(Tantrum Yoga)에서 참가자들이 소리를 지른다('yell')고 나와 있으므로 (A)가 정답이다. (B)는 염소 요가(Goat Yoga)가 한 여성의 헛간('a woman's barn')에서 시작되었으므로 오답이다. (C)는 아크로요가(Acroyoga)가 요가, 곡예, 타이 마사지를 혼합한 것이므로 오답이다. (D)는 공중 요가(Aerial Yoga)는 나무가 아니라 해먹에서 수행하므로 오답이다.

[7-10]

Virtually everyone knows that yoga can help increase flexibility. However, there are numerous other advantages to this ancient practice. These comprise both physical and mental improvements.

The physical benefits of yoga include better muscle strength, a faster metabolism, cardiovascular health, and protection against injuries. Yoga can also improve the breathing of those who practice it. In one research study, college students took a 15-week yoga class. By the end of the course, participants had increased their vital capacity by a statistically significant amount. Vital capacity measures how much air a person can breathe out of their lungs at one time, and is an important way to see lung function.

In addition to the physical rewards, many mental benefits of yoga include better mental clarity, improved awareness of how one's body works, enhanced concentration, a sense of relaxation, and stress relief. Yoga can also help people with anxiety. In one study of 64 women who suffered from post-traumatic stress disorder (a condition of severe anxiety after trauma), more than half had far fewer symptoms of the condition after two and a half months of yoga.

In short, many activities can enhance either physical or mental health. However, for anyone looking to do both at the same time, they need look no further than yoga.

해석

사실상 거의 모든 사람이 요가가 유연성을 늘리는 데 도움이 될 수 있다는 것을 안다. 하지만, 이 오래된 운동에는 많은 다른 이점들이 있다. 이들에는 신체적, 정신적 향상 둘 다 포함된다.

요가의 신체적 이점에는 근육의 힘 향상, 신진대사 속도 향상, 심혈관 건강, 그리고 부상 예방 등이 포함된다. 요가는 또한 요가를 훈련하는 사람들의 호흡을 향상할 수 있다. 한 연구 조사에서, 대학생들이 15주 요가 수업을 받았다. 이 과정이 끝날 때쯤, 참가자들은 통계적으로 유의미한 양만큼 폐활량이 증가했다. 폐활량은 사람이 한 번에 폐에서 얼마나 많은 공기를 내쉴 수 있는지 측정하고, 폐 기능을 보는 중요한 방법이다.

신체적 보상 외에도, 요가의 많은 정신적 이점들에는 더 맑은 정신, 신체 작동 방식에 대한 인식 향상, 집중력 향상, 이완감, 그리고 스트레스 해소가 포함된다. 요가는 또한 불안이 있는 사람도 도울 수 있다. 외상 후 스트레스 장애(외상 후 극도의 불안 상태)를 앓고 있는 64명의 여성을 대상으로 한 연구에서, 절반 이상은 두 달 반 요가를 하고 난 후 이 질환의 증상이 훨씬 감소했다.

요컨대, 많은 활동이 신체적 또는 정신적 건강을 증진할 수 있다. 하지만, 동시에 두 가지를 다 하려는 사람의 경우, 요가 이외에 다른 것을 더 찾아볼 필요가 없다.

7. Which would be the best title for the passage?

(A) How to Get Started in Yoga
(B) The Physical and Mental Advantages of Yoga
(C) Modern Updates to the Ancient Practice of Yoga
(D) Surprising Ways in Which Yoga Can Injure People

해석 다음 중 지문에 가장 알맞은 제목은 무엇인가?

(A) 요가를 시작하는 법
(B) 요가의 신체적, 정신적 이점
(C) 요가의 고대식 수행 현대화
(D) 요가가 사람에게 부상을 입힐 수 있는 놀라운 방식들

유형 전체 내용 파악

풀이 첫 번째 문단의 'These comprise both physical and mental improvements.'에서 요가에 신체적, 정신적 이점이 모두 있다는 중심 내용을 언급하고, 이어서 요가의 신체적, 정신적 이점을 차례대로 설명한 뒤, 마지막 문단에서 요가를 장려하며 글을 마무리하고 있다. 따라서 (B)가 정답이다. (A)는 요가를 장려하는 것이지, 시작하는 방법에 대한 설명은 아니므로 오답이다.

8. According to the passage, what happened to students after a 15-week yoga class?

(A) They had better lung capacity.
(B) They had difficulties breathing.
(C) They had learned to teach yoga.
(D) They had slowed their metabolism.

해석 지문에 따르면, 15주 요가 수업이 끝난 후 학생들은 어떻게 되었는가?

(A) 폐활량이 늘었다.
(B) 호흡하는 데 어려움을 겪었다.
(C) 요가 가르치는 것을 배웠다.
(D) 신진대사 속도가 느려졌다.

유형 세부 내용 파악

풀이 두 번째 문단의 'In one research study, college students took a 15-week yoga class. By the end of the course, participants had increased their vital capacity by a statistically significant amount.'에서 한 연구에 따르면 15주 요가 수업을 듣고 나서 학생들의 폐활량이 증가했다고 하였으므로 (A)가 정답이다.

9. Which benefit of yoga is listed?

(A) thinner legs
(B) smarter babies
(C) enhanced hearing
(D) better concentration

해석 다음 중 요가의 이점으로 나열된 것은 무엇인가?

(A) 더 얇은 다리
(B) 더 똑똑한 아기
(C) 향상된 청력
(D) 더 나은 집중력

유형 세부 내용 파악

풀이 세 번째 문단의 '[...] the many mental benefits of yoga include better mental clarity, improved awareness of how one's body works, enhanced concentration, a sense of relaxation, and stress relief.'에서 요가의 정신적 이점으로 향상된 정신력('enhanced concentration')이 언급되었으므로 (D)가 정답이다.

10. According to the passage, what happened to 64 women with post-traumatic health disorder?

(A) Over 50% had fewer symptoms after 2.5 months.
(B) A third reduced their symptoms by 2.5% in a month.
(C) Just under 50% had more symptoms after 2.5 months.
(D) Half saw a 75% reduction in symptoms after three months.

해석 지문에 따르면, 외상 후 스트레스 장애가 있는 64명의 여성은 어떻게 되었는가?

(A) 50% 이상은 2개월 반 후에 증상이 더 적어졌다.
(B) 3분의 1은 한 달 사이에 2.5%만큼 증상이 줄었다.
(C) 불과 50% 미만이 2개월 반 후에 증상을 더 많아졌다.
(D) 절반은 3개월 후에 증상이 75% 감소하는 것을 경험했다.

유형 세부 내용 파악

풀이 세 번째 문단의 'In one study of 64 women who suffered from post-traumatic stress disorder (a condition of severe anxiety after trauma) [...]'에서 한 연구에 따르면 외상 후 스트레스 장애를 앓고 있는 여성 64명 중 절반이 넘는 인원이 요가를 2개월 반 동안 하고 나서 증상이 많이 감소했다고 하였으므로 (A)가 정답이다. 지문의 'more than half'가 선택지에서 'Over 50%'로 표현된 점에 유의한다.

Listening Practice

 HJ2-2 p.24

Virtually everyone knows that yoga can help increase flexibility. However, there are numerous other advantages to this ancient practice. These comprise both physical and mental improvements.

The physical benefits of yoga include better muscle strength, a faster metabolism, cardiovascular health, and protection against injuries. Yoga can also improve the breathing of those who practice it. In one research study, college students took a 15-week yoga class. By the end of the course, participants had increased their vital capacity by a statistically significant amount. Vital capacity measures how much air a person can breathe out of their lungs at one time, and is an important way to see lung function.

In addition to the physical rewards, many mental benefits of yoga include better mental clarity, improved awareness of how one's body works, enhanced concentration, a sense of relaxation, and stress relief. Yoga can also help people with anxiety. In one study of 64 women who suffered from post-traumatic stress disorder (a condition of severe anxiety after trauma), more than half had far fewer symptoms of the condition after two and a half months of yoga.

In short, many activities can enhance either physical or mental health. However, for anyone looking to do both at the same time, they need look no further than yoga.

1. Virtually
2. metabolism
3. cardiovascular
4. significant
5. traumatic
6. enhance

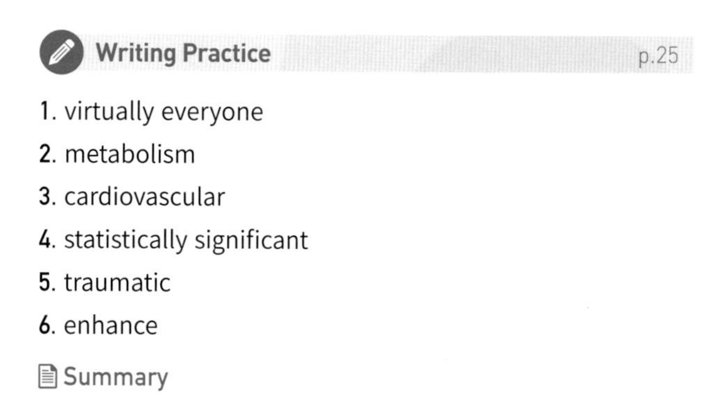

Writing Practice p.25

1. virtually everyone
2. metabolism
3. cardiovascular
4. statistically significant
5. traumatic
6. enhance

Summary

There are both physical and mental advantages of yoga. Benefits include better muscle strength and mental clarity. Therefore, people who want to enhance both physical and mental health need to look no further than yoga.

요가에는 신체적, 정신적 이점이 둘 다 있다. 이점에는 더 나은 근육의 힘과 맑은 정신이 포함된다. 그러므로, 신체적, 정신적 건강 둘 다 향상시키고 싶은 사람들은 요가 이외에 다른 것을 더 볼 필요가 없다.

Word Puzzle p.26

Across	Down
6. virtually everyone	1. statistically significant
	2. cardiovascular
	3. enhance
	4. traumatic
	5. metabolism

Unit 3 | Digital Eye Strain p.27

Part A. Picture Description p.29

1 (A) 2 (B)

Part B. Sentence Completion p.29

3 (C) 4 (A)

Part C. Practical Reading Comprehension p.30

5 (C) 6 (D)

Part D. General Reading Comprehension p.31

7 (A) 8 (D) 9 (A) 10 (B)

Listening Practice p.32

1 strain	2 eyewear
3 blinking	4 combat
5 humidifier	6 modified

Writing Practice p.33

1 strain	2 eyewear
3 blink	4 combat
5 humidifier	6 modify

Summary blue light, mobile, fake, combat

Word Puzzle p.34

Across

5 modify	6 strain

Down

1 combat	2 humidifier
3 blink	4 eyewear

Pre-reading Questions p.27

When you look at a screen for a long time, do your eyes ever feel tired?

오랫동안 화면을 볼 때, 눈이 피곤하다는 걸 느낀 적이 있나요?

Reading Passage p.28

Digital Eye Strain

With the rise of digital screens, questions have arisen about possible strain on the eyes. Luckily, research has provided some clarity on so-called digital eye strain, as well as some advice on how to handle it.

First, those worried that the blue light in LED screens is a major cause of digital eye strain can probably worry less. There is not enough evidence to suggest that blue light itself is a cause of strained eyes. In fact, UK advertising officials banned an advertisement on blue light-blocking lenses, as the ad's claims that the eyewear could protect against eye strain, tiredness, and damage to the eye could not be supported.

However, anyone who has used a computer or mobile device for a long time has likely noticed their eyes feeling some strain. Part of this comes from staring too long at one place without blinking. It is also likely that the screen is too bright. Individuals wishing to combat eye strain can try using the 20-20-20 rule. This means that every 20 minutes, individuals should look at a distance 20 feet away for 20 seconds. They can also reduce the brightness of their screens and use fake tears or a humidifier. Until digital screens are modified, taking measures to reduce digital eye strain can help.

디지털 눈 피로

디지털 화면의 등장과 더불어, 눈에 피로를 줄 수 있다는 의혹이 제기되었다. 다행스럽게도, 연구들에서는 소위 디지털 눈 피로에 대해 명확성은 물론 이를 다루는 방법에 대한 조언도 제시하였다.

먼저, LED 화면의 블루라이트가 디지털 눈 피로의 주요 원인이라고 걱정하는 이들은 아마 걱정을 덜 해도 된다. 블루라이트 자체가 눈 피로의 원인임을 보여주는 충분한 증거가 없다. 실제로, 영국 광고 관계자들은 블루라이트 차단 렌즈 광고를 금지했는데, 그 렌즈가 눈 피로, 피곤함, 그리고 눈 손상을 막아줄 수 있다는 광고의 주장이 뒷받침될 수 없기 때문이었다.

하지만, 컴퓨터나 모바일 기기를 오랫동안 사용해온 이라면 누구나 눈이 피로를 느낀다는 것을 알아챘을 것이다. 이 중 일부는 눈을 깜빡이지 않고 한 곳을 너무 오랫동안 바라보는 행동에서 온다. 또한 화면이 너무 밝은 것일 가능성도 있다. 눈의 피로를 방지하고 싶은 사람이라면 20-20-20 규칙을 활용해볼 수 있다. 이는 20분마다, 20초 동안 20피트 떨어진 거리를 봐야 한다는 것을 뜻한다. 또한 화면의 밝기를 줄이고 인공 눈물이나 가습기를 사용할 수도 있다. 디지털 화면이 바뀌기 전까지, 디지털 눈 피로를 줄이려는 조치를 하는 것이 도움이 될 수 있다.

어휘 strain 부담, 압박; 피로 | screen 화면; 가리개; (전기·자기 따위의) 차벽 | arise 생기다, 발생하다 | clarity 명료성 | so-called 소위, 이른바 | handle 다루다, 처리하다 | cause 원인, 이유 | strained 무리한, 부자연스러운, 긴장한 | official 관리, 임원, 공무원 | block 막다, 차단하다 | claim 주장; 주장하다 | stare 응시하다 | blink 눈을 깜빡이다 | combat 방지하다, (방지하기 위해) 싸우다; 전투, 싸움 | fake 모조[인조]의; 가짜의, 거짓된 | humidifier 가습기 | modify (더 알맞도록) 수정[변경]하다, 바꾸다 | measure 조치, 정책 | take measures 조치를 하다, 대책을 강구하다 | modifier 수정[변경]하는 사람[것]; [문법] 수식어(구), 한정어 | source 근원, 원천 | put strain on ~에 부담을 주다, ~에 압박을 가하다 | weight 웨이트, 역기; 무거운 것; 무게, 체중 | carrier 운반인; 운반 용기; 수송 차량, 수송선 | prevention 예방 | optical 시각적인; 광학의 | recognition 인식 | inappropriate 부적절한 | emission (빛·열·가스 등의) 배출 | harm 해하다 | lab 실험실 | position 두다, 배치하다, ~의 자리를 잡다; 위치, 자리 | glare 환한 빛[눈부심] | matte(mat) 광택이 없는, 무광의, 뿌연 | frequent 잦은, 빈번한 | cyberbullying 사이버 폭력 | application 지원[신청]서

Comprehension Questions p.29

1. Alexi has put strain on his back.

   (A) strain
   (B) a box
   (C) weights
   (D) a carrier

해석 Alexi는 등에 부담을 줬다.

(A) 부담
(B) 상자
(C) 역기
(D) 운반인

풀이 상자를 들다가 등에 무리를 주고 있는 사람의 모습이므로 '부담, 압박' 등을 뜻하는 (A)가 정답이다. (C)는 'weight'가 '무거운 것; 역도, 웨이트'라는 뜻이고, 그림에서 남자가 무거운 물건을 등에 직접 올린 것이 아니므로 오답이다.

관련 문장 With the rise of digital screens, questions have arisen about possible strain on the eyes.

2. Fatima <u>blinked</u> as our family photo was taken.

(A) winked
(B) blinked
(C) ran away
(D) sat down

해석 Fatima는 가족사진을 찍을 때 <u>눈을 깜빡였다</u>.

(A) 윙크했다
(B) 눈을 깜빡였다
(C) 달아났다
(D) 앉았다

풀이 가족사진에서 Fatima가 두 눈을 감고 있으므로 '(두) 눈을 깜빡이다'라는 뜻을 가진 (B)가 정답이다. (A)는 'wink'(윙크하다)는 한쪽 눈만 깜빡이는 행동을 나타내므로 오답이다.

관련 문장 Part of this comes from staring too long at one place without blinking.

3. In your application, you may not use pictures that have been <u>modified</u> in any way.

(A) modify
(B) modifier
(C) modified
(D) modifying

해석 지원서에는 어떤 식으로든 <u>변형된</u> 사진을 사용하지 않는 것이 좋다.

(A) 변형하다
(B) 변형하는 사람[것]
(C) 변형된
(D) 변형하는

풀이 'modify'는 '바꾸다, 변경하다'라는 뜻을 가진 동사로, 'that have been ______'라는 관계절에서 주어는 앞의 선행사 'pictures'라는 사물을 가리키므로 '~가 바뀌다, 변경되다'라는 수동의 의미가 적절하다. 수동 표현은 'be + -ed'를 통해 나타내므로 (C)가 정답이다.

관련 문장 Until digital screens are modified, taking measures to reduce digital eye strain can help.

4. There is not enough <u>evidence</u> to suggest that your dog is the source of your allergies.

(A) evidence
(B) evidences
(C) of evidence
(D) of it evidence

해석 당신의 개가 당신이 가진 알레르기의 원인임을 제시하는 충분한 <u>증거</u>가 없다.

(A) 증거
(B) 어색한 표현
(C) 증거의
(D) 어색한 표현

풀이 한정사 'enough'가 수식할 수 있는 명사이고, 'There is'와 어울려 쓸 수 있는 단수형태가 들어가야 하므로 (A)가 정답이다.

관련 문장 There is not enough evidence to suggest that blue light itself is a cause of strained eyes.

[5-6]

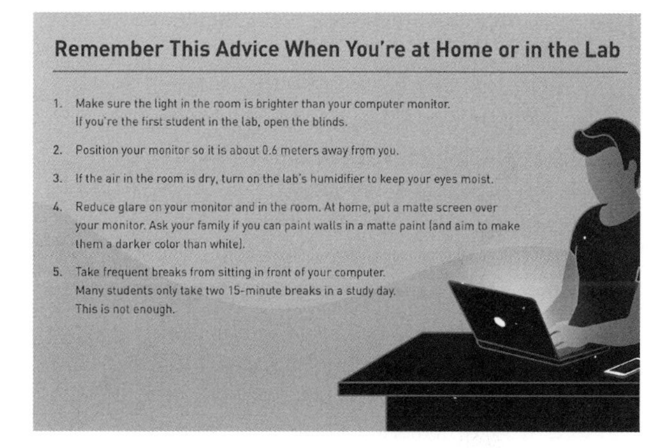

해석

집에 있거나 연구실에 있을 때 이 조언을 명심하세요.

1. 방의 불이 컴퓨터 모니터보다 더 밝은지 확인하세요. 연구실에 제일 먼저 온 학생이라면, 블라인드를 걷으세요.
2. 0.6m 정도 떨어지도록 모니터를 위치시키세요.
3. 방 안의 공기가 건조하다면, 눈의 습기를 유지하도록 연구실의 가습기를 켜세요.
4. 모니터와 방 안의 강한 빛을 줄이세요. 집에서는, 모니터 위에 무광 가리개를 씌우세요. 가족에게 무광 페인트로 벽을 칠할 수 있는지 물어보세요(그리고 하얀색보다 어두운 색깔로 만드는 것을 목표로 하세요).
5. 컴퓨터 앞에 앉아 있는 것에서 벗어나 자주 휴식을 취하세요. 많은 학생이 공부하는 날 겨우 15분 휴식 시간을 두 번만 가져요. 이것은 충분하지 않아요.

5. Where would this notice most likely be posted?

(A) in a company office
(B) in a store for electronics
(C) in a school computer lab
(D) in a magazine article about cyberbullying

해석 이 안내문이 게시될 곳으로 가장 적절한 장소는 어디인가?

(A) 회사 사무실 안에
(B) 전자제품 매장 안에
(C) 학교 컴퓨터실 안에
(D) 사이버 폭력에 관한 잡지 기사에서

풀이 안내문의 제목과 1번의 'If you're the first student in the lab, open the blinds' 등에서 학교의 'lab'(연구실, 실험실)에서 볼 수 있는 안내문임을 짐작할 수 있고, 나머지 내용 또한 주로 컴퓨터와 관련한 조언이므로 (C)가 정답이다.

6. Which of the following is NOT a given tip?

(A) Cover your monitor with a matte screen.
(B) Use the room's humidifier to help your eyes.
(C) Put your monitor at least half a meter away from you.
(D) Take just two fifteen-minute breaks in your study day.

해석 다음 중 주어지지 않은 조언은 무엇인가?

(A) 무광 가리개로 모니터를 씌워라.
(B) 방의 가습기를 사용해 눈을 보조하라.
(C) 모니터를 적어도 0.5m 떨어진 곳에 두어라.
(D) 공부하는 날 하루에 15분 휴식 시간을 두 번만 가져라.

풀이 5번의 'Many students only take two 15-minute breaks in a study day. This is not enough'에서 15분 휴식시간을 하루에 두 번만 가지는 것은 충분하지 않다고 했으므로 (D)가 정답이다. (A)는 4번의 'At home, put a matte screen over your monitor.'에서, (B)는 3번의 'If the air in the room is dry, turn on the lab's humidifier to keep your eyes moist.'에서, (C)는 2번의 'Position your monitor so it is about 0.6 meters away from you.'에서 확인할 수 있으므로 오답이다.

[7-10]

With the rise of digital screens, questions have arisen about possible strain on the eyes. Luckily, research has provided some clarity on so-called digital eye strain, as well as some advice on how to handle it.

First, those worried that the blue light in LED screens is a major cause of digital eye strain can probably worry less. There is not enough evidence to suggest that blue light itself is a cause of strained eyes. In fact, UK advertising officials banned an advertisement on blue light-blocking lenses, as the ad's claims that the eyewear could protect against eye strain, tiredness, and damage to the eye could not be supported.

However, anyone who has used a computer or mobile device for a long time has likely noticed their eyes feeling some strain. Part of this comes from staring too long at one place without blinking. It is also likely that the screen is too bright. Individuals wishing to combat eye strain can try using the 20-20-20 rule. This means that every 20 minutes, individuals should look at a distance 20 feet away for 20 seconds. They can also reduce the brightness of their screens and use fake tears or a humidifier. Until digital screens are modified, taking measures to reduce digital eye strain can help.

해석

디지털 화면의 등장과 더불어, 눈에 피로를 줄 수 있다는 의혹이 제기되었다. 다행스럽게도, 연구들에서는 소위 디지털 눈 피로에 대해 명확성은 물론 이를 다루는 방법에 대한 조언도 제시하였다.

먼저, LED 화면의 블루라이트가 디지털 눈 피로의 주요 원인이라고 걱정하는 이들은 아마 걱정을 덜 해도 된다. 블루라이트 자체가 눈 피로의 원인임을 보여주는 충분한 증거가 없다. 실제로, 영국 광고 관계자들은 블루라이트 차단 렌즈 광고를 금지했는데, 그 렌즈가 눈 피로, 피곤함, 그리고 눈 손상을 막아줄 수 있다는 광고의 주장이 뒷받침될 수 없기 때문이었다.

하지만, 컴퓨터나 모바일 기기를 오랫동안 사용해온 이라면 누구나 눈이 피로를 느낀다는 것을 알아챘을 것이다. 이 중 일부는 눈을 깜빡이지 않고 한 곳을 너무 오랫동안 바라보는 행동에서 온다. 또한 화면이 너무 밝은 것일 가능성도 있다. 눈의 피로를 방지하고 싶은 사람이라면 20-20-20 규칙을 활용해볼 수 있다. 이는 20분마다, 20초 동안 20피트 떨어진 거리를 봐야 한다는 것을 뜻한다. 또한 화면의 밝기를 줄이고 인공 눈물이나 가습기를 사용할 수도 있다. 디지털 화면이 바뀌기 전까지, 디지털 눈 피로를 줄이려는 조치를 하는 것이 도움이 될 수 있다.

7. What would be the best title for the passage?

(A) Digital Eye Strain: Clarity and Tips
(B) Eye Dryness: Prevention and Cures
(C) Digital Technologies: Optical Recognition
(D) Eye Problems: Why LED Screens Are Killing Us

해석 이 지문에 가장 알맞은 제목은 무엇인가?

(A) 디지털 눈 피로: 명확함과 조언
(B) 눈 건조: 예방과 치료
(C) 디지털 기술: 안구 인식
(D) 눈 문제: LED 화면이 왜 우리를 죽이고 있는가

유형 전체 내용 파악

풀이 첫 번째 문단에서 'digital eye strain'이라는 글의 중심 소재를 언급하고, 두 번째 문장 'Luckily, research has provided some clarity on so-called digital eye strain, as well as some advice on how to handle it'에서 앞으로 이어질 글의 내용을 암시하고 있다. 이에 따라 두 번째 문단에서 블루라이트가 눈의 피로를 유발한다는 증거가 부족하다는 사실을 설명하고, 세 번째 문단에서 눈 피로의 원인과 이를 해결할 방법을 몇 가지 소개하고 있다. 따라서 해당 지문은 'digital eye strain'에 대해 정보와 해결 방안을 제공하고 있는 글이므로 (A)가 정답이다.

8. According to the passage, why was a UK ad for blue light-blocking lenses banned?

(A) It was considered inappropriate for children.
(B) There were too many similar ads already on TV.
(C) It included blue emissions that could harm people.
(D) There was a lack of evidence to support its claims.

해석 지문에 따르면, 한 영국의 블루라이트 차단 렌즈 광고가 금지되었던 이유는 무엇인가?

(A) 어린이들에게 부적절하다고 여겨졌다.
(B) TV에 이미 비슷한 광고들이 너무 많았다.
(C) 사람을 해할 수 있는 청색 배출물을 포함했다.
(D) 그 주장을 뒷받침할 증거가 부족했다.

유형 세부 내용 파악

풀이 두 번째 문단의 'In fact, UK advertising officials banned an advertisement on blue light-blocking lenses, as the ad's claims [...] could not be supported.'를 통해 영국의 한 블루라이트 차단 렌즈 광고에서 눈의 피로를 방지할 수 있다고 주장했지만, 블루라이트 자체가 눈 피로의 원인이라는 주장이 뒷받침될 수 없기 때문에 광고가 금지되었다는 것을 알 수 있으므로 (D)가 정답이다.

9. What cause of eye strain is mentioned?

(A) not blinking
(B) reading in the dark
(C) looking at small numbers
(D) sitting too close to a screen

해석 눈 피로의 원인으로 언급된 것은 무엇인가?

(A) 깜빡이지 않는 것
(B) 어두운 곳에서 읽는 것
(C) 작은 숫자를 보는 것
(D) 화면에 너무 가까이 앉는 것

유형 세부 내용 파악

풀이 세 번째 문단의 '[...] noticed their eyes feeling some strain. Part of this comes from staring too long at one place without blinking.'에서 눈의 피로 원인으로 눈을 깜빡이지 않고 한 곳을 오랫동안 바라보는 행동이 언급되었으므로 (A)가 정답이다.

10. Which tip is NOT recommended in the passage?

(A) Put fake tears in your eyes.
(B) Wear a cooling pack over your eyes.
(C) Look at a far distance for 20 seconds.
(D) Reduce the brightness of your screen.

해석 다음 중 지문에서 권장하지 않은 조언은 무엇인가?

(A) 눈에 인공 눈물을 넣어라.
(B) 눈 위에 쿨링 팩을 착용하라.
(C) 20초 동안 먼 거리를 보라.
(D) 화면의 밝기를 줄여라.

유형 세부 내용 파악

풀이 지문에서 'cooling pack'에 관한 내용은 언급되지 않았으므로 (B)가 정답이다. (A)와 (D)는 'They can also reduce the brightness of their screens and use fake tears or a humidifier.'에서, (C)는 'This means that every 20 minutes, individuals should look at a distance 20 feet away for 20 seconds.'에서 확인할 수 있으므로 오답이다.

Listening Practice
HJ2-3 p.32

With the rise of digital screens, questions have arisen about possible strain on the eyes. Luckily, research has provided some clarity on so-called digital eye strain, as well as some advice on how to handle it.

First, those worried that the blue light in LED screens is a major cause of digital eye strain can probably worry less. There is not enough evidence to suggest that blue light itself is a cause of strained eyes. In fact, UK advertising officials banned an advertisement on blue light-blocking lenses, as the ad's claims that the eyewear could protect against eye strain, tiredness, and damage to the eye could not be supported.

However, anyone who has used a computer or mobile device for a long time has likely noticed their eyes feeling some strain. Part of this comes from staring too long at one place without blinking. It is also likely that the screen is too bright. Individuals wishing to combat eye strain can try using the 20-20-20 rule. This means that every 20 minutes, individuals should look at a distance 20 feet away for 20 seconds. They can also reduce the brightness of their screens and use fake tears or a humidifier. Until digital screens are modified, taking measures to reduce digital eye strain can help.

1. strain
2. eyewear
3. blinking
4. combat
5. humidifier
6. modified

Writing Practice
p.33

1. strain
2. eyewear
3. blink
4. combat
5. humidifier
6. modify

Summary

There is not enough evidence that blue light in LED screens is a cause of strained eyes. However, using a computer or mobile device for a long time is likely to cause eye strain. People can try the 20-20-20 rule or use fake tears or a humidifier to combat eye strain.

LED 화면의 블루라이트가 눈 피로의 원인이라는 충분한 증거는 없다. 하지만, 컴퓨터나 모바일 기기를 오랫동안 사용하는 것은 눈의 피로를 유발할 수 있다. 사람들은 눈 피로를 방지하기 위해 20-20-20 규칙을 해보거나 인공 눈물 혹은 가습기를 사용할 수 있다.

Word Puzzle
p.34

Across

5. modify
6. strain

Down

1. combat
2. humidifier
3. blink
4. eyewear

Unit 4 | Just One Food p.35

Part A. Picture Description				p.37
1 (C)	2 (B)			

Part B. Sentence Completion				p.37
3 (A)	4 (C)			

Part C. Practical Reading Comprehension				p.38
5 (D)	6 (B)			

Part D. General Reading Comprehension				p.39
7 (C)	8 (C)	9 (C)	10 (C)	

Listening Practice p.40

1 diet 2 apocalypse
3 nutritionists 4 fiber
5 appetite 6 starvation

Writing Practice p.41

1 diet 2 apocalypse
3 nutritionist 4 fiber
5 appetite 6 starvation
Summary **diet, white, nutrients, bored**

Word Puzzle p.42

Across
4 starvation 6 apocalypse
Down
1 fiber 2 nutritionist
3 diet 5 appetite

Pre-reading Questions p.35

If you were allowed to eat only one type of food, what would you choose? And why?

오직 한 가지 종류의 음식만 먹을 수 있다면,
무엇을 고를 건가요? 이유는 무엇인가요?

Just One Food

While the ideal diet contains diverse foods that provide a full range of vitamins and minerals, in times of crisis humans have had to rely on a limited diet of just one food. For example, when one family of five was shipwrecked for 38 days, they managed to survive primarily off of sea turtle blood. However, if given a survival scenario like a zombie apocalypse, most nutritionists would not choose sea turtle blood. Instead, the lowly potato may be the better option.

The white potato contains large quantities of potassium and iron and has some fiber and protein. It is a food that contains most of the nutrients required by humans, although the amount of each nutrient is very small. Nevertheless, the potato lacks essential elements such as calcium and zinc. A person may be able to survive months eating only potatoes; however, that individual would go blind due to a lack of vitamins. Moreover, the lack of appetite resulting from the boredom of eating just one food would probably lead to starvation first.

Obviously, it is never suggested that people willingly reduce their diet to a single type of food. However, if the zombie apocalypse ever happened and you could only have one food, potatoes might be the best choice.

오직 한 가지 음식

이상적인 식단은 폭넓은 종류의 비타민과 미네랄을 제공하는 다양한 음식을 포함하고 있겠지만, 위기의 시기에는 사람들이 오직 한 가지 음식으로 된 제한적인 식단에 의존해야 했다. 예를 들어, 한 5인 가족이 38일 동안 난파당했을 때, 그들은 주로 바다거북의 피로 살아남았다. 하지만, 좀비 대재앙과 같은 생존 시나리오를 준다면, 대부분의 영양사는 바다거북의 피를 택하지 않을 것이다. 대신에, 평범한 감자가 더 좋은 선택일지도 모른다.

흰 감자는 칼륨과 철분을 다량 함유하고 있으며 약간의 섬유질과 단백질을 지니고 있다. 그것은 각 영양소의 양이 매우 적을지라도 인간이 필요로 하는 대부분의 영양소를 함유한 음식이다. 그런데도, 감자에는 칼슘과 아연 같은 필수 성분들이 없다. 한 사람이 감자만을 먹으면서 몇 달 동안 살아남을 수 있을 것이다; 하지만, 그 사람은 비타민 결핍으로 시력을 잃을 것이다. 더욱이, 오직 한 가지 음식만 먹는 지루함에서 오는 식욕 부족은 아마도 먼저 굶주림으로 이어질 것이다.

분명히, 사람들이 자진해서 본인들의 식단을 단 한 가지 종류의 음식으로 줄이도록 절대 제안하지는 않는다. 하지만, 좀비 대재앙이 언젠가 일어나고 한 가지 음식만 먹을 수 있는 상황이 발생한다면, 감자가 최상의 선택일 것이다.

어휘 ideal 이상적인 | diet 식단 | diverse 다양한 | range 범위; 다양성 | a full range of 폭넓은 | mineral 미네랄 | crisis 위기 | rely on ~에 의존하다 | shipwreck 난파하다; 난파; 난파선 | manage to V 간신히 V 하다 | primarily 주로 | off of ~에서 | survival 생존 | apocalypse (상상을 초월하는) 대파괴, 대재난, 대재앙; (사회적) 대사건 | nutritionist 영양사 | potassium 칼륨 | iron 철 | fiber 섬유 | protein 단백질 | nutrient 영양소, 영양분 | require 필요로 하다; 요구하다 | lack ~이 없다[부족하다]; 부족, 결핍 | essential 필수적인 | appetite 식욕 | lead to ~로 이어지다 | starvation 굶주림, 기아 | willingly 자진해서, 기꺼이 | reduce 줄이다, 축소하다 | single 단 하나의, 단일의 | crowded 붐비는, (사람들로) 복잡한, 가득한 | limit 제한하다 | physicist 물리학자 | humorist 유머작가 | optometrist 시력 측정 의사, 검안사 | nutritious 영양가 있는, 영양분이 높은 | food source 식량원, 음식 공급원 | moldy 곰팡이가 낀; 곰팡내 나는 | fries 감자튀김 | supply 공급 | carbohydrate 탄수화물 | crust 크러스트, 빵 껍질; 딱딱한 층[표면] | bunch 많음; 다발, 송이, 묶음 | nuclear 핵

Comprehension Questions p.37

1. Malina is a nutritionist.

(A) physicist
(B) humorist
(C) nutritionist
(D) optometrist

해석 Malina는 영양사이다.

(A) 물리학자
(B) 유머 작가
(C) 영양사
(D) 시력 측정 의사

풀이 건강하지 않은 음식과 건강한 음식을 설명하고 있는 모습이다. 따라서 이는 선택지 중 영양사와 가장 관련 있는 (C)가 정답이다.

관련 문장 However, if given a survival scenario like a zombie apocalypse, most nutritionists would not choose sea turtle blood.

2. Joe has no appetite today.

(A) eye strain
(B) no appetite
(C) a lot of work
(D) memory problems

해석 Joe는 오늘 식욕이 없다.

(A) 눈의 피로
(B) 없는 식욕
(C) 많은 일
(D) 기억력 문제

풀이 차려진 식탁 앞에서 식욕이 없는 듯한 표정을 짓고 있으므로 (B)가 정답이다.

관련 문장 Moreover, the lack of appetite resulting from the boredom of eating just one food would probably lead to starvation first.

3. While the ship we took was large, everyone agreed that it was quite crowded.

(A) While
(B) Despite
(C) As much
(D) Nevertheless

해석 우리가 탄 배는 크기가 컸지만, 그곳이 꽤 복잡했다는 점에는 모두가 동의했다.

(A) ~이긴 하지만
(B) ~에도 불구하고
(C) 그만큼
(D) 그럼에도 불구하고

풀이 빈칸에는 완전한 문장 (1) 'the ship we took was large'와 (2) 'everyone agreed that it was quite crowded'를 이어줄 수 있는 접속사가 들어가야 한다. 접속사가 가장 앞에 나와 있으므로 (1)은 종속절이며 (2)는 주절이라는 것을 알 수 있다. 또한 (1)과 (2)의 내용이 상반되므로 '~이긴 하지만, ~한 반면에'를 뜻하는 접속사 (A)가 정답이다. (B)는 'Despite'가 전치사로서 뒤에 명사(구)가 와야 적절하므로 오답이다. (D)는 'Nevertheless'가 부사로서 주절과 종속절을 이을 수 없으므로 오답이다.

관련 문장 While the ideal diet contains diverse foods that provide a full range of vitamins and minerals, in times of crisis humans have had to rely on a limited diet of just one food.

4. You should not limit your diet to a single type of food.

(A) singly
(B) single
(C) a single
(D) one of single

해석 식단을 단 한 종류의 음식으로 제한해서는 안 된다.

(A) 단 하나로
(B) 단 하나의
(C) 부정관사 a + 단 하나의
(D) 어색한 표현

풀이 빈칸에는 뒤에 나온 명사구 'type of food'를 꾸밀 수 있는 수식어(구)가 들어가야 한다. 명사 'type'이 단수 형태이므로 부정관사를 포함한 (C)가 정답이다.

새겨 두기 명사구는 보통 명사와 명사를 수식하는 부분으로 이루어져 있다.

예) 'a single (수식어구) + type (명사) + of food (수식어구)'

관련 문장 Obviously, it is never suggested that people willingly reduce their diet to a single type of food.

[5-6]

What would you eat if you could only have one food for the rest of your life?
We asked four Chicago locals this question.

Tracy
Cheeseburgers. On crusty hamburger buns. It wouldn't be as great if I couldn't have fries, too, obviously. But I feel I could live a happy life if all I had was a good supply of cheeseburgers.

Natalia
Noodles. Is there anything better than a tasty mix of noodles and vegetables in black bean sauce? No green onions, though. I'm not a fan.

Jun Young
Mangoes. It's not even that I eat that many mangoes now. But I do like them a lot. If I had to choose, I'd go with that.

Adisa
Pizza. You've got tomatoes, so that's a lot of vitamin C. You've got proteins, carbohydrates, fat, and calcium from the meat, cheese, crust, and oil. With a bunch of green vegetables added on, you've got the perfect food to survive a nuclear war.

해석

평생 한 가지 음식만 먹을 수 있다면 무엇을 먹을 건가요?
우리는 시카고 주민 4명에게 이 질문을 했습니다.

Tracy

치즈버거요. 바삭한 햄버거 빵에 있는 거요. 당연히, 감자튀김도 같이 먹을 수 없다면 그 정도로 좋지는 않겠죠. 그렇지만 제가 가진 전부가 충분한 양의 치즈버거라면 행복한 삶을 살 수 있을 거란 느낌이 들어요.

Natalia

국수요. 춘장에 국수와 야채를 맛있게 섞은 것보다 더 좋은 게 있나요? 그렇지만, 파는 안 돼요. 별로 좋아하지 않아요.

Jun Young

망고요. 지금 제가 망고를 그렇게 많이 먹는다는 건 아니에요. 그런데 그것들을 아주 좋아해요. 골라야 한다면, 저는 그렇게 할래요.

Adisa

피자요. 토마토가 있으니, 그건 비타민C가 많다는 것이고요. 고기, 치즈, 크러스트, 그리고 오일에서 단백질, 탄수화물, 지방, 그리고 칼슘을 섭취하죠. 녹색 채소들을 위에 잔뜩 추가하면, 핵전쟁에서 살아남기 위한 완벽한 음식이 생기는 거죠.

5. Which two people prefer something with a bread-like crust?

(A) Tracy and Natalia
(B) Natalia and Jun Young
(C) Jun Young and Adisa
(D) Adisa and Tracy

해석 다음 중 어떤 두 사람이 빵 같은 크러스트가 있는 것을 좋아하는가?

(A) Tracy와 Natalia
(B) Natalia와 Jun Young
(C) Jun Young과 Adisa
(D) Adisa와 Tracy

풀이 Tracy는 'Cheeseburgers. On crusty hamburger buns.'라며 바삭한('crusty') 햄버거 빵으로 만든 치즈버거를 골랐고, Adisa는 'crust'가 들어간 피자를 골랐으므로 (D)가 정답이다.

6. Which one of these statements would most likely finish one of the Chicago locals' answers?

(A) "It's my plan to put ketchup on the fries."
(B) "Just the simple, fruity flavor could sustain me."
(C) "It's the tomato sauce and noodle combo that I like."
(D) "Just put green onions on the bean sauce, and you're done."

해석 다음 중 어떤 문장이 시카고 주민들의 답변 하나를 마무리 짓겠는가?

(A) "감자튀김에 케첩을 뿌리는 게 제 계획이에요."
(B) "소소한 과일 맛만 있으면 저를 살아가게 할 거예요."
(C) "토마토 소스와 국수 조합이 제가 좋아하는 거예요."
(D) "춘장에 파를 딱 넣어보세요, 그럼 게임 끝이에요."

풀이 Jun Young은 여러 재료가 들어간 음식을 고른 세 사람과는 달리 과일인 망고를 골랐다. 이는 다른 복잡한 것은 필요 없이('simple') 과일만('fruity flavor') 있으면 된다는 문장과 일맥상통하므로 (B)가 정답이다. (C)는 유일하게 국수를 고른 Natalia가 토마토 소스가 아닌 춘장('black bean sauce')을 언급했으므로 오답이다. (D)는 Natalia가 춘장에 국수와 야채를 섞은 음식을 골랐지만 파('green onions')는 싫다고 하였으므로 오답이다.

[7-10]

While the ideal diet contains diverse foods that provide a full range of vitamins and minerals, in times of crisis humans have had to rely on a limited diet of just one food. For example, when one family of five was shipwrecked for 38 days, they managed to survive primarily off of sea turtle blood. However, if given a survival scenario like a zombie apocalypse, most nutritionists would not choose sea turtle blood. Instead, the lowly potato may be the better option.

The white potato contains large quantities of potassium and iron and has some fiber and protein. It is a food that contains most of the nutrients required by humans, although the amount of each nutrient is very small. Nevertheless, the potato lacks essential elements such as calcium and zinc. A person may be able to survive months eating only potatoes; however, that individual would go blind due to a lack of vitamins. Moreover, the lack of appetite resulting from the boredom of eating just one food would probably lead to starvation first.

Obviously, it is never suggested that people willingly reduce their diet to a single type of food. However, if the zombie apocalypse ever happened and you could only have one food, potatoes might be the best choice.

해석

이상적인 식단은 폭넓은 종류의 비타민과 미네랄을 제공하는 다양한 음식을 포함하고 있겠지만, 위기의 시기에는 사람들이 오직 한 가지 음식으로 된 제한적인 식단에 의존해야 했다. 예를 들어, 한 5인 가족이 38일 동안 난파당했을 때, 그들은 주로 바다거북의 피로 살아남았다. 하지만, 좀비 대재앙과 같은 생존 시나리오를 준다면, 대부분의 영양사는 바다거북의 피를 택하지 않을 것이다. 대신에, 평범한 감자가 더 좋은 선택일지도 모른다.

흰 감자는 칼륨과 철분을 다량 함유하고 있으며 약간의 섬유질과 단백질을 지니고 있다. 그것은 각 영양소의 양이 매우 적을지라도 인간이 필요로 하는 대부분의 영양소를 함유한 음식이다. 그런데도, 감자에는 칼슘과 아연 같은 필수 성분들이 없다. 한 사람이 감자만을 먹으면서 몇 달 동안 살아남을 수 있을 것이다; 하지만, 그 사람은 비타민 결핍으로 시력을 잃을 것이다. 더욱이, 오직 한 가지 음식만 먹는 지루함에서 오는 식욕 부족은 아마도 먼저 굶주림으로 이어질 것이다.

분명히, 사람들이 자진해서 본인들의 식단을 단 한 가지 종류의 음식으로 줄이도록 절대 제안하지는 않는다. 하지만, 좀비 대재앙이 언젠가 일어나고 한 가지 음식만 먹을 수 있는 상황이 발생한다면, 감자가 최상의 선택일 것이다.

7. What is the passage mainly about?

(A) nutritious ways to prepare food
(B) the benefits of eating sea turtles
(C) potatoes as a single food source
(D) shipwrecks in the middle of the ocean

해석 주로 무엇에 관한 지문인가?

(A) 영양가 있는 음식 준비 방법
(B) 바다거북 먹는 것의 이점
(C) 단일 식량원으로서의 감자
(D) 바다 한가운데에 있는 난파선

유형 전체 내용 파악

풀이 생존 상황에서 오직 한 가지 음식만 먹을 수 있을 때 감자가 가장 최적의 선택이라는 것이 지문의 중심 내용이다. 흰 감자에 함유된 영양 성분 등을 언급하면서 단일 식량원으로서의 감자에 관해 서술하고 있는 글이므로 (C)가 정답이다.

8. Which is mentioned in the passage?

(A) red potatoes
(B) new potatoes
(C) white potatoes
(D) moldy potatoes

해석 지문에서 언급된 것은 무엇인가?

(A) 붉은 감자
(B) 햇감자
(C) 흰 감자
(D) 곰팡이가 핀 감자

유형 세부 내용 파악

풀이 두 번째 문단에서 'The white potato contains large quantities of potassium and iron and has some fiber and protein.'에서 흰 감자에 관해 언급하였으므로 (C)가 정답이다.

9. According to the passage, what do potatoes NOT contain?

(A) iron
(B) fiber
(C) calcium
(D) potassium

해석 지문에 따르면, 감자에 함유되지 않은 것은 무엇인가?

(A) 철
(B) 섬유질
(C) 칼슘
(D) 칼륨

유형 세부 내용 파악

풀이 두 번째 문단의 'Nevertheless, the potato lacks essential elements such as calcium and zinc.'에서 감자에 칼슘과 아연과 같은 필수 영양분이 없다고 하였으므로 (C)가 정답이다. 나머지 선택지는 두 번째 문단의 'The white potato contains large quantities of potassium and iron and has some fiber and protein.'에서 모두 감자에 포함되어 있다고 나와 있으므로 오답이다.

10. According to the passage, what could cause starvation?
    (A) liking a food too much
    (B) eating cake every day
    (C) being bored with a food
    (D) drinking water with a meal

해석 지문에 따르면, 무엇이 굶주림을 유발할 수 있는가?
(A) 음식을 너무 좋아하는 것
(B) 케이크를 매일 먹는 것
(C) 음식에 싫증이 나는 것
(D) 식사와 함께 물을 마시는 것

유형 세부 내용 파악

풀이 세 번째 문단의 'Moreover, the lack of appetite resulting from the boredom of eating just one food would probably lead to starvation first.'에서 한 가지 음식만 먹는 지루함으로 식욕을 잃게 되고, 이것이 굶주림으로 이어질 수 있다고 하였으므로 (C)가 정답이다.

Listening Practice

HJ2-4 p.40

While the ideal diet contains diverse foods that provide a full range of vitamins and minerals, in times of crisis humans have had to rely on a limited diet of just one food. For example, when one family of five was shipwrecked for 38 days, they managed to survive primarily off of sea turtle blood. However, if given a survival scenario like a zombie apocalypse, most nutritionists would not choose sea turtle blood. Instead, the lowly potato may be the better option.

The white potato contains large quantities of potassium and iron and has some fiber and protein. It is a food that contains most of the nutrients required by humans, although the amount of each nutrient is very small. Nevertheless, the potato lacks essential elements such as calcium and zinc. A person may be able to survive months eating only potatoes; however, that individual would go blind due to a lack of vitamins. Moreover, the lack of appetite resulting from the boredom of eating just one food would probably lead to starvation first.

Obviously, it is never suggested that people willingly reduce their diet to a single type of food. However, if the zombie apocalypse ever happened and you could only have one food, potatoes might be the best choice.

1. diet
2. apocalypse
3. nutritionists
4. fiber
5. appetite
6. starvation

Writing Practice

p.41

1. diet
2. apocalypse
3. nutritionist
4. fiber
5. appetite
6. starvation

Summary

In times of crisis when humans have to rely on a limited diet of just one food, potatoes may be the best choice. The white potato contains most of the nutrients required by humans, although the amount of each nutrient is very small and people could get bored eating it.

인간들이 오직 한 가지 음식으로 된 제한적인 식단에 의존해야만 하는 위기의 순간에는, 감자가 최상의 선택일 수 있다. 흰 감자는 인간이 필요로 하는 대부분의 영양분을 함유하고 있다, 비록 각 영양분의 양이 아주 적고 사람들이 먹다가 싫증이 날 수도 있지만 말이다.

Word Puzzle

p.42

Across	Down
4. starvation	1. fiber
6. apocalypse	2. nutritionist
	3. diet
	5. appetite

AMAZING STORIES p.43

An Allergy to Water

Allergy sufferers all over the world have to learn to avoid contact with certain substances. Individuals with a peanut allergy must not eat any foods with traces of peanuts. People with an allergy to wasp stings must avoid those insects. But what happens if someone is afflicted with an allergy to water?

Aquagenic urticaria is the name of the rare condition in which sufferers get rashes as soon as their skin comes in contact with water. Most sufferers are female, and they typically get the condition when they are teenagers. When their skin comes in contact with water, red bumps form on the skin. When the water is removed, the bumps go away 30 minutes to an hour later.

People with aquagenic urticaria can survive because they can usually still drink limited amounts of water. But they must be careful being around water. One sufferer said she can only take five-minute cold showers twice a week. She tries not to sweat or cry, and she must not be out in the rain.

The allergy's cause is a mystery to medical scientists. It is thought that it is probably not water itself but rather something inside the water that is causing the allergy. Otherwise, there could be something in the water that is reacting with something in the allergy sufferer's skin. Still, why this condition occurs and how it can be stopped are mysteries in the field of health.

물 알레르기

전 세계의 알레르기 환자들은 특정 물질과의 접촉을 피하는 것을 배워야 한다. 땅콩 알레르기가 있는 사람들은 땅콩이 조금이라도 있는 어떤 음식도 먹지 말아야 한다. 말벌 침에 알레르기가 있는 사람은 그 곤충들을 피해야 한다. 하지만 누군가가 물 알레르기로 고통받는다면 어떻게 될까?

물 두드러기(aquagenic urticaria)는 피부가 물에 닿자마자 환자에게 발진이 생기는 희귀 질환의 이름이다. 대부분의 환자들은 여성이고, 그들은 보통 10대일 때 그 질환에 걸린다. 그들의 피부가 물에 닿으면, 붉은 혹이 피부에 생긴다. 물기를 제거하면, 혹은 30분에서 한 시간 후에 사라진다.

물 두드러기가 있는 사람은 그래도 보통 제한된 양의 물을 마실 수 있기 때문에 생존할 수 있다. 하지만 그들은 물 주변에 있을 때 조심해야 한다. 한 환자는 매주 두 번 5분 동안만 찬물로 샤워를 할 수 있다고 전했다. 그녀는 땀을 흘리거나 울지 않으려고 애쓰며, 그녀는 비가 올 때 밖에 있어서는 안 된다.

이 알레르기의 원인은 의학자들에게 불가사의하다. 아마 물 자체라기보다는 물 안에 있는 무언가가 알레르기를 일으킨다고 여겨진다. 그렇지 않다면, 물 안에 알레르기 환자의 피부에 있는 무언가와 반응하는 무언가가 있을 수 있다. 여전히, 이 질환이 왜 생기고 어떻게 멈출 수 있는지는 의료계의 불가사의다.

Chapter 2. **Environment**

Unit 5 | Climate Change p.45

Part A. Picture Description p.47

1 (B) 2 (B)

Part B. Sentence Completion p.47

3 (B) 4 (B)

Part C. Practical Reading Comprehension p.48

5 (C) 6 (D)

Part D. General Reading Comprehension p.49

7 (A) 8 (B) 9 (A) 10 (D)

Listening Practice p.50

1 underway 2 documented
3 invasive 4 ticks
5 droughts 6 drastic

Writing Practice p.51

1 underway 2 documented
3 invasive species 4 tick
5 drought 6 drastic
Summary underway, occur, take, effects

Word Puzzle p.52

Across
1 tick 3 drastic
4 underway 5 documented
Down
2 invasive species 5 drought

Pre-reading Questions p.45

List three things that you know about climate change.

기후 변화에 대해 알고 있는 것 세 가지를 나열해보세요.

Reading Passage p.46

Climate Change

As humankind contributes more heat-trapping gases to the earth's atmosphere, climate change continues to disrupt the planet's natural systems. While many effects are already underway, scientists predict that within the next century other major impacts will occur.

The documented current impacts of climate change are numerous. They include melting Arctic sea ice as well as mountain glaciers. As a result of the melting ice, oceans are rising and certain wildlife species, such as sea turtles, are disappearing. At the same time, some invasive species are increasing, including Lyme disease-carrying ticks. Average rain and snowfall have risen across the entire planet, and at the same time some regions have seen more droughts, leading to water shortages.

Within the next decades other impacts are predicted to occur. Rising ocean temperatures will likely cause many worsening problems. Among these are stronger hurricanes, more intense heatwaves, less freshwater, and the spread of certain diseases such as malaria due to increased numbers of mosquitoes.

Climate change is real, and its many effects are drastic. Without immediate and aggressive action from governments around the world, it is unlikely that the intensification of these effects will be stopped or even slowed.

기후 변화

인류가 지구의 대기에 열을 가두는 기체를 더 많이 생성함에 따라, 기후 변화는 계속해서 이 행성의 생태계를 파괴하고 있다. 이미 많은 영향이 진행 중이지만, 과학자들은 다음 세기 안에 다른 중대한 영향이 발생하리라 예측한다.

문서로 기록된 기후 변화의 현재 영향은 수없이 많다. 그 중에는 산악 빙하뿐만 아니라 녹고 있는 북극해 얼음이 포함된다. 얼음이 녹게 되면서, 해양이 상승하고 바다거북과 같은 특정 야생동물 종들이 사라지고 있다. 동시에, 라임병을 옮기는 진드기를 비롯해 몇몇 외래종들이 늘어나고 있다. 평균 강수와 강우는 행성 전반에 걸쳐 증가했고, 동시에 몇몇 지역에서는 더 많은 가뭄을 겪었으며, 물 부족으로 이어졌다.

향후 수십 년 이내에 또 다른 영향이 발생할 것으로 예측된다. 해양 온도 상승으로 악화된 문제들이 많이 발생할 수 있다. 이 중에는 더 강력한 허리케인, 더 극심한 혹서, 감소된 담수, 그리고 증가된 모기 수로 인한 말라리아 등 특정 질병의 확산이 있다.

기후 변화는 실재하고, 그것의 많은 영향은 급격하다. 전 세계 정부들로부터 즉각적이고 적극적인 조치가 없다면, 이러한 영향들이 강력해지는 것을 멈추거나 심지어 느려지게 하는 것조차도 가능하지 않다.

어휘 climate 기후 | humankind 인류 | contribute 기여하다, 이바지하다; (~의) 한 원인이 되다 | heat-trapping 열을 가두는 | disrupt 방해하다, 지장을 주다, 분열하다 | effect 영향; 결과, 효과 | underway 진행 중인, 움직이고 있는 | impact (강력한) 영향, 충격 | documented 문서로 기록된 | current 현재의, 최근의 | numerous 수많은, 다수의 | melt 녹다[녹이다] | glacier 빙하 | wildlife 야생 동물 | invasive 침입하는, 침략적인 | tick 진드기 | region 지역, 지방 | drought 가뭄 | shortage 부족 | worsen 악화하다 | heatwave 열파(한동안의 혹서) | freshwater 담수 | spread 확산, 전파; 퍼뜨리다, 확산시키다 | drastic 급격한 | fall 감소, 하락, 떨어짐 | immediate 즉각적인 | aggressive 대단히 적극적인; 공격적인 | intensification 강화, 극화, 증대 | heavily 심하게, 아주 많이 | lessen 줄이다 | landslide 산사태 | negligible 무시해도 좋은, 대수롭지 않은, 사소한 | moderate 보통의, 중간의; 중도의, 온건한 | stock 주식; 재고품 | sea level 해수면 | coral 산호 | jellyfish 해파리 | case (질병, 부상 등의) 사례[환자]; 경우 | polar 극지의, 북극[남극]의 | polar bear 북극곰 | romantic 낭만적인 | optimistic 긍정적인 | pessimistic 비관적인 | apologetic 사죄하는, 변명의 | estimated 추정되는, 견적의 | premature 정상[예상]보다 이른, 조기의 | site 위치, 장소, 현장 | vegetation 초목, 식물 | genetic 유전의 | diversity 다양성 | extinct 멸종된 | approximate 근사치인, 비슷한, 대략의 | rate 비율, -율; 속도 | micro-dust 미세먼지 | shrink 줄어들다

Comprehension Questions p.47

1. This area is experiencing a <u>drought</u>.

(A) flood
(B) drought
(C) hurricane
(D) landslide

해석 이 지역은 <u>가뭄</u>을 겪고 있다.

(A) 홍수
(B) 가뭄
(C) 허리케인
(D) 산사태

풀이 땅이 갈라져 있고 식물들이 말라가고 있는 모습이다. 이는 오랫동안 비가 오지 않는 가뭄 현상이므로 (B)가 정답이다.

관련 문장 Average rain and snowfall have risen across the entire planet, and at the same time some regions have seen more droughts, leading to water shortages.

2. There has been a <u>drastic</u> fall in the stock market.

(A) slight
(B) drastic
(C) negligible
(D) moderate

해석 주식 시장에서 <u>급격한</u> 하락이 있었다.

(A) 약간의
(B) 급격한
(C) 무시해도 좋은
(D) 보통의

풀이 그래프의 화살표가 급격하게 곤두박질치고 있으므로 (B)가 정답이다.

관련 문장 Climate change is real, and its many effects are drastic.

3. Many regions have been <u>heavily</u> impacted by the weather.

(A) heavy
(B) heavily
(C) a heavy
(D) such heavily

해석 많은 지역이 날씨로 인해 <u>중대한</u> 영향을 받았다.

(A) 중대한
(B) 중대하게
(C) 어색한 표현
(D) 어색한 표현

풀이 빈칸이 문장의 동사 부분 'be'와 'impacted' 사이에 있고, 빈칸 없이도 완전한 문장이므로 부차적인 역할을 하는 단어가 적절하다. 따라서 부사인 (B)가 정답이다.

4. It is highly unlikely <u>that</u> these effects will lessen.

(A) for
(B) that
(C) feel
(D) to see

해석 이러한 영향들이 줄어들 가능성<u>은</u> 거의 없다.

(A) 전치사 for
(B) 접속사 that
(C) 느끼다
(D) 보는 것

풀이 '~가 ...하다'라는 뜻을 나타낼 때 가주어 it과 that 절을 사용하여 'It ... that ~'라고 표현할 수 있으므로 (B)가 정답이다. 빈칸 뒤의 문장 '(that) these effects will lessen'이 완전한 절이며 진주어 역할을 한다는 점에 주목한다.

관련 문장 [...] it is unlikely that the intensification of these effects will be stopped or even slowed.

[5-6]

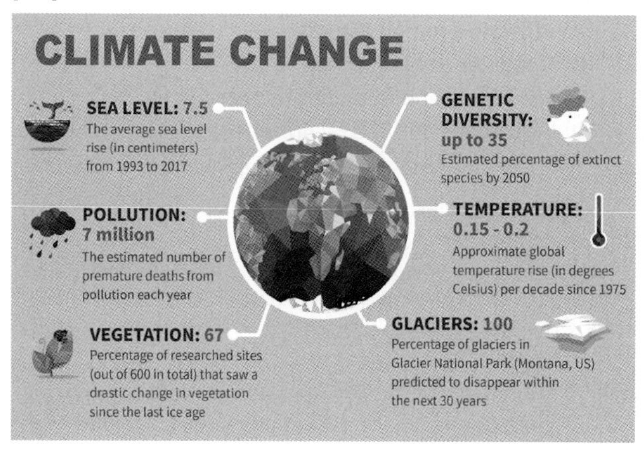

CLIMATE CHANGE
SEA LEVEL: 7.5
The average sea level rise (in centimeters) from 1993 to 2017
POLLUTION: 7 million
The estimated number of premature deaths from pollution each year
VEGETATION: 67
Percentage of researched sites (out of 600 in total) that saw a drastic change in vegetation since the last ice age
GENETIC DIVERSITY: up to 35
Estimated percentage of extinct species by 2050
TEMPERATURE: 0.15 - 0.2
Approximate global temperature rise (in degrees Celsius) per decade since 1975
GLACIERS: 100
Percentage of glaciers in Glacier National Park (Montana, US) predicted to disappear within the next 30 years

해석

기후 변화	
해수면: 7.5 1993년에서 2017년까지 평균 해수면 상승 (단위 cm)	유전적 다양성: 35까지 2050년 기준 멸종된 종 추정 비율
오염: 700만 매년 오염으로 인한 조기 사망 추정치	기온: 0.15 - 0.2 1975년 이후 십 년마다 지구 온도 상승 근사치 (단위 섭씨온도)
초목: 67 마지막 빙하기 이후 초목에서 급격한 변화를 보인 조사 지역 (총 600곳 중)의 비율	빙하: 100 빙하 국립 공원 (몬태나 주, 미국)에서 향후 30년 안에 사라질 것으로 예측되는 빙하 비율

5. According to the infographic, what does 0.15 refer to?
(A) percentage rate of increase in sea levels globally
(B) people (in billions) who will die prematurely from micro-dust
(C) degrees that global temperature has risen since the seventies
(D) number of plants (in millions) that will disappear within thirty years

해석 정보 그래픽에 따르면, 0.15는 무엇을 나타내는가?
(A) 지구 해수면 상승 퍼센트 비율
(B) 미세 먼지로 조기 사망할 사람들 (단위 10억)
(C) 칠십 년대 이후 지구 온도가 상승한 정도
(D) 삼십 년 안에 사라질 식물의 수 (단위 100만)

풀이 0.15라는 수치는 'TEMPERATURE'(기온) 항목에 있으며, 1975년 이후 십 년 단위로 기록한 지구 온도 상승 근사치를 나타내는 것이라고 나와 있으므로 (C)가 정답이다.

6. What does the infographic state regarding glaciers?
(A) One hundred known glaciers in Antarctica are melting.
(B) Most of the glaciers in a national park have shrunk by 30%
(C) There are only 100 polar bears left in Glacier National Park.
(D) All of the ones in a US park could be gone in three decades.

해석 빙하에 관해 정보 그래픽에서 명시하는 것은 무엇인가?
(A) 남극의 알려진 빙하 백 개가 녹고 있다.
(B) 한 국립 공원의 빙하 대부분이 30%만큼 줄었다.
(C) 빙하 국립 공원에 북극곰이 겨우 100마리만 남았다.
(D) 미국의 한 공원에 있는 모든 빙하가 삼십 년 안에 사라질 수 있다.

풀이 'GLACIERS'(빙하) 항목의 수치는 한 미국 국립 공원에서 향후 30년 이내에 사라질 빙하의 퍼센트(%) 비율을 나타낸다고 나와 있다. 그런데 수치가 100이라는 것은 국립 공원에 있는 빙하의 100%, 즉 전부 사라진다는 의미이므로 (D)가 정답이다.

[7-10]

As humankind contributes more heat-trapping gases to the earth's atmosphere, climate change continues to disrupt the planet's natural systems. While many effects are already underway, scientists predict that within the next century other major impacts will occur.

The documented current impacts of climate change are numerous. They include melting Arctic sea ice as well as mountain glaciers. As a result of the melting ice, oceans are rising and certain wildlife species, such as sea turtles, are disappearing. At the same time, some invasive species are increasing, including Lyme disease-carrying ticks. Average rain and snowfall have risen across the entire planet, and at the same time some regions have seen more droughts, leading to water shortages.

Within the next decades other impacts are predicted to occur. Rising ocean temperatures will likely cause many worsening problems. Among these are stronger hurricanes, more intense heatwaves, less freshwater, and the spread of certain diseases such as malaria due to increased numbers of mosquitoes.

Climate change is real, and its many effects are drastic. Without immediate and aggressive action from governments around the world, it is unlikely that the intensification of these effects will be stopped or even slowed.

해석

인류가 지구의 대기에 열을 가두는 기체를 더 많이 생성함에 따라, 기후 변화는 계속해서 이 행성의 생태계를 파괴하고 있다. 이미 많은 영향이 진행 중이지만, 과학자들은 다음 세기 안에 다른 중대한 영향이 발생하리라 예측한다.

문서로 기록된 기후 변화의 현재 영향은 수없이 많다. 그 중에는 산악 빙하뿐만 아니라 녹고 있는 북극해 얼음이 포함된다. 얼음이 녹게 되면서, 해양이 상승하고 바다거북과 같은 특정 야생동물 종들이 사라지고 있다. 동시에, 라임병을 옮기는 진드기를 비롯해 몇몇 외래종들이 늘어나고 있다. 평균 강수와 강우는 행성 전반에 걸쳐 증가했고, 동시에 몇몇 지역에서는 더 많은 가뭄을 겪었으며, 물 부족으로 이어졌다.

향후 수십 년 이내에 또 다른 영향이 발생할 것으로 예측된다. 해양 온도 상승으로 악화된 문제들이 많이 발생할 수 있다. 이 중에는 더 강력한 허리케인, 더 극심한 혹서, 감소된 담수, 그리고 증가된 모기 수로 인한 말라리아 등 특정 질병의 확산이 있다.

기후 변화는 실재하고, 그것의 많은 영향은 급격하다. 전 세계 정부들로부터 즉각적이고 적극적인 조치가 없다면, 이러한 영향들이 강력해지는 것을 멈추거나 심지어 느려지게 하는 것조차도 가능하지 않다.

7. What would be the best title for the passage?

(A) Climate Change Effects
(B) The Science of Weather
(C) Sea Levels and Climate Change
(D) Individuals and the Environment

해석 이 지문에 가장 알맞은 제목은 무엇인가?

(A) 기후 변화 영향
(B) 기상학
(C) 해수면과 기후 변화
(D) 개인과 환경

유형 전체 내용 파악

풀이 첫 번째 문단에서 기후 변화('climate change')의 영향이라는 중심 소재를 암시하고, 이어서 두 번째와 세 번째 문단에서 현재에 이미 나타났거나 미래에 발생할 기후 변화의 부정적 영향을 설명한 뒤, 마지막 문단에서 문제 해결에 전 세계적인 노력이 필요함을 암시하며 글을 마무리하고 있다. 따라서 (A)가 정답이다.

8. What ocean creatures are mentioned in the passage?

(A) coral
(B) turtles
(C) whales
(D) jellyfish

해석 어떤 해양 생물이 지문에서 언급되었는가?

(A) 산호
(B) 거북
(C) 고래
(D) 해파리

유형 세부 내용 파악

풀이 두 번째 문단의 'As a result of the melting ice, oceans are rising and certain wildlife species, such as sea turtles, are disappearing.'에서 얼음이 녹아 해수면이 상승하고, 그 결과로 사라지는 동물에 대한 예시로 바다 거북을 언급했으므로 (B)가 정답이다.

9. According to the passage, what may increase?

(A) cases of malaria
(B) human population
(C) polar bear attacks
(D) the number of farms

해석 지문에 따르면, 무엇이 증가할지도 모르는가?

(A) 말라리아 사례
(B) 인구
(C) 북극곰 습격
(D) 농장의 개수

유형 세부 내용 파악 & 추론하기

풀이 세 번째 문단의 'the spread of certain diseases such as malaria due to increased numbers of mosquitoes'에서 해수면 상승의 여파로 모기 수가 증가하고 그로 인해 말라리아 환자도 증가할 수 있음을 언급하였으므로 (A)가 정답이다.

10. Which would best describe the tone of the passage?

(A) romantic
(B) optimistic
(C) apologetic
(D) pessimistic

해석 이 지문의 어조로 가장 알맞은 것은 무엇인가?

(A) 낭만적인
(B) 낙관적인
(C) 사죄하는
(D) 비관적인

유형 세부 내용 파악

풀이 해당 지문은 기후 변화의 현재 영향뿐만 아니라 미래에 발생할 부정적 영향도 언급하고 있다. 특히 마지막 문단에서 전 세계적인 노력이 없다면 기후 변화의 부정적 여파는 계속될 것이라며 비관적 전망을 내비치고 있다. 따라서 (D)가 정답이다.

Listening Practice

HJ2-5 p.50

As humankind contributes more heat-trapping gases to the earth's atmosphere, climate change continues to disrupt the planet's natural systems. While many effects are already <u>underway</u>, scientists predict that within the next century other major impacts will occur.

The <u>documented</u> current impacts of climate change are numerous. They include melting Arctic sea ice as well as mountain glaciers. As a result of the melting ice, oceans are rising and certain wildlife species, such as sea turtles, are disappearing. At the same time, some <u>invasive</u> species are increasing, including Lyme disease-carrying <u>ticks</u>. Average rain and snowfall have risen across the entire planet, and at the same time some regions have seen more <u>droughts</u>, leading to water shortages.

Within the next decades other impacts are predicted to occur. Rising ocean temperatures will likely cause many worsening problems. Among these are stronger hurricanes, more intense heatwaves, less freshwater, and the spread of certain diseases such as malaria due to increased numbers of mosquitoes.

Climate change is real, and its many effects are <u>drastic</u>. Without immediate and aggressive action from governments around the world, it is unlikely that the intensification of these effects will be stopped or even slowed.

1. underway
2. documented
3. invasive
4. ticks
5. droughts
6. drastic

Writing Practice

p.51

1. underway
2. documented
3. invasive species
4. tick
5. drought
6. drastic

Summary

While many effects from climate change are <u>underway</u>, it is predicted that within the next century other major impacts will <u>occur</u>. If governments around the world do not <u>take</u> immediate action, the intensification of these <u>effects</u> is unlikely to be stopped or even slowed.

기후 변화의 많은 영향이 <u>진행 중</u>이지만, 다음 세기 안에 또 다른 중대한 영향들이 <u>발생할</u> 것으로 예측된다. 전 세계 정부들이 즉각적인 조치를 <u>취하지</u> 않으면, 이 <u>영향들</u>이 강력해지는 현상을 멈추거나 심지어 늦추는 것조차도 가능하지 않다.

Word Puzzle

p.52

Across	Down
1. tick	2. invasive species
3. drastic	5. drought
4. underway	
5. documented	

Unit 6 | Drone-based Delivery p.53

Part A. Picture Description p.55

1 (A) 2 (C)

Part B. Sentence Completion p.55

3 (C) 4 (A)

Part C. Practical Reading Comprehension p.56

5 (B) 6 (B)

Part D. General Reading Comprehension p.57

7 (C) 8 (C) 9 (D) 10 (C)

Listening Practice p.58

1 prompted	2 retailers
3 Proponents	4 claim
5 fuels	6 adjusted

Writing Practice p.59

1 prompt	2 retailer
3 proponent	4 claim
5 fossil fuel	6 adjust

Summary explored, delivery, alternative, saves

Word Puzzle p.60

Across

4 fossil fuel	5 prompt

Down

1 retailer	2 adjust
3 claim	5 proponent

Pre-reading Questions p.53

Have you ever seen someone using a drone?

What were they using it for? Have you tried using a drone?

드론을 사용하는 사람을 본 적이 있나요?

무엇 때문에 그것을 사용하고 있었나요? 드론을 사용해봤나요?

Reading Passage p.54

Drone-based Delivery

Increased capabilities by drones have prompted online retailers to explore drone-based delivery as an alternative to delivery by trucks. Proponents of this new type of service claim that not only can it help clear traffic from streets, but that it could also save energy.

However, some researchers argue that whether or not an electric-powered drone saves energy is not so obvious. It depends on what kind of fuel the truck uses, how large the drone is, and what needs to be delivered. Where the energy is produced matters as some regions have more environmentally friendly ways of making electricity. The weight of the package matters, too. A drone requires a lot of energy to be able to take off from the ground carrying a heavy item. Furthermore, trucks do not necessarily need to run on fossil fuels. They could be electric-powered vehicles, and the electricity could be generated from low CO_2-creating sources, such as wind or solar power.

One group of environmental scientists claims that a system might be more energy-efficient if heavier packages are delivered by electric-powered vehicles and single light packages are delivered by electric-powered drones. It will be interesting to find out how drone-based delivery can be adjusted for maximum energy efficiency in the future.

드론 기반 배달

드론의 향상된 성능은 온라인 소매업자들로 하여금 트럭 배달의 대안으로 드론 기반 배달을 모색하도록 했다. 이 새로운 유형의 서비스를 지지하는 이들은 그것이 거리의 교통을 원활하게 하는 데 도움이 될 수 있을 뿐만 아니라, 에너지를 절약할 수도 있다고 주장한다.

하지만, 일부 연구자들은 전기 동력 드론이 에너지를 절약할 수 있는지 아닌지는 분명하지 않다고 주장한다. 그것은 트럭이 어떤 연료를 사용하는지, 드론이 얼마나 큰지, 그리고 무엇이 배달되어야 하는지에 따라 달려 있다. 어떤 지역은 환경친화적인 방법으로 전기를 생산하기 때문에 에너지가 어디서 생산되는지는 중요하다. 소포의 무게도 중요하다. 드론 한 대가 무거운 물건을 싣고 땅에서 이륙하려면 많은 에너지를 필요로 한다. 더욱이, 트럭이 반드시 화석 연료로 운행될 필요는 없다. 그것들은 전기 동력 차량일 수 있고, 전기는 풍력이나 태양열 발전과 같이 이산화탄소를 적게 생성하는 전력원으로부터 생산될 수 있다.

한 환경과학자 집단은 더 무거운 물품은 전기 동력 차량으로 배달하고 가벼운 단일 물품은 전기 동력 드론으로 배달할 경우 (배달) 체계가 더 에너지 효율적일 수 있다고 주장한다. 드론 기반 배달이 미래에 최대 에너지 효율을 위해 어떻게 조절될 수 있는지 알아보는 일은 흥미로울 것이다.

어휘 capability 성능, 기능; 능력, 수용력 | prompt ~하도록 하다 | retailer 소매업자, 소매상 | explore 탐구하다, 조사하다 | alternative 대안 | proponent 지지자 | claim 주장하다 | clear (움직임, 흐름 등이) 원활하게 하다 | electric-powered 전기를 (동력으로) 이용하는 | depend on ~에 달려 있다, 결정되다; ~에 의존하다 | matter 중요하다; 문제 되다 | environmentally friendly 환경친화적인 | take off 이륙하다 | fossil 화석 | fuel 연료 | vehicle 차량; 매개체 | generate 발생시키다, 만들어 내다 | solar 태양열을 이용한, 태양의 | energy-efficient 에너지 효율적인, 연비가 좋은 | adjust 조정[조절]하다 | maximum 최고[최대]의 | efficiency 효율성 | wind farm 풍력 발전 지역 | tidal 조수의 | fashion (특히 손으로) 만들다[빚다] | surveillance 감시 | versus 대(對), ~에 비해[~와 대조적으로] | profit 이익, 수익 | diesel 디젤 | state-of-the-art 최첨단의, 최신식의 | precision 정밀함, 정확성 | desired 원하는, 바랐던, 희망하는 | monitor 감시하다, 관찰하다 | deforestation 삼림 벌채[파괴] | lightweight 경량의, 가벼운 | modernity 현대성 | obvious 확실한[분명한]

Comprehension Questions p.55

1. They are aiming to get <u>fossil fuels</u>.

   (A) fossil fuels
   (B) wind farms
   (C) tidal energy
   (D) solar power

해석 그들은 <u>화석 연료</u> 확보를 목표로 하고 있다.

(A) 화석 연료
(B) 풍력 발전 단지
(C) 조수 에너지
(D) 태양열 발전

풀이 오일펌프를 이용해 땅 깊숙한 곳에서 원유를 시추하고 있는 모습이다. 원유는 화석 연료의 일종이므로 (A)가 정답이다.

관련 문장 Furthermore, trucks do not necessarily need to run on fossil fuels.

2. He is <u>adjusting</u> the volume.

   (A) turning
   (B) moving
   (C) adjusting
   (D) fashioning

해석 그는 볼륨을 <u>조절하고</u> 있다.

(A) 돌리는
(B) 옮기는
(C) 조절하는
(D) 빚는

풀이 볼륨 버튼을 돌려서 볼륨을 조절하고 있는 모습이므로 (C)가 정답이다.

관련 문장 It will be interesting to find out how drone-based delivery can be adjusted for maximum energy efficiency in the future.

3. Do I like dogs? It really depends <u>on</u> the dog.

   (A) at
   (B) in
   (C) on
   (D) for

해석 제가 개를 좋아하냐고요? 그건 개<u>에 따라</u> 달라요.

(A) ~에
(B) ~ 안에
(C) ~ 위에
(D) ~을 위해

풀이 '~에 따라 달려 있다, ~에 따라 결정되다'라는 뜻을 표현할 때 전치사 'on'을 사용하여 'depend on'이라고 표현하므로 (C)가 정답이다.

관련 문장 It depends on what kind of fuel the truck uses, how large the drone is, and what needs to be delivered.

4. Proponents of the new law <u>claim</u> that it will help delivery drivers.

   (A) claim
   (B) claims
   (C) are claim
   (D) has claimed

해석 새로운 법의 지지자들은 그것이 배달 기사들에게 도움이 될 것이라고 <u>주장한다</u>.

(A) 주장하다
(B) 주장하다
(C) 어색한 표현
(D) 주장해왔다

풀이 빈칸은 주어의 동사 자리이며, 주어가 'Proponents of the new law'로 3인칭 복수이기 때문에 (A)가 정답이다. (B)는 주어가 3인칭 단수일 때 적합한 동사 활용형이므로 오답이다.

관련 문장 Proponents of this new type of service claim that not only can it help clear traffic from streets, but that it could also save energy.

[5-6]

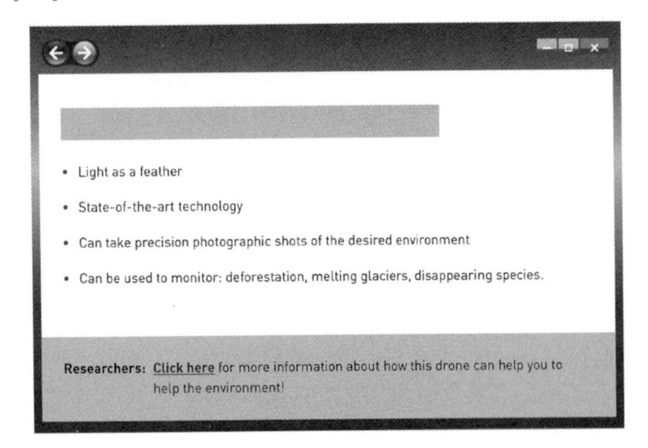

Light as a feather
State-of-the-art technology
Can take precision photographic shots of the desired environment
Can be used to monitor: deforestation, melting glaciers, disappearing species.
Researchers: Click here for more information about how this drone can help you to help the environment!

해석

____

- 깃털처럼 가벼움
- 최신 기술
- 원하는 환경에서 정밀한 사진 촬영 가능
- 감시용으로 사용 가능: 삼림 벌채, 녹고 있는 빙하, 사라지고 있는 종(種)들

연구자: 이 드론이 환경을 돕는데 여러분을 어떻게 도울 수 있는지 더 자세한 정보를 보시려면 여기를 클릭하세요.

5. Which of the following would best go in the blank?

(A) Fun Drone for Kids
(B) Lightweight Eco-Drone
(C) Classroom Monitor Drone
(D) Photography for Festivals

해석 다음 중 빈칸에 들어갈 말로 가장 적절한 것은 무엇인가?

(A) 아동용 재미있는 드론
(B) 경량 환경 드론
(C) 교실 감시 드론
(D) 축제 사진 촬영

풀이 'Light as a feather'에서 해당 물품이 가볍다는 점, 'Can take precision photographic shots of the desired environment'에서 이 물품을 이용하여 원하는 환경을 정밀하게 찍을 수 있다는 점, 'Can be used to monitor [...]'에서 여러 부정적인 환경 현상을 감시하는 데 쓰일 수 있다는 점을 설명하고 있다. 따라서 해당 물품은 무게가 가벼우면서 자연과 환경의 모습을 넓게 조망할 수 있는 촬영용 드론이라는 것을 추론할 수 있으므로 (B)가 정답이다.

6. Which of the following is NOT mentioned?

(A) uses of the drone
(B) how the drone charges
(C) how to get further details
(D) the modernity of the technology

해석 다음 중 언급되지 않은 것은 무엇인가?

(A) 드론의 용도
(B) 드론 충전하는 법
(C) 더 자세한 정보 얻는 법
(D) 기술의 현대성

풀이 드론이 어떻게 충전되는지는 화면에서 언급되지 않았으므로 (B)가 정답이다. (A)는 'Can take precision photographic shots [...]', 'Can be used to monitor [...]'에서 용도가 언급되었으므로 오답이다. (C)는 'Click here for more information [...]'에서, (D)는 'State-of-the-art technology'에서 확인할 수 있으므로 오답이다.

[7-10]

Increased capabilities by drones have prompted online retailers to explore drone-based delivery as an alternative to delivery by trucks. Proponents of this new type of service claim that not only can it help clear traffic from streets, but that it could also save energy.

However, some researchers argue that whether or not an electric-powered drone saves energy is not so obvious. It depends on what kind of fuel the truck uses, how large the drone is, and what needs to be delivered. Where the energy is produced matters as some regions have more environmentally friendly ways of making electricity. The weight of the package matters, too. A drone requires a lot of energy to be able to take off from the ground carrying a heavy item. Furthermore, trucks do not necessarily need to run on fossil fuels. They could be electric-powered vehicles, and the electricity could be generated from low CO_2-creating sources, such as wind or solar power.

One group of environmental scientists claims that a system might be more energy-efficient if heavier packages are delivered by electric-powered vehicles and single light packages are delivered by electric-powered drones. It will be interesting to find out how drone-based delivery can be adjusted for maximum energy efficiency in the future.

해석

드론의 향상된 성능은 온라인 소매업자들로 하여금 트럭 배달의 대안으로 드론 기반 배달을 모색하도록 했다. 이 새로운 유형의 서비스를 지지하는 이들은 그것이 거리의 교통을 원활하게 하는 데 도움이 될 수 있을 뿐만 아니라, 에너지를 절약할 수도 있다고 주장한다.

하지만, 일부 연구자들은 전기 동력 드론이 에너지를 절약할 수 있는지 아닌지는 분명하지 않다고 주장한다. 그것은 트럭이 어떤 연료를 사용하는지, 드론이 얼마나 큰지, 그리고 무엇이 배달되어야 하는지에 따라 달려 있다. 어떤 지역은 환경친화적인 방법으로 전기를 생산하기 때문에 에너지가 어디서 생산되는지는 중요하다. 소포의 무게도 중요하다. 드론 한 대가 무거운 물건을 싣고 땅에서 이륙하려면 많은 에너지를 필요로 한다. 더욱이, 트럭이 반드시 화석 연료로 운행될 필요는 없다. 그것들은 전기 동력 차량일 수 있고, 전기는 풍력이나 태양열 발전과 같이 이산화탄소를 적게 생성하는 전력원으로부터 생산될 수 있다.

한 환경과학자 집단은 더 무거운 물품은 전기 동력 차량으로 배달하고 가벼운 단일 물품은 전기 동력 드론으로 배달할 경우 (배달) 체계가 더 에너지 효율적일 수 있다고 주장한다. 드론 기반 배달이 미래에 최대 에너지 효율을 위해 어떻게 조절될 수 있는지 알아보는 일은 흥미로울 것이다.

7. What is the main topic of the passage?

(A) drones for environment surveillance
(B) saving money through online shopping
(C) drone-based versus truck-based delivery
(D) self-driving vehicles versus human-driven ones

해석 이 지문의 중심 소재는 무엇인가?

(A) 환경 감시용 드론
(B) 온라인 쇼핑을 통한 비용 절약
(C) 드론 기반 대 트럭 기반 배달
(D) 자율주행 차량 대 사람이 운전하는 차량

유형 전체 내용 파악

풀이 첫 번째 문단에서 트럭 배달의 대안으로 떠오르고 있는 드론 기반 배달이라는 중심 소재와 이 드론 기반 배달이 에너지를 절약할 수 있다는 주장을 소개하고, 두 번째 문단에서 과연 이 드론 기반 배달이 정말 에너지를 절약할 수 있는지, 어떤 요소를 고려할 수 있는지 드론과 트럭을 구체적으로 비교한 뒤, 마지막 문단에서 미래의 배달 체제가 어떻게 바뀔 것인지 궁금해하며 글을 마무리 짓고 있다. 따라서 중심 내용은 드론 기반 배달과 트럭 기반 배달의 비교와 대조이므로 (C)가 정답이다.

8. Which of the following is NOT mentioned?

(A) truck fuel
(B) drone size
(C) vehicle color
(D) package weight

해석 다음 중 언급되지 않은 것은 무엇인가?

(A) 트럭 연료
(B) 드론 크기
(C) 차량 색깔
(D) 짐 무게

유형 세부 내용 파악

풀이 지문에서 트럭이라는 차량이 언급되기는 하였으나 색깔에 관한 내용은 없으므로 (C)가 정답이다. (A)와 (B)는 두 번째 문단의 'It depends on what kind of fuel the truck uses, how large the drone is, and what needs to be delivered.'에서, (D)는 같은 문단의 'The weight of the package matters, too.'에서 확인할 수 있으므로 오답이다.

9. According to the passage, why does it matter where the energy is produced?

(A) Certain cities sell their electricity for a profit.
(B) Many countries have too little sunshine for solar power.
(C) A few regions have a ban on using electricity for drones.
(D) Some places have more environmentally friendly energy production.

해석 지문에 따르면, 에너지가 어디서 생산되는지가 중요한 이유는 무엇인가?

(A) 특정 도시는 이익을 위해 전기를 판매한다.
(B) 많은 나라는 태양력 발전을 하기에 햇빛이 너무 적다.
(C) 소수 지역에서는 드론에 전기 사용을 금지하고 있다.
(D) 어떤 지역에서는 더 환경친화적인 에너지 생산을 하고 있다.

유형 세부 내용 파악

풀이 두 번째 문단에서 전기 드론 배달의 효율성을 논할 때 중요한 요소 중 전기 생산 지역을 언급하고 있다. 구체적으로 'Where the energy is produced matters as some regions have more environmentally friendly ways of making electricity.'에서 어떤 지역은 더 환경친화적으로 전기를 생산하기 때문에 전기 생산 지역이 어디인지가 중요하다고 했으므로 (D)가 정답이다.

10. According to the passage, which delivery method is recommended by a group of environmental scientists for a small, individual package?

(A) diesel truck
(B) electric truck
(C) electric drone
(D) gas-powered drone

해석 지문에 따르면, 다음 중 어떤 배달 방식이 소규모 개별 물품용으로 환경과학자 집단에 의해 권장되었는가?

(A) 디젤 트럭
(B) 전기 트럭
(C) 전기 드론
(D) 가스 동력 드론

유형 세부 내용 파악

풀이 세 번째 문단의 'One group of environmental scientists claims that a system might be more energy-efficient if [...] single light packages are delivered by electric-powered drones.'에서 한 환경과학자 집단이 가벼운 단일 물품은 전기 동력 드론으로 배달하면 에너지 효율적이라고 주장한다고 했으므로 (C)가 정답이다. 지문의 'single light packages'가 문제에서 'a small, individual package'로 재표현된 점도 유의한다. (B)는 전기 트럭은 무거운 물품을 옮길 때 더 효율적이라고 주장하였으므로 오답이다.

Listening Practice

HJ2-6 p.58

Increased capabilities by drones have <u>prompted</u> online <u>retailers</u> to explore drone-based delivery as an alternative to delivery by trucks. <u>Proponents</u> of this new type of service <u>claim</u> that not only can it help clear traffic from streets, but that it could also save energy.

However, some researchers argue that whether or not an electric-powered drone saves energy is not so obvious. It depends on what kind of fuel the truck uses, how large the drone is, and what needs to be delivered. Where the energy is produced matters as some regions have more environmentally friendly ways of making electricity. The weight of the package matters, too. A drone requires a lot of energy to be able to take off from the ground carrying a heavy item. Furthermore, trucks do not necessarily need to run on fossil <u>fuels</u>. They could be electric-powered vehicles, and the electricity could be generated from low CO_2-creating sources, such as wind or solar power.

One group of environmental scientists claims that a system might be more energy-efficient if heavier packages are delivered by electric-powered vehicles and single light packages are delivered by electric-powered drones. It will be interesting to find out how drone-based delivery can be <u>adjusted</u> for maximum energy efficiency in the future.

1. prompted
2. retailers
3. Proponents
4. claim
5. fuels
6. adjusted

Writing Practice p.59

1. prompt
2. retailer
3. proponent
4. claim
5. fossil fuel
6. adjust

Summary

As capabilities by drones have increased, online retailers have explored drone-based delivery as an alternative to delivery by trucks. While supporters of drone-based delivery say it will save energy, some researchers argue that whether or not an electric-powered drone saves energy is not so obvious for many reasons.

드론의 성능이 향상됨에 따라, 온라인 소매업자들은 트럭 배달의 대안으로 드론 기반 배달을 모색해왔다. 드론 기반 배달의 지지자들은 그것이 에너지를 절약할 것이라고 말하고 있으나, 일부 연구자들은 전기 동력 드론이 에너지를 절약하는지 아닌지는 많은 이유로 그렇게 분명하지 않다고 주장한다.

Word Puzzle p.60

Across	Down
4. fossil fuel	1. retailer
5. prompt	2. adjust
	3. claim
	5. proponent

Unit 7 | The Nene p.61

Part A. Picture Description p.63

1 (A) 2 (B)

Part B. Sentence Completion p.63

3 (A) 4 (B)

Part C. Practical Reading Comprehension p.64

5 (D) 6 (A)

Part D. General Reading Comprehension p.65

7 (D) 8 (D) 9 (A) 10 (D)

Listening Practice p.66

1 goose 2 evolved
3 declined 4 Estimates
5 endangered 6 suggest

Writing Practice p.67

1 goose 2 evolve
3 decline 4 estimate
5 endangered 6 suggest
Summary endangered, zoologists, save, taken

Word Puzzle p.68

Across
5 endangered 6 evolve
Down
1 estimate 2 goose
3 suggest 4 decline

Pre-reading Questions p.61

Which birds are protected in your region?

당신의 지역에서는 어떤 새들이 보호되고 있나요?

Reading Passage p.62

The Nene

The nene, also known as the Hawaiian goose, is a bird that can only be found on the islands of Hawaii. Scientists believe that Canada geese came to Hawaii when the islands first formed 500,000 years ago. They slowly evolved into this new species. This new type of goose made a soft sound like "nay, nay," and so the Hawaiians called the bird "nene."

The population of nene has declined ever since the Western explorers first visited the islands in 1778. Estimates state there may have been as many as 25,000 nene at the time. However, many of the explorers hunted them, and new enemies like cats and pigs reduced the nene's numbers. By the early 1950s, there were only about thirty of the birds remaining. They were considered endangered and about to disappear forever.

Thankfully, zoologists worked very hard to save them. It took many years and a lot of effort, but by 2018 there were nearly 3,000 nene living on the Hawaiian islands, both in zoos and in nature. Some scientists and government officials even suggest that the nene can be taken off the list of endangered animals because of the successful efforts to save them.

네네

하와이 거위라고도 알려진 네네(nene)는 하와이섬에서만 발견할 수 있는 새이다. 과학자들은 50만 년 전에 (하와이)섬이 형성되었을 때 캐나다 거위들이 하와이로 왔다고 생각한다. 그들은 천천히 이 새로운 종으로 진화했다. 이 새로운 종류의 거위는 "아니, 아니(nay, nay)"와 같은 부드러운 소리를 냈고, 그래서 하와이 사람들은 그 새를 "네네(nene)"라고 불렀다.

네네의 개체수는 서양 탐험가들이 1778년에 (하와이) 섬에 처음 방문한 이래로 감소해왔다. 추정치에 의하면 당시에는 25,000마리 만큼의 네네들이 있었을지도 모른다. 하지만, 많은 탐험가들이 그들을 사냥했고, 고양이와 돼지 같은 새로운 적들이 네네의 수를 줄였다. 1950년대 초에 이르러서는, 겨우 삼십 마리 정도의 새들만 남아 있었다. 그들은 멸종 위기에 처한 것으로 여겨졌으며 영원히 사라질 참이었다.

다행스럽게도, 동물학자들이 그들을 구하려고 매우 열심히 노력했다. 많은 시간과 노력이 들었지만, 2018년에 이르러서 하와이섬의 동물원과 자연을 통틀어 거의 3,000 마리의 네네들이 살게 되었다. 일부 과학자들과 정부 관계자들은 그들을 구하기 위한 성공적인 노력 덕분에 네네들이 멸종 위기 동물 목록에서 제외될 수 있다고까지 제안하기도 한다.

어휘 nene 네네, 하와이기러기 | goose 거위 | geese goose의 복수형 | form 형성하다; 형성되다 | evolve (동식물 등이) 진화하다[시키다] | species 종(種: 생물 분류의 기초 단위) | population 개체수; 개체군 집단 | decline 감소하다; 감소, 하락, 축소 | estimate 추정(치), 추산 | state 명시하다, 서술하다, 진술하다; 주(州) | at the time 당시에 | explorer 탐험가 | reduce 줄이다, 축소하다 | endangered 멸종 위기에 처한 | zoologist 동물학자 | effort 노력 | official 공무원[관리] | take off ~을 제거하다 | fascinating 대단히 흥미로운, 매력적인 | heron 왜가리 | canary 카나리아 | duckling 새끼오리 | skyrocket 급등하다 | accumulate (서서히) 늘어나다[모이다]; 축적하다 | caution 조심, 주의 | illegal 불법적인 | harm 해치다 | harass 괴롭히다 | keep in mind that ~ ~을 명심하다 | fine 벌금; 좋은, 괜찮은 | offense 위법 행위, 범죄 | violation 위반, 위배 | division (조직의) 분과[부/국]; 나누기, 분배 | forestry 삼림 관리; 임학 | wildlife 야생 동물 | roadside 길가, 노변 | banner 현수막, 플래카드 | arrest 체포하다 | deport 강제 추방하다

Comprehension Questions p.63

1. These Canada <u>geese</u> will fly south in the winter.

(A) geese
(B) herons
(C) canaries
(D) ducklings

해석 이 캐나다 <u>거위들</u>은 겨울에 남쪽으로 날아갈 것이다.

(A) 거위들
(B) 왜가리들
(C) 카나리아들
(D) 새끼오리들

풀이 흰색 또는 회색 깃털, 짧은 부리와 다리가 특징인 거위 두 마리의 모습이므로 (A)가 정답이다.

관련 문장 Scientists believe that Canada geese came to Hawaii when the islands first formed 500,000 years ago.

2. The value has <u>declined</u>.

(A) jumped
(B) declined
(C) skyrocketed
(D) accumulated

해석 가치는 <u>감소했다</u>.

(A) 뛰었다
(B) 감소했다
(C) 급등했다
(D) 축적됐다

풀이 그래프의 화살표가 급격하게 감소하고 있으므로 (B)가 정답이다.

관련 문장 The population of nene has declined ever since the Western explorers first visited the islands in 1778.

3. New York, <u>also known as</u> the Big Apple, has a fascinating history.

(A) also known as
(B) is also known
(C) which also knows as
(D) which as also known

해석 빅 애플(Big Apple)<u>이라고도 알려진</u> 뉴욕은 매력적인 역사를 지니고 있다.

(A) ~라고도 알려진
(B) ~라고도 알려졌다
(C) 또한 ~라고 아는
(D) 어색한 표현

풀이 '______ the Big Apple'은 삽입 구문으로 문장의 주어 'New York'을 수식하는 역할을 하고 있다. '~라고 알려진'은 영어로 '(which is) known as ~'라고 표현하므로 여기에 'also'라는 부사를 더한 (A)가 정답이다. (C)와 (D)는 관계대명사 which를 사용하려면 'which is also known as'라고 표현해야 적절하므로 오답이다.

관련 문장 The nene, also known as the Hawaiian goose, is a bird that can only be found on the islands of Hawaii.

4. By the sixties there were only a few of those sharks left. <u>Never had before</u> the numbers been so low.

(A) Had never before
(B) Never had before
(C) We had before never
(D) There never before had

해석 육십 년대에 이르러서는 그 상어들 중 겨우 몇 마리만 남았다. 숫자가 그렇게 낮았던 적<u>은 전에는 전혀 없었다</u>.

(A) 전에 ~했던 적이 전혀 없다
(B) 전에 ~했던 적이 전혀 없다
(C) 우리는 전에 ~을 했던 적이 없다
(D) ~가 있었던 적이 전혀 없다

풀이 'Never, Not only, No'와 같은 부정어구는 강조를 위해 문장 앞으로 나올 수 있다. 이때 부정어구가 문장 앞에 나오면 주어와 동사가 자리를 바꾸며 도치가 일어난다. 따라서 'Never'가 문장 앞에 나오고 주어 'the numbers'와 조동사 'had'가 도치된 (B)가 정답이다.

새겨 두기 문장 구조 이해가 어렵다면 도치되기 이전 문장을 먼저 살펴보도록 한다.

'The numbers had never before been so low.'

→ ('never'가 문장 앞으로 나와서) '<u>Never</u> the numbers (had ______ before) been so low.'

→ (조동사 'had before'와 주어 'the numbers'가 도치되어) 'Never had before <u>the numbers</u> been so low.'

관련 문장 By the early 1950s, there were only about thirty of the birds remaining.

[5-6]

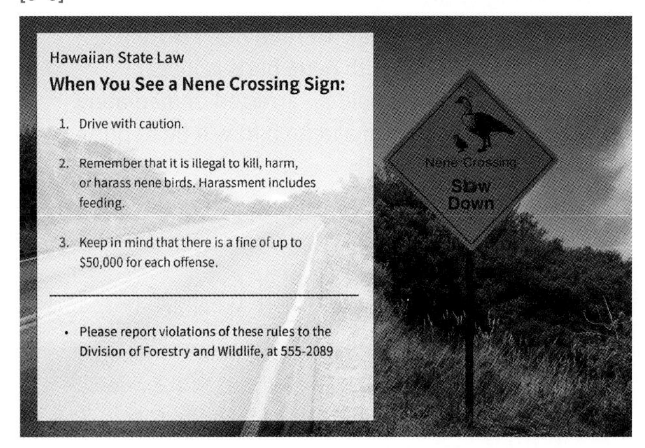

해석

하와이주의 법(法)
네네 횡단 표지판을 보았을 때:
1. 조심해서 운전하십시오.
2. 네네 새를 죽이거나, 해치거나, 괴롭히는 것은 불법임을 명심하십시오. 괴롭힘에는 먹이를 주는 것이 포함됩니다.
3. 각 위반에 대해 최대 50,000달러의 벌금이 부과됨을 유념하십시오.

• 해당 규칙 위반 행위는 555-2089를 통해, 산림 야생동물국에 보고해주시기 바랍니다.

5. Where would the announcement most likely NOT be posted?

(A) on a road sign
(B) on a website for drivers
(C) in a Hawaii tourist guide
(D) in a Guam police station

해석 이 공고가 게시될 장소로 가장 적절하지 않은 곳은 어디인가?

(A) 길가 현수막에서
(B) 운전자를 위한 웹사이트에서
(C) 하와이 관광 가이드에서
(D) 괌 경찰서에서

풀이 'Hawaiian State Law'라고 쓰여 있으므로 이 공고문은 하와이주와 관련된 곳에서 볼 가능성이 높음을 알 수 있다. 그런데 괌(Guam)은 서태평양에 있는 섬으로 하와이와는 다른 지역이므로 (D)가 정답이다. (A)와 (B)는 'When You See a Nene Crossing Sign', 'Drive with caution' 등에서 하와이에서 주행하는 운전자를 위한 공고문임을 짐작할 수 있으므로 오답이다. (C)는 공고문의 주된 내용이 하와이 주법에 따른 네네 새 관련 주의 사항이며, 이는 하와이 관광 안내 책자에 실릴만한 내용이므로 오답이다.

High Junior Book 2

6. According to the notice, what is true?

(A) It is against the law to feed nene birds.
(B) Driving in areas with nene birds is illegal.
(C) Rule-breakers should be arrested immediately.
(D) Tourists who harm a nene bird will be deported.

해석 안내문에 따르면, 옳은 내용은 무엇인가?

(A) 네네에게 먹이를 주는 것은 법에 어긋난다.
(B) 네네가 있는 지역에서 운전하는 것은 불법이다.
(C) 규칙 위반자는 즉각 체포되어야 한다.
(D) 네네를 해치는 관광객들은 강제 추방될 것이다.

풀이 두 번째 항목에서 네네를 괴롭히는 것은 불법이며, 'Harassment includes feeding'에서 괴롭히는 행동에는 먹이를 주는 것도 포함된다고 하였으므로 (A)가 정답이다. 안내문의 'illegal'이 선택지에서 'against the law'로 재표현된 점도 유의한다.

[7-10]

The nene, also known as the Hawaiian goose, is a bird that can only be found on the islands of Hawaii. Scientists believe that Canada geese came to Hawaii when the islands first formed 500,000 years ago. They slowly evolved into this new species. This new type of goose made a soft sound like "nay, nay," and so the Hawaiians called the bird "nene."

The population of nene has declined ever since the Western explorers first visited the islands in 1778. Estimates state there may have been as many as 25,000 nene at the time. However, many of the explorers hunted them, and new enemies like cats and pigs reduced the nene's numbers. By the early 1950s, there were only about thirty of the birds remaining. They were considered endangered and about to disappear forever.

Thankfully, zoologists worked very hard to save them. It took many years and a lot of effort, but by 2018 there were nearly 3,000 nene living on the Hawaiian islands, both in zoos and in nature. Some scientists and government officials even suggest that the nene can be taken off the list of endangered animals because of the successful efforts to save them.

해석

하와이 거위라고도 알려진 네네(nene)는 하와이섬에서만 발견할 수 있는 새이다. 과학자들은 50만 년 전에 (하와이)섬이 형성되었을 때 캐나다 거위들이 하와이로 왔다고 생각한다. 그들은 천천히 이 새로운 종으로 진화했다. 이 새로운 종류의 거위는 "아니, 아니(nay, nay)"와 같은 부드러운 소리를 냈고, 그래서 하와이 사람들은 그 새를 "네네(nene)"라고 불렀다.

네네의 개체수는 서양 탐험가들이 1778년에 (하와이) 섬에 처음 방문한 이래로 감소해왔다. 추정치에 의하면 당시에는 25,000마리 만큼의 네네들이 있었을지도 모른다. 하지만, 많은 탐험가들이 그들을 사냥했고, 고양이와 돼지 같은 새로운 적들이 네네의 수를 줄였다. 1950년대 초에 이르러서는, 겨우 삼십 마리 정도의 새들만 남아 있었다. 그들은 멸종 위기에 처한 것으로 여겨졌으며 영원히 사라질 참이었다.

다행스럽게도, 동물학자들이 그들을 구하려고 매우 열심히 노력했다. 많은 시간과 노력이 들었지만, 2018년에 이르러서 하와이섬의 동물원과 자연을 통틀어 거의 3,000 마리의 네네들이 살게 되었다. 일부 과학자들과 정부 관계자들은 그들을 구하기 위한 성공적인 노력 덕분에 네네들이 멸종 위기 동물 목록에서 제외될 수 있다고까지 제안하기도 한다.

7. Which would be the best title for the passage?

(A) Where Do Nene Live?
(B) What Killed off the Nene?
(C) How the Nene Got Its Name
(D) Hope for an Endangered Bird

해석 지문에 가장 알맞은 제목은 무엇인가?

(A) 네네는 어디서 사는가?
(B) 무엇이 네네를 몰살했는가?
(C) 네네 이름의 유래
(D) 멸종 위기 새에 대한 희망

유형 전체 내용 파악

풀이 첫 번째 문단에서 중심 소재인 네네에 관해 간략히 설명하고, 두 번째 문단에서 네네가 탐험가와 적들로 인해 개체수가 줄어들어 멸종 위기종이 되었다는 사실을 설명한 뒤, 세 번째 문단에서 동물학자들의 노력으로 네네의 개체수가 다시 늘어났다고 서술하고 있는 글이다. 따라서 멸종위기종이었던 네네가 멸종 위기종에서 벗어났다는 희망적인 내용이므로 (D)가 정답이다. (A)와 (C)는 첫 번째 문단에 관련 내용이 언급되기는 하지만 지문의 전체 내용이 아니라 일부만을 반영하는 제목이므로 오답이다. (B)는 네네가 완전히 몰살된('killed off') 것이 아니라 동물학자들의 노력으로 회생하였으므로 오답이다.

8. Where do nene live?

(A) Fiji
(B) Alaska
(C) Canada
(D) Hawaii

해석 네네는 어디에서 사는가?

(A) 피지
(B) 알래스카
(C) 캐나다
(D) 하와이

유형 세부 내용 파악

풀이 첫 번째 문단의 첫 문장 'The nene, also known as the Hawaiian goose, is a bird that can only be found on the islands of Hawaii.'에서 네네는 하와이섬에서만 발견할 수 있는 새라고 하였으므로 (D)가 정답이다.

9. When did the nene population start to go down?

(A) in the 1770s
(B) in the 1800s
(C) in the 1950s
(D) in the 2010s

해석 네네 개체 수가 줄어들기 시작한 때는 언제인가?

(A) 1770년대에
(B) 1800년대에
(C) 1950년대에
(D) 2010년대에

유형 세부 내용 파악

풀이 두 번째 문단의 'The population of nene has declined ever since the Western explorers first visited the islands in 1778.'에서 1778년 서부 탐험가들이 하와이섬에 오고 나서부터 네네의 개체수가 줄었다고 하였으므로 (A)가 정답이다. (D)는 2010년 후반에 동물학자들의 노력으로 오히려 개체수가 늘었으므로 오답이다.

10. Which of the following groups did NOT contribute to the nene's decline?

(A) pigs
(B) cats
(C) explorers
(D) zoologists

해석 다음 중 네네 감소에 기여하지 않은 집단은 무엇인가?

(A) 돼지
(B) 고양이
(C) 탐험가
(D) 동물학자

유형 세부 내용 파악

풀이 세 번째 문단에서 동물학자들이 네네를 구하려고 노력해서 개체수를 증가시켰으므로 (D)가 정답이다. 나머지 선택지는 두 번째 문단의 'However, many of the explorers hunted them, and new enemies like cats and pigs reduced the nene's numbers. [...]'에서 확인할 수 있으므로 오답이다.

Listening Practice

HJ2-7 p.66

The nene, also known as the Hawaiian goose, is a bird that can only be found on the islands of Hawaii. Scientists believe that Canada geese came to Hawaii when the islands first formed 500,000 years ago. They slowly evolved into this new species. This new type of goose made a soft sound like "nay, nay," and so the Hawaiians called the bird "nene."

The population of nene has declined ever since the Western explorers first visited the islands in 1778. Estimates state there may have been as many as 25,000 nene at the time. However, many of the explorers hunted them, and new enemies like cats and pigs reduced the nene's numbers. By the early 1950s, there were only about thirty of the birds remaining. They were considered endangered and about to disappear forever.

Thankfully, zoologists worked very hard to save them. It took many years and a lot of effort, but by 2018 there were nearly 3,000 nene living on the Hawaiian islands, both in zoos and in nature. Some scientists and government officials even suggest that the nene can be taken off the list of endangered animals because of the successful efforts to save them.

1. goose
2. evolved
3. declined
4. Estimates
5. endangered
6. suggest

Writing Practice

p.67

1. goose
2. evolve
3. decline
4. estimate
5. endangered
6. suggest

Summary

In the early 1950s, the population of nene became so small that the bird was considered endangered and about to disappear. Thankfully, zoologists worked very hard to save them. Because of these successful efforts, some propose that the nene can now be taken off the endangered animal list.

1950년대 초에는, 네네의 개체수가 매우 적어져서 이 새는 멸종 위기에 처한 종으로 여겨졌고 사라질 참이었다. 다행스럽게도, 동물학자들이 그들을 구하려고 매우 열심히 노력했다. 이 성공적인 노력 덕분에, 몇몇 사람들은 네네가 이제 멸종 위기에 처한 동물 목록에서 삭제될 수 있다고 제안한다.

Word Puzzle

p.68

Across	Down
5. endangered	1. estimate
6. evolve	2. goose
	3. suggest
	4. decline

Unit 8 | The Amazon p.69

Part A. Picture Description p.71

1 (C) 2 (D)

Part B. Sentence Completion p.71

3 (B) 4 (C)

Part C. Practical Reading Comprehension p.72

5 (C) 6 (C)

Part D. General Reading Comprehension p.73

7 (D) 8 (B) 9 (C) 10 (C)

Listening Practice p.74

1 winding 2 body of water
3 continents 4 broke away
5 Eventually 6 flow

Writing Practice p.75

1 winding 2 body of water
3 continent 4 break away
5 flow 6 eventually
Summary drastically, flow, formed, direction

Word Puzzle p.76

Across
1 body of water 4 winding
5 flow

Down
1 break away 2 eventually
3 continent

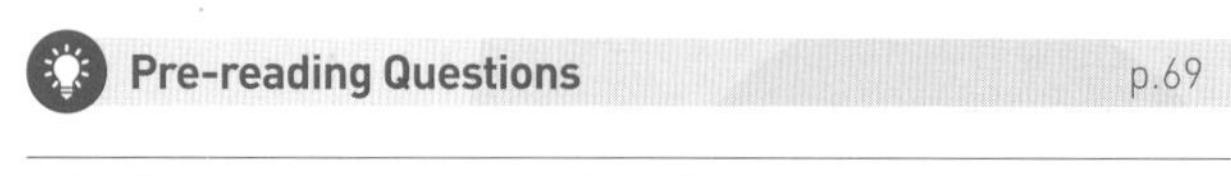

Pre-reading Questions p.69

Think! Does the Amazon River flow west to east or east to west?

생각해보세요! 아마존 강은 서쪽에서 동쪽으로 흐를까요 아니면 동쪽에서 서쪽으로 흐를까요?

Reading Passage p.70

The Amazon

Looking at a map today, one can see that the Amazon flows from west to east. The world's second longest river starts in the Andes Mountains of Peru and takes a long, winding path across South America until it reaches the Atlantic Ocean in the East. The Amazon River transports more water to the ocean than any other river. It would seem that such a large body of water would not see drastic changes in its history, but researchers have found that not to be true.

When the continents of South America and Africa were still connected millions of years ago, the Amazon and the Congo were one river system that flowed from east to west. Then as South America broke away from Africa, the Amazon's flow began to change. First, a small mountain range grew up halfway down the river, causing water to flow from the center of the continent to the oceans on both sides. Eventually, however, the Andes Mountains formed on the western side of South America. These mountains became extremely tall, causing all of the water of the Amazon River to flow away from them in the direction everyone knows today.

아마존

오늘날 지도를 보면, 아마존이 서쪽에서 동쪽으로 흐르는 것을 볼 수 있다. 이 세계에서 두 번째로 긴 강은 페루의 안데스산맥에서 시작하여 동부의 대서양에 도달할 때까지 남아메리카를 가로지르는 길고 굽이진 경로를 지난다. 아마존강은 다른 어떤 강보다 더 많은 물을 바다로 운반한다. 그렇게 거대한 수역은 역사 속에서 급격한 변화를 겪지 않았을 듯하지만, 연구자들은 그것이 사실이 아님을 발견했다.

남아메리카와 아프리카 대륙이 수백만 년 전 여전히 연결되어 있었을 때, 아마존과 콩고는 동쪽에서 서쪽으로 흘렀던 하나의 강 체계였다. 그 후 남아메리카가 아프리카에서 분리되면서, 아마존의 흐름이 변화하기 시작했다. 먼저, 작은 산맥이 강 중턱까지 커졌고, 이는 (남아메리카) 대륙의 중심에서 양쪽 해양으로 물이 흐르도록 했다. 그러나, 결국, 안데스산맥이 남아메리카의 서쪽에 형성되었다. 이 산들은 엄청나게 높아져서, 아마존강의 모든 물이 그곳으로부터 오늘날 모두가 알고 있는 방향으로 흘러가게 되었다.

어휘 flow 흐르다; 흐름 | winding 굽이진, 구불구불한 | path 길 | reach 닿다 | transport 운반하다 | body 많은 양[모음] | drastic 급격한 | continent 대륙 | break away 분리되다, 이탈하다 | range 산맥, 산줄기 | halfway 중간에 | eventually 결국 | extremely 극도로 | gravel 자갈 | cobblestoned 조약돌을 깐 | rainforest 열대우림 | political 정치적인 | layer 층 | charity 자선[구호] 단체 | emergent 출현하는 | canopy 덮개, 캐노피 | understory 하층 | ground 땅 | sunshine 햇빛 | percent (%) 백분율, (백분율로 나타낸) 비율; 퍼센트 | percentage point (%p) 퍼센트 포인트 (두 백분율과의 산술적 차이를 나타낼 때 쓰는 단위) | drastically 과감하게, 철저하게

Comprehension Questions p.71

1. The long winding road goes through the hills.
   (A) gravel
   (B) straight
   (C) winding
   (D) cobblestoned

해석 굽이진 길이 언덕을 가로지른다.
(A) 자갈
(B) 곧은
(C) 굽이진
(D) 조약돌을 깐

풀이 굽이진 길이 언덕을 가로지르고 있으므로 (C)가 정답이다.

관련 문장 The world's second longest river starts in the Andes Mountains of Peru and takes a long, winding path across South America until it reaches the Atlantic Ocean in the East.

2. On this map, each continent is a different color.
   (A) city
   (B) country
   (C) college
   (D) continent

해석 이 지도에서, 각 대륙은 다른 색깔이다.
(A) 도시
(B) 나라
(C) 대학
(D) 대륙

풀이 북아메리카, 남아메리카, 유럽, 아프리카, 아시아, 오스트레일리아 대륙이 색깔별로 나뉘어 있으므로 (D)가 정답이다.

관련 문장 When the continents of South America and Africa were still connected millions of years ago [...]

3. Jenna did more for our charity last year than any other volunteer.
   (A) all
   (B) any
   (C) each
   (D) either

해석 Jenna는 작년에 우리 자선 행사를 위해 다른 어떤 자원봉사자들보다 더 많은 일을 했다.
(A) 모든
(B) 어떤
(C) 각자
(D) (둘 중) 어느 하나

풀이 명사 A를 A가 속하는 집단의 모든 대상에 비교할 때, '다른 모든 어떤 ~'을 뜻하는 'any other + 단수명사', 'all the other + 복수명사' 등의 표현을 사용할 수 있다. 해당 문장에서 'volunteer'는 단수명사이므로 'any other volunteer'가 적절한 표현이다. 따라서 (B)가 정답이다. (A)는 'all the other volunteers'가 되어야 적절하므로 오답이다.

관련 문장 The Amazon River transports more water to the ocean than any other river.

4. At first I didn't want to go on the trip. Eventually, however, I decided to go and ended up having a wonderful time.
   (A) despite
   (B) whereas
   (C) however
   (D) although

해석 처음에 나는 여행을 가고 싶지 않았다. 하지만, 결국에는, 나는 가기로 결심했고 멋진 시간을 보내게 되었다.
(A) ~에도 불구하고
(B) ~한 반면에
(C) 하지만
(D) 비록 ~이긴 하지만

풀이 'At first I didn't [...]'과 'Eventually, ______, I decided to [...]'는 서로 독립된 두 문장이며, 내용이 상반된다. 따라서 빈칸에는 '하지만'이라는 뜻을 나타내고, 위치에 구애받지 않는 접속부사인 'however'가 들어갈 수 있으므로 (C)가 정답이다. (B)와 (D)의 'whereas'와 'although'는 종속절 앞에 쓰여 두 문장을 바로 연결할 때 사용하는 접속사이므로 오답이다.

관련 문장 Eventually, however, the Andes Mountains formed on the western side of South America.

[5-6]

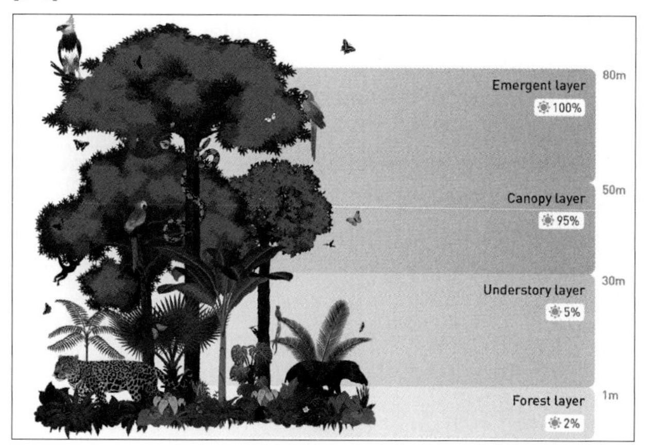

해석

돌출층(Emergent layer) 100%	80m
임관층(Canopy layer) 95%	50m
하목층(Understory layer) 5%	30m
임상층(Forest floor) 2%	1m

5. According to the picture, where does the emergent layer begin?
   (A) below the 30 m level
   (B) at 30 m from the canopy
   (C) at 50 m from the ground
   (D) at 80 m from the understory

해석 그림에 따르면, 돌출층은 어디서 시작하는가?
(A) 30m 높이 아래에서
(B) 임관층에서 30m 떨어진 곳에서
(C) 지면에서 50m 떨어진 곳에서
(D) 하목층에서 80m 떨어진 곳에서

풀이 돌출층의 높이는 50-80m라고 나와 있으므로 지면에서 50m 떨어진 곳에서 시작함을 알 수 있다. 따라서 (C)가 정답이다.

6. According to the picture, which of the following is true about sunshine?
   (A) The forest floor gets less than 1 percent.
   (B) The emergent layer gets the least amount of all the layers.
   (C) The understory gets 3 percentage points more than the forest floor.
   (D) The canopy gets up to 50 percentage points more than the understory.

해석 그림에 따르면, 다음 중 햇빛에 관해 옳은 내용은 무엇인가?
(A) 임상층은 1퍼센트보다 적게 받는다.
(B) 돌출층은 모든 층 중에서 가장 적은 양을 받는다.
(C) 하목층은 임상층보다 3퍼센트 포인트를 더 받는다.
(D) 임관층은 하목층보다 최대 50퍼센트 포인트를 더 받는다.

풀이 하목층은 5%의 햇빛을 받고 임상층은 2%의 햇빛을 받는다고 나와 있다. 따라서 하목층이 임상층보다 3%p(퍼센트 포인트)만큼 햇빛을 더 받는다는 말은 옳은 설명이므로 (C)가 정답이다. (A)는 임상층이 2%의 햇빛을 받는다고 나와 있으므로 오답이다. (B)는 돌출층이 모든 층 중에서 가장 많은 햇빛을 받으므로 오답이다. (D)는 임관층이 95%의 햇빛을 받으며 이는 하목층보다 최대 90%p 더 많은 햇빛을 받는 것이므로 오답이다.

[7-10]

Looking at a map today, one can see that the Amazon flows from west to east. The world's second longest river starts in the Andes Mountains of Peru and takes a long, winding path across South America until it reaches the Atlantic Ocean in the East. The Amazon River transports more water to the ocean than any other river. It would seem that such a large body of water would not see drastic changes in its history, but researchers have found that not to be true.

When the continents of South America and Africa were still connected millions of years ago, the Amazon and the Congo were one river system that flowed from east to west. Then as South America broke away from Africa, the Amazon's flow began to change. First, a small mountain range grew up halfway down the river, causing water to flow from the center of the continent to the oceans on both sides. Eventually, however, the Andes Mountains formed on the western side of South America. These mountains became extremely tall, causing all of the water of the Amazon River to flow away from them in the direction everyone knows today.

해석

오늘날 지도를 보면, 아마존이 서쪽에서 동쪽으로 흐르는 것을 볼 수 있다. 이 세계에서 두 번째로 긴 강은 페루의 안데스산맥에서 시작하여 동부의 대서양에 도달할 때까지 남아메리카를 가로지르는 길고 굽이진 경로를 지난다. 아마존강은 다른 어떤 강보다 더 많은 물을 바다로 운반한다. 그렇게 거대한 수역은 역사 속에서 급격한 변화를 겪지 않았을 듯하지만, 연구자들은 그것이 사실이 아님을 발견했다.

남아메리카와 아프리카 대륙이 수백만 년 전 여전히 연결되어 있었을 때, 아마존과 콩고는 동쪽에서 서쪽으로 흘렀던 하나의 강 체계였다. 그 후 남아메리카가 아프리카에서 분리되면서, 아마존의 흐름이 변화하기 시작했다. 먼저, 작은 산맥이 강 중턱까지 커졌고, 이는 (남아메리카) 대륙의 중심에서 양쪽 해양으로 물이 흐르도록 했다. 그러나, 결국, 안데스산맥이 남아메리카의 서쪽에 형성되었다. 이 산들은 엄청나게 높아져서, 아마존강의 모든 물이 그곳으로부터 오늘날 모두가 알고 있는 방향으로 흘러가게 되었다.

7. What is the main idea of the passage?

(A) South America used to be smaller.
(B) South America and Africa were once connected.
(C) The water of the Amazon River is turning a new color.
(D) The flow of the Amazon River changed direction over time.

해석 이 지문의 요지는 무엇인가?

(A) 남아메리카는 더 작았었다.
(B) 남아메리카와 아프리카는 한때 연결되어 있었다.
(C) 아마존강의 물이 새로운 색으로 변하고 있다.
(D) 아마존강의 흐름은 시간이 지나면서 방향을 바꾸었다.

유형 전체 내용 파악

풀이 아마존강이 현재는 서쪽에서 동쪽으로 흐르지만 남아메리카와 아프리카 대륙이 붙어 있던 과거에는 동쪽에서 서쪽으로 흘렀다고 언급하면서, 오늘날 왜 방향이 바뀌게 되었는지 원인을 설명하고 있는 글이다. 따라서 (D)가 정답이다.

8. What fact about the Amazon is NOT mentioned?

(A) It reaches the Atlantic Ocean.
(B) It has no bridges built across it.
(C) It starts in the Andes Mountains.
(D) It is the world's second longest river.

해석 아마존에 관한 사실로 언급되지 않은 것은 무엇인가?

(A) 대서양까지 닿는다.
(B) 그곳을 가로지르는 다리가 없다.
(C) 안데스산맥에서 시작한다.
(D) 세상에서 두 번째로 긴 강이다.

유형 세부 내용 파악

풀이 아마존에 지어진 다리에 관한 내용은 언급되지 않았으므로 (B)가 정답이다. 나머지 선택지는 첫 번째 문단의 'The world's second longest river starts in the Andes Mountains of Peru and takes a long, winding path across South America until it reaches the Atlantic Ocean in the East.'에서 확인할 수 있으므로 오답이다. 한편 (A)와 (C)는 그 원인이 두 번째 문단에서 설명되어 있다는 점도 유의한다. (D)는 'The world's second longest river'에서 정관사 'The'를 사용하여 이전 문장의 'the Amazon'을 가리키고 있다는 점도 유의한다.

9. According to the passage, what caused the water to flow to both oceans?

(A) storms
(B) tsunamis
(C) mountains
(D) rainforests

해석 지문에 따르면, 무엇이 물을 양쪽 바다로 흐르게 하였는가?

(A) 폭풍우
(B) 쓰나미
(C) 산
(D) 열대우림

유형 세부 내용 파악

풀이 두 번째 문단의 'First, a small mountain range grew up halfway down the river, causing water to flow from the center of the continent to the oceans on both sides'에서 작은 산맥이 자라면서 아마존의 물이 양쪽 바다로 흐르게 되었다는 사실을 알 수 있으므로 (C)가 정답이다.

10. According to the passage, where did a mountain range rise?

(A) in the center of Central America
(B) at the start of the Amazon River
(C) in the middle of the Amazon River
(D) at the southernmost tip of South America

해석 지문에 따르면, 산맥이 솟아오른 곳은 어디인가?

(A) 중앙아메리카 중심부에서
(B) 아마존강 기슭에서
(C) 아마존강 한가운데서
(D) 남아메리카 최남단에서

유형 세부 내용 파악

풀이 두 번째 문단의 'First, a small mountain range grew up halfway down the river, causing water to flow from the center of the continent to the oceans on both sides.'에서 아마존 강 중턱('halfway')까지 작은 산맥이 자랐다고 하였으므로 (C)가 정답이다. (D)는 안데스산맥이 남아메리카 최남단이 아니라 서쪽에서 형성되었다고 했으므로 오답이다.

Listening Practice  HJ2-8 p.74

Looking at a map today, one can see that the Amazon flows from west to east. The world's second longest river starts in the Andes Mountains of Peru and takes a long, winding path across South America until it reaches the Atlantic Ocean in the East. The Amazon River transports more water to the ocean than any other river. It would seem that such a large body of water would not see drastic changes in its history, but researchers have found that not to be true.

When the continents of South America and Africa were still connected millions of years ago, the Amazon and the Congo were one river system that flowed from east to west. Then as South America broke away from Africa, the Amazon's flow began to change. First, a small mountain range grew up halfway down the river, causing water to flow from the center of the continent to the oceans on both sides. Eventually, however, the Andes Mountains formed on the western side of South America. These mountains became extremely tall, causing all of the water of the Amazon River to flow away from them in the direction everyone knows today.

1. winding
2. body of water
3. continents
4. broke away
5. Eventually
6. flow

Writing Practice p.75

1. winding
2. body of water
3. continent
4. break away
5. flow
6. eventually

Summary

It is found that the water of the Amazon River have changed drastically in its history. The flow of the Amazon River changed over time. Eventually when the Andes Mountains formed, all of the water of the Amazon River started to flow away from them, in the direction everyone knows now.

아마존강의 물이 급격하게 변화했다는 것이 역사 속에서 발견되었다. 아마존강의 흐름은 시간이 지나면서 바뀌었다. 결국 안데스산맥이 형성되었을 때, 아마존강의 모든 물이 그곳으로부터 모두가 아는 방향으로 흘러나가기 시작했다.

Word Puzzle

p.76

Across	Down
1. body of water	1. break away
4. winding	2. eventually
5. flow	3. continent

AMAZING STORIES

p.77

Vaan Irai Kal: The Sky God's Stone

In the town of Mahabalipuram, Tamil Nadu, India, there is a strange sight. A huge boulder of rock — 6 meters high, 5 meters wide, and weighing 250 tons — appears to have rolled down a steep hill. However, just at the edge of a hill, it seems to have stopped. It now sits there, suspended over the hill. And no matter how hard they try, people attempting to move the huge stone cannot get the boulder to budge. This is the mystery of the Vaan Irai Kal (Sky God's Stone).

Adding a sense of playfulness to the story of the Vaan Irai Kal is its nickname: "Krishna's Butterball." According to Hindu myths, lord Krishna used to enjoy butter when he was just a baby. The Vaan Irai Kal is thus like a ball of butter that Krishna dropped. It is said that either a tour guide in Mahabalipuram or India's prime minister gave the stone the name "Krishna's Butterball," and that the name proved popular.

The giant boulder is an impressive environmental mystery. It is thought that its odd position may have been due to either a glacier that moved or due to abrasion from the wind over a long time. It is also thought that an important reason for the boulder's seemingly impossible balancing act is really just the position of its center of gravity. An alternative theory is that the rock was carved by humans a long time ago.

Whatever the reason for its existence, Krishna's Butterball is now a major tourist attraction and an environmental wonder in the area.

Vaan Irai Kal: 하늘신의 돌

인도 타밀 나두(Tamil Nadu) 주의 마하발리푸람(Mahabalipuram)이라는 동네에는 기이한 광경이 있다. 거대한 바위 하나가—높이 6미터, 너비 5미터, 그리고 무게가 250톤인—가파른 언덕을 굴러 내려온 것처럼 보인다. 하지만, 언덕 가장자리에서, 그것은 딱 멈춘 듯 보인다. 그것은 이제 언덕 위에 매달린 채로, 거기에 그대로 있다. 그리고 그들이 아무리 노력해도, 그 거대한 돌을 옮기려고 시도하는 사람들은 그 바위를 움직이게 할 수 없다. 이것이 Vaan Irai Kal(하늘신의 돌)의 미스터리이다.

Vaan Irai Kal 일화에 유희성을 더하는 것은 그것의 별칭이다: 바로 "Krishna의 버터볼"이다. 힌두교 신화에 따르면, Krishna신은 아기였을 때 버터를 즐기곤 했다. Vaan Irai Kal은 그래서 Krishna가 떨어뜨렸던 버터 뭉치 같다는 것이다. 마하발리푸람의 관광 가이드 혹은 인도의 수상이 돌에 "Krishna의 버터볼"이라는 이름을 붙였다고 전해지며, 이 이름은 인기를 얻게 되었다.

이 거대한 바위는 인상적인 자연환경의 미스터리다. 그것의 기이한 위치는 빙하의 움직임 혹은 오랜 기간에 걸쳐 바람에 의한 마모 때문일 수 있다고 여겨진다. 또한 바위가 보여주는 불가능해 보이는 균형을 설명하는 중요한 원인이 실제로는 그저 그것의 무게 중심 위치일 뿐이라고 여겨지기도 한다. 다른 이론은 바위가 오래전에 인간에 의해 조각되었다고 설명한다.

그것의 존재에 관한 설명이 무엇이든 간에, Krishna의 버터볼은 이제 지역에서 주된 관광 명소와 자연환경의 경이로움이 되었다.

Chapter 3. Science

Unit 9 | Memory p.79

Part A. Picture Description p.81

1 (C) 2 (C)

Part B. Sentence Completion p.81

3 (B) 4 (A)

Part C. Practical Reading Comprehension p.82

5 (C) 6 (B)

Part D. General Reading Comprehension p.83

7 (B) 8 (D) 9 (A) 10 (B)

Listening Practice p.84

1 broadly 2 neurons
3 implicit 4 explicit
5 clump 6 activated

Writing Practice p.85

1 broadly 2 neuron
3 implicit 4 explicit
5 clump 6 activate
Summary long-term, create, accessed, activated

Word Puzzle p.86

Across
2 broadly 4 implicit
5 clump 6 neuron
Down
1 explicit 3 activate

Pre-reading Questions p.79

Do you have a good memory?
Describe a really happy memory in your life.

당신은 기억력이 좋나요?
삶에서 정말로 행복했던 기억을 묘사해 보세요.

Reading Passage p.80

Memory

Thanks to modern technology, scientists have learned more about how the human brain works. Now, researchers have new explanations of how memories are created.

Memory can be broadly divided into short-term and long-term types. Short-term memory is our ability to remember things just fifteen to thirty seconds after they happen. With long-term memory, neurons in the brain make actual new physical connections with one another. These connections are called synapses. Long-term memory can be further divided into implicit and explicit memory. Our implicit memories are habits, like riding a bike, whereas explicit memories relate to moments or information we have to actively work on remembering.

When we learn to do something, we start with explicit memory, and this may become part of our implicit memory. To form an explicit memory, the hippocampus area of the brain creates new synapses that can encode a piece of information. The hippocampus selects what will become a long-term memory. Information with a lot of emotions connected to it is more likely to be chosen for encoding. New memories seem to stay in the hippocampus for a short time. Then, the clump of neurons that forms the memory moves further into the brain. These long-term memories can now be accessed, and very importantly, strengthened by being activated.

기억

현대 기술 덕분에, 과학자들은 인간의 뇌가 어떻게 작동하는지에 대해 더 알게 되었다. 오늘날, 연구자들은 기억이 어떻게 만들어지는지에 대해 새로운 설명을 하고 있다.

기억은 크게 단기형과 장기형으로 나눌 수 있다. 단기 기억은 일이 일어난 지 십오 초에서 삼십 초밖에 지나지 않았을 때 그것을 기억하는 능력이다. 장기 기억의 경우, 뇌의 뉴런들이 서로 간의 실재하는 새로운 물리적 연결을 만든다. 이러한 연결들은 시냅스라고 불린다. 장기 기억은 더 나아가 암묵 기억과 외현 기억으로 나눌 수 있다. 암묵 기억은 자전거 타기와 같은 습관인 반면, 외현 기억은 우리가 기억하는 데 적극적으로 노력해야 하는 순간이나 정보와 관련 있다.

우리가 무언가를 배울 때, 우리는 외현 기억으로 시작하고, 이것이 암묵 기억의 일부가 될 수 있다. 외현 기억을 형성하기 위해서, 뇌의 해마 영역은 정보 한 조각을 부호화할 수 있는 새 시냅스를 만든다. 이 해마는 무엇이 장기 기억이 될 것인지 선택한다. 감정이 많이 연결된 정보가 부호화 대상으로 선택될 가능성이 높다. 새 기억은 짧은 시간 동안 해마에 머무르는 것으로 보인다. 그런 다음, 기억을 형성하는 뉴런 덩어리가 뇌 안쪽으로 더 이동한다. 이 장기 기억들은 이제 접근할 수 있고, 매우 중요하게도, 활성화됨으로써 강화될 수 있다.

어휘 memory 기억 | thanks to ~ 덕분에 | work 작동하다 | broadly 폭넓게, 크게 | divide 나누다 | long-term 장기적인 | short-term 단기적인 | neuron 뉴런 | synapse 시냅스 | implicit 암묵적인, 암시된 | explicit 외현의, 명시적인 | actively 적극적으로 | hippocampus 해마 | encode <보통 문장을> 암호로 바꿔 쓰다; 부호화하다 | clump 세균 덩어리; (흙 따위의) 덩어리 | access 접근하다 | strengthen 강화하다 | activate 활성화하다, 작동하다 | string 실 | bag 자루 | container 용기, 그릇 | dissemble 숨기다 | prior 이전의 | vacuum 진공 | visual 시각적인 | emotional 감정적인 | realistic 사실적인, 실제 그대로의; 현실성 있는, 현실에 맞는 | post 게시하다 | publish 게재하다 | silly 유치한; 어리석은 | dumb 멍청한 | artwork 삽화

Comprehension Questions p.81

1. Ana's favorite toy was just a clump of string with eyes.

(A) bag
(B) bottle
(C) clump
(D) container

해석 Ana가 특히 좋아하는 장난감은 눈이 달린 끈 뭉치일 뿐이었다.

(A) 자루
(B) 병
(C) 뭉치
(D) 용기

풀이 보라색 실뭉치에 눈이 달린 장난감이므로 '덩어리' 등을 뜻하는 (C)가 정답이다.

관련 문장 Then, the clump of neurons that forms the memory moves further into the brain.

2. He is about to activate a machine.

(A) create
(B) invent
(C) activate
(D) dissemble

해석 그는 기계를 작동시킬 참이다.

(A) 창작하다
(B) 발명하다
(C) 작동시키다
(D) 숨기다

풀이 전원 버튼을 눌러 기계를 작동하려 하고 있으므로 (C)가 정답이다.

관련 문장 These long-term memories can now be accessed, and very importantly, strengthened by being activated.

3. Thanks to online maps, it is now easy to find any location on Earth.

(A) Thanks
(B) Thanks to
(C) Thanks be
(D) Thanks go to

해석 온라인 지도 덕분에, 이제 지구상의 어떤 위치도 쉽게 찾을 수 있다.

(A) 감사(하다)
(B) ~ 덕분에
(C) 어색한 표현
(D) 어색한 표현

풀이 빈칸은 명사 'online maps'를 취할 수 있는 전치사(구)가 적절하다. '~ 덕분에'라는 뜻을 나타낼 때 전치사 'to'를 사용하여 'Thanks to'라고 표현하므로 (B)가 정답이다.

관련 문장 Thanks to modern technology, scientists have learned more about how the human brain works.

4. Information with a lot of emotions connected to it is more likely to be remembered.

(A) is
(B) are
(C) would
(D) should

해석 많은 감정이 연결된 정보는 기억이 될 가능성이 높다.

(A) ~이다
(B) ~이다
(C) ~일 것이다
(D) ~해야 한다

풀이 빈칸은 동사 자리이고, 'be likely to ~' 표현을 완성해야 하므로 be 동사가 들어가야 한다. 주어가 'Information'으로 3인칭 단수이기 때문에 이와 어울리는 be 동사 (A)가 정답이다.

관련 문장 Information with a lot of emotions connected to it is more likely to be chosen for encoding.

[5-6]

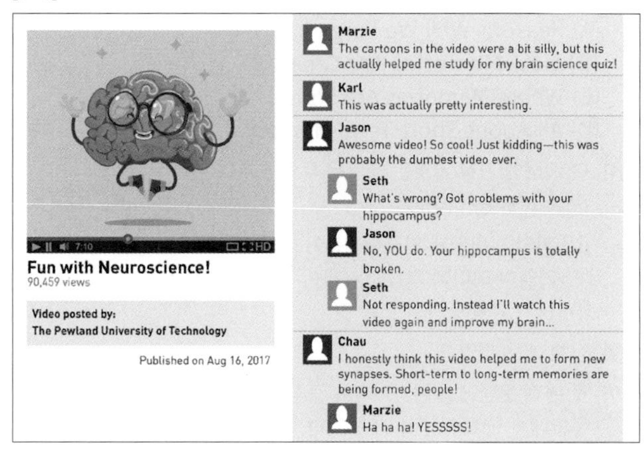

해석

재미있는 신경과학!
조회수 90,459

동영상 게시자:
Pewland 기술대학교

2017년 8월 16일에 게재

Marzie: 영상에 나오는 만화가 좀 유치하긴 하지만, 이건 제가 뇌과학 퀴즈 공부하는 데 정말로 도움을 줬어요!

Karl: 이것은 정말로 꽤 흥미로워요.

Jason: 굉장한 영상이에요! 아주 멋지고요! 농담입니다—이건 아마 제일 멍청한 영상이었을 거예요.

Seth: 왜 그래? 너 해마에 문제 있니?

Jason: 아니, 네가 있겠지. 네 해마는 완전히 망가졌거든.

Seth: 대답 안 해야지. 대신 이 영상이나 다시 보고 내 뇌나 향상시켜야겠다...

Chau: 솔직히 나는 이 영상이 내가 새로운 시냅스를 형성하는 데 도움을 줬다고 생각한다. 단기에서 장기로 기억이 형성되고 있다고, 여러분!

Marzie: 하하하! 맞아!

5. Who did NOT enjoy the video?

(A) Marzie
(B) Karl
(C) Jason
(D) Seth

해석 누가 동영상을 즐기지 않았는가?

(A) Marzie
(B) Karl
(C) Jason
(D) Seth

풀이 Jason의 댓글 'Awesome video! So cool! Just kidding—this was probably the dumbest video ever.'에서 해당 동영상이 제일 멍청한 영상이라고 부정적인 의견을 적었으므로 (C)가 정답이다. (A)와 (B)는 동영상을 칭찬하고 있으므로 오답이다. (D)는 Seth가 Jason의 부정적인 의견에 반박하고 있다는 점에서 동영상을 즐겼다고 볼 수 있으므로 오답이다.

6. According to the comments, which of the following is true?

(A) Karl found the video boring but useful.
(B) Seth was planning to rewatch the video.
(C) Chau forgot most of what he learned from the video.
(D) Marzie thought the video's artwork was the best part.

해석 댓글에 따르면, 다음 중 옳은 내용은 무엇인가?

(A) Karl은 영상이 지루하지만 유용하다고 생각했다.
(B) Seth는 영상을 다시 볼 계획이다.
(C) Chau는 영상에서 배운 것을 대부분 잊어버렸다.
(D) Marzie는 영상의 삽화가 가장 좋은 부분이라고 생각했다.

풀이 Seth의 댓글 'Not responding. Instead I'll watch this video again and improve my brain...'에서 Jason의 댓글에 답을 하지 않고 영상이나 다시 시청하겠다고 하였으므로 (B)가 정답이다. (D)의 경우, Marzie는 동영상이 도움이 되었지만 동영상의 만화가 조금 유치하다고 하였으므로 오답이다.

[7-10]

Thanks to modern technology, scientists have learned more about how the human brain works. Now, researchers have new explanations of how memories are created.

Memory can be broadly divided into short-term and long-term types. Short-term memory is our ability to remember things just fifteen to thirty seconds after they happen. With long-term memory, neurons in the brain make actual new physical connections with one another. These connections are called synapses. Long-term memory can be further divided into implicit and explicit memory. Our implicit memories are habits, like riding a bike, whereas explicit memories relate to moments or information we have to actively work on remembering.

When we learn to do something, we start with explicit memory, and this may become part of our implicit memory. To form an explicit memory, the hippocampus area of the brain creates new synapses that can encode a piece of information. The hippocampus selects what will become a long-term memory. Information with a lot of emotions connected to it is more likely to be chosen for encoding. New memories seem to stay in the hippocampus for a short time. Then, the clump of neurons that forms the memory moves further into the brain. These long-term memories can now be accessed, and very importantly, strengthened by being activated.

해석

현대 기술 덕분에, 과학자들은 인간의 뇌가 어떻게 작동하는지에 대해 더 알게 되었다. 오늘날, 연구자들은 기억이 어떻게 만들어지는지에 대해 새로운 설명을 하고 있다.

기억은 크게 단기형과 장기형으로 나눌 수 있다. 단기 기억은 일이 일어난 지 십오 초에서 삼십 초밖에 지나지 않았을 때 그것을 기억하는 능력이다. 장기 기억의 경우, 뇌의 뉴런들이 서로 간의 실재하는 새로운 물리적 연결을 만든다. 이러한 연결들은 시냅스라고 불린다. 장기 기억은 더 나아가 암묵 기억과 외현 기억으로 나눌 수 있다. 암묵 기억은 자전거 타기와 같은 습관인 반면, 외현 기억은 우리가 기억하는 데 적극적으로 노력해야 하는 순간이나 정보와 관련 있다.

우리가 무언가를 배울 때, 우리는 외현 기억으로 시작하고, 이것이 암묵 기억의 일부가 될 수 있다. 외현 기억을 형성하기 위해서, 뇌의 해마 영역은 정보 한 조각을 부호화할 수 있는 새 시냅스를 만든다. 이 해마는 무엇이 장기 기억이 될 것인지 선택한다. 감정이 많이 연결된 정보가 부호화 대상으로 선택될 가능성이 높다. 새 기억은 짧은 시간 동안 해마에 머무르는 것으로 보인다. 그런 다음, 기억을 형성하는 뉴런 덩어리가 뇌 안쪽으로 더 이동한다. 이 장기 기억들은 이제 접근할 수 있고, 매우 중요하게도, 활성화됨으로써 강화될 수 있다.

7. What would be the best title for the passage?

(A) Reasons Why We Forget
(B) How Memories Are Created
(C) Where Memories Are Stored
(D) All About Short-Term Memory

해석 이 지문에 가장 알맞은 제목은 무엇인가?

(A) 우리가 잊어버리는 이유
(B) 기억이 어떻게 만들어지는가
(C) 기억이 어디에 저장되는가
(D) 단기 기억에 관한 모든 것

유형 전체 내용 파악

풀이 첫 번째 문단에서 기억이라는 중심 소재를 소개하고, 두 번째 문단에서 단기 기억과 장기 기억, 그리고 암묵 기억과 외현 기억으로 구분되는 기억의 여러 종류를 설명한 뒤, 세 번째 문단에서 장기 기억이 형성되는 과정을 서술하고 있다. 따라서 중심 내용은 기억의 종류와 기억의 형성 과정이므로 (B)가 정답이다.

8. According to the passage, what is short-term memory?

(A) 7-day memory
(B) overnight memory
(C) memory from noon to midnight
(D) memory of events 15-30 second prior

해석 지문에 따르면, 단기 기억은 무엇인가?

(A) 일주일 동안의 기억
(B) 하룻밤 동안의 기억
(C) 정오에서 자정까지의 기억
(D) 15-30초 이전 사건에 대한 기억

유형 세부 내용 파악

풀이 두 번째 문단의 'Short-term memory is our ability to remember things just fifteen to thirty seconds after they happen.'에서 단기 기억은 일이 발생하고 15-30초 동안 기억하는 능력을 일컫는다는 것을 알 수 있으므로 (D)가 정답이다.

9. According to the passage, what kind of memory is most likely involved when an experienced cyclist rides a bike?

(A) implicit memory
(B) explicit memory
(C) vacuum memory
(D) neurotic memory

해석 지문에 따르면, 경험 많은 사이클리스트가 자전거를 탈 때 관여하는 기억의 유형으로 가장 적절한 것은 무엇인가?

(A) 암묵 기억
(B) 외현 기억
(C) 진공 기억
(D) 신경성 기억

유형 세부 내용 파악

풀이 두 번째 문단의 'Our implicit memories are habits, like riding a bike'에서 암묵 기억이 자전거 타기와 같은 습관이라고 하였으므로 (A)가 정답이다.

10. Which kind of memory is the hippocampus more likely to select to keep?

(A) a visual memory
(B) an emotional memory
(C) one from a realistic dream
(D) one from a person's childhood

해석 다음 중 해마가 계속 유지할 기억의 종류로 가장 적절한 것은 무엇인가?

(A) 시각 기억
(B) 감정 기억
(C) 사실적인 꿈 기억
(D) 개인의 어린 시절 기억

유형 세부 내용 파악 & 추론하기

풀이 세 번째 문단의 'The hippocampus selects what will become a long-term memory. Information with a lot of emotions connected to it is more likely to be chosen for encoding.'에서 외현 기억 형성에 관여하는 해마는 정보 조각을 부호화할 수 있는 시냅스를 만들며, 많은 감정과 연결된 정보가 부호화의 대상이 될 가능성이 높다고 설명하고 있다. 따라서 감정과 관련된 기억인 (B)가 정답이다.

Listening Practice HJ2-9 p.84

Thanks to modern technology, scientists have learned more about how the human brain works. Now, researchers have new explanations of how memories are created.

Memory can be broadly divided into short-term and long-term types. Short-term memory is our ability to remember things just fifteen to thirty seconds after they happen. With long-term memory, neurons in the brain make actual new physical connections with one another. These connections are called synapses. Long-term memory can be further divided into implicit and explicit memory. Our implicit memories are habits, like riding a bike, whereas explicit memories relate to moments or information we have to actively work on remembering.

When we learn to do something, we start with explicit memory, and this may become part of our implicit memory. To form an explicit memory, the hippocampus area of the brain creates new synapses that can encode a piece of information. The hippocampus selects what will become a long-term memory. Information with a lot of emotions connected to it is more likely to be chosen for encoding. New memories seem to stay in the hippocampus for a short time. Then, the clump of neurons that forms the memory moves further into the brain. These long-term memories can now be accessed, and very importantly, strengthened by being activated.

1. broadly
2. neurons
3. implicit
4. explicit
5. clump
6. activated

Writing Practice p.85

1. broadly
2. neuron
3. implicit
4. explicit
5. clump
6. activate

Summary

Memory can be divided into short-term and long-term types. Our brain goes through many processes to create our long-term memories. These memories can then be accessed and strengthened by being activated.

기억은 단기형과 장기형으로 나눌 수 있다. 우리의 뇌는 많은 과정을 거쳐 장기 기억을 만들어낸다. 이 기억들은 그러면 접근될 수 있고 활성화됨으로써 강화될 수 있다.

Word Puzzle p.86

Across	Down
2. broadly	1. explicit
4. implicit	3. activate
5. clump	
6. neuron	

Unit 10 | Phases of the Moon p.87

Part A. Picture Description p.89

1 (B) 2 (A)

Part B. Sentence Completion p.89

3 (A) 4 (D)

Part C. Practical Reading Comprehension p.90

5 (B) 6 (C)

Part D. General Reading Comprehension p.91

7 (C) 8 (D) 9 (B) 10 (A)

Listening Practice p.92

1 waning	2 comprises
3 aligned	4 sliver
5 orbit	6 phases

Writing Practice p.93

1 comprise	2 aligned
3 wane	4 sliver of
5 orbit around	6 phase

Summary waning, phases, grows, cycle

Word Puzzle p.94

Across

4 phase	6 aligned

Down

1 sliver of	2 comprise
3 wane	5 orbit around

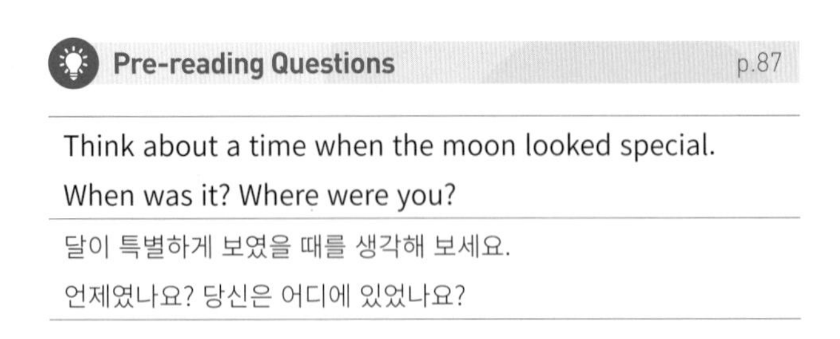

Pre-reading Questions p.87

Think about a time when the moon looked special.
When was it? Where were you?

달이 특별하게 보였을 때를 생각해 보세요.
언제였나요? 당신은 어디에 있었나요?

Reading Passage p.88

Phases of the Moon

Every 29.53 days (a lunar month), the moon goes through a cycle of darkness, light, and different shapes to the human eye. We call this the waxing (getting bigger) and waning (getting smaller) of the moon.

In western cultures, waxing and waning comprises eight phases. In the first phase, the moon appears completely dark to those of us on Earth as the sun and moon are aligned. This is called the New Moon. The next phase is the Waxing Crescent Moon, where we can start to see a little sliver of the moon. The sliver keeps growing and reaches the First Quarter Moon, the phase in which the moon has now completed a fourth of its orbit around the earth. At the First Quarter, the moon looks like a perfect half-circle from Earth. The Waxing Gibbous Moon phase comes next. "Gibbous" refers to the specific shape of the moon here — bigger than a semi-circle, but not yet a full circle. Finally, the moon gets to the Full Moon, where the moon looks like a full circle.

The other phases, called Waning Gibbous Moon, Third Quarter Moon, and Waning Crescent Moon, are like the first stages but in reverse, with the moon appearing smaller and smaller each time. The cycle then restarts with the New Moon.

달의 상

29.53일(삭망월)마다, 달은 사람의 눈에 어둠, 빛, 그리고 여러 모양으로 이루어진 주기를 거친다. 우리는 이를 달이 차는 것(더 커지는 것)과 기우는 것(더 작아지는 것)이라고 부른다.

서양 문화에서, 차고 기우는 것은 여덟 단계로 구성되어 있다. 첫 번째 단계에서, 달은 태양과 달이 일직선에 놓이게 되면서 지구에 있는 우리에게 완전히 어둡게 보인다. 이는 삭(New Moon)이라고 불린다. 다음 단계는 초승달(Waxing Crescent Moon)이며, 여기서 우리는 달의 작은 조각을 보기 시작할 수 있다. 이 조각은 계속 자라서 상현달(First Quarter Moon)이 되며, 이 단계에서 달은 이제 지구 주변 궤도의 4분의 1을 돌았다. 상현달일 때, 달은 지구에서 완벽한 반원처럼 보인다. 차오르는 달 단계가 이 다음에 온다. "볼록한(Gibbous)"은 여기서 달의 특정한 모양을 나타낸다 — 반원보다는 크지만, 아직 완벽한 원은 아니다. 마침내, 달은 보름달이 되는데, 이때 달은 완전한 원처럼 보인다.

기울어가는 달(Waning Gibbous Moon), 하현달(Third Quarter Moon), 그리고 그믐달(Waning Crescent Moon)이라 불리는 다른 단계들은 먼저 나온 단계들과 비슷하지만 거꾸로 진행되며, 달이 단계마다 점점 더 작아 보인다. 그러고 나서 주기는 삭부터 다시 시작된다.

어휘 phase (주기적으로 형태가 변하는 달의) 상[모습]; (변화·발달 과정상의 한) 단계[시기/국면] | lunar 달의 | lunar month 삭망[태음]월(음력 초하루 또는 보름이 되풀이되는 주기의 평균값 ≒ 29일 12시간 44분, 흔히 4주간) | cycle 주기 | wax 차오르다 | wane (달이) 차츰 작아지다[이지러지다] | comprise ~으로 구성되다 | align 일직선으로 하다, 나란히[가지런히] 만들다 | crescent 초승달 모양 | sliver (깨지거나 잘라낸, 가늘고 기다란) 조각 | orbit 궤도 | gibbous (달이) 볼록한, 만월에 가까운 | refer to ~을 나타내다[~와 관련 있다] | first quarter (달의) 상현 | third quarter (달의) 하현 | reverse (정)반대; 거꾸로 하다; (정반대로) 뒤집다 | recite (열거하듯) 죽 말하다, 나열하다 | satellite 인공위성 | cherry-topped 체리를 얹은 | yellowed 노랗게 된; 노랗게 만든[물들인] | damaged 손상된 | Jupiter 목성 | attract 끌어들이다 | shrink 줄어들다 | eclipse (일식·월식의) 식(蝕) | reddish 불그스름한 | grayish 회색[쥐색]이 도는

Comprehension Questions p.89

1. Mark said he wanted a sliver of cake.

(A) whole
(B) sliver of
(C) giant piece of
(D) cherry-topped

해석 Mark는 케이크 얇은 조각을 원한다고 말했다.

(A) 전부
(B) ~의 얇은 조각
(C) ~의 거대한 조각
(D) 체리를 위에 얹은

풀이 두 개의 케이크 조각 중 더 얇은 조각에 표시가 되어 있는 그림이다. '(깨지거나 잘라낸 얇은) 조각'은 영어로 'sliver'라고 표현하므로 (B)가 정답이다.

관련 문장 The next phase is the Waxing Crescent Moon, where we can start to see a little sliver of the moon.

2. The teeth are aligned.

(A) aligned
(B) reversed
(C) yellowed
(D) damaged

해석 치아들은 가지런하다.

(A) 가지런한
(B) 거꾸로 된
(C) 누렇게 된
(D) 손상된

풀이 치아가 일직선으로 가지런히 정렬되어 있으므로 (A)가 정답이다.

관련 문장 In the first phase, the moon appears completely dark to those of us on Earth as the sun and moon are aligned.

3. My friend Ben can recite the alphabet <u>in</u> reverse, from Z-A.

(A) in
(B) to
(C) as
(D) for

해석 내 친구 Ben은 알파벳을 Z에서 A까지 역순<u>으로</u> 죽 말할 수 있다.

(A) ~ 안에
(B) ~로
(C) ~로서
(D) ~을 위해

풀이 '거꾸로, 역순으로'라는 뜻을 나타낼 때 전치사 'in'을 사용하여 'in reverse'라고 표현하므로 (A)가 정답이다.

관련 문장 The other phases [...] are like the first stages but in reverse, with the moon appearing smaller and smaller each time.

4. The satellite <u>has now completed</u> a full orbit around the earth.

(A) is now complete
(B) is now completed
(C) has now complete
(D) has now completed

해석 인공위성은 <u>이제</u> 지구 주변 궤도를 완전히 <u>돌았다</u>.

(A) 이제 완전하다
(B) 이제 완료됐다
(C) 어색한 표현
(D) 이제 ~을 완료했다

풀이 빈칸에는 목적어 'a full orbit'을 취할 수 있는 타동사구가 들어가야 한다. 따라서 타동사 'complete'를 현재완료 시제('have + p.p')로 표현한 (D)가 정답이다. (B)는 수동형이 되면 목적어 'a full orbit'을 취할 수 없으므로 오답이다. (C)는 완료를 나타내는 조동사 'have/had'가 동사 원형이 아니라 과거분사 활용형과 함께 쓰이므로 오답이다.

관련 문장 The sliver keeps growing and reaches the First Quarter Moon, the phase in which the moon has now completed a fourth of its orbit around the earth.

[5-6]

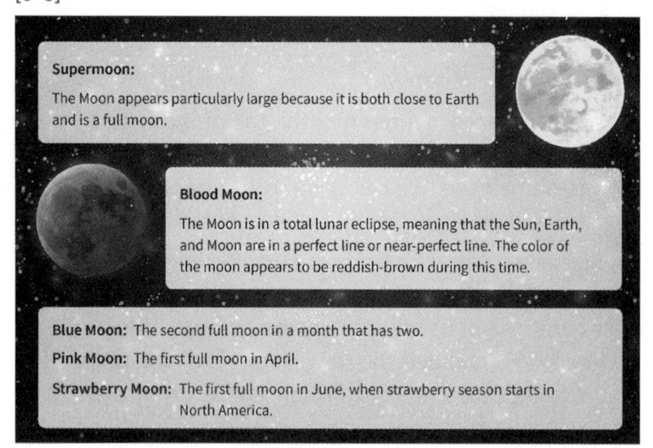

해석

슈퍼문:
지구와 거리가 가까우면서 보름달이기 때문에 달이 특히 커 보인다.

블러드문:
달은 개기월식 상태에 있는데, 이는 태양, 지구, 달이 완벽한 일직선이나 거의 완벽한 일직선에 있다는 것을 의미한다. 달의 색은 이 시기에 적갈색으로 보인다.

블루문: (보름달이) 두 개 있는 달의 두 번째 보름달.

핑크문: 4월의 첫 보름달.

딸기 보름달: 북아메리카에서 딸기 제철이 시작할 때인, 6월의 첫 보름달.

5. When is there alignment between the Sun, Earth, and Moon?

(A) in a supermoon
(B) in a blood moon
(C) in a blue moon
(D) in a strawberry moon

해석 태양, 지구, 달이 일직선을 이루는 때는 언제인가?

(A) 슈퍼문일 때
(B) 블러드문일 때
(C) 블루문일 때
(D) 딸기 보름달일 때

풀이 'Blood Moon: The Moon is in a total lunar eclipse, meaning that the Sun, Earth, and Moon are in a perfect line or near-perfect line.'에서 블러드문일 때 태양, 지구, 달이 일직선을 이룬다고 하였으므로 (B)가 정답이다. 지문의 'in a perfect line'이 질문에서 'alignment'로 표현되었다는 점에 유의한다.

6. What is true about a blue moon?

(A) There is a lunar eclipse.
(B) There is a signal that spring is starting.
(C) There is more than one full moon in a month.
(D) There is more grayish-blue color in the moon than usual.

해석 블루문에 관해 옳은 내용은 무엇인가?

(A) 월식이 있다.
(B) 봄이 시작된다는 신호가 있다.
(C) 한 달에 보름달이 하나보다 더 많다.
(D) 달에 회색빛이 도는 푸른색이 평소보다 더 있다.

풀이 'Blue Moon: The second full moon in a month that has two.'에서 블루문이 뜨는 시기는 한 달에 보름달이 두 번 뜨는 시기라는 것을 알 수 있으므로 (C)가 정답이다. (A)는 블러드문일 때 'lunar eclipse'가 발생하는 것이므로 오답이다.

[7-10]

Every 29.53 days (a lunar month), the moon goes through a cycle of darkness, light, and different shapes to the human eye. We call this the waxing (getting bigger) and waning (getting smaller) of the moon.

In western cultures, waxing and waning comprises eight phases. In the first phase, the moon appears completely dark to those of us on Earth as the sun and moon are aligned. This is called the New Moon. The next phase is the Waxing Crescent Moon, where we can start to see a little sliver of the moon. The sliver keeps growing and reaches the First Quarter Moon, the phase in which the moon has now completed a fourth of its orbit around the earth. At the First Quarter, the moon looks like a perfect half-circle from Earth. The Waxing Gibbous Moon phase comes next. "Gibbous" refers to the specific shape of the moon here — bigger than a semi-circle, but not yet a full circle. Finally, the moon gets to the Full Moon, where the moon looks like a full circle.

The other phases, called Waning Gibbous Moon, Third Quarter Moon, and Waning Crescent Moon, are like the first stages but in reverse, with the moon appearing smaller and smaller each time. The cycle then restarts with the New Moon.

해석

29.53일(삭망월)마다, 달은 사람의 눈에 어둠, 빛, 그리고 여러 모양으로 이루어진 주기를 거친다. 우리는 이를 달이 차는 것(더 커지는 것)과 기우는 것(더 작아지는 것)이라고 부른다.

서양 문화에서, 차고 기우는 것은 여덟 단계로 구성되어 있다. 첫 번째 단계에서, 달은 태양과 달이 일직선에 놓이게 되면서 지구에 있는 우리에게 완전히 어둡게 보인다. 이는 삭(New Moon)이라고 불린다. 다음 단계는 초승달(Waxing Crescent Moon)이며, 여기서 우리는 달의 작은 조각을 보기 시작할 수 있다. 이 조각은 계속 자라서 상현달(First Quarter Moon)이 되며, 이 단계에서 달은 이제 지구 주변 궤도의 4분의 1을 돌았다. 상현달일 때, 달은 지구에서 완벽한 반원처럼 보인다. 차오르는 달 단계가 이 다음에 온다. "볼록한(Gibbous)"은 여기서 달의 특정한 모양을 나타낸다 — 반원보다는 크지만, 아직 완벽한 원은 아니다. 마침내, 달은 보름달이 되는데, 이때 달은 완전한 원처럼 보인다.

기울어가는 달(Waning Gibbous Moon), 하현달(Third Quarter Moon), 그리고 그믐달(Waning Crescent Moon)이라 불리는 다른 단계들은 먼저 나온 단계들과 비슷하지만 거꾸로 진행되며, 달이 단계마다 점점 더 작아 보인다. 그러고 나서 주기는 삭부터 다시 시작된다.

7. What would be the best title for the passage?

(A) Rabbit in the Moon
(B) Moon-related Holidays
(C) The Moon's Eight Phases
(D) The Many Moons of Jupiter

해석 지문에 가장 알맞은 제목은 무엇인가?

(A) 달의 토끼
(B) 달 관련 휴일들
(C) 달의 여덟 단계
(D) 목성의 많은 위성들

유형 전체 내용 파악

풀이 첫 번째 문단에서 달의 주기라는 중심 소재를 밝힌 뒤, 두 번째와 세 번째 문단에서 차례대로 달이 차오르는 네 단계와 기우는 네 단계를 설명하고 있다. 따라서 해당 지문의 중심 내용은 달의 여덟 단계 주기이므로 (C)가 정답이다.

8. What happens during the New Moon?

(A) The moon attracts wolves.
(B) The moon is at its brightest.
(C) The moon looks like a crescent.
(D) The moon looks dark from Earth.

해석 삭 중에는 무엇이 일어나는가?

(A) 달이 늑대를 끌어들인다.
(B) 달이 가장 밝다.
(C) 달이 초승달처럼 보인다.
(D) 달이 지구에서 어둡게 보인다.

유형 세부 내용 파악

풀이 두 번째 문단의 'In the first phase, the moon appears completely dark to those of us on Earth as the sun and moon are aligned. This is called the New Moon.'에서 삭(New Moon)이라고 불리는 단계에서 태양과 달이 일직선이 되면서 지구에서 달이 완전히 어둡게 보인다고 하였으므로 (D)가 정답이다.

9. When does the moon look like a perfect half-circle from Earth?

(A) when it is in its eighth phase
(B) when it has completed a quarter of its earthly orbit
(C) when it is waning after the Waning Crescent Moon
(D) when it is one day after the Waxing Gibbous phase

해석 지구에서 달이 완벽한 반원처럼 보일 때는 언제인가?

(A) 달이 여덟 번째 단계에 있을 때
(B) 달이 지구 궤도의 4분의 1을 돌았을 때
(C) 달이 그믐달 이후 기울어갈 때
(D) 달이 차오르는 단계 이후 하루 지났을 때

유형 세부 내용 파악

풀이 두 번째 문단의 'At the First Quarter, the moon looks like a perfect half-circle from Earth.'에서 달이 완벽한 반원처럼 보이는 시기는 상현달(First Quarter Moon) 단계라는 것을 알 수 있다. 그런데 이전 문장 '[...] the First Quarter Moon, the phase in which the moon has now completed a fourth of its orbit around the earth.'을 통해 상현달 단계에서는 달이 지구 궤도의 4분의 1을 돈 상태라는 것을 알 수 있으므로 (B)가 정답이다. (A)와 (C)는 모두 달이 반원 모양에서 작아지면서 기우는 시기에 속하므로 오답이다.

10. What does "Waxing Gibbous" mean?

(A) bigger than a semi-circle, and growing
(B) smaller than a semi-circle, and growing
(C) bigger than a semi-circle, and shrinking
(D) smaller than a semi-circle, and shrinking

해석 "차오르는 볼록함(Waxing Gibbous)"은 무엇을 의미하는가?

(A) 반원보다 크고, 커지고 있음
(B) 반원보다 작고, 커지고 있음
(C) 반원보다 크고, 줄어들고 있음
(D) 반원보다 작고, 줄어들고 있음

유형 세부 내용 파악 & 추론하기

풀이 두 번째 문단의 '"Gibbous" refers to the specific shape of the moon here — bigger than a semi-circle, but not yet a full circle.'에서 "Gibbous"는 반원보다 크고 완전한 원보다는 작은 모양을 뜻한다는 것을 알 수 있다. 또한 두 번째 문단에서 "The Waxing Gibbous Moon" 단계는 반원 모양의 상현달과 완전한 원 모양의 보름달 중간 단계로 달이 점점 차오르고 있는 단계라는 것을 알 수 있다. 따라서 이를 종합하면 "Waxing Gibbous"는 반원보다 크고 점점 커지고 있는 모양이라는 것을 추론할 수 있으므로 (A)가 정답이다.

Listening Practice
HJ2-10 p.92

Every 29.53 days (a lunar month), the moon goes through a cycle of darkness, light, and different shapes to the human eye. We call this the waxing (getting bigger) and waning (getting smaller) of the moon.

In western cultures, waxing and waning comprises eight phases. In the first phase, the moon appears completely dark to those of us on Earth as the sun and moon are aligned. This is called the New Moon. The next phase is the Waxing Crescent Moon, where we can start to see a little sliver of the moon. The sliver keeps growing and reaches the First Quarter Moon, the phase in which the moon has now completed a fourth of its orbit around the earth. At the First Quarter, the moon looks like a perfect circle-half from Earth. The Waxing Gibbous Moon phase comes next. "Gibbous" refers to the specific shape of the moon here — bigger than a semi-circle, but not yet a full circle. Finally, the moon gets to the Full Moon, where the moon looks like a full circle.

The other phases, called Waning Gibbous Moon, Third Quarter Moon, and Waning Crescent Moon, are like the first stages but in reverse, with the moon appearing smaller and smaller each time. The cycle then restarts with the New Moon.

1. waning
2. comprises
3. aligned
4. sliver
5. orbit
6. phases

Writing Practice
p.93

1. comprise
2. aligned
3. wane
4. sliver of
5. orbit around
6. phase

Summary

Every lunar month, the moon goes through a cycle of waxing and waning. This comprises eight phases. The moon grows from the New Moon, to the Waxing Crescent Moon, the First Quarter Moon, the Waxing Gibbous Moon, and finally the Full Moon. Then the moon keeps shrinking and the cycle then restarts.

삭망월마다, 달은 차고 기우는 주기를 거친다. 이는 여덟 단계로 구성되어 있다. 달은 삭에서 시작하여 초승달, 상현달, 차가는 달, 그리고 마지막으로 보름달까지 커진다. 그런 다음 달은 계속 줄어들고 그러고 나면 주기는 다시 시작된다.

Word Puzzle
p.94

Across

4. phase
6. aligned

Down

1. sliver of
2. comprise
3. wane
5. orbit around

Unit 11 | Plasma p.95

Part A. Picture Description				p.97
1 (C)	2 (A)			
Part B. Sentence Completion				p.97
3 (A)	4 (D)			
Part C. Practical Reading Comprehension				p.98
5 (A)	6 (D)			
Part D. General Reading Comprehension				p.99
7 (A)	8 (A)	9 (A)	10 (B)	
Listening Practice				p.100
1 fundamental	2 state			
3 matter	4 electrons			
5 nucleus	6 molecules			
Writing Practice				p.101
1 matter	2 fundamental			
3 state	4 electron			
5 nucleus	6 molecule			
Summary matter, pumped, rare, contemplate				
Word Puzzle				p.102
Across				
1 nucleus	3 fundamental			
5 molecule				
Down				
2 state	4 electron			
5 matter				

Pre-reading Questions p.95

Write the missing word from this list of states of matter: solid, ________, gas.

Is there a fourth state of matter?

다음 물질의 상태 목록에서 빠져 있는 단어를 써보세요:
고체, _______, 기체

물질의 네 번째 상태가 있나요?

(정답: liquid, 액체)

 Reading Passage p.96

Plasma

People used to divide matter into three fundamental states: solids, liquids, and gases. However, there is actually a fourth state of matter. In fact, as far as we know, it is the most common state of matter in the whole observable universe. Most stars are made of it, the Sun is made of it, and even many television sets are made of it. This state of matter is a hot gas known as a plasma.

A plasma is a gas that has been pumped with energy and then sparked. When a gas becomes hot enough, some of its electrons will break free from their nucleus but will continue to travel around with the nucleus. This forms a plasma. In the case of the Sun, for example, the extreme heat causes hydrogen and helium molecules to fly off, generating a giant plasma ball.

It is thought that 99% of the observable universe is made up of plasmas, but on Earth naturally-occurring plasmas are relatively rare. There are a few places where we can see it though: in the Northern and Southern Lights and in lightning. Still, if we look up at the sky and contemplate the rest of the universe, we can remember that a lot of it is a plasma.

플라스마

사람들은 물질을 세 가지 기본 상태로 나누곤 했다: 바로 고체, 액체, 그리고 기체이다. 하지만, 실제로는 물질의 네 번째 상태가 있다. 실은, 우리가 아는 한, 그것은 관측 가능한 우주 전체에서 가장 흔한 물질 상태이다. 대부분 항성은 그것으로 이루어져 있고, 태양도 그것으로 이루어져 있고, 심지어 많은 텔레비전도 그것으로 이루어져 있다. 이 물질 상태는 플라스마라고 알려진 뜨거운 기체이다.

플라스마는 에너지가 가득 차오르고 나서 발광하는 기체이다. 기체가 충분히 뜨거워지면, 그것의 전자들 중 일부가 원자핵에서 떨어져 나오지만 원자핵과 함께 계속해서 돌아다닐 것이다. 이것이 플라스마를 형성한다. 태양의 경우, 예를 들어, 극심한 열기가 수소와 헬륨 분자를 날아가게 하여, 거대한 플라스마 덩이를 생성한다.

관측 가능한 우주의 99%가 플라스마로 이루어져 있다고 여겨지지만, 지구에서는 자연 발생 플라스마가 비교적 드물다. 그런데도 그것을 볼 수 있는 곳이 몇 군데가 있다: 북극광과 남극광에서 그리고 번개에서이다. 어찌 됐든, 하늘을 올려다보고 나머지 우주 공간에 대해서 곰곰이 생각한다면, 많은 것이 플라스마라는 것을 기억할 수 있다.

어휘 plasma 플라스마 | state 상태 | matter 물질 | solid 고체 | liquid 액체 | gas 기체 | divide 나누다 | fundamental 기본적인 | observable 관측 가능한 | universe 우주 | star 항성; 별 | made (up) of ~로 이루어진 | pump (가득) 퍼붓다, 잔뜩 채워 넣다 | spark 불꽃을 일으키다 | electron 전자 | break free (from) (~에서) 떠나다 | nucleus (원자)핵 | heat 열기 | hydrogen 수소 | helium 헬륨 | molecule 분자 | generate 생성하다 | naturally 자연적으로 | contemplate 곰곰이 생각하다 | rest 나머지 | Northern Lights 북극광 | light up 빛이 나다, 환하게 되다 | atom 원자 | shell 껍데기 | bomb 폭탄 | absorption 흡수 | cool 식히다 | confront ~에 맞서다 | villain 악당 | acquire 얻다 | enemy 적 | freeze 냉각 | ray 광선 | element 원소

Comprehension Questions p.97

1. The blue circle represents the nucleus of the atom.
   (A) shell
   (B) bomb
   (C) nucleus
   (D) absorption

해석 파란 동그라미는 원자의 핵을 나타낸다.
(A) 껍질
(B) 폭탄
(C) 핵
(D) 흡수

풀이 푸른색 동그라미를 중심으로 빨간색 동그라미가 돌고 있는 원자('atom')를 나타낸 그림이므로 (C)가 정답이다. 원자의 구조에서 푸른색 동그라미는 원자핵을, 빨간색 동그라미는 전자를 나타낸다는 것을 알아두자.

관련 문장 When a gas becomes hot enough, some of its electrons will break free from their nucleus but will continue to travel around with the nucleus.

2. This graphic shows three different states of matter.
   (A) states
   (B) liquids
   (C) gases
   (D) solids

해석 이 그림은 세 가지 다른 물질의 상태를 보여준다.
(A) 상태
(B) 액체
(C) 기체
(D) 고체

풀이 고체, 액체, 기체 상태를 보여주고 있는 그림이므로 '상태'를 의미하는 (A)가 정답이다.

관련 문장 People used to divide matter into three fundamental states: solids, liquids, and gases.

3. If you look up at the sky, you will see the Northern Lights.
   (A) look
   (B) had looked
   (C) were looking
   (D) could have looked

해석 하늘을 올려다보면, 북극광이 보일 것이다.
(A) 보다
(B) 봐왔었다
(C) 보고 있었다
(D) 볼 수도 있었다

풀이 접속사 'if'를 사용하고 독립절 'you will see the Northern Lights'의 시제가 미래이므로, 해당 문장은 '~라면 ~할 것이다'를 의미하는 if 조건절 구문이라는 것을 알 수 있다. '~라면 ~할 것이다'라는 뜻을 나타낼 때 if 종속절 부분은 현재시제로, 독립절 부분은 현재시제 또는 미래시제로 표현하므로 현재를 나타내는 동사형 (A)가 정답이다.

관련 문장 Still, if we look up at the sky and contemplate the rest of the universe, we can remember that a lot of it is a plasma.

4. A plasma is a hot gas that has been pumped with energy and then lit up.
   (A) that pumps
   (B) can be pumped
   (C) has been pumped
   (D) that has been pumped

해석 플라스마는 에너지가 가득 차오르면 반짝 빛나는 뜨거운 기체이다.
(A) 관계대명사 that + 퍼붓다
(B) 퍼부어질 수 있다
(C) 퍼부어져 왔다
(D) 관계대명사 that + 퍼부어져 왔다

풀이 'A plasma is a hot gas'가 완전한 문장이기 때문에 'with energy and then lit up'이 명사 'a hot gas'를 수식할 수 있도록 빈칸에는 관계절이 필요하다. 따라서 'A hot gas has been pumped with energy and then lit up.'이라는 문장을 'that'을 사용하여 주격 관계절로 나타낸 'that has been pumped [...]'가 되어야 적절하므로 (D)가 정답이다. 'lit up'이라는 완료형에 맞추어 'has' 조동사를 쓴 점에도 유의한다. (A)는 'pump'를 능동형으로 활용하면 뒤에 목적어가 없어서 의미가 어색하므로 오답이다. (B)와 (C)는 주격 관계절이 되려면 'that'과 같은 주격 관계대명사가 앞에 필요하므로 오답이다.

관련 문장 A plasma is a gas that has been pumped with energy and then sparked.

[5-6]

해석

캡틴 플라스마가 악당 닥터 블랙홀에 맞서다

캡틴 플라스마

저 악당은 수소와 헬륨을 사용해서 나를 막을 수 있다고 생각하고 있어. 그녀는 나, 캡틴 플라스마가 태양의 수소와 헬륨에서 힘을 얻는다는 것을 잊어버렸지. 그녀는 날 절대 막지 못할 거야!

5. What can be inferred about Doctor Black Hole?

(A) She is the enemy of Captain Plasma.
(B) She gave Captain Plasma his powers.
(C) She stopped making hydrogen and helium.
(D) She created a freeze ray with the power of the Sun.

해석 닥터 블랙홀에 관해 추론할 수 있는 내용은 무엇인가?

(A) 캡틴 플라스마의 적이다.
(B) 캡틴 플라스마에게 힘을 주었다.
(C) 수소와 헬륨 생산을 중단했다.
(D) 태양의 힘으로 냉동 광선을 만들었다.

풀이 캡틴 플라스마가 닥터 블랙홀을 악당('villain')이라고 지칭하고, 그녀에 맞선다('confronts')고 하는 점으로 보아 닥터 블랙홀은 캡틴 플라스마의 적이라는 것을 추론할 수 있다. 따라서 (A)가 정답이다. (B)는 캡틴 플라스마가 태양의 수소와 헬륨에서 힘을 얻는다고 하였으므로 오답이다.

6. What is mentioned about Captain Plasma?

(A) He is the brother of Doctor Black Hole.
(B) He was born on a planet far from Earth.
(C) He returned hydrogen and helium to the Sun.
(D) He gets his powers from two elements in the Sun.

해석 캡틴 플라스마에 관해 언급된 내용은 무엇인가?

(A) 닥터 블랙홀의 남자 형제이다.
(B) 지구에서 먼 행성에서 태어났다.
(C) 수소와 헬륨을 태양으로 돌려보냈다.
(D) 태양의 두 가지 원소에서 힘을 얻는다.

풀이 'She forgot that I, Captain Plasma, acquire my powers from hydrogen and helium in the Sun.'에서 캡틴 플라스마가 태양의 수소와 헬륨, 즉 두 가지 원소로부터 힘을 얻는다고 하였으므로 (D)가 정답이다.

[7-10]

People used to divide matter into three fundamental states: solids, liquids, and gases. However, there is actually a fourth state of matter. In fact, as far as we know, it is the most common state of matter in the whole observable universe. Most stars are made of it, the Sun is made of it, and even many television sets are made of it. This state of matter is a hot gas known as a plasma.

A plasma is a gas that has been pumped with energy and then sparked. When a gas becomes hot enough, some of its electrons will break free from their nucleus but will continue to travel around with the nucleus. This forms a plasma. In the case of the Sun, for example, the extreme heat causes hydrogen and helium molecules to fly off, generating a giant plasma ball.

It is thought that 99% of the observable universe is made up of plasmas, but on Earth naturally-occurring plasmas are relatively rare. There are a few places where we can see it though: in the Northern and Southern Lights and in lightning. Still, if we look up at the sky and contemplate the rest of the universe, we can remember that a lot of it is a plasma.

해석

사람들은 물질을 세 가지 기본 상태로 나누곤 했다: 바로 고체, 액체, 그리고 기체이다. 하지만, 실제로는 물질의 네 번째 상태가 있다. 실은, 우리가 아는 한, 그것은 관측 가능한 우주 전체에서 가장 흔한 물질 상태이다. 대부분 항성은 그것으로 이루어져 있고, 태양도 그것으로 이루어져 있고, 심지어 많은 텔레비전도 그것으로 이루어져 있다. 이 물질 상태는 플라스마라고 알려진 뜨거운 기체이다.

플라스마는 에너지가 가득 차오르고 나서 발광하는 기체이다. 기체가 충분히 뜨거워지면, 그것의 전자들 중 일부가 원자핵에서 떨어져 나오지만 원자핵과 함께 계속해서 돌아다닐 것이다. 이것이 플라스마를 형성한다. 태양의 경우, 예를 들어, 극심한 열기가 수소와 헬륨 분자를 날아가게 하여, 거대한 플라스마 덩이를 생성한다.

관측 가능한 우주의 99%가 플라스마로 이루어져 있다고 여겨지지만, 지구에서는 자연 발생 플라스마가 비교적 드물다. 그런데도 그것을 볼 수 있는 곳이 몇 군데가 있다: 북극광과 남극광에서 그리고 번개에서이다. 어찌 됐든, 하늘을 올려다보고 나머지 우주 공간에 대해서 곰곰이 생각한다면, 많은 것이 플라스마라는 것을 기억할 수 있다.

7. What is the passage mainly about?

(A) the fourth state of matter
(B) the three states of matter
(C) how atoms form the universe
(D) how much of the universe is observable

해석 지문은 주로 무엇에 관한 내용인가?

(A) 물질의 네 번째 상태
(B) 물질의 세 가지 상태
(C) 원자들이 우주를 어떻게 형성하는지
(D) 우주의 얼마큼이 관측 가능한지

유형 전체 내용 파악

풀이 첫 번째 문단에서 물질의 네 번째 상태인 플라스마라는 중심 소재를 언급하고, 두 번째 문단에서 플라스마가 무엇인지 생성 원리를 자세히 설명하며, 세 번째 문단에서 지구의 플라스마에 관해 언급한 뒤 글을 마치고 있다. 따라서 해당 지문의 중심 소재는 물질의 네 번째 상태인 플라스마이므로 (A)가 정답이다.

8. Which of the following is made of a plasma?

(A) stars
(B) radios
(C) the Moon
(D) the Amazon River

해석 다음 중 플라스마로 이루어진 것은 무엇인가?

(A) 항성
(B) 라디오
(C) 달
(D) 아마존강

유형 세부 내용 파악

풀이 첫 번째 문단의 'Most stars are made of it, the Sun is made of it, and even many television sets are made of it. This state of matter is a hot gas known as a plasma.'에서 항성, 태양, 텔레비전을 예시로 들며 플라스마로 이루어진 물체를 나열하고 있으므로 여기에 포함되는 (A)가 정답이다.

9. When will electrons break free and travel with their nucleus?

(A) when a gas gets very hot
(B) when a liquid becomes a solid
(C) when a gas is cooled to a liquid
(D) when a solid touches another solid

해석 전자들이 떨어져 나와 원자핵과 함께 이동하는 때는 언제인가?

(A) 기체가 매우 뜨거워지면
(B) 액체가 고체가 되면
(C) 기체가 식어 액체가 되면
(D) 고체가 다른 고체에 닿으면

유형 세부 내용 파악

풀이 두 번째 문단의 'When a gas becomes hot enough, some of its electrons will break free from their nucleus but will continue to travel around with the nucleus.'에서 기체가 충분히 뜨거워지면 일부 전자들이 원자핵에서 떨어져 나와 원자핵과 함께 돌아다닌다고 하였으므로 (A)가 정답이다.

10. What difference is listed between Earth and the rest of the observable universe?

(A) Earth has no naturally occurring plasmas.
(B) Earth has few naturally occurring plasmas.
(C) Earth has hotter naturally occurring plasmas.
(D) Earth has a lot of naturally occurring plasmas.

해석 지구와 나머지 관측 가능한 우주 간의 차이점으로 나열된 것은 무엇인가?

(A) 지구에는 자연 발생 플라스마가 없다.
(B) 지구에는 자연 발생 플라스마가 거의 없다.
(C) 지구에는 더 뜨거운 자연 발생 플라스마가 있다.
(D) 지구에는 많은 자연 발생 플라스마가 있다.

유형 세부 내용 파악

풀이 세 번째 문단의 'It is thought that 99% of the observable universe is made up of plasmas, but on Earth naturally-occurring plasmas are relatively rare.'에서 관측 가능한 우주의 99%가 플라스마지만 지구에서는 자연 발생 플라스마가 비교적 드물다고 설명하고 있다. 이는 지구에는 관측 가능한 우주와 비교해서 자연 발생 플라스마가 거의 없다는 의미이므로 (B)가 정답이다. (A)는 그다음 문장인 'There are a few places where we can see it though: in the Northern and Southern Lights and in lightning.'에서 북극광, 남극광, 번개에서 플라스마를 볼 수 있다고 하였으며, 따라서 지구에 플라스마가 아예 없다는 것은 사실이 아니므로 오답이다.

Listening Practice

HJ2-11 p.100

People used to divide matter into three fundamental states: solids, liquids, and gases. However, there is actually a fourth state of matter. In fact, as far as we know, it is the most common state of matter in the whole observable universe. Most stars are made of it, the Sun is made of it, and even many television sets are made of it. This state of matter is a hot gas known as a plasma.

A plasma is a gas that has been pumped with energy and then sparked. When a gas becomes hot enough, some of its electrons will break free from their nucleus but will continue to travel around with the nucleus. This forms a plasma. In the case of the Sun, for example, the extreme heat causes hydrogen and helium molecules to fly off, generating a giant plasma ball.

It is thought that 99% of the observable universe is made up of plasmas, but on Earth naturally-occurring plasmas are relatively rare. There are a few places where we can see it though: in the Northern and Southern Lights and in lightning. Still, if we look up at the sky and contemplate the rest of the universe, we can remember that a lot of it is a plasma.

1. fundamental
2. state
3. matter
4. electrons
5. nucleus
6. molecules

Writing Practice

p.101

1. matter
2. fundamental
3. state
4. electron
5. nucleus
6. molecule

Summary

Plasma is the most common state of matter in the whole observable universe. A plasma is a gas that has been pumped with energy and then sparked. Although naturally-occurring plasmas are relatively rare on Earth, we can contemplate that a lot of the universe is made of plasmas.

플라스마는 관측 가능한 우주 전체에서 가장 흔한 물질 상태이다. 플라스마는 에너지가 가득 차오르면 발광하는 기체이다. 자연 발생 플라스마는 지구에서 비교적 드물지만, 우리는 우주의 많은 것들이 플라스마로 이루어져 있다는 점을 곰곰이 생각해볼 수 있다.

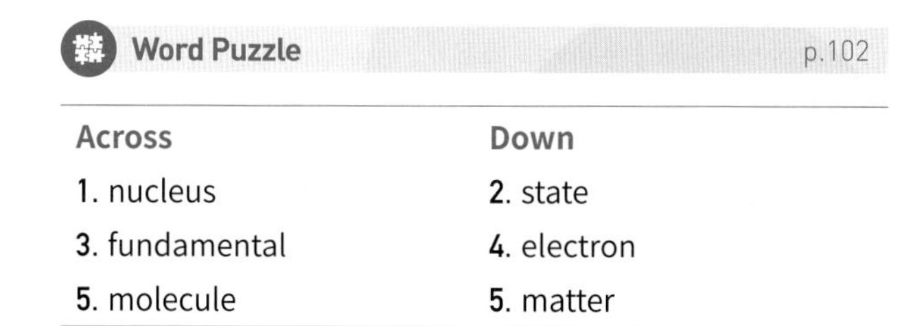

Word Puzzle p.102

Across	Down
1. nucleus	2. state
3. fundamental	4. electron
5. molecule	5. matter

Unit 12 | Contagious Yawning p.103

Part A. Picture Description p.105

1 (B) 2 (B)

Part B. Sentence Completion p.105

3 (C) 4 (B)

Part C. Practical Reading Comprehension p.106

5 (A) 6 (D)

Part D. General Reading Comprehension p.107

7 (D) 8 (D) 9 (A) 10 (B)

Listening Practice p.108

1 yawn	2 involuntary
3 contagious	4 empathy
5 disorder	6 mimic

Writing Practice p.109

1 yawn	2 contagious
3 involuntary	4 empathy
5 disorder	6 mimic

Summary contagious, phenomenon, neurons, yawning

Word Puzzle p.110

Across

1 mimic	3 disorder
4 contagious	5 empathy
6 yawn	

Down

2 involuntary

Pre-reading Questions p.103

When do you yawn?

당신은 언제 하품하나요?

Reading Passage p.104

Contagious Yawning

Birds, reptiles, mammals, and some fish all yawn. Yawns are an involuntary reaction that originate in the brain stem. However, for only a few creatures, including humans, yawning is contagious. When we see another person yawn, it is six times more likely that we will also yawn. Yet scientists still do not know why this occurs.

Numerous theories have been proposed to explain the phenomenon of contagious yawning. One theory is that yawning is related to empathy, the ability to feel along with others. Support for this theory comes from observations of some children with autistic spectrum disorder, a condition that seems to affect people's ability to sense what others are feeling. When those children were watching a video of people yawning, they yawned less than children without the disorder.

However, a different theory is that contagious yawning is related to mirror neurons in the brain. These mirror neurons are thought to cause organisms to mimic behaviors, perhaps because they recognize in others a behavior that might be useful for survival.

While it is not yet known why contagious yawning happens, there is plenty of evidence that it occurs, even just from reading about it. If you yawned while reading this fascinating passage, contagious yawning is probably the reason!

하품 전염

조류, 파충류, 포유류, 그리고 물고기 중 일부는 모두 하품을 한다. 하품은 뇌간에서 비롯된 무의식적인 반응이다. 하지만, 인간을 포함한 소수의 생물에게서만, 하품이 전염성이 있다. 다른 사람이 하품하는 것을 보면, 우리 또한 하품할 가능성이 여섯 배나 더 높다. 그런데 과학자들은 왜 이런 일이 일어나는지 아직 알지 못한다.

하품이 전염되는 현상을 설명하기 위해 수많은 이론이 제시되었다. 한 이론에 의하면 하품하는 것은 타인과 함께 느끼는 능력인 공감과 관련된다. 이 이론에 대한 뒷받침은 타인이 무엇을 느끼는지 감지하는 능력에 영향을 미치는 듯한 질환인, 자폐 범주성 장애가 있는 일부 아이들에 대한 관찰로부터 온다. 그 아이들이 하품하는 사람들의 동영상을 시청했을 때, 그들은 장애가 없는 아이들보다 더 적게 하품했다.

하지만, 다른 이론에 의하면 하품 전염은 뇌의 거울 뉴런과 관련이 있다. 이 거울 뉴런들은 유기체들이 행동을 흉내 내게 한다고 여겨지는데, 이는 아마도 그것들이 타인으로부터 생존에 유용할지도 모르는 행동을 인식하기 때문이다.

하품 전염이 일어나는 이유는 아직 알려지지 않았지만, 그것이 발생한다는 많은 증거가 있으며, 심지어 그것에 관해 읽는 행위만으로도 발생할 수 있다. 이 매력적인 지문을 읽으면서 하품을 했다면, 하품 전염이 아마 그 이유일 것이다!

어휘 contagious 전염성이 있는, 전염되는 | yawn 하품하다; 하품 | reptile 파충류 | mammal 포유류 | involuntary 무의식적인; 본의 아닌 | reaction 반응 | originate 비롯되다 | stem 줄기 | brain stem 뇌간, 뇌줄기 | creature 생물 | numerous 수많은 | propose 제시하다 | phenomenon 현상 | empathy 공감, 감정이입 | support 뒷받침(하는 것), 증거 | observation 관찰 | autistic 자폐성의 | spectrum 범주, 스펙트럼 | disorder 장애[이상] | autistic spectrum disorder(ASD) 다운 범주성 장애 | condition 질환[문제]; 상태 | neuron 뉴런 | organism 유기체, 생물 | mimic 흉내내다 | behavior 행동 | recognize 인식하다 | survival 생존 | evidence 증거 | fascinating 매력적인 | nap 낮잠 자다 | crawl 기어가다 | contain 억제하다 | diminish 약해지다, 줄어들다 | control group 대조군, 통제 집단 | trigger 유발하다 | yawn-athon 하품 마라톤 (대회) (장시간·지구력의 경기, 행사를 뜻하는 '-athon' 과 'yawn'이 합쳐진 것) | contagion 전염 | spreadable 퍼지는, 잘 퍼지는

Comprehension Questions p.105

1. Ramona is yawning. I guess she's tired.
   (A) napping
   (B) yawning
   (C) sleeping
   (D) crawling

해석 Ramona가 하품하고 있다. 그녀는 피곤한가 보다.
(A) 낮잠 자는
(B) 하품하는
(C) 자는
(D) 기어가는

풀이 하품을 하고 있는 모습이므로 (B)가 정답이다.

관련 문장 Birds, reptiles, mammals, and some fish all yawn.

2. The man in green's cold is contagious.
   (A) contained
   (B) contagious
   (C) diminishing
   (D) disappearing

해석 녹색 옷을 입은 남자의 감기는 전염성이 있다.
(A) 억제된
(B) 전염성이 있는
(C) 약해지는
(D) 사라지는

풀이 녹색 상의를 입은 남자의 기침에서 여러 균이 배출되고 있다. 이런 균은 감기 등의 질병을 전염시키므로 (B)가 정답이다.

관련 문장 However, for only a few creatures, including humans, yawning is contagious.

3. Many different theories have been <u>proposed</u> to explain this interesting phenomenon.

(A) propose
(B) proposal
(C) proposed
(D) proposing

해석 이 흥미로운 현상을 설명하기 위해 많은 다양한 이론들이 <u>제시되었다</u>.

(A) 제시하다
(B) 제안
(C) 제시된
(D) 제시하는

풀이 주어 'Many different theories'가 사물이기 때문에 문맥상 수동형이 적절하므로 (C)가 정답이다. (D)는 'has been proposing'이 능동형이 되어 뒤에 목적어가 필요하므로 오답이다.

새겨 두기 'to explain this interesting phenomenon'은 목적이나 의도를 나타내는 to 부정사의 부사적 용법이다.

관련 문장 Numerous theories have been proposed to explain the phenomenon of contagious yawning.

4. <u>When</u> children watched a video of animals running, the children smiled more.

(A) Who
(B) When
(C) There
(D) Those

해석 아이들이 동물들이 달리는 동영상을 보았<u>을 때</u>, 그 아이들은 더 미소를 지었다.

(A) ~하는 사람
(B) ~할 때
(C) 거기에
(D) 저들

풀이 문장의 구조를 보면 '______ children watched a video of animals running (종속절), the children smiled more (독립절)'이다. 따라서 문장의 가장 앞이나 중간에서 종속절과 독립절을 이어줄 수 있으면서 문맥상 의미도 적절한 접속사 (B)가 정답이다.

관련 문장 When those children were watching a video of people yawning, they yawned less than children without the disorder.

[5-6]

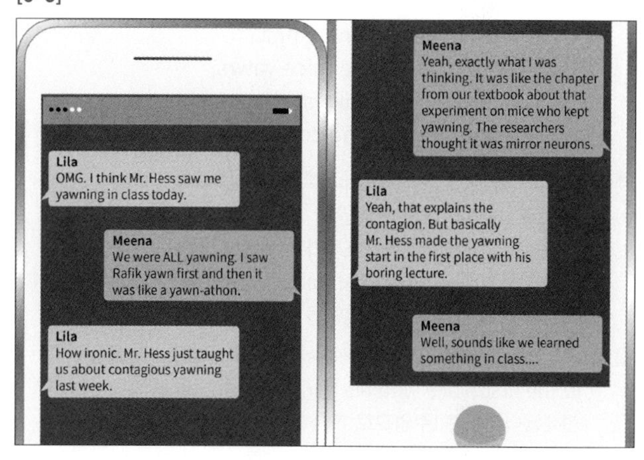

해석

Lila: 이런. Hess 선생님이 오늘 수업 때 나 하품하는 거 보신 것 같아.

Meena: 우리 전부 하품하고 있었어. 내가 Rafik이 처음으로 하품하는 걸 봤는데 그다음부터는 하품 마라톤 같았다니까.

Lila: 참 아이러니하다. Hess 선생님이 지난주에 우리한테 하품 전염에 관해 막 가르쳐주셨잖아.

Meena: 맞아, 정확히 내가 생각하고 있던 거야. 계속 하품했던 쥐들에 대한 실험을 다룬 우리 교과서 단원 같았어. 연구자들은 그게 거울 뉴런이라고 생각했지.

Lila: 맞아, 그것이 전염을 설명해주는군. 하지만 무엇보다도 Hess 선생님이 지루한 수업으로 먼저 하품을 시작하게 하셨지.

Meena: 음, 우리가 수업 시간에 무언가를 배운 것 같긴 하네....

5. What subject does Mr. Hess most likely teach?

(A) biology
(B) physics
(C) mathematics
(D) computer science

해석 Hess 선생님이 가르칠 과목으로 가장 적절한 것은 무엇인가?

(A) 생물학
(B) 물리학
(C) 수학
(D) 컴퓨터 과학

풀이 Lila의 메시지 'Mr. Hess just taught us about contagious yawning last week.'에서 Hess 선생님이 지난주 하품 전염 현상에 관해 수업했음을 알 수 있고, Meena의 메시지를 통해 구체적으로 하품하는 쥐에 대한 실험과 거울 뉴런 등을 다루었음을 알 수 있다. 이러한 내용은 생물학 시간에 다루어질 가능성이 가장 높으므로 (A)가 정답이다.

6. According to Lila, what happened in class?

(A) Mr. Hess began yawning first.
(B) Mr. Hess made some mice yawn.
(C) Mr. Hess caught Rafik yawning in class.
(D) Mr. Hess started the contagious yawning.

해석 Lila에 따르면, 수업 시간에 무슨 일이 일어났는가?

(A) Hess 선생님이 먼저 하품을 시작했다.
(B) Hess 선생님이 쥐 몇 마리가 하품하게 했다.
(C) Hess 선생님이 수업에서 Rafik이 하품하는 것을 발견했다.
(D) Hess 선생님이 하품 전염을 시작했다.

풀이 Lila가 'But basically Mr. Hess made the yawning start in the first place with his boring lecture.'을 통해 Hess 선생님이 지루한 수업으로 하품 전염 현상이 시작되게 했다고 하였으므로 (D)가 정답이다. (A)는 하품을 가장 먼저 시작한 사람은 Rafik이므로 오답이다. (C)는 Rafik이 하품하는 모습을 본 사람은 Meena이므로 오답이다.

[7-10]

Birds, reptiles, mammals, and some fish all yawn. Yawns are an involuntary reaction that originate in the brain stem. However, for only a few creatures, including humans, yawning is contagious. When we see another person yawn, it is six times more likely that we will also yawn. Yet scientists still do not know why this occurs.

Numerous theories have been proposed to explain the phenomenon of contagious yawning. One theory is that yawning is related to empathy, the ability to feel along with others. Support for this theory comes from observations of some children with autistic spectrum disorder, a condition that seems to affect people's ability to sense what others are feeling. When those children were watching a video of people yawning, they yawned less than children without the disorder.

However, a different theory is that contagious yawning is related to mirror neurons in the brain. These mirror neurons are thought to cause organisms to mimic behaviors, perhaps because they recognize in others a behavior that might be useful for survival.

While it is not yet known why contagious yawning happens, there is plenty of evidence that it occurs, even just from reading about it. If you yawned while reading this fascinating passage, contagious yawning is probably the reason!

해석

조류, 파충류, 포유류, 그리고 물고기 중 일부는 모두 하품을 한다. 하품은 뇌간에서 비롯된 무의식적인 반응이다. 하지만, 인간을 포함한 소수의 생물에게서만, 하품이 전염성이 있다. 다른 사람이 하품하는 것을 보면, 우리 또한 하품할 가능성이 여섯 배나 더 높다. 그런데 과학자들은 왜 이런 일이 일어나는지 아직 알지 못한다.

하품이 전염되는 현상을 설명하기 위해 수많은 이론이 제시되었다. 한 이론에 의하면 하품하는 것은 타인과 함께 느끼는 능력인 공감과 관련된다. 이 이론에 대한 뒷받침은 타인이 무엇을 느끼는지 감지하는 능력에 영향을 미치는 듯한 질환인, 자폐 범주성 장애가 있는 일부 아이들에 대한 관찰로부터 온다. 그 아이들이 하품하는 사람들의 동영상을 시청했을 때, 그들은 장애가 없는 아이들보다 더 적게 하품했다.

하지만, 다른 이론에 의하면 하품 전염은 뇌의 거울 뉴런과 관련이 있다. 이 거울 뉴런들은 유기체들이 행동을 흉내 내게 한다고 여겨지는데, 이는 아마도 그것들이 타인으로부터 생존에 유용할지도 모르는 행동을 인식하기 때문이다.

하품 전염이 일어나는 이유는 아직 알려지지 않았지만, 그것이 발생한다는 많은 증거가 있으며, 심지어 그것에 관해 읽는 행위만으로도 발생할 수 있다. 이 매력적인 지문을 읽으면서 하품을 했다면, 하품 전염이 아마 그 이유일 것이다!

7. What is the best title for the passage?

(A) Six Theories about Yawning
(B) Contagious Yawning in Animals
(C) The Importance of Hiding Yawns
(D) The Mystery of Contagious Yawning

해석 지문에 가장 알맞은 제목은 무엇인가?

(A) 하품에 관한 여섯 가지 이론
(B) 동물들에서 보이는 하품 전염
(C) 하품을 감추는 것의 중요성
(D) 하품 전염의 수수께끼

유형 전체 내용 파악

풀이 첫 번째 문단에서 하품 전염 현상이라는 중심 소재를 드러내고, 이어서 하품 전염 현상을 둘러싼 이론을 설명하고 있는 글이다. 하품 전염 현상이 발생한다는 증거는 충분하지만 그 원인이 확실히 알려지지 않았다는 것이 글의 요지이므로 이를 가장 잘 반영한 (D)가 정답이다. (A)는 하품 전염 현상에 관한 이론을 설명하고 있으나 두 가지 이론만 언급되었으므로 오답이다.

8. According to the passage, what happened when some children with a disorder watched a video?

(A) They stood up when yawning.
(B) They stopped yawning forever.
(C) They yawned more than a control group.
(D) They yawned less than children without the disorder.

해석 지문에 따르면, 장애가 있는 일부 아이들이 동영상을 시청했을 때 무슨 일이 일어났는가?

(A) 하품할 때 일어섰다.
(B) 하품하는 것을 영원히 멈췄다.
(C) 통제 집단(대조군)보다 더 많이 하품했다.
(D) 장애가 없는 아이들보다 더 적게 하품했다.

유형 세부 내용 파악

풀이 두 번째 문단에서 자폐 범주성 장애를 가진 아이들이 사람들이 하품하는 동영상을 시청했을 때 장애가 없는 아이들보다 하품을 덜 하였다고 했으므로 (D)가 정답이다. (C)는 장애를 가진 아이들(실험 집단)이 장애가 없는 아이들(대조 집단)보다 하품을 더 적게 하였으므로 오답이다. 'control group'(통제 집단)은 연구에서 (연구의 대상이 되는 실험 집단과의) 비교를 위한 대조 집단을 의미한다.

9. According to one theory, what might cause mimicking in yawning?

(A) mirror neurons
(B) the brain stem
(C) scientific observations
(D) autistic spectrum disorder

해석 한 가지 이론에 따르면, 하품할 때 무엇이 흉내 내기를 유발할지도 모르는가?

(A) 거울 뉴런
(B) 뇌간
(C) 과학적 관찰
(D) 자폐 범주성 장애

유형 세부 내용 파악

풀이 세 번째 문단에서 타인의 행동을 흉내 내도록 하는('mimic') 거울 뉴런이 하품 전염과 관련이 있다는 이론을 소개하고 있다. 따라서 (A)가 정답이다. (B)는 뇌간은 하품이 발생하도록 하는 기관이고, 다른 이들의 하품을 흉내 내는 현상과는 연관성이 언급되지 않았으므로 오답이다.

10. According to the passage, what can trigger contagious yawning?

(A) seeing a bird
(B) reading about it
(C) going swimming
(D) looking at a light

해석 지문에 따르면, 무엇이 하품 전염을 유발할 수 있는가?

(A) 새를 보는 것
(B) 그것에 관해 읽는 것
(C) 수영하러 가는 것
(D) 빛을 보는 것

유형 세부 내용 파악

풀이 네 번째 문단의 'While it is not yet known why contagious yawning happens, there is plenty of evidence that it occurs, even just from reading about it.'에서 심지어 하품에 관해 읽는 행동만으로도 하품 전염이 일어날 수 있다고 하였으므로 (B)가 정답이다. 나머지 선택지는 지문에서 언급되지 않았으므로 오답이다.

Listening Practice

HJ2-12 p.108

Birds, reptiles, mammals, and some fish all yawn. Yawns are an involuntary reaction that originate in the brain stem. However, for only a few creatures, including humans, yawning is contagious. When we see another person yawn, it is six times more likely that we will also yawn. Yet scientists still do not know why this occurs.

Numerous theories have been proposed to explain the phenomenon of contagious yawning. One theory is that yawning is related to empathy, the ability to feel along with others. Support for this theory comes from observations of some children with autistic spectrum disorder, a condition that seems to affect people's ability to sense what others are feeling. When those children were watching a video of people yawning, they yawned less than children without the disorder.

However, a different theory is that contagious yawning is related to mirror neurons in the brain. These mirror neurons are thought to cause organisms to mimic behaviors, perhaps because they recognize in others a behavior that might be useful for survival.

While it is not yet known why contagious yawning happens, there is plenty of evidence that it occurs, even just from reading about it. If you yawned while reading this fascinating passage, contagious yawning is probably the reason!

1. yawn
2. involuntary
3. contagious
4. empathy
5. disorder
6. mimic

Writing Practice

p.109

1. yawn
2. contagious
3. involuntary
4. empathy
5. disorder
6. mimic

Summary

For a few creatures including humans, yawning is contagious. There are several theories proposed to explain this phenomenon. One theory is related to empathy, and another is related to mirror neurons in the brain. While it is not yet known why contagious yawning happens, there is plenty of evidence that it occurs.

인간을 포함한 소수의 생물에게는, 하품은 전염성이 있다. 이 현상을 설명하기 위해 제안된 이론들이 몇 가지 있다. 한 이론은 공감과 관련되며, 또 다른 이론은 뇌의 거울 뉴런과 관련된다. 하품 전염이 일어나는 이유는 아직 알려지지 않았지만, 그것이 발생한다는 증거는 많다.

Word Puzzle

p.110

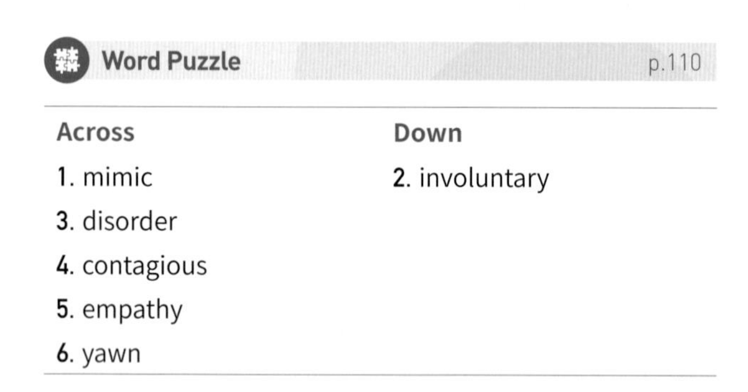

Across

1. mimic
3. disorder
4. contagious
5. empathy
6. yawn

Down

2. involuntary

AMAZING STORIES p.111

The Unsolved Mystery of Planet Nine

In the outer regions of our Solar System there is a mysterious group of objects orbiting the Sun. Some of them go around the planet Neptune, pulled into its orbit by gravity. But some of the objects are being pulled away from Neptune into another orbit. Something must be there in space pulling the objects away. That something must be very big, with an even greater mass than Neptune. That something could be Planet Nine.

We do not actually know for sure if Planet Nine exists. At the moment, it is considered a hypothetical planet. But in 2014, scientists began to theorize that something in space must be controlling the orbit of these objects. If there is a planet there, scientists believe that it is even bigger than Earth, with five to ten times the mass of our home planet. One theory is that Planet Nine is the core of a huge planet whose orbit began when the Solar System was formed. Another theory is that the planet came from somewhere else and was pulled into our Solar System by a star that was passing by.

However, no one has been able to find Planet Nine yet. If Planet Nine exists, its orbit around the Sun would be 400 to 800 times the distance of Earth's orbit. Modern telescopes cannot see anything there because the light reflected on the planet from the Sun is not bright enough. It is hoped that a combination of computer simulations and better telescopes will help astronomers to solve the mystery of Planet Nine.

제9행성이라는 미해결 수수께끼

우리 태양계의 바깥쪽 영역에는 태양 주위를 도는 신비한 물체들이 있다. 그것들 중 일부는 중력에 의해 궤도로 당겨져서 해왕성 주위를 돈다. 그런데 그 물체들 중 일부는 해왕성에서 떨어져 다른 궤도로 당겨지고 있다. 이 물체들을 당겨내는 무언가가 우주에 있어야만 한다. 그 무언가는 매우 크며, 해왕성보다 훨씬 더 큰 질량을 가졌을 것이다. 그 무언가는 제9행성(Planet Nine)일 수도 있다.

우리는 제9행성이 실제로 존재하는지 확실히 모른다. 현재 시점에서는, 그것은 가상의 행성이라 여겨진다. 그런데 2014년에, 과학자들이 우주의 무언가가 이 물체들의 궤도를 통제하고 있다고 이론을 제시하기 시작했다. 그곳에 행성이 있다면, 과학자들은 그것이 지구보다 훨씬 크며, 우리의 고향 행성보다 질량이 5-10배만큼 크다고 생각한다. 한 이론에 의하면 제9행성은 태양계가 형성되었을 때 궤도가 시작된 거대한 행성의 중심이다. 또 다른 이론은 행성이 다른 곳에서 왔고 지나가던 한 항성에 의해 우리 태양계로 끌려왔다는 것이다.

하지만, 아무도 아직 제9행성을 발견하지는 못 했다. 제9행성이 존재한다면, 태양 주위를 도는 그것의 궤도는 지구 궤도 거리의 400-800배가 될 것이다. 현대 망원경은 태양으로부터 이 행성에 반사되는 빛이 충분히 밝지 않기 때문에 그곳에 있는 어떤 것도 볼 수 없다. 컴퓨터 시뮬레이션과 개선된 망원경의 결합이 천문학자들이 제9행성의 수수께끼를 푸는 데 도움이 되기를 바란다.

MEMO

TOSEL® Reading
High Junior Book 3

TOSEL
H

High Junior Book 3

ANSWERS

CHAPTER 1 | Social Studies / Psychology
p.10

UNIT 1
HJ3-1
p.11

1 (B) 2 (B) 3 (B) 4 (C) 5 (D) 6 (C) 7 (B) 8 (D) 9 (B) 10 (D)
1 monarchy 2 ruler 3 officials 4 citizens 5 elected 6 democracy
1 monarchy 2 ruler 3 elect 4 official 5 democracy 6 citizen
parent, democracy, vote, parliamentary
→ 3 monarchy 5 citizen 6 ruler ↓ 1 democracy 2 elect 4 official

UNIT 2
HJ3-2
p.19

1 (C) 2 (C) 3 (A) 4 (A) 5 (D) 6 (A) 7 (C) 8 (A) 9 (D) 10 (B)
1 rush hour 2 earnings 3 commuters 4 appreciated 5 driven 6 cautious
1 rush hour 2 commuter 3 earnings 4 driven by 5 appreciate 6 cautious
violinist, busker, purpose, appreciated
→ 2 commuter 4 driven by 5 cautious 6 rush hour ↓ 1 appreciate 3 earnings

UNIT 3
HJ3-3
p.27

1 (B) 2 (C) 3 (C) 4 (B) 5 (C) 6 (A) 7 (B) 8 (D) 9 (D) 10 (D)
1 copyright 2 permission 3 pesticides 4 property 5 patent 6 Activists
1 copyright 2 permission 3 pesticide 4 property 5 patent 6 activist
traditional, India, properties, battle
→ 1 permission 4 copyright 5 patent ↓ 1 pesticide 2 property 3 activist

UNIT 4
HJ3-4
p.35

1 (C) 2 (B) 3 (C) 4 (D) 5 (B) 6 (C) 7 (B) 8 (A) 9 (D) 10 (A)
1 psychology 2 motivates 3 belonging 4 self-esteem 5 claims 6 prioritize
1 psychology 2 motivate 3 self-esteem 4 claim 5 belonging 6 prioritize
Hierarchy, popular, biology, motivation
→ 4 prioritize 5 motivate ↓ 1 self-esteem 2 claim 3 belonging 4 psychology

CHAPTER 2 | Culture
p.44

UNIT 5
HJ3-5
p.45

1 (B) 2 (A) 3 (A) 4 (B) 5 (B) 6 (C) 7 (C) 8 (A) 9 (D) 10 (D)
1 folklore 2 mythological 3 beasts 4 hybrids 5 vicious 6 scales
1 folklore 2 beast 3 mythological 4 hybrid 5 vicious 6 scales
mythological, hybrids, beasts, link
→ 5 mythological 6 beast ↓ 1 vicious 2 hybrid 3 folklore 4 scales

UNIT 6
HJ3-6
p.53

1 (A) 2 (A) 3 (C) 4 (C) 5 (A) 6 (C) 7 (C) 8 (C) 9 (B) 10 (D)
1 holiest 2 rituals 3 fast 4 dusk 5 sip 6 loved
1 holy 2 ritual 3 fast 4 dusk 5 sip of 6 loved ones
religion, rituals, fast, three
→ 1 holy 3 dusk 4 sip of 6 ritual ↓ 2 loved ones 5 fast

UNIT 7
HJ3-7
p.61

1 (C) 2 (C) 3 (C) 4 (A) 5 (D) 6 (D) 7 (A) 8 (D) 9 (A) 10 (A)
1 delight 2 population 3 access 4 portable 5 loaded it up 6 alternatives
1 delight 2 population 3 portable 4 access to 5 load 6 alternative
population, retired, modified, alternatives
→ 2 alternative 3 population 6 portable ↓ 1 delight 4 access to 5 load up with

UNIT 8
HJ3-8
p.69

1 (D) 2 (B) 3 (B) 4 (D) 5 (D) 6 (C) 7 (B) 8 (C) 9 (B) 10 (C)
1 coasts 2 accompanying 3 funeral 4 hollowed 5 rousing 6 shuffle
1 coast 2 accompanying 3 funeral 4 hollowed out 5 rousing 6 shuffle
heritage, drums, songs, upper
→ 2 coast 4 funeral 6 accompanying ↓ 1 hollowed out 3 shuffle 5 rousing

CHAPTER 3 | Technology
p.78

UNIT 9
HJ3-9
p.79

1 (B) 2 (B) 3 (D) 4 (C) 5 (C) 6 (C) 7 (D) 8 (C) 9 (B) 10 (D)
1 immerse 2 regulated 3 undergo 4 ethical 5 consequences 6 delayed
1 immerse yourself in 2 ethical 3 undergo 4 regulate 5 consequence 6 delay
ethical, real, allowed, physical
→ 1 undergo 5 ethical 6 consequence ↓ 2 regulate 3 immerse yourself in 4 delay

UNIT 10
HJ3-10
p.87

1 (A) 2 (D) 3 (A) 4 (D) 5 (B) 6 (B) 7 (A) 8 (C) 9 (A) 10 (B)
1 suspending 2 vehicles 3 cables 4 chain 5 collapse 6 exhilarating
1 suspend 2 cable 3 vehicle 4 collapse 5 chain 6 exhilarating
features, strength, stability, exhilarating
→ 2 collapse 4 chain 5 cable 6 vehicle ↓ 1 suspend 3 exhilarating

UNIT 11
HJ3-11
p.95

1 (A) 2 (A) 3 (D) 4 (A) 5 (C) 6 (C) 7 (A) 8 (B) 9 (C) 10 (B)
1 skull 2 conduct 3 conventional 4 decodes 5 vibration 6 bypass
1 conduct 2 skull 3 decode 4 conventional 5 vibration 6 bypass
conduction, skull, headphones, work
→ 2 bypass 4 conventional 5 conduct ↓ 1 vibration 3 skull 6 decode

UNIT 12
HJ3-12
p.103

1 (D) 2 (D) 3 (D) 4 (B) 5 (D) 6 (C) 7 (D) 8 (A) 9 (B) 10 (A)
1 capabilities 2 prototypes 3 figured 4 sign 5 consumers 6 equivalent
1 capability 2 prototype 3 figure out 4 sign up for 5 consumer 6 equivalent to
technology, videophone, introduced, expensive
→ 1 sign up for 3 consumer 5 capability 6 figure out ↓ 2 prototype 4 equivalent to

Chapter 1. Social Studies / Psychology

Unit 1 | Forms of Government p.11

Part A. Picture Description p.13

1 (B) 2 (B)

Part B. Sentence Completion p.13

3 (B) 4 (C)

Part C. Practical Reading Comprehension p.14

5 (D) 6 (C)

Part D. General Reading Comprehension p.15

7 (B) 8 (D) 9 (B) 10 (D)

Listening Practice p.16

1 monarchy 2 ruler
3 officials 4 citizens
5 elected 6 democracy

Writing Practice p.17

1 monarchy 2 ruler
3 elect 4 official
5 democracy 6 citizen
Summary parent, democracy, vote, parliamentary

Word Puzzle p.18

Across
3 monarchy 5 citizen
6 ruler
Down
1 democracy 2 elect
4 official

Pre-reading Questions p.11

Name three countries that have a monarchy.
Have you ever been to any of those countries?

군주제를 가진 나라 이름 세 개를 말해보세요.
그 나라 중 가본 곳이 있나요?

Reading Passage p.12

Forms of Government

Governments are political and legal systems that control people's relationships with one another within a society. Over history, humans have developed many types of government. Two of those types are described here.

The first type is monarchy. From ancient times until the early 20th century, this was the most common form of government. In this type of government, a queen or king is the ruler, and power is handed down from parent to child. Currently, there are still monarchies in countries around the world, but they tend to be constitutional monarchies, where most power lies with elected officials instead of with the king or queen. The UK is an example of a constitutional monarchy. Saudi Arabia is an example of an absolute monarchy, where the royal head is the ruler of the state.

Another form of government is democracy, whereby citizens organize political parties and compete in elections for transfer of power. There are two common forms of democracy. In a presidential democracy, a chief is elected and given a lot of power. The power is then limited by the constitution and other legal factors. France and the United States are both presidential democracies. In a parliamentary democracy, such as the one in India or Australia, the country's political power is in the parliament, and the head of the country must be a member of parliament.

정부 형태

통치 체제는 한 사회 내에서 개인 서로 간의 관계를 조정하는 정치적, 법적 체계이다. 역사를 통틀어, 인간은 많은 유형의 정부를 발전시켜 왔다. 그중 두 가지 유형을 여기서 설명하겠다.

첫 번째 유형은 군주제이다. 고대부터 초기 20세기까지, 이것은 가장 흔한 형태의 정부였다. 이런 형태의 정부에서는, 여왕이나 왕이 통치자이며, 권력이 부모에서 자식으로 전해진다. 현재도, 세계 각국에 여전히 군주제가 남아 있으나, 그곳들은 대부분의 권력이 왕이나 여왕에 있는 것이 아니라 선출된 공직자에 있는 입헌군주제인 경향이 있다. 영국이 입헌군주제의 한 예이다. 사우디아라비아는 절대군주제의 한 예로서, 여기서는 왕실의 우두머리가 국가의 통치자이다.

다른 형태의 정부는 민주주의 국가인데, 여기서는 시민들이 정당을 조직하고 권력 이양을 위해 선거에서 경쟁한다. 민주주의 국가에는 두 가지 일반적인 형태가 있다. 대통령 민주주의 국가에서는, 수장이 선출되어 많은 권력을 부여받는다. 그러면 권력은 헌법과 다른 법적 요인에 의해 제한된다. 프랑스와 미국이 모두 대통령 민주주의 국가이다. 인도나 호주에서와 같은, 의회 민주주의 국가에서는, 국가의 정치적 권력이 의회에 있고, 국가의 지도자는 의회의 일원이어야 한다.

어휘 government 정부, 통치 체제 | monarchy 군주제 | legal 법적인 | system 체계 | common 흔한 | ruler 통치자 | hand down ~을 물려주다 | constitutional 입헌의, 헌법의 | constitutional monarchy 입헌군주제 | elected 선출된 | official 공직자, 공무원 | absolute 절대적인 | absolute monarchy 절대군주제 | state 국가 | democracy 민주주의, 민주 국가 | whereby (=by which) (그것에 의하여) ~하는 | citizen 시민 | organize 구성하다 | party 정당, -당 | election 선거 | transfer 이동 | presidential 대통령의 | elect 선출하다 | limit 제한하다 | constitution 헌법 | factor 요소, 인자 | parliamentary 의회의 | parliament 의회 | royal 국왕[여왕]의 | head 지도자 | rule 통치하다; 규칙 | latecomer 지각하는 사람 | fine 벌금 | fire 해고하다 | promote 승진시키다 | monarch 군주, 왕 | reign (왕의) 통치 기간, 치세 | throne 왕위, 왕좌 | prime minister 총리, 수상 | host 주최하다 | encounter 만남 | vote for ~에 투표하다

Comprehension Questions

p.13

1. It is time to elect our new leader.

(A) fire
(B) elect
(C) promote
(D) celebrate

해석 새 지도자를 선출해야 할 때이다.

(A) 해고하다
(B) 선출하다
(C) 승진시키다
(D) 축하하다

풀이 투표함에 투표용지를 넣는 모습이다. 따라서 문맥상 지도자를 선출한다('elect')는 내용이 가장 적합하므로 (B)가 정답이다.

관련 문장 In a presidential democracy, a chief is elected and given a lot of power.

2. Achara is a German citizen.

(A) pilot
(B) citizen
(C) teacher
(D) monarch

해석 Achara는 독일 시민이다.

(A) 조종사
(B) 시민
(C) 교사
(D) 군주

풀이 독일 여권에 국적도 독일인이라고 표기되어 있다. 여권은 해당 국가의 시민권자에게 발급되는 것이므로 (B)가 정답이다.

관련 문장 Another form of government is democracy, whereby citizens organize political parties and compete in elections for transfer of power.

3. Kings and queens have ruled since ancient times, and there are still some ruling certain countries.

(A) yet
(B) still
(C) not as
(D) already

해석 왕과 여왕들은 고대부터 통치해왔으며, 지금도 여전히 특정 국가를 통치하는 몇몇이 있다.

(A) 아직
(B) 여전히
(C) ~와 같지 않은
(D) 이미

풀이 문맥상 고대에 왕과 여왕이 통치했고, 현재에도 여전히 통치하는 왕과 여왕이 있다는 내용이 가장 자연스럽다. 따라서 (B)가 정답이다.

새겨 두기 뒷 문장의 'some'은 앞 문장의 'Kings and queens'를 가리킨다.

관련 문장 Currently, there are still monarchies in countries around the world, [...]

4. In our team, we have a rule whereby latecomers have to pay a fine.

(A) how
(B) which
(C) whereby
(D) however

해석 우리 팀에는, 지각자들이 벌금을 물도록 하는 규칙이 있다.

(A) 어떻게
(B) 어느 것
(C) (그것에 의하여) ~하는
(D) 아무리 ~해도

풀이 'latecomers have to pay fine'은 완전한 절이기 때문에 빈칸에는 관계부사가 들어가야 한다. 'rule'이란 단어는 전치사 'by'와 함께 'by a rule'(규칙에 따라)이란 표현으로 자주 쓰이므로 해당 문장은 'we have a rule by which latecomers have to pay a fine'이라고 표현할 수 있다. 이때 'by which'는 'whereby'라는 한 단어로 줄여 표현할 수 있으므로 (C)가 정답이다. (B)는 정답 설명과 같이 'by'가 함께 쓰여야 하므로 오답이다.

관련 문장 Another form of government is democracy, whereby citizens organize political parties and compete in elections for transfer of power.

[5-6]

You probably already knew that England has a royal family, but did you know these facts about the British monarchy?

1) For a long time, the royal family had no family names. They used only their first names. Then in 1917, King George V decided that males in the family would have the last name "Windsor." Still today, some British princes generally use no family name.

2) Britain's monarch, Queen Elizabeth II has had the longest reign of any British monarch. She took the throne in 1952. That makes her one of the longest reigning monarchs of all time in any country.

3) Every Tuesday, the Queen meets with the UK's prime minister. So far, there have been thirteen prime ministers during the Queen's reign. She also hosts events for international leaders.

해석

아마도 영국에 왕실이 있다는 사실은 이미 알고 있었겠지만, 영국 군주제에 관해서 이러한 사실들은 알고 있었나요?

1) 오랫동안, 왕실에는 성이 없었다. 그들은 오직 이름만 사용했다. 그 후 1917년에, George 5세 왕은 집안의 남자들이 "Windsor"라는 성을 가질 것이라 결정했다. 여전히 오늘날에는, 일부 영국 왕사들은 일반적으로 성을 사용하지 않는다.

2) 영국 군주인, Elizabeth 2세 여왕은 영국 군주 중 가장 오래 통치했다. 그녀는 1952년에 왕위에 올랐다. 이로 인해 그녀는 온 국가와 시대를 통틀어 가장 오래 통치하는 군주 중 하나가 되었다.

3) 매주 화요일, 여왕은 영국 총리와 만남을 가진다. 지금까지, 여왕의 통치 기간에 열세 명의 총리가 있었다. 그녀는 또한 국제 지도자들을 위한 행사도 주최한다.

5. According to the information, what is true about the British royal family?

(A) They began their reign in 1952.
(B) Until 1917, the family name was "Windsor."
(C) The current queen is named Windsor Elizabeth I.
(D) Some members currently do not use a family name.

해석 정보에 따르면, 영국 왕실에 관해 옳은 내용은 무엇인가?

(A) 1952년에 통치를 시작했다.
(B) 1917년까지, 가문의 이름은 "Windsor"였다.
(C) 현재 여왕은 Windsor Elizabeth 1세라고 불린다.
(D) 일부 일원은 현재 성을 사용하지 않는다.

풀이 첫 번째 항목의 'Still today, some British princes generally use no family name.'에서 일부 영국 왕자들은 오늘날에도 여전히 성을 사용하지 않는다고 하였으므로 (D)가 정답이다. (A)는 1952년이 영국 왕실이 통치를 시작한 연도가 아니라 엘리자베스 2세가 왕위에 오른 연도이므로 오답이다. (B)는 1917년까지 영국 왕실 가문의 이름이 Windsor였던 것이 아니라 1917년에 George 5세가 집안 남성들에게 Windsor라는 성을 쓰도록 한 것이므로 오답이다.

6. Which is NOT mentioned about the British monarch?

(A) her weekly meetings with the prime minister
(B) her encounters with non-British world leaders
(C) how she gets to and from Buckingham Palace
(D) how many British prime ministers she has worked with

해석 해당 영국 군주에 관해 언급되지 않은 내용은 무엇인가?

(A) 총리와의 주간 회담
(B) 비영국 지도자들과의 만남
(C) 어떻게 Buckingham 궁전을 드나드는지
(D) 몇 명의 영국 총리들과 일해왔는지

풀이 Elizabeth 여왕이 어떻게 Buckingham 궁전을 드나드는지에 관한 내용은 언급되지 않았으므로 (C)가 정답이다. (A)는 'Every Tuesday, the Queen meets with the UK's prime minister.'에서, (B)는 'She also hosts events for international leaders.'에서, (D)는 'So far, there have been thirteen prime ministers during the Queen's reign.'에서 확인할 수 있으므로 오답이다.

[7-10]

Governments are political and legal systems that control people's relationships with one another within a society. Over history, humans have developed many types of government. Two of those types are described here.

The first type is monarchy. From ancient times until the early 20th century, this was the most common form of government. In this type of government, a queen or king is the ruler, and power is handed down from parent to child. Currently, there are still monarchies in countries around the world, but they tend to be constitutional monarchies, where most power lies with elected officials instead of with the king or queen. The UK is an example of a constitutional monarchy. Saudi Arabia is an example of an absolute monarchy, where the royal head is the ruler of the state.

Another form of government is democracy, whereby citizens organize political parties and compete in elections for transfer of power. There are two common forms of democracy. In a presidential democracy, a chief is elected and given a lot of power. The power is then limited by the constitution and other legal factors. France and the United States are both presidential democracies. In a parliamentary democracy, such as the one in India or Australia, the country's political power is in the parliament, and the head of the country must be a member of parliament.

해석

통치 체제는 한 사회 내에서 개인 서로 간의 관계를 조정하는 정치적, 법적 체계이다. 역사를 통틀어, 인간은 많은 유형의 정부를 발전시켜 왔다. 그중 두 가지 유형을 여기서 설명하겠다.

첫 번째 유형은 군주제이다. 고대부터 초기 20세기까지, 이것은 가장 흔한 형태의 정부였다. 이런 형태의 정부에서는, 여왕이나 왕이 통치자이며, 권력이 부모에서 자식으로 전해진다. 현재도, 세계 각국에 여전히 군주제가 남아 있으나, 그곳들은 대부분의 권력이 왕이나 여왕에 있는 것이 아니라 선출된 공직자에 있는 입헌군주제인 경향이 있다. 영국이 입헌군주제의 한 예이다. 사우디아라비아는 절대군주제의 한 예로서, 여기서는 왕실의 우두머리가 국가의 통치자이다.

다른 형태의 정부는 민주주의 국가인데, 여기서는 시민들이 정당을 조직하고 권력 이양을 위해 선거에서 경쟁한다. 민주주의 국가에는 두 가지 일반적인 형태가 있다. 대통령 민주주의 국가에서는, 수장이 선출되어 많은 권력을 부여받는다. 그러면 권력은 헌법과 다른 법적 요인에 의해 제한된다. 프랑스와 미국이 모두 대통령 민주주의 국가이다. 인도나 호주에서와 같은, 의회 민주주의 국가에서는, 국가의 정치적 권력이 의회에 있고, 국가의 지도자는 의회의 일원이어야 한다.

7. What is the main topic of the passage?

(A) some alternatives to monarchy
(B) two different forms of government
(C) typical changes in government over time
(D) the pros and cons of monarchy or democracy

해석 이 지문의 중심 소재는 무엇인가?

(A) 군주제에 대한 몇 가지 대안
(B) 두 가지 다른 형태의 정부
(C) 시간이 지남에 따른 정부의 전형적인 변화
(D) 군주제 혹은 민주주의의 장단점

유형 전체 내용 파악

풀이 첫 번째 문단에서 'government'라는 중심 소재를 언급하고 'Two of those types are described here'에서 다음에 이어질 내용을 암시하고 있다. 이에 따라 두 번째 문단과 세 번째 문단에서 차례대로 군주제와 민주주의라는 두 가지 정부 형태를 설명하고 있는 글이므로 (B)가 정답이다.

8. According to the passage, what is true about monarchy?

(A) It did not exist until the 20th century.
(B) It first began in 12th-century England.
(C) It involves power transfer through elections.
(D) It was very common before the 21st century.

해석 지문에 따르면, 군주제에 관해 옳은 내용은 무엇인가?

(A) 20세기 전까지 존재하지 않았다.
(B) 12세기 영국에서 처음 시작했다.
(C) 선거를 통한 권력 이양을 수반한다.
(D) 21세기 이전에 매우 흔했다.

유형 세부 내용 파악

풀이 두 번째 문단의 'The first type is monarchy. From ancient times until the early 20th century, this was the most common form of government.'에서 군주제는 고대부터 20세기 초기까지 가장 흔한 형태의 정부라고 하였으므로 (D)가 정답이다. (A)는 같은 문장에서 군주제가 고대부터 존재한 정부 형태라는 것을 알 수 있으므로 오답이다. (C)는 군주제에서는 권력이 부모에서 자식으로 이양된다고 하였고, 선거를 통한 권력 이양은 대통령 민주주의에 해당하는 특징이므로 오답이다.

9. Which country is listed as an absolute monarchy?
   (A) North Korea
   (B) Saudi Arabia
   (C) the United States
   (D) the United Kingdom

해석 다음 중 어떤 나라가 절대군주제 국가로 제시되었는가?
   (A) 북한
   (B) 사우디아라비아
   (C) 미국
   (D) 영국

유형 세부 내용 파악

풀이 두 번째 문단의 마지막 문장 'Saudi Arabia is an example of an absolute monarchy, where the royal head is the ruler of the state.'에서 왕족의 수장이 나라의 통치자가 되는 절대군주제 국가의 예시로 사우디아라비아를 들고 있으므로 (B)가 정답이다. (C)는 대통령 민주주의 국가, (D)는 입헌군주제 국가의 예시로 언급되었으므로 오답이다.

10. According to the passage, what is true about parliamentary democracy?
   (A) France is an example of such a democracy.
   (B) Leaders hand power down to their children.
   (C) Citizens are banned from forming political parties.
   (D) The country's leader must be a member of parliament.

해석 지문에 따르면, 의회 민주주의 국가에 관해 옳은 내용은 무엇인가?
   (A) 프랑스는 그러한 민주주의의 한 예이다.
   (B) 지도자들이 자식들에게 권력을 물려준다.
   (C) 시민들이 정당을 결성하는 것이 금지되어 있다.
   (D) 국가의 지도자는 의회의 일원이어야 한다.

유형 세부 내용 파악

풀이 세 번째 문단의 마지막 문장 'In a parliamentary democracy [...] and the head of the country must be a member of parliament.'에서 의회 민주주의 체제에서는 국가의 지도자가 반드시 의회의 일원이어야 한다고 하였으므로 (D)가 정답이다. (A)는 프랑스는 대통령 민주주의 국가이므로 오답이다. (B)는 군주제에 해당하는 설명이므로 오답이다. (C)는 의회 민주주의가 속하는 민주주의 체제에서는 시민들이 정당을 결성한다고 하였으므로 오답이다.

 Listening Practice

HJ3-1 p.16

Governments are political and legal systems that control people's relationships with one another within a society. Over history, humans have developed many types of government. Two of those types are described here.

The first type is monarchy. From ancient times until the early 20th century, this was the most common form of government. In this type of government, a queen or king is the ruler, and power is handed down from parent to child. Currently, there are still monarchies in countries around the world, but they tend to be constitutional monarchies, where most power lies with elected officials instead of with the king or queen. The UK is an example of a constitutional monarchy. Saudi Arabia is an example of an absolute monarchy, where the royal head is the ruler of the state.

Another form of government is democracy, whereby citizens organize political parties and compete in elections for transfer of power. There are two common forms of democracy. In a presidential democracy, a chief is elected and given a lot of power. The power is then limited by the constitution and other legal factors. France and the United States are both presidential democracies. In a parliamentary democracy, such as the one in India or Australia, the country's political power is in the parliament, and the head of the country must be a member of parliament.

1. monarchy
2. ruler
3. officials
4. citizens
5. elected
6. democracy

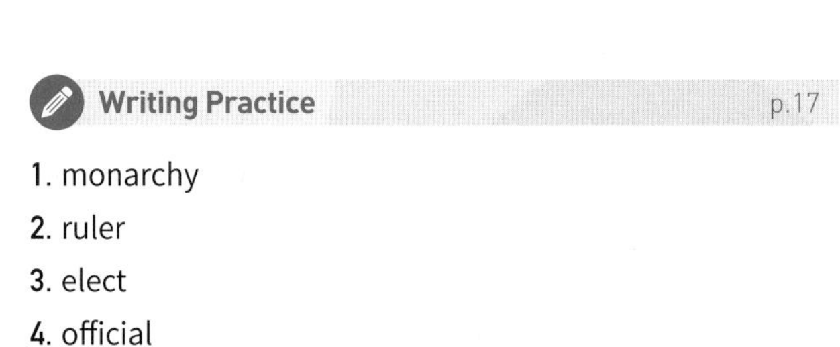

Writing Practice p.17

1. monarchy
2. ruler
3. elect
4. official
5. democracy
6. citizen

Summary

Two types of government are monarchy and democracy. In a monarchy, a king or queen is the ruler and power is handed down from parent to child. Most monarchies nowadays are constitutional monarchies. Another form is democracy, whereby citizens organize political parties and vote for someone to hand over power. Two types of this form are presidential democracy and parliamentary democracy.

두 가지 종류의 정부에는 군주제와 민주주의 국가가 있다. 군주제에서는, 왕이나 여왕이 통치자이고 권력은 부모에서 자식으로 전해진다. 오늘날 대부분 군주제는 입헌군주제이다. 다른 형태는 민주주의 국가이며, 여기서는 시민들이 정당을 결성하고 권력을 이양하기 위해 누군가에게 투표한다. 이 형태의 두 가지 종류로는 대통령 민주주의와 의회 민주주의가 있다.

Word Puzzle p.18

Across	Down
3. monarchy	1. democracy
5. citizen	2. elect
6. ruler	4. official

Unit 2 | A Violinist in the Station p.19

Part A. Picture Description p.21

1 (C) 2 (C)

Part B. Sentence Completion p.21

3 (A) 4 (A)

Part C. Practical Reading Comprehension p.22

5 (D) 6 (A)

Part D. General Reading Comprehension p.23

7 (C) 8 (A) 9 (D) 10 (B)

Listening Practice p.24

1 rush hour 2 earnings
3 commuters 4 appreciated
5 driven 6 cautious

Writing Practice p.25

1 rush hour 2 commuter
3 earnings 4 driven by
5 appreciate 6 cautious

Summary violinist, busker, purpose, appreciated

Word Puzzle p.26

Across
2 commuter 4 driven by
5 cautious 6 rush hour

Down
1 appreciate 3 earnings

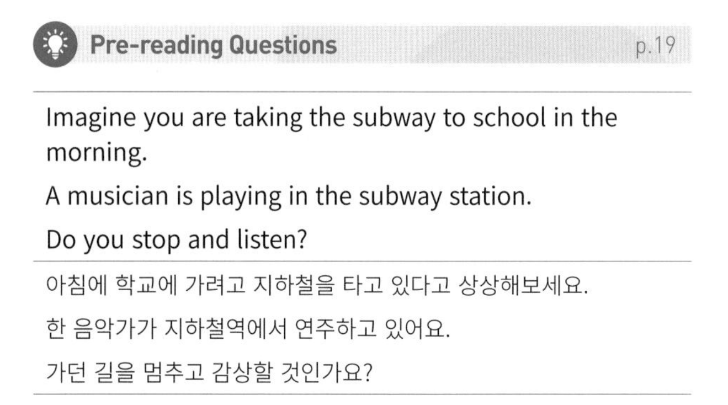

Pre-reading Questions p.19

Imagine you are taking the subway to school in the morning.
A musician is playing in the subway station.
Do you stop and listen?

아침에 학교에 가려고 지하철을 타고 있다고 상상해보세요.
한 음악가가 지하철역에서 연주하고 있어요.
가던 길을 멈추고 감상할 것인가요?

 Reading Passage p.20

A Violinist in the Station

During a January, 2007 Friday morning rush hour in Washington, D.C. a busking violinist played six classical songs over 43 minutes in a subway station. Of the over 1,000 people who passed by, only seven stopped to listen. Twenty-seven people put some money in the busker's open violin case. The earnings totaled $52.17. However, what the commuters did not know was that the musician was the virtuoso violinist Joshua Bell. Unknowingly, the commuters were participating in a social experiment organized by a newspaper.

The experiment's purpose was to raise questions related to beauty and busy city life. One question was whether people could recognize that something was extremely beautiful without being told that it was. The songs that Bell played were carefully selected as classical masterpieces that most people would not recognize. Bell was also dressed in plain clothes instead of a tuxedo. No one introduced him. Still, he played as beautifully as if he had been in a concert hall. Another question was about whether busy city people appreciated beauty as a central part of life. Are people driven too much by money, making too little time for art and beauty?

It is not certain why more people did not stop to listen. Surely, some commuters worried about being late for work. Others may have been cautious around buskers. Still, the low earnings and small number of listeners in the experiment raise interesting questions about beauty and modern life.

지하철역 바이올린 연주자

2007년 1월 어느 금요일 아침 워싱턴 D.C.의 혼잡한 (출퇴근) 시간대 동안, 길거리 연주 바이올리니스트가 43분 동안 지하철역에서 클래식 여섯 곡을 연주했다. 지나갔던 1,000명이 넘는 사람 중에, 일곱 명만이 감상하기 위해 멈춰 섰다. 스물일곱 명의 사람이 길거리 연주자의 열린 바이올린 보관함에 돈을 넣었다. 수익은 총 52.17달러였다. 하지만, 통근자들이 몰랐던 사실은 이 음악가가 거장 바이올리니스트 Joshua Bell이라는 것이었다. (그 사실을) 알지 못한 채, 통근자들은 한 신문사가 조직한 사회 실험에 참여하고 있었던 것이다.

이 실험의 목적은 아름다움과 바쁜 도시 생활과 관련된 의문점을 제기하는 것이었다. 한 의문점은 사람들이 극도로 아름다운 무언가를 그것이 그렇다(아름답다)는 정보를 듣지 않고 알아차릴 수 있는지였다. Bell이 연주했던 곡들은 대부분의 사람이 알아차리지 못할 만한 클래식 명작으로서 신중히 선택된 곡들이었다. Bell은 또한 턱시도 대신에 평범한 옷차림을 하고 있었다. 아무도 그를 소개하지 않았다. 그래도, 그는 마치 콘서트홀에 있는 것처럼 아름답게 연주했다. 또 다른 의문점은 바쁜 도시 사람들이 삶의 중심 요소로서 아름다움을 인식하는지에 관한 것이었다. 사람들이 너무 돈에 이끌려서, 예술과 아름다움에 너무 적은 시간을 할애하는 것은 아닐까?

왜 더 많은 사람이 멈춰서 음악을 듣지 않았는지는 확실하지 않다. 물론, 몇몇 통근자들은 직장에 지각하는 것에 대해 걱정했을 것이다. 다른 이들은 길거리 연주자들에 대해 조심스러웠을지도 모른다. 그래도, 실험에서 적은 수익과 적은 수의 청취자들은 아름다움과 현대 생활에 대해 흥미로운 의문을 제기한다.

어휘 rush hour 혼잡한 (출퇴근) 시간대, 러시아워 | busk 길거리 연주하다, 버스킹하다 | classical 클래식의, 고전적인 | pass by 지나치다 | stop to V V 하기 위해 멈추다 | busker 길거리 연주자, 버스커 | commuter 통근자 | virtuoso 거장, 명연주자 | participate in ~에 참여하다 | unknowingly 모르는 채로, 알아채지 못하고 | experiment 실험 | organize 구상하다, 조직하다 | purpose 목적 | raise questions 의문을 제기하다 | recognize 알아보다 | masterpiece 명작 | appreciate ~의 진가를 인식하다; 감상하다, 음미하다 | cautious 조심스러운 | stroller 산책하는 사람 | pedestrian 보행자 | dazed 멍한 | daring 대담한 | careless 부주의한 | pretend to V V 하는 척 가장하다 | investigate 조사하다 | clothing 옷 | reveal 드러내다, 밝히다 | demonstrate 보여주다, 입증하다 | awe 경외심 | inspiration 영감 | inspire 영감을 일으키다 | remind A of B A에게 B를 상기시키다 | unfamiliar 익숙지 않은, 낯선

Comprehension Questions p.21

1. There are five commuters.
   (A) drivers
   (B) strollers
   (C) commuters
   (D) pedestrians

해석 다섯 명의 통근자가 있다.
(A) 운전기사
(B) 산책하는 사람
(C) 통근자
(D) 보행자

풀이 지하철 승객들의 모습이다. 따라서 지하철로 출퇴근하는 통근자 ('commuter')들이라는 내용이 그림과 가장 어울리므로 (C)가 정답이다. 나머지 선택지는 지하철을 타는 상황과 어울리지 않으므로 오답이다.

관련 문장 However, what the commuters did not know was that the musician was the virtuoso violinist Joshua Bell.

2. In terms of safety, Misha is more cautious than Bill.
   (A) dazed
   (B) daring
   (C) cautious
   (D) careless

해석 안전 측면에서는, Bill보다 Misha가 더 조심스럽다.
(A) 멍한
(B) 대담한
(C) 조심스러운
(D) 부주의한

풀이 Masha는 Bill과 달리 헬멧과 보호대를 착용하고 있다. 이는 Masha가 Bill보다 안전에 관해 더 조심스럽다는 설명과 가장 어울리므로 (C)가 정답이다.

관련 문장 Surely, some commuters worried about being late for work. Others may have been cautious around buskers.

3. We knew she was a great musician. What we did not know, though, was that she was also a great sculptor.
   (A) was that she
   (B) she was that
   (C) that she was
   (D) it was she that

해석 우리는 그녀가 훌륭한 음악가인 것을 알고 있었다. 그런데, 우리가 몰랐던 것은, 그녀는 또한 훌륭한 조각가라는 것이었다.
(A) ~이었다 + 접속사 that + 그녀는
(B) 어색한 표현
(C) 접속사 that + 그녀는 ~이었다
(D) 어색한 표현

풀이 두 번째 문장에서 관계사절 'What we did not know'(우리가 몰랐던 것)는 문장의 주어 역할을 하고, 접속사 'that'은 절을 이끌면서 명사의 역할을 할 수 있다. 따라서 두 번째 문장은 [What S_1 + be 동사 + that S_2] (S_1인 것은 S_2하다는 것이다)라는 2형식 문장 구조로 표현할 수 있으므로 (A)가 정답이다.

새겨 두기 관계사절이나 that절 등 하나의 절은 3인칭 단수로 취급하므로 'was'를 썼다는 점에 유의한다.

새겨 두기 접속사 that이 이끄는 절은 필요 문장 성분이 모두 있는 완전한 절이다. 이에 반해 관계사 what이 이끄는 절은 명사 성분이 빠진 불완전한 절이다.

관련 문장 However, what the commuters did not know was that the musician was the virtuoso violinist Joshua Bell.

4. Only ten people <u>stopped to look</u> at Mark's painting yesterday. However, those ten people who stopped and looked said it was beautiful.

(A) **stopped to look**
(B) stopped looking
(C) have stopped to look
(D) have stopped looking

해석 겨우 열 명의 사람만이 어제 Mark의 그림을 <u>보기 위해 멈췄다</u>. 하지만, 멈춰서 (그림을) 보았던 그 열 명은 그것이 아름다웠다고 말했다.

(A) 보기 위해 멈췄다
(B) 보는 것을 멈췄다
(C) 보기 위해 멈춰왔다
(D) 보는 것을 멈춰왔다

풀이 두 번째 문장에서 'stopped and looked'(멈춰서 보았다) 라고 한 점으로 보아 문맥상 열 명의 사람이 그림을 '보기 위해' 멈췄다는 내용이 자연스럽다. 또한 'yesterday'(어제)라는 과거 시간이 언급되어 있으므로 과거 시제를 사용해야 한다. 따라서 과거 시제이면서 '~하기 위해서'를 뜻하는 to 부정사의 부사적 용법을 사용한 (A)가 정답이다. (B)는 'stop looking at Mark's painting'은 'Mark의 그림 보는 것을 멈췄다'라는 의미를 나타내고 이는 상황과 맞지 않으므로 오답이다. (C)는 특정 과거 시점을 나타내는 'yesterday'와 현재완료 시제가 함께 쓰이면 어색하므로 오답이다.

새겨 두기 stop + -ing: ~하는 것을 멈추다
(동명사가 동사의 목적어 역할)
stop + to 부정사: ~하기 위해 멈추다
(to 부정사의 부사적 용법)

관련 문장 Of the over 1,000 people who passed by, only seven stopped to listen.

[5-6]

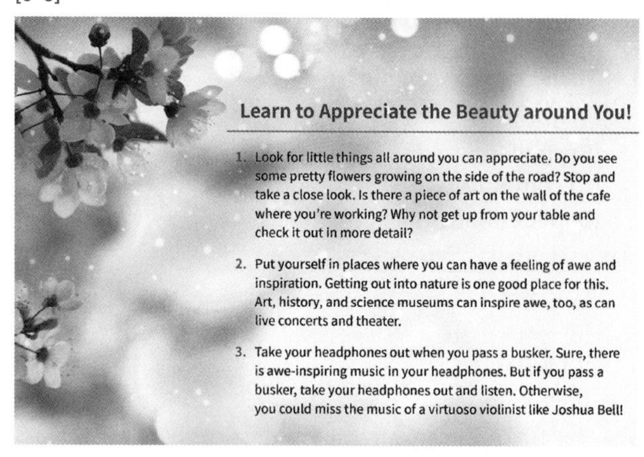

해석

주변의 아름다움을 감상하는 법 배우기!

1. 주변에서 감상할 수 있는 모든 작은 것들을 찾아보세요. 길가에서 자라고 있는 예쁜 꽃들이 보이나요? 멈춰서 자세히 살펴보세요. 여러분이 작업하고 있는 카페의 벽에 예술품이 걸려있나요? 테이블에서 일어나서 좀 더 자세히 살펴보는 건 어떤가요?
2. 경외감과 영감을 느낄 수 있는 장소에 자신을 데려가세요. 자연으로 나가는 것은 이를 하는 데 좋은 장소 중 하나입니다. 예술, 역사, 그리고 과학 박물관도 라이브 콘서트와 극장이 그렇듯이 경외심을 불러일으킬 수 있습니다.
3. 길거리 연주자를 지나칠 때 헤드폰을 벗으세요. 물론, 헤드폰에는 경외심을 불러일으키는 음악이 있겠죠. 하지만 길거리 연주자를 지나치면, 헤드폰을 벗어서 들어보세요. 그렇지 않으면, Joshua Bell과 같은 거장 바이올리니스트의 음악을 놓칠 수도 있답니다!

5. Which of the following is a given tip?

(A) Smell more flowers.
(B) Go to modern coffee shops.
(C) Buy paintings for your house.
(D) **Look more closely at beautiful things.**

해석 다음 중 조언으로 주어진 것은 무엇인가?

(A) 꽃의 향기를 더 맡으세요.
(B) 현대 커피숍에 가세요.
(C) 집에 둘 그림을 사세요.
(D) **아름다운 것들을 더 자세히 보세요.**

풀이 첫 번째 항목에서 길가에 핀 예쁜 꽃과 카페의 그림을 예시로 들며 주변의 것들을 더 자세히 살펴보라고 권유하고 있다. 따라서 (D)가 정답이다.

6. According to the passage, what is NOT true about awe?

(A) Museums rarely provide a sense of awe.
(B) Live theater in concert halls inspires awe.
(C) Nature is a good place to experience awe.
(D) Songs in headphones can remind us of awe.

해석 지문에 따르면, 경외심에 관해 옳지 않은 내용은 무엇인가?

(A) 박물관은 좀처럼 경외심을 주지 않는다.
(B) 공연장의 라이브 극장은 경외심을 불러일으킨다.
(C) 자연은 경외심을 경험하기에 좋은 곳이다.
(D) 헤드폰에서 나오는 노래는 경외심을 일깨워 줄 수 있다.

풀이 두 번째 항목의 'Art, history, and science museums can inspire awe, too, as can live concerts and theater.'에서 박물관 또한 경외심을 불러일으킬 수 있다고 하였으므로 (A)가 정답이다. (B)는 같은 문장의 '[...] as can live concerts and theater'에서 라이브 공연장과 극장 또한 경외심을 불러일으킬 수 있는 장소로 여겨지고 있으므로 오답이다. (C)는 두 번째 항목의 'Getting out into nature is one good place for this.'에서 자연은 경외심과 영감을 느끼기에 좋은 장소 중 하나라고 하였으므로 오답이다. (D)는 세 번째 항목에서 'Sure, there is awe-inspiring music in your headphones.'라며 헤드폰에서 나오는 노래도 경외심을 불러일으킬('awe-inspiring') 수 있다고 여기고 있으므로 오답이다.

[7-10]

During a January, 2007 Friday morning rush hour in Washington, D.C. a busking violinist played six classical songs over 43 minutes in a subway station. Of the over 1,000 people who passed by, only seven stopped to listen. Twenty-seven people put some money in the busker's open violin case. The earnings totaled $52.17. However, what the commuters did not know was that the musician was the virtuoso violinist Joshua Bell. Unknowingly, the commuters were participating in a social experiment organized by a newspaper.

The experiment's purpose was to raise questions related to beauty and busy city life. One question was whether people could recognize that something was extremely beautiful without being told that it was. The songs that Bell played were carefully selected as classical masterpieces that most people would not recognize. Bell was also dressed in plain clothes instead of a tuxedo. No one introduced him. Still, he played as beautifully as if he had been in a concert hall. Another question was about whether busy city people appreciated beauty as a central part of life. Are people driven too much by money, making too little time for art and beauty?

It is not certain why more people did not stop to listen. Surely, some commuters worried about being late for work. Others may have been cautious around buskers. Still, the low earnings and small number of listeners in the experiment raise interesting questions about beauty and modern life.

해석

2007년 1월 어느 금요일 아침 워싱턴 D.C.의 혼잡한 (출퇴근) 시간대 동안, 길거리 연주 바이올리니스트가 43분 동안 지하철역에서 클래식 여섯 곡을 연주했다. 지나갔던 1,000명이 넘는 사람 중에, 일곱 명만이 감상하기 위해 멈춰 섰다. 스물일곱 명의 사람이 길거리 연주자의 열린 바이올린 보관함에 돈을 넣었다. 수익은 총 52.17달러였다. 하지만, 통근자들이 몰랐던 사실은 이 음악가가 거장 바이올리니스트 Joshua Bell이라는 것이었다. (그 사실을) 알지 못한 채, 통근자들은 한 신문사가 조직한 사회 실험에 참여하고 있었던 것이다.

이 실험의 목적은 아름다움과 바쁜 도시 생활과 관련된 의문점을 제기하는 것이었다. 한 의문점은 사람들이 극도로 아름다운 무언가를 그것이 그렇다(아름답다)는 정보를 듣지 않고 알아차릴 수 있는지였다. Bell이 연주했던 곡들은 대부분의 사람이 알아차리지 못할 만한 클래식 명작으로서 신중히 선택된 곡들이었다. Bell은 또한 턱시도 대신에 평범한 옷차림을 하고 있었다. 아무도 그를 소개하지 않았다. 그래도, 그는 마치 콘서트홀에 있는 것처럼 아름답게 연주했다. 또 다른 의문점은 바쁜 도시 사람들이 삶의 중심 요소로서 아름다움을 인식하는지에 관한 것이었다. 사람들이 너무 돈에 이끌려서, 예술과 아름다움에 너무 적은 시간을 할애하는 것은 아닐까?

왜 더 많은 사람이 멈춰서 음악을 듣지 않았는지는 확실하지 않다. 물론, 몇몇 통근자들은 직장에 지각하는 것에 대해 걱정했을 것이다. 다른 이들은 길거리 연주자들에 대해 조심스러웠을지도 모른다. 그래도, 실험에서 적은 수익과 적은 수의 청취자들은 아름다움과 현대 생활에 대해 흥미로운 의문을 제기한다.

7. Which sentence best describes the experiment?

(A) A subway line invited commuters to play instruments.
(B) A rock star decided to switch to playing classical music.
(C) A famous violinist pretended to busk in a busy subway station.
(D) A violinist lost his job and had to work busking in a subway station.

해석 다음 중 이 실험을 가장 잘 설명한 문장은 무엇인가?

(A) 한 지하철 노선에서 통근자들에게 악기를 연주하도록 요청했다.
(B) 한 락스타가 클래식 음악 연주로 전향하기로 결정했다.
(C) 한 유명한 바이올리니스트가 바쁜 지하철역에서 길거리 연주하는 척 가장했다.
(D) 한 바이올리니스트가 실직했고 지하철역에서 길거리 연주를 하며 일해야 했다.

유형 전체 내용 파악

풀이 Joshua Bell이라는 거장 바이올리니스트가 지하철역에서 길거리 연주를 하고, 그에 대한 사람들의 반응을 통해 바쁜 도시인의 생활을 탐구한 실험에 대한 글이므로 (C)가 정답이다.

8. Why did the newspaper conduct the experiment?

(A) to investigate modern city life and beauty
(B) to see whether subways were getting quieter
(C) to find out why children dislike classical music
(D) to learn how much to charge for concert tickets

해석 신문사에서 실험을 진행한 이유는 무엇인가?

(A) 현대 도시 생활과 아름다움에 대해 조사하려고
(B) 지하철이 조용해지고 있는지 여부를 알아보려고
(C) 어린이들이 클래식 음악을 싫어하는 이유를 찾아내려고
(D) 콘서트 티켓 가격을 얼마로 책정해야 하는지 알아내려고

유형 세부 내용 파악

풀이 두 번째 문단의 첫 문장 'The experiment's purpose was to raise questions related to beauty and busy city life.'에서 신문사가 진행한 해당 실험의 목적이 아름다움과 바쁜 도시 생활에 대한 의문점을 제기하는 것이라고 하였으므로 (A)가 정답이다.

9. Which of the following is NOT mentioned?

(A) the clothing Bell wore
(B) the money Bell earned
(C) how long Bell played for
(D) which station Bell played in

해석 다음 중 언급되지 않은 것은 무엇인가?

(A) Bell이 입었던 옷
(B) Bell이 번 돈
(C) 얼마나 오래 Bell이 연주했는지
(D) 어느 역에서 Bell이 연주했는지

유형 세부 내용 파악

풀이 Bell이 연주한 장소는 워싱턴 D.C.의 어느 지하철역이며, 구체적으로 어떤 지하철역인지는 언급되지 않았으므로 (D)가 정답이다. (A)는 'Bell was also dressed in plain clothes instead of a tuxedo.'에서, (B)는 'The earnings totaled $52.17.'에서, (C)는 'a busking violinist played six classical songs over 43 minutes in a subway station'에서 확인할 수 있으므로 오답이다.

10. Which of the following statements about the experiment would its researchers most likely agree with?

(A) "This proves that subway stations have the best sound systems."
(B) "This may show that city people are not taking time to appreciate beauty."
(C) "This likely reveals how commuters prefer listening to musicians in jeans."
(D) "This demonstrates that musicians' fame does not influence an audience's feelings."

해석 다음 실험에 관한 진술 중 담당 연구자들이 동의할 진술로 가장 적절한 것은 무엇인가?

(A) "이는 지하철역이 최고의 음향 시스템을 갖추고 있음을 증명한다."
(B) "이는 도시 사람들이 아름다움을 감상하는 데 시간을 들이지 않고 있음을 보여주는 것일 수도 있다."
(C) "이는 통근자들이 청바지를 입은 음악가의 음악을 듣는 것을 어떻게 더 좋아하는지 보여준다."
(D) "이는 음악가의 명성이 관객의 감정에 영향을 미치지 않는다는 것을 보여준다."

유형 추론하기

풀이 실험 결과에 따르면 출근하는 도중 멈춰서 Bell의 연주를 듣는 도시인은 드물었고, 이를 통해 실험을 기획한 연구자들은 도시인들이 아름다움을 감상하는 데 시간을 들이지 않는다고 판단할 수 있다. 이는 두 번째 문단의 마지막 문장 'Are people driven too much by money, making too little time for art and beauty?'라는 질문에서도 암시되고 있다. 따라서 (B)가 정답이다.

Listening Practice ▶ HJ3-2 p.24

During a January, 2007 Friday morning rush hour in Washington, D.C. a busking violinist played six classical songs over 43 minutes in a subway station. Of the over 1,000 people who passed by, only seven stopped to listen. Twenty-seven people put some money in the busker's open violin case. The earnings totaled $52.17. However, what the commuters did not know was that the musician was the virtuoso violinist Joshua Bell. Unknowingly, the commuters were participating in a social experiment organized by a newspaper.

The experiment's purpose was to raise questions related to beauty and busy city life. One question was whether people could recognize that something was extremely beautiful without being told that it was. The songs that Bell played were carefully selected as classical masterpieces that most people would not recognize. Bell was also dressed in plain clothes instead of a tuxedo. No one introduced him. Still, he played as beautifully as if he had been in a concert hall. Another question was about whether busy city people appreciated beauty as a central part of life. Are people driven too much by money, making too little time for art and beauty?

It is not certain why more people did not stop to listen. Surely, some commuters worried about being late for work. Others may have been cautious around buskers. Still, the low earnings and small number of listeners in the experiment raise interesting questions about beauty and modern life.

1. rush hour
2. earnings
3. commuters
4. appreciated
5. driven
6. cautious

Writing Practice p.25

1. rush hour
2. commuter
3. earnings
4. driven by
5. appreciate
6. cautious

Rush-hour commuters were unknowingly participating in a social experiment. A famous violinist pretended to be a busker. He played unfamiliar songs, and only a few people stopped to listen or give him money. The purpose of the research was to explore whether busy city people appreciated beauty as a central part of life.

혼잡한 시간대 통근자들은 인식하지 못 한 채로 사회 실험에 참여했다. 한 유명한 바이올리니스트가 길거리 연주자인 것처럼 가장했다. 그는 익숙지 않은 곡들을 연주했고, 단지 적은 수의 사람만이 멈춰서 듣거나 그에게 돈을 주었다. 이 연구의 목적은 바쁜 도시 사람들이 아름다움을 삶의 한 중심 요소로서 인식하는지 탐구하는 것이었다.

Word Puzzle p.26

Across	Down
2. commuter	1. appreciate
4. driven by	3. earnings
5. cautious	
6. rush hour	

Unit 3 | Biopiracy: The Neem Tree p.27

Part A. Picture Description p.29

1 (B) 2 (C)

Part B. Sentence Completion p.29

3 (C) 4 (B)

Part C. Practical Reading Comprehension p.30

5 (C) 6 (A)

Part D. General Reading Comprehension p.31

7 (B) 8 (D) 9 (D) 10 (D)

Listening Practice p.32

1 copyright 2 permission
3 pesticides 4 property
5 patent 6 Activists

Writing Practice p.33

1 copyright 2 permission
3 pesticide 4 property
5 patent 6 activist
Summary traditional, India, properties, battle

Word Puzzle p.34

Across
1 permission 4 copyright
5 patent
Down
1 pesticide 2 property
3 activist

Pre-reading Questions p.27

Do people own ideas? If so, how can they prove ownership?

사람들이 아이디어를 소유하나요? 그렇다면, 어떻게 소유권을 증명할 수 있나요?

Reading Passage p.28

Biopiracy: The Neem Tree

When genetics researchers use and copyright local people's traditional ideas about trees and plants without proper permission or acknowledgement, it is called "biopiracy." One prime example of biopiracy is the case of the neem tree.

The neem tree has been used by people in India for thousands of years. Its many uses include toothpastes, pesticides, skin care treatments, and lamp oil. However, in 1995 an American company was able to copyright one property of the neem tree. Indian farmers argued that it was not right for the US company to get a copyright. After all, to get a copyright an inventor must prove that there is no prior existing knowledge of the product. The farmers pointed out that knowledge of the neem tree's special properties had existed for a long time. However, according to European patent law, "prior knowledge" could only be shown if it had been published in a scientific journal, so the copyright office granted a patent to the American company.

There was a legal battle, and ten years later the European Patent Office cancelled the copyright. The court found enough evidence that there was prior knowledge of neem seed properties in traditional Indian farming techniques. Activists and farmers argued that the neem tree case was an example of biopiracy. Since then, activists have asked for laws to be strengthened to defend traditional knowledge in countries around the world.

생물 해적 행위: 님나무

유전학 연구자들이 지역 사람들의 나무와 식물에 대한 전통적인 아이디어를 적합한 허가나 인정 없이 사용하고 저작권을 부여할 때, 그것을 "생물 해적 행위"라 부른다. 생물 해적 행위의 대표적 예시로는 님나무(neem tree)의 사례가 있다.

님나무는 수천 년 동안 인도 사람들에 의해 사용되어 왔다. 이것의 여러 용도에는 치약, 살충제, 피부 관리 치료, 등불 기름이 포함된다. 하지만, 1995년에 한 미국 회사가 님나무의 한 속성에 저작권을 부여할 수 있게 되었다. 인도 농부들은 미국 회사가 저작권을 얻는 것은 옳지 않다고 주장했다. 어찌 됐든, 저작권을 얻으려면 발명가는 제품에 대해 사전 지식이 존재하지 않는다는 것을 증명해야만 한다. 농부들은 님나무의 특별한 속성들에 대한 지식은 오랫동안 존재해왔다고 지적했다. 하지만, 유럽 특허법에 따르면, "사전 지식"은 과학 학술지에 실렸어야만 증명될 수 있는 것이었고, 그래서 저작권 사무소는 미국 회사에 특허를 내줬다.

법적 다툼이 있었고, 십년 후 유럽 특허 사무소는 저작권을 취소했다. 법원은 전통 인도 농법에서 님나무 씨앗 속성에 대한 사전 지식이 있었다는 충분한 증거를 알게 됐다. 운동가와 농부들은 님나무 사례가 생물 해적 행위의 한 예시라고 주장했다. 그 이후로, 운동가들은 세계 각국의 전통 지식을 보호하기 위해 법을 강화할 것을 요구해왔다.

어휘 biopiracy 생물 해적 행위 | piracy 해적 행위, 해적질 | neem (tree) 님나무, 인도멀구슬나무 | genetics 유전학 | copyright 저작권을 부여하다; 저작권, 판권 | proper 적절한 | permission 허가 | acknowledgement 인정 | prime 대표적인 | pesticide 살충제, 농약 | treatment 치료, 처치 | property 속성, 특성 | prior 사전의 | existing 존재하는 | according to ~에 따르면 | patent 특허; 특허를 주다[받다] | publish 싣다, 게재하다 | journal 학술지 | grant 승인[허락]하다 | legal 법적인 | court 법원 | evidence 증거 | activist 운동가, 활동가 | strengthen 강화하다 | defend 보호하다 | antelope 영양 (주로 아프리카나 아시아에서 볼 수 있는 사슴 비슷한 동물) | snorkleler 스노클러 (페이스마스크와 스노클을 착용하고 수영하는 사람) | crop 농작물 | irrigation 관개, 물을 끌어들임 | definition 정의 | genetically engineer 유전자 조작하다 | sacred 신성한 | shoe polish 구두약 | faulty 잘못된, 결함이 있는 | burn down 불태우다 | acne 여드름 | formula 제조[조제]법 | guaranteed 보장된, 약속된 | inflammatory 염증의, 염증을 일으키는 | antiseptic 소독[살균]이 되는 | moisten 촉촉하게 하다 | in conjunction with ~와 함께 | moisturizer 보습제 | ingredient 성분 | tumeric 강황, 울금 | cosmetics 화장품 | get rid of ~을 없애다 | wrinkle 주름 | pat 토닥거리다 | inflammation 염증

Comprehension Questions p.29

1. There were many activists at the event.
   - (A) scarves
   - **(B) activists**
   - (C) antelopes
   - (D) snorkelers

해석 행사에 많은 운동가들이 있다.
- (A) 스카프
- (B) 운동가
- (C) 영양
- (D) 스노클러

풀이 인권과 폭력 방지가 적혀 있는 피켓을 들고 자신들의 목소리를 내고 있는 사람들의 모습이다. 이러한 사람들을 보통 'activist' (운동가, 활동가)라고 지칭하므로 (B)가 정답이다.

관련 문장 Activists and farmers argued that the neem tree case was an example of biopiracy.

2. The farmer uses pesticide on his crops.
   - (A) an ox
   - (B) a tractor
   - **(C) pesticide**
   - (D) auto-irrigation

해석 농부는 농작물에 농약을 사용한다.
- (A) 황소
- (B) 트랙터
- (C) 농약
- (D) 자동 관개

풀이 농부가 농작물에 주의 표시가 붙은 농약을 뿌리고 있는 모습이므로 (C)가 정답이다.

관련 문장 Its many uses include toothpastes, pesticides, skin care treatments, and lamp oil.

3. According to the new law, you are not allowed to smoke near a bus stop.
   - (A) According
   - (B) Accorded
   - **(C) According to**
   - (D) It is accorded

해석 새로운 법에 따르면, 버스 정류장 근처에서 담배를 피울 수 없다.
- (A) 부합하는
- (B) 부합되는
- (C) ~에 따르면
- (D) 부합된다

풀이 '~에 따르면'이라는 의미를 나타낼 때 'according to'라고 표현하므로 (C)가 정답이다.

관련 문장 However, according to European patent law, "prior knowledge" could only be shown [...]

4. Even before this company produced their toothpaste, local people had been using the paste's key ingredients for centuries.

(A) had been used
(B) had been using
(C) have been used
(D) have been using

해석 이 회사가 자사 치약을 생산하기 전부터, 지역 사람들은 여러 세기 동안 그 치약의 주요 성분을 사용해왔었다.

(A) 사용돼왔었다
(B) 사용해왔었다
(C) 사용돼왔다
(D) 사용해오는 중이다

풀이 주어가 'local people'이고 목적어가 'the paste's key ingredients'이기 때문에 '지역 사람들이 치약의 주요 성분을 사용하다'라는 의미의 능동형 문장이 자연스럽다. 또한 회사가 치약을 생산하는 과거 시점 이전('Even before')부터 여러 세기 동안 사용해왔다는 내용이 자연스러우므로 과거 완료나 과거 완료 진행 시제가 적합하다. 따라서 과거 완료 진행 시제인 (B)가 정답이다.

새겨 두기 과거 완류 (진행) 시제는 특정 과거 시점과 그 이전 시점의 관계를 나타낸다.

(1) 'this company produced their toothpaste'
→ 과거에 일어난 일

(2) 'local people had been using the key ingredient'
→ (1)보다 더 이전부터 일어난 일

관련 문장 The farmers pointed out that knowledge of the neem tree's special properties had existed for a long time.

[5-6]

해석

Heena 여드름 방지 님나무 얼굴 세안제

자사의 특별한 특허 조제법은, 보장컨대, 단 7일 이내에 피부를 맑게 하는 데 도움을 줍니다. 염증 방지, 살균 기능이 있는 이 얼굴 세안제를 눈가를 피해 하루에 두 번 수분기 있는 피부에 사용하세요. 자사의 특허받은 얼굴 보습제와 함께 사용하세요.

주요 성분: 님나무, 강황, 티트리 오일.

120g 함유

판권 2020 Heena 화장품.

5. What does the label promise that the product does?

(A) get rid of skin wrinkles
(B) help skin near the eyes
(C) clear acne from problem skin
(D) moisturize the skin of the knees

해석 제품 표시에서 제품의 어떤 기능을 보장하는가?

(A) 피부 주름 없애기
(B) 눈가 피부 돕기
(C) 트러블 피부 여드름 없애기
(D) 무릎 피부에 수분 공급하기

풀이 제품 설명 첫 문장 'Our specially patented formula helps clear up your skin within just 7 days, guaranteed.'에서 7일 이내에 피부를 깨끗하게 해준다는 해당 제품의 기능을 보장하고 있다. 해당 제품이 여드름 방지용 얼굴 세안제인 점으로 보아 이는 7일 이내에 여드름을 없애준다는 의미이므로 (C)가 정답이다. (B)는 눈가를 피해서 제품을 바르라고 했으므로 오답이다. (D)는 해당 제품은 얼굴 세안제이므로 오답이다.

6. Which of the following does the label advise?

(A) using another product as well
(B) patting the skin around the eyes
(C) drying the skin carefully after use
(D) asking a doctor about inflammation

해석 다음 중 제품 표시에서 권고한 것은 무엇인가?

(A) 다른 제품도 사용하기
(B) 눈가 피부 두드리기
(C) 사용 후 주의하여 피부 건조하기
(D) 의사에게 염증에 관해 문의하기

풀이 'Use in conjunction with our patented face moisturizer'에서 자사의 다른 제품인 얼굴 보습제와 함께 사용하라고 권장하고 있으므로 (A)가 정답이다. 나머지 선택지는 언급되지 않았으므로 오답이다.

[7-10]

When genetics researchers use and copyright local people's traditional ideas about trees and plants without proper permission or acknowledgement, it is called "biopiracy." One prime example of biopiracy is the case of the neem tree.

The neem tree has been used by people in India for thousands of years. Its many uses include toothpastes, pesticides, skin care treatments, and lamp oil. However, in 1995 an American company was able to copyright one property of the neem tree. Indian farmers argued that it was not right for the US company to get a copyright. After all, to get a copyright an inventor must prove that there is no prior existing knowledge of the product. The farmers pointed out that knowledge of the neem tree's special properties had existed for a long time. However, according to European patent law, "prior knowledge" could only be shown if it had been published in a scientific journal, so the copyright office granted a patent to the American company.

There was a legal battle, and ten years later the European Patent Office cancelled the copyright. The court found enough evidence that there was prior knowledge of neem seed properties in traditional Indian farming techniques. Activists and farmers argued that the neem tree case was an example of biopiracy. Since then, activists have asked for laws to be strengthened to defend traditional knowledge in countries around the world.

해석

유전학 연구자들이 지역 사람들의 나무와 식물에 대한 전통적인 아이디어를 적합한 허가나 인정 없이 사용하고 저작권을 부여할 때, 그것을 "생물 해적 행위"라 부른다. 생물 해적 행위의 대표적 예시로는 님나무(neem tree)의 사례가 있다.

님나무는 수천 년 동안 인도 사람들에 의해 사용되어 왔다. 이것의 여러 용도에는 치약, 살충제, 피부 관리 치료, 등불 기름이 포함된다. 하지만, 1995년에 한 미국 회사가 님나무의 한 속성에 저작권을 부여할 수 있게 되었다. 인도 농부들은 미국 회사가 저작권을 얻는 것은 옳지 않다고 주장했다. 어찌 됐든, 저작권을 얻으려면 발명가는 제품에 대해 사전 지식이 존재하지 않는다는 것을 증명해야만 한다. 농부들은 님나무의 특별한 속성들에 대한 지식은 오랫동안 존재해왔다고 지적했다. 하지만, 유럽 특허법에 따르면, "사전 지식"은 과학 학술지에 실렸어야만 증명될 수 있는 것이었고, 그래서 저작권 사무소는 미국 회사에 특허를 내줬다.

법적 다툼이 있었고, 십년 후 유럽 특허 사무소는 저작권을 취소했다. 법원은 전통 인도 농법에서 님나무 씨앗 속성에 대한 사전 지식이 있었다는 충분한 증거를 알게 됐다. 운동가와 농부들은 님나무 사례가 생물 해적 행위의 한 예시라고 주장했다. 그 이후로, 운동가들은 세계 각국의 전통 지식을 보호하기 위해 법을 강화할 것을 요구해왔다.

7. What would be the best title for the passage?

(A) Tree Science: Legal Definitions
(B) Biopiracy: The Neem Tree Case
(C) Genetically Engineering a Tree
(D) Biology and India's Sacred Tree

해석 지문에 가장 알맞은 제목은 무엇인가?

(A) 나무 과학: 법적 정의
(B) 생물 해적 행위: 님나무 사례
(C) 나무를 유전자상으로 조작하기
(D) 생물학과 인도의 성스러운 나무

유형 전체 내용 파악

풀이 첫 번째 문단에서 전통 지식에 저작권을 부여하려는 'biopiracy'(생물 해적 행위)라는 중심 소재와 개념을 언급하고, 대표적 사례로 님나무를 소개하고 있다. 이에 따라 다음 문단에서 님나무 사례의 내용, 경과, 영향 등을 설명하고 있는 글이므로 (B)가 정답이다.

8. What use of the neem tree is NOT listed?

(A) lamp oil
(B) pesticide
(C) toothpaste
(D) shoe polish

해석 님나무의 용도로 나열되지 않은 것은 무엇인가?

(A) 등유
(B) 살충제
(C) 치약
(D) 구두약

유형 세부 내용 파악

풀이 님나무의 용도로 구두약은 언급되지 않았으므로 (D)가 정답이다. 나머지 선택지는 두 번째 문단의 'Its many uses include toothpastes, pesticides, skin care treatments, and lamp oil.'에서 확인할 수 있는 용도이므로 오답이다.

9. According to the passage, why did European patent law overrule Indian farmers in 1995?
(A) Their farms were already very successful.
(B) Their knowledge had been proven as faulty.
(C) The neem tree could be found in many countries.
(D) The traditional knowledge was not in a scientific journal.

해석 지문에 따르면, 1995년에 유럽 특허법이 인도 농부들의 의견을 무효로 한 이유는 무엇인가?
(A) 그들의 농장이 이미 아주 성공적이었다.
(B) 그들의 지식이 잘못되었다고 증명됐다.
(C) 님나무는 많은 국가에서 발견할 수 있었다.
(D) 전통 지식은 과학 학술지에 실려있지 않았다.

유형 세부 내용 파악 & 추론하기

풀이 두 번째 문단에서 1995년 당시 사전 지식은 학술지에 실려야만 증명이 가능한 유럽특허법에 따라 인도 농부들의 반발이 있었음에도 (유럽) 저작권 사무소가 미국 회사에 님나무 속성에 대한 저작권을 부여했다고 하였다. 이를 통해 인도 농부의 전통 지식이 학술지에 실려 있지 않아 사전 지식으로 인정되지 않았다는 것을 알 수 있으므로 (D)가 정답이다.

10. According to the passage, what has happened since the neem seed case?
(A) Activists have cut down foreign trees.
(B) Some farmers have burnt down court buildings.
(C) Activists have started planting neem seeds in every country.
(D) Some people want legal changes to defend traditional knowledge.

해석 지문에 따르면, 님나무 씨앗 사례 이후 어떤 일이 벌어졌는가?
(A) 운동가들이 외래나무를 베었다.
(B) 몇몇 농부들이 법원 건물을 불태웠다.
(C) 운동가들이 모든 나라에 님나무 씨앗을 심기 시작했다.
(D) 몇몇 사람들이 전통 지식을 보호하기 위한 법률 변화를 원한다.

유형 세부 내용 파악

풀이 세 번째 문단의 마지막 문장 'Since then, activists have asked for laws to be strengthened to defend traditional knowledge in countries around the world.'에서 님나무 법정 공방이 해결된 이후, 운동가들이 전통 지식 보호를 위해 법 강화를 요구해왔다고 했으므로 (D)가 정답이다.

Listening Practice

HJ3-3 p.32

When genetics researchers use and copyright local people's traditional ideas about trees and plants without proper permission or acknowledgement, it is called "biopiracy." One prime example of biopiracy is the case of the neem tree.

The neem tree has been used by people in India for thousands of years. Its many uses include toothpastes, pesticides, skin care treatments, and lamp oil. However, in 1995 an American company was able to copyright one property of the neem tree. Indian farmers argued that it was not right for the US company to get a copyright. After all, to get a copyright an inventor must prove that there is no prior existing knowledge of the product. The farmers pointed out that knowledge of the neem tree's special properties had existed for a long time. However, according to European patent law, "prior knowledge" could only be shown if it had been published in a scientific journal, so the copyright office granted a patent to the American company.

There was a legal battle, and ten years later the European Patent Office cancelled the copyright. The court found enough evidence that there was prior knowledge of neem seed properties in traditional Indian farming techniques. Activists and farmers argued that the neem tree case was an example of biopiracy. Since then, activists have asked for laws to be strengthened to defend traditional knowledge in countries around the world.

1. copyright
2. permission
3. pesticides
4. property
5. patent
6. Activists

Writing Practice p.33

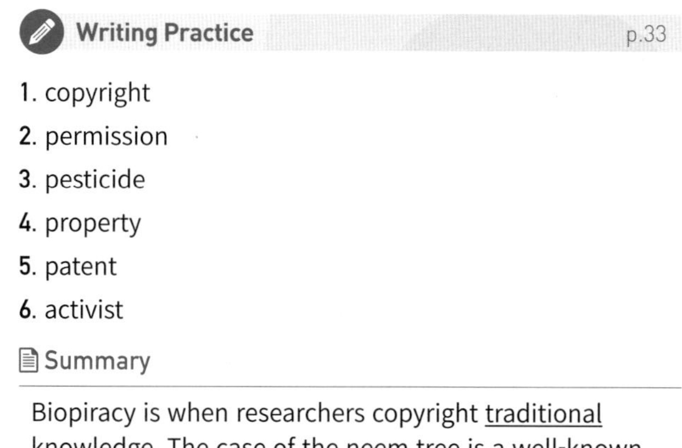

1. copyright
2. permission
3. pesticide
4. property
5. patent
6. activist

Summary

Biopiracy is when researchers copyright traditional knowledge. The case of the neem tree is a well-known example. The neem tree has been used by people in India for thousands of years. But an American company tried to patent its properties. After a long legal battle, the patent was cancelled.

생물 해적 행위는 연구자들이 전통 지식에 저작권을 부여할 때를 말한다. 님나무의 사례는 잘 알려진 예이다. 님나무는 수천 년 동안 인도 사람들에 의해 사용됐왔다. 하지만 한 미국 회사가 그것의 속성들에 특허를 내려고 했다. 긴 법적 다툼 끝에, 이 특허는 취소되었다.

Word Puzzle p.34

Across	Down
1. permission	1. pesticide
4. copyright	2. property
5. patent	3. activist

Unit 4 | A Hierarchy of Needs p.35

Part A. Picture Description p.37

1 (C) 2 (B)

Part B. Sentence Completion p.37

3 (C) 4 (D)

Part C. Practical Reading Comprehension p.38

5 (B) 6 (C)

Part D. General Reading Comprehension p.39

7 (B) 8 (A) 9 (D) 10 (A)

Listening Practice p.40

1 psychology 2 motivates
3 belonging 4 self-esteem
5 claims 6 prioritize

Writing Practice p.41

1 psychology 2 motivate
3 self-esteem 4 claim
5 belonging 6 prioritize

Summary Hierarchy, popular, biology, motivation

Word Puzzle p.42

Across
4 prioritize 5 motivate

Down
1 self-esteem 2 claim
3 belonging 4 psychology

Pre-reading Questions p.35

What do you think people need the most in life?

사람들이 삶에서 가장 필요로 하는 것이 무엇이라고 생각하나요?

 Reading Passage p.36

A Hierarchy of Needs

Maslow's Hierarchy of Needs is a popular psychology model proposed by Abraham Maslow in 1943 to explain what motivates human beings. The model ranks five things people require in life. At the first level are basic physical needs, including things like food and water. These are followed in order by safety needs, the need for social belonging, self-esteem, and "self-actualization" (the need to fill one's potential in life).

Despite its popular use, Maslow's Hierarchy has numerous criticisms. One major criticism relates to the methodology of Maslow's research. Maslow observed people, but his research did not involve experiments and he did not clearly define the terms he used. That means his claims cannot be properly tested.

Moreover, Maslow studied very few people. Importantly, he refused to observe people with mental or physical disabilities. Also, societies differ. Some societies value individual needs more whereas some value group needs more. In addition, it has been found that people prioritize their needs differently at different ages and moments in life. What's more, Maslow himself recognized that individuals differed when it came to needs; as a result, it is not clear how useful the theory could be.

In short, Maslow's Hierarchy of Needs model is lacking as a theory. It is hoped that more research in such fields as psychology and biology can help us to understand human motivation better.

욕구 단계

Maslow의 욕구 단계는 무엇이 인간에게 동기를 부여하는지 설명하기 위해 1943년 Abraham Maslow에 의해 제안된 대중적인 심리학 모델이다. 이 모델은 삶에서 사람들이 필요로 하는 다섯 가지의 등급을 매긴다. 첫 번째 단계에는 음식과 물과 같은 것들을 비롯한 기본적인 신체적 욕구들이 있다. 이들 뒤에는 차례대로 안전 욕구, 사회적 소속 욕구, 자존감, 그리고 "자아실현"(삶에서 잠재력을 실현하려는 욕구)이 따른다.

이것의 대중적인 활용에도 불구하고, Maslow의 단계는 수많은 비판을 받는다. 한 가지 주요한 비판은 Maslow 연구의 방법론과 관련 있다. Maslow는 사람들을 관찰했지만, 그의 연구는 실험을 수반하지 않았고 그는 자신이 사용한 단어를 명확하게 정의하지 않았다. 이는 그의 주장이 제대로 시험될 수 없다는 것을 의미한다.

게다가, Maslow는 매우 적은 사람을 연구했다. 중요하게도, 그는 정신적 혹은 신체적 장애가 있는 사람들을 관찰하는 것을 거부했다. 또한, 사회들에는 차이가 있다. 어떤 사회는 개인의 욕구를 더 가치 있게 여기는 반면에 어떤 곳은 집단의 욕구를 더 가치 있게 여긴다. 더욱이, 사람들이 인생의 각각 다른 나이와 순간에 그들의 욕구의 우선순위를 다르게 매긴다는 것이 밝혀졌다. 더군다나, Maslow 스스로가 욕구에 있어서는 개인마다 차이가 있다는 것을 인정했다; 그 결과, 이 이론이 얼마나 유용할 수 있는지는 명백하지 않다.

요컨대, Maslow의 욕구 단계 모델은 이론으로서 부족하다. 심리학과 생물학 같은 분야에서 더 많은 연구가 인간의 동기를 더 잘 이해하는 데 도움이 될 수 있기를 바란다.

어휘 hierarchy 단계, 계층, 위계 | need 욕구 | psychology 심리학 | model 모델, 모형 | propose 제안하다 | motivate 동기 부여하다 | rank (등급·등위·순위를) 매기다 | require 필요로 하다 | self-esteem 자존감 | self-actualization 자아실현 | potential 잠재력 | fill 충족시키다 | criticism 비판 | methodology 방법론 | observe 관찰하다 | define 정의하다 | term 용어 | claim 주장 | study 연구하다 | disability 장애 | differ 다르다, 차이가 나다 | value ~을 가치 있게 여기다 | prioritize ~의 우선순위를 매기다 | lack 부족하다 | criticize 비판하다 | doubt 의심하다 | shame 수치심 | confusion 혼란 | visualize 시각화하다 | randomize 임의[무작위] 추출하다; 임의[무작위]로 순서를 정하다 | conduct (실행)하다 | priority 우선 사항 | critical 비판적인 | neutral 중립적인 | intimidated 겁을 내는 | appreciative 감사하는; 감탄하는 | ridiculous 말도 안 되는, 터무니없는 | satisfy 만족시키다 | key 가장 중요한, 핵심적인 | risk (위험을 각오하고) ~을 걸다 | face 맞닥뜨리다, 직면하다

Comprehension Questions

p.37

1. Having a holiday meal together gives the Smiths a sense of belonging.
   (A) shame
   (B) confusion
   (C) belonging
   (D) disappointment

해석 함께 휴일 식사를 하는 것은 Smith 가족에게 소속감을 준다.
(A) 수치심
(B) 혼란
(C) 소속
(D) 실망

풀이 온 가족이 함께 식사하며 행복하게 웃고 있는 모습이다. 이러한 모습은 가족에게 소속감을 준다는 내용과 가장 잘 어울리므로 (C)가 정답이다.

관련 문장 These are followed in order by safety needs, the need for social belonging, self-esteem, and "self-actualization".

2. I prioritized today's tasks. I made a to-do list.
   (A) criticized
   (B) prioritized
   (C) visualized
   (D) randomized

해석 나는 오늘 할 일의 우선순위를 매겼다. 나는 할 일 목록을 만들었다.
(A) 비판했다
(B) 우선순위를 매겼다
(C) 시각화했다
(D) 무작위로 추출했다

풀이 왼쪽의 목록을 오른쪽에 정리해서 1번, 2번, 3번으로 순위를 매긴 모습이다. 이는 오늘 할 일의 우선순위를 매겼다는 내용이 가장 자연스러우므로 (B)가 정답이다.

관련 문장 In addition, it has been found that people prioritize their needs differently at different ages and moments in life.

3. Despite its popularity, this idea has a few problems.
   (A) it's popular
   (B) it is popular
   (C) its popularity
   (D) it's popularity

해석 그것의 인기에도 불구하고, 이 발상에는 몇 가지 문제점이 있다.
(A) 인기 있다
(B) 인기 있다
(C) 그것의 인기
(D) 그것은 인기다

풀이 'Despite'는 전치사이기 때문에 빈칸에는 명사(구)가 들어가야 한다. 따라서 '소유격 대명사 + 명사'의 구조를 갖는 (C)가 정답이다. (D)는 'it's'는 'it is'의 축약어이기 때문에 절이 되어 오답이다.

관련 문장 Despite its popular use, Maslow's Hierarchy has numerous criticisms.

4. Not only did others criticize Dad's idea, but Dad himself even doubted whether it was a good plan.
   (A) he
   (B) his
   (C) him
   (D) himself

해석 다른 사람들이 아빠의 생각을 비판했을 뿐만 아니라, 아빠 스스로조차 그것이 좋은 계획인지 의심했다.
(A) 그는
(B) 그의 (것)
(C) 그를
(D) 그 스스로

풀이 빈칸을 제외한 문장 'Dad even doubted whether it was a good plan'은 완전한 절이기 때문에 다른 필수 문장 성분이 필요 없다. 따라서 '명사 + 재귀대명사'를 활용하여 '그 스스로도, 본인도, 직접'이라는 강조 의미를 덧붙이는 기능을 하는 (D)가 정답이다.

관련 문장 What's more, Maslow himself recognized that individuals differed when it came to needs; as a result, it is not clear how useful the theory could be.

[5-6]

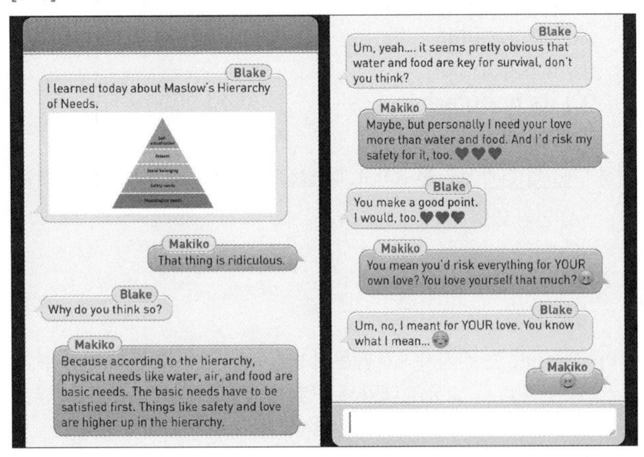

해석

Blake: 오늘 Maslow의 욕구 단계에 대해서 배웠어.

Makiko: 그거 좀 말이 안 돼.

Blake: 왜 그렇게 생각해?

Makikio: 왜냐하면 그 단계에 따르면, 물, 공기, 그리고 음식 같은 신체적 욕구가 기본 욕구란 말이야. 그런 기본 욕구들이 먼저 충족되어야 해. 안전이나 사랑 같은 것들은 단계에서 더 위에 있고.

Blake: 음, 그래.... 물이랑 음식이 생존을 위해 기본이라는 건 아주 명백해 보이는데, 그렇지 않아?

Makiko: 글쎄, 그렇지만 나는 개인적으로 물이랑 음식보다는 너의 사랑이 더 필요해. 그리고 그것을 위해 내 안전도 걸겠어. (하트 세 개)

Blake: 좋은 지적이야. 나도 그럴 거야. (하트 세 개)

Makiko: 네 본인의 사랑을 위해 모든 걸 걸겠다는 뜻이야? 너는 자신을 그렇게나 사랑하는구나? (울면서 웃는 표정)

Blake: 음, 아니, 너의 사랑을 말한 거야. 무슨 말인지 알면서... (부끄러워하며 웃는 표정)

Makiko (울면서 웃는 표정)

5. What does Blake say about Maslow's Hierarchy of Needs?

(A) that he taught a class on it
(B) that he just learned about it
(C) that he feels it is bad science
(D) that he studied it the year before

해석 Blake가 Maslow의 욕구 단계에 관해 말한 내용은 무엇인가?

(A) 그것에 대해 수업을 가르쳤다는 것
(B) 그것에 대해 막 배웠다는 것
(C) 그것이 질 낮은 과학이라 느낀다는 것
(D) 작년에 그것을 공부했다는 것

풀이 Blake의 첫 번째 메시지 'I learned today about Maslow's Hierarchy of Needs.'에서 오늘 Maslow의 욕구 단계에 관해서 배웠다고 하였으므로 (B)가 정답이다. (C)는 'it seems pretty obvious that water and food are key for survival, don't you think?'에서 Maslow의 욕구 단계에서 주장하는 신체적 욕구 단계에 Blake가 동의하고 있다는 것을 알 수 있다. 따라서 Blake가 Maslow의 욕구 단계를 질 낮은 과학이라 느낀다고 할 수 없으므로 오답이다.

6. What does Makiko mean when she says, "I'd risk my safety for it"?

(A) She thinks Blake should enjoy life more.
(B) She used to love doing an extreme sport.
(C) She is willing to face danger for Blake's love.
(D) She thinks safety matters more than water and food.

해석 Makiko가 "그것을 위해 내 안전도 걸겠어"라고 말한 의도는 무엇인가?

(A) Blake가 인생을 더 즐겨야 한다고 생각한다.
(B) 극한 스포츠 활동을 아주 좋아하곤 했었다.
(C) Blake의 사랑을 위해 기꺼이 위험과 맞닥뜨릴 것이다.
(D) 물과 음식보다 안전이 더 중요하다고 생각한다.

풀이 Makiko는 Maslow의 기본 욕구 단계인 신체적 욕구를 부정하고 자신은 물과 음식보다 Blake의 사랑이 더 필요하다고 말하며 애정을 표현하고 있다. 따라서 Blake의 사랑('it')을 위해 안전을 걸겠다는 말은, Blake로부터 사랑을 받을 수 있다면 기꺼이 위험도 무릅쓰겠다는 의미라고 할 수 있으므로 (C)가 정답이다.

[7-10]

Maslow's Hierarchy of Needs is a popular psychology model proposed by Abraham Maslow in 1943 to explain what motivates human beings. The model ranks five things people require in life. At the first level are basic physical needs, including things like food and water. These are followed in order by safety needs, the need for social belonging, self-esteem, and "self-actualization" (the need to fill one's potential in life).

Despite its popular use, Maslow's Hierarchy has numerous criticisms. One major criticism relates to the methodology of Maslow's research. Maslow observed people, but his research did not involve experiments and he did not clearly define the terms he used. That means his claims cannot be properly tested.

Moreover, Maslow studied very few people. Importantly, he refused to observe people with mental or physical disabilities. Also, societies differ. Some societies value individual needs more whereas some value group needs more. In addition, it has been found that people prioritize their needs differently at different ages and moments in life. What's more, Maslow himself recognized that individuals differed when it came to needs; as a result, it is not clear how useful the theory could be.

In short, Maslow's Hierarchy of Needs model is lacking as a theory. It is hoped that more research in such fields as psychology and biology can help us to understand human motivation better.

해석

Maslow의 욕구 단계는 무엇이 인간에게 동기를 부여하는지 설명하기 위해 1943년 Abraham Maslow에 의해 제안된 대중적인 심리학 모델이다. 이 모델은 삶에서 사람들이 필요로 하는 다섯 가지의 등급을 매긴다. 첫 번째 단계에는 음식과 물과 같은 것들을 비롯한 기본적인 신체적 욕구들이 있다. 이들 뒤에는 차례대로 안전 욕구, 사회적 소속 욕구, 자존감, 그리고 "자아실현"(삶에서 잠재력을 실현하려는 욕구)이 따른다.

이것의 대중적인 활용에도 불구하고, Maslow의 단계는 수많은 비판을 받는다. 한 가지 주요한 비판은 Maslow 연구의 방법론과 관련 있다. Maslow는 사람들을 관찰했지만, 그의 연구는 실험을 수반하지 않았고 그는 자신이 사용한 단어를 명확하게 정의하지 않았다. 이는 그의 주장이 제대로 시험될 수 없다는 것을 의미한다.

게다가, Maslow는 매우 적은 사람을 연구했다. 중요하게도, 그는 정신적 혹은 신체적 장애가 있는 사람들을 관찰하는 것을 거부했다. 또한, 사회들에는 차이가 있다. 어떤 사회는 개인의 욕구를 더 가치 있게 여기는 반면에 어떤 곳은 집단의 욕구를 더 가치 있게 여긴다. 더욱이, 사람들이 인생의 각각 다른 나이와 순간에 그들의 욕구의 우선순위를 다르게 매긴다는 것이 밝혀졌다. 더군다나, Maslow 스스로가 욕구에 있어서는 개인마다 차이가 있다는 것을 인정했다; 그 결과, 이 이론이 얼마나 유용할 수 있는지는 명백하지 않다.

요컨대, Maslow의 욕구 단계 모델은 이론으로서 부족하다. 심리학과 생물학 같은 분야에서 더 많은 연구가 인간의 동기를 더 잘 이해하는 데 도움이 될 수 있기를 바란다.

7. What is the passage mainly about?

(A) the life and times of a psychologist
(B) a motivation model that ranks human needs
(C) differences between human and animal needs
(D) changes in psychology theory in the 20th century

해석 이 지문의 중심 내용은 무엇인가?

(A) 한 심리학자의 생애와 시대
(B) 인간 욕구의 단계를 매기는 동기 모델
(C) 인간과 동물 욕구의 차이점
(D) 20세기 심리학 이론의 변화

유형 전체 내용 파악

풀이 첫 번째 문단에서 Maslow의 욕구 단계라는 심리학 모델을 소개하고, 이것이 인간의 욕구를 다섯 가지로 순서를 매긴 모델임을 설명하고 있다. 그 후 이 욕구 단계의 한계와 비판점을 자세히 서술하고 있는 글이다. 따라서 지문의 중심 내용은 Maslow의 욕구 단계이므로 (B)가 정답이다.

8. What is NOT mentioned about methodology?

(A) keeping mice
(B) defining terms
(C) observing people
(D) conducting experiments

해석 방법론에 관해 언급되지 않은 것은 무엇인가?

(A) 쥐 기르기
(B) 용어 정의하기
(C) 사람들 관찰하기
(D) 실험 실행하기

유형 세부 내용 파악

풀이 두 번째 문단에서 Maslow 단계 이론의 방법론과 관련한 비판을 설명하고 있으며, 이때 쥐 기르는 것에 대한 내용은 언급되지 않았으므로 (A)가 정답이다. (B)는 'he did not clearly define the terms he used'에서, (C)와 (D)는 'Maslow observed people, but his research did not involve experiments'에서 확인할 수 있으므로 오답이다.

9. What does the passage say about age?

(A) People value society more when they are older.
(B) People tend to have physical problems later in life.
(C) People think like individuals when they are teenagers.
(D) People have different priorities at different stages in life.

해석 지문에서 나이에 관해 언급한 내용은 무엇인가?

(A) 사람들은 나이가 들었을 때 사회를 더 가치 있게 여긴다.
(B) 사람들은 인생의 후반에 신체적 문제를 겪는 경향이 있다.
(C) 사람들은 십 대일 때 개개인처럼 생각한다.
(D) 사람들은 인생의 각기 다른 단계에서 다른 우선순위를 지닌다.

유형 세부 내용 파악

풀이 세 번째 문단의 'In addition, it has been found that people prioritize their needs differently at different ages and moments in life.'에서 인생에서 나이와 순간에 따라 사람들이 욕구의 우선순위를 다르게 매긴다고 하였으므로 (D)가 정답이다.

10. Which of the following best describes the tone of the passage in relation to Maslow's Hierarchy of Needs?

(A) critical
(B) neutral
(C) intimidated
(D) appreciative

해석 다음 중 Maslow의 욕구 단계와 관련하여 지문의 어조를 가장 적절하게 묘사한 것은 무엇인가?

(A) 비판적인
(B) 중립적인
(C) 겁을 내는
(D) 감사하는

유형 전체 내용 파악

풀이 해당 지문은 'Despite its popular use, Maslow's Hierarchy has numerous criticisms.'라며 Maslow의 욕구 단계의 한계와 비판점을 설명하고 있는 글이다. 두 번째 문단과 세 번째 문단에서 이 욕구 단계 모델의 비판점을 자세히 설명한 뒤, 네 번째 문단의 'In short, Maslow's Hierarchy of Needs model is lacking as a theory.'에서 Maslow의 욕구 단계가 이론으로서 부족하다고 결론 짓고 있다. 따라서 Maslow의 욕구 단계를 비판적으로 바라보고 있는 글이므로 (A)가 정답이다.

Listening Practice
HJ3-4 p.40

Maslow's Hierarchy of Needs is a popular psychology model proposed by Abraham Maslow in 1943 to explain what motivates human beings. The model ranks five things people require in life. At the first level are basic physical needs, including things like food and water. These are followed in order by safety needs, the need for social belonging, self-esteem, and "self-actualization" (the need to fill one's potential in life).

Despite its popular use, Maslow's Hierarchy has numerous criticisms. One major criticism relates to the methodology of Maslow's research. Maslow observed people, but his research did not involve experiments and he did not clearly define the terms he used. That means his claims cannot be properly tested.

Moreover, Maslow studied very few people. Importantly, he refused to observe people with mental or physical disabilities. Also, societies differ. Some societies value individual needs more whereas some value group needs more. In addition, it has been found that people prioritize their needs differently at different ages and moments in life. What's more, Maslow himself recognized that individuals differed when it came to needs; as a result, it is not clear how useful the theory could be.

In short, Maslow's Hierarchy of Needs model is lacking as a theory. It is hoped that more research in such fields as psychology and biology can help us to understand human motivation better.

1. psychology
2. motivates
3. belonging
4. self-esteem
5. claims
6. prioritize

Writing Practice
p.41

1. psychology
2. motivate
3. self-esteem
4. claim
5. belonging
6. prioritize

Summary

Maslow's Hierarchy of Needs ranks five things people require in life. However, despite its popular use, the model has numerous criticisms. It is hoped that more research in such fields as psychology and biology can help us to understand human motivation better.

Maslow의 욕구 단계는 사람들이 인생에서 필요로 하는 다섯 가지의 순위를 매긴다. 하지만, 그것의 대중적인 활용에도 불구하고, 이 모델은 수많은 비판을 받는다. 심리학과 생물학 같은 분야에서 더 많은 연구가 인간의 동기를 더 잘 이해하는 데 도움이 될 수 있기를 바란다.

Word Puzzle
p.42

Across	Down
4. prioritize	1. self-esteem
5. motivate	2. claim
	3. belonging
	4. psychology

AMAZING STORIES

p.43

The Mysterious Cruelty of Henry the Eighth

Henry the Eighth, the king of England from 1509 to 1547, was an infamously cruel monarch. He divorced two of his six wives and had two others killed. He also had many of his closest friends and advisors killed. However, when he was still a young man, he had been known for having a much more reasonable personality. So what went wrong?

It is entirely possible that Henry the Eighth's cruelty simply stemmed from his having absolute power. However, he had had absolute power in his earlier years as king, as well, and had not been so irrational. Therefore, some psychologists and historians believe that the king's cruel impulses started after he suffered from an injury to the head.

In the 1600s, jousting was a popular activity among royals and other rich people. This violent sport involved attacking an opponent with a weapon while wearing armor on horseback. In 1524, Henry the Eighth suffered several hard blows to the head during jousting tournaments. In one tournament, a horse fell on him. After that point, people started describing him as angry and violent. At the time, people would not have known about the link between head injuries and violent impulses.

Was Henry the Eighth's cruelty a result of the head injury? Or was he simply an irrational absolute monarch? It is one of the mysteries of history.

헨리 8세의 기이한 잔혹성

1509년부터 1547년까지 영국의 왕이었던 헨리 8세는 악명 높게 잔인한 군주였다. 그는 여섯 명의 아내 중 두 명과 이혼하고 다른 두 명을 죽게 했다. 그는 또한 가장 가까운 친구와 조력자를 많이 죽였다. 하지만, 그가 아직 젊었을 때, 그는 훨씬 더 이성적인 성격을 가진 것으로 알려졌었다. 그렇다면 무엇이 잘못된 것이었을까?

헨리 8세의 잔인함이 단순히 그가 절대 권력을 가진 것으로부터 비롯되었다는 것은 전적으로 가능성이 있다. 그는 왕으로 집권한 초기 시절에도 절대 권력을 가졌지만, 그렇게 비이성적이지 않았다. 그러므로, 몇몇 심리학자와 역사학자들은 왕의 잔인한 충동이 그가 머리에 부상을 입은 후 시작되었다고 생각한다.

1600년대에, 마상 시합은 왕족과 다른 부유층 사이에서 인기 있는 활동이었다. 이 폭력적인 스포츠는 말을 타고 갑옷을 입은 채 무기로 적을 공격하는 것을 수반했다. 1524년에, 헨리 8세는 마상 시합 도중 머리에 몇 차례 심각한 타격을 입었다. 한 시합에서, 말이 그의 위로 넘어졌다. 그 이후로, 사람들은 그를 분노하고 폭력적이라고 묘사하기 시작했다. 그 당시, 사람들은 머리 부상과 폭력적인 충동 간의 연관성에 관해 알지 못했을 것이다.

헨리 8세의 잔혹성은 머리 부상의 결과였을까? 아니면 그는 그저 비이성적인 절대군주였을까? 그것은 역사의 미스터리 중 하나이다.

Chapter 2. **Culture**

Unit 5 | Mythical Creatures p.45

Part A. Picture Description p.47

1 (B) 2 (A)

Part B. Sentence Completion p.47

3 (A) 4 (B)

Part C. Practical Reading Comprehension p.48

5 (B) 6 (C)

Part D. General Reading Comprehension p.49

7 (C) 8 (A) 9 (D) 10 (D)

Listening Practice p.50

1 folklore	2 mythological
3 beasts	4 hybrids
5 vicious	6 scales

Writing Practice p.51

1 folklore	2 beast
3 mythological	4 hybrid
5 vicious	6 scales

Summary mythological, hybrids, beasts, link

Word Puzzle p.52

Across

5 mythological	6 beast

Down

1 vicious	2 hybrid
3 folklore	4 scales

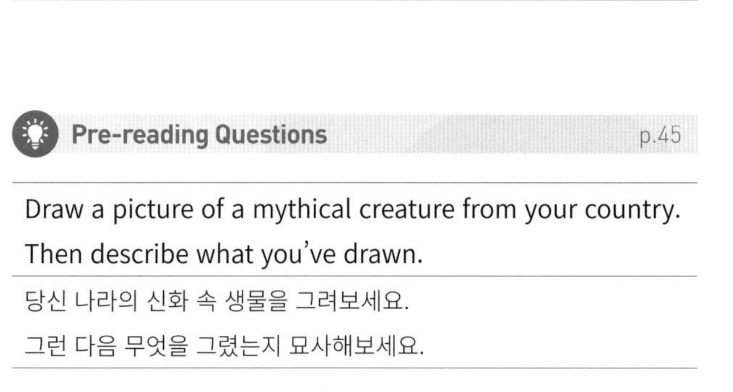

Pre-reading Questions p.45

Draw a picture of a mythical creature from your country.
Then describe what you've drawn.

당신 나라의 신화 속 생물을 그려보세요.
그런 다음 무엇을 그렸는지 묘사해보세요.

Reading Passage p.46

Mythical Creatures

Cultures all over the world have developed folklore about mythological creatures. Interestingly, many of these fantastical beasts are human-animal hybrids.

Horse-human hybrids are one common example. *Centaurs*, for example, have the bottom and legs of a horse but the upper body and head of a human. *Satyrs*, ancient Greek nature spirits, have the body of a male human but the ears and tail of a horse.

Another type is the human-bird hybrid. Indian mythology has the *kinnara*, a half-human, half-bird creature. Korean folklore features the *inmyeonjo*, which has a bird body and human face.

There are also many human-fish hybrids. Most famous of these, perhaps, are *mermaids* and *mermen*, who are human from the waist up, but have a long fish tail. These creatures have variations. In the mythology of some Philippine islands, for example, *magindara* are vicious mermaids with sharp scales who sometimes save and sometimes attack fishermen.

Some hybrids also include parts of multiple beasts. For instance, the Russian *meduza* has the head of a woman, body of a beast, the mouth of a snake, the legs of an elephant, and the tail of a dragon. The early Persian *manticore* has the head of a human, the body of a lion, and a spiny, venomous tail.

Cultures change over time and across regions. However, a common link among the world's people is a fascination with mythological human-animal hybrid creatures.

신화 속 생물

전 세계의 모든 문화는 신화적인 생물에 관한 설화를 발전시켜 왔다. 흥미롭게도, 이런 신비한 동물 중 다수가 인간-동물 혼종이다.

말-인간 혼종은 하나의 흔한 예이다. 켄타우로스(*centaur*)는, 예를 들어, 말의 하부와 다리를 가졌지만 인간의 상체와 머리를 지녔다. 고대 그리스 자연의 정령인 사티로스(*satyr*)는 남성 인간의 몸을 가졌지만 말의 귀와 꼬리를 지녔다.

또 다른 형태는 인간-새 혼종이다. 인도 신화에는 반인반조 생물인 키나라(*kinnara*)가 있다. 한국 설화에는 새의 몸과 사람의 얼굴을 가진, 인면조(*inmyeonjo*)가 특별히 포함된다.

또한 인간-물고기 혼종들도 많이 있다. 이들 중 가장 유명한 것은 아마도 허리 위로는 사람이지만, 긴 물고기 꼬리를 가진 여자 인어(*mermaid*)와 남자 인어(*merman*)일 것이다. 이 생물들은 여러 변형이 있다. 일부 필리핀 섬의 신화에서는, 예를 들어, 마긴다라(*magindara*)는 때로는 어부를 구해주고 때로는 공격하는 날카로운 비늘을 가진 사나운 인어들이다.

몇몇 혼종들은 또한 여러 동물의 부위를 포함한다. 예를 들어, 러시아 메두자(*meduza*)는 여성의 머리, 짐승의 몸, 뱀의 입, 코끼리의 다리, 그리고 용의 꼬리를 가졌다. 초기 페르시아의 맨티코아(*manticore*)는 인간의 머리, 사자의 몸, 그리고 가시와 독이 있는 꼬리를 가졌다.

문화는 시간이 지나면서 그리고 지역에 따라 변한다. 하지만, 세계인들 사이의 공통적인 연결고리는 신화적인 인간-동물 혼종 생물들에 매혹됐다는 것이다.

어휘 mythical 신화 속에 나오는 | creature 생물, 생명이 있는 존재 | folklore 설화 | mythological 신화적인 | fantastical 환상적인, 신비한 | beast 짐승, 야수 | hybrid 혼종, 잡종, 혼성체 | bottom 하부 | Greek 그리스의 | spirit 정령 | mythology 신화 | variation 변형 | vicious 사나운, 포악한 | scale 비늘 | spiny 가시가 있는 | venomous 독이 있는 | region 지역 | fascination 매혹, 매료됨 | connection 연결 | fantasy 환상, 판타지 | fang 송곳니 | cage 철장 | benevolent 자애로운 | myth 신화; 미신, 근거 없는 믿음 | genetics 유전학 | slayer 살해자, 살인범 | ferocious 사나운 | bull 황소 | labyrinth 미궁 | maze 미로 | revenge 복수 | Athenian 아테네인 | volunteer to V 자진해서 V 하다 | thread 실 | lay down 내려놓다 | escape 탈출하다 | sail 항해하다 | crawl 기어가다 | trail 자취 | breadcrumb 빵부스러기

Comprehension Questions p.47

1. It is a <u>hybrid</u> of a lion and a bird.

(A) cage
(B) hybrid
(C) legend
(D) photograph

해석 그것은 사자와 새의 <u>혼종</u>이다.

(A) 철장
(B) 혼종
(C) 전설
(D) 사진

풀이 사자의 몸과 새의 날개가 섞여 있는 혼종 생물의 모습이므로 (B)가 정답이다.

관련 문장 Interestingly, many of these fantastical beasts are human-animal hybrids.

2. That dog is <u>vicious</u>.

(A) vicious
(B) friendly
(C) sleeping
(D) benevolent

해석 그 개는 <u>사납다</u>.

(A) 사나운
(B) 친근한
(C) 자는
(D) 자애로운

풀이 개가 날카로운 이빨을 드러내며 사나운 표정을 짓고 있으므로 (A)가 정답이다.

관련 문장 In the mythology of some Philippine islands, for example, *magindara* are vicious mermaids with sharp scales who sometimes save and sometimes attack fishermen.

3. A common connection among the world's people <u>is a</u> fascination with fantasy creatures.

(A) is a
(B) are a
(C) is these
(D) are these

해석 세계인들 사이의 공통적인 연결고리<u>는</u> 환상 속 생물에 매혹됐다는 점이다.

(A) is + 부정관사 a
(B) are + 부정관사 a
(C) is + 복수 지시대명사 these
(D) are + 복수 지시대명사 these

풀이 주어가 단수 'A common connection [...]'이므로 be 동사는 'is'가 되어야 하고, 보어 'fascination [...]'가 단수이므로 부정관사 'a'가 수식할 수 있다. 따라서 (A)가 정답이다.

관련 문장 However, a common link among the world's people is a fascination with mythological human-animal hybrid creatures.

4. This fantasy creature is a type of fish <u>with</u> large fangs.
(A) has
(B) with
(C) have
(D) with having

해석 이 환상 속 생물은 큰 송곳니<u>를 가진</u> 물고기의 일종이다.
(A) 가지다
(B) ~을 가진
(C) 가지다
(D) ~을 가지고 있으면서

풀이 '~을 가진'이라는 의미를 나타낼 때 전치사 'with'를 사용할 수 있으므로 (B)가 정답이다. (A)는 'This fantasy creature is a type of fish has large fangs'가 되면 문장의 동사가 'is'와 'has' 두 개가 되어 중복되므로 오답이다. 'This fantasy creature is a type of fish which has large fangs.' 등이 되어야 적절하다는 점에 유의한다.

관련 문장 In the mythology of some Philippine islands, for example, *magindara* are vicious mermaids with sharp scales who sometimes save and sometimes attack fishermen.

[5-6]

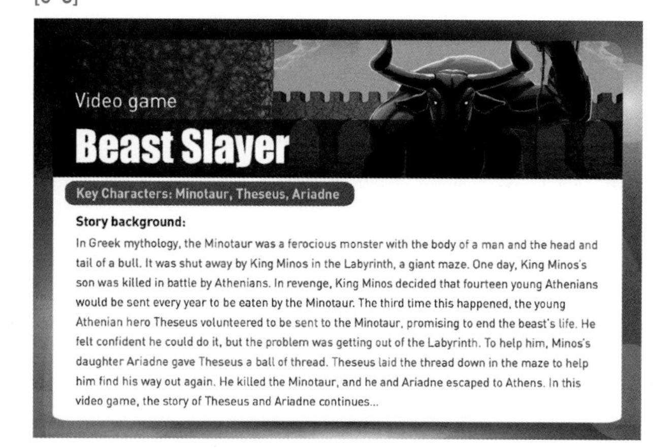
Video game
Beast Slayer
Key Characters: Minotaur, Theseus, Ariadne

Story background:
In Greek mythology, the Minotaur was a ferocious monster with the body of a man and the head and tail of a bull. It was shut away by King Minos in the Labyrinth, a giant maze. One day, King Minos's son was killed in battle by Athenians. In revenge, King Minos decided that fourteen young Athenians would be sent every year to be eaten by the Minotaur. The third time this happened, the young Athenian hero Theseus volunteered to be sent to the Minotaur, promising to end the beast's life. He felt confident he could do it, but the problem was getting out of the Labyrinth. To help him, Minos's daughter Ariadne gave Theseus a ball of thread. Theseus laid the thread down in the maze to help him find his way out again. He killed the Minotaur, and he and Ariadne escaped to Athens. In this video game, the story of Theseus and Ariadne continues...

해석

비디오 게임
비스트 슬레이어(Beast Slayer)
주요 등장인물: 미노타우로스(Minotaur), 테세우스(Theseus), 아리아드네(Ariadne)
이야기 배경:
그리스 신화에서, 미노타우로스는 남성의 몸과 황소의 머리 및 꼬리를 가진 사나운 괴물이었다. 그것은 미노스 왕에 의해 거대한 미로인 미궁(Labyrinth)에 가둬졌다. 어느 날, 미노스 왕의 아들이 아테네인들에 의해 전사했다. 복수를 위해, 미노스 왕은 매년 열네 명의 젊은 아테네인들을 보내 미노타우로스에게 잡아먹히게 하기로 결심했다. 이 일이 세 번째로 일어났을 때, 젊은 아테네 영웅 테세우스가 짐승의 목숨을 끊어 놓으리라 약속하며 자진해서 미노타우로스에게 보내졌다. 그는 할 수 있다고 자신했지만, 문제는 미궁에서 빠져나오는 것이었다. 그를 돕기 위해, 미노스의 딸 아리아드네가 테세우스에게 실뭉치를 주었다. 테세우스는 미로에서 다시 출구를 찾을 수 있도록 실을 내려놓았다. 그는 미노타우로스를 죽였고, 그와 아리아드네는 아테네로 탈출했다. 이 비디오 게임에서, 테세우스와 아리아드네의 이야기가 계속되는데...

5. Who killed the Minotaur?
(A) an old king
(B) a young Athenian
(C) the son of King Minos
(D) the brother of Ariadne

해석 누가 미노타우로스를 죽였는가?
(A) 늙은 왕
(B) 젊은 아테네인
(C) 미노스 왕의 아들
(D) 아리아드네의 남자 형제

풀이 'the young Athenian hero Theseus' 와 'He killed the Minotaur, [...]'에서 젊은 아테네인 영웅 테세우스가 미노타우로스를 죽였다는 사실을 알 수 있으므로 (B)가 정답이다.

6. How did Theseus escape the Labyrinth?

(A) by sailing on his shield
(B) by crawling up the walls
(C) by following some thread
(D) by making a trail of breadcrumbs

해석 테세우스는 어떻게 미궁에서 빠져나왔는가?

(A) 방패를 타고 항해하면서
(B) 벽을 기어올라서
(C) 실을 따라서
(D) 빵부스러기 자취를 만들어서

풀이 'Theseus laid the thread down in the maze to help him find his way out again.'에서 테세우스가 출구를 찾을 수 있도록 아리아드네가 준 실뭉치를 미로에 내려놓았다고 했다. 이를 통해 테세우스가 미노타우로스를 죽인 뒤 자신이 내려놓은 실을 따라서 미궁에서 탈출했음을 파악할 수 있으므로 (C)가 정답이다.

[7-10]

Cultures all over the world have developed folklore about mythological creatures. Interestingly, many of these fantastical beasts are human-animal hybrids.

Horse-human hybrids are one common example. *Centaurs*, for example, have the bottom and legs of a horse but the upper body and head of a human. *Satyrs*, ancient Greek nature spirits, have the body of a male human but the ears and tail of a horse.

Another type is the human-bird hybrid. Indian mythology has the *kinnara*, a half-human, half-bird creature. Korean folklore features the *inmyeonjo*, which has a bird body and human face.

There are also many human-fish hybrids. Most famous of these, perhaps, are *mermaids* and *mermen*, who are human from the waist up, but have a long fish tail. These creatures have variations. In the mythology of some Philippine islands, for example, *magindara* are vicious mermaids with sharp scales who sometimes save and sometimes attack fishermen.

Some hybrids also include parts of multiple beasts. For instance, the Russian *meduza* has the head of a woman, body of a beast, the mouth of a snake, the legs of an elephant, and the tail of a dragon. The early Persian *manticore* has the head of a human, the body of a lion, and a spiny, venomous tail.

Cultures change over time and across regions. However, a common link among the world's people is a fascination with mythological human-animal hybrid creatures.

해석

전 세계의 모든 문화는 신화적인 생물에 관한 설화를 발전시켜 왔다. 흥미롭게도, 이런 신비한 동물 중 다수가 인간-동물 혼종이다.

말-인간 혼종은 하나의 흔한 예이다. 켄타우로스(*centaur*)는, 예를 들어, 말의 하부와 다리를 가졌지만 인간의 상체와 머리를 지녔다. 고대 그리스 자연의 정령인 사티로스(*satyr*)는 남성 인간의 몸을 가졌지만 말의 귀와 꼬리를 지녔다.

또 다른 형태는 인간-새 혼종이다. 인도 신화에는 반인반조 생물인 키나라(*kinnara*)가 있다. 한국 설화에는 새의 몸과 사람의 얼굴을 가진, 인면조(*inmyeonjo*)가 특별히 포함된다.

또한 인간-물고기 혼종들도 많이 있다. 이들 중 가장 유명한 것은 아마도 허리 위로는 사람이지만, 긴 물고기 꼬리를 가진 여자 인어(*mermaid*)와 남자 인어(*merman*)일 것이다. 이 생물들은 여러 변형이 있다. 일부 필리핀 섬의 신화에서는, 예를 들어, 마긴다라(*magindara*)는 때로는 어부를 구해주고 때로는 공격하는 날카로운 비늘을 가진 사나운 인어들이다.

몇몇 혼종들은 또한 여러 동물의 부위를 포함한다. 예를 들어, 러시아 메두자(*meduza*)는 여성의 머리, 짐승의 몸, 뱀의 입, 코끼리의 다리, 그리고 용의 꼬리를 가졌다. 초기 페르시아의 맨티코아(*manticore*)는 인간의 머리, 사자의 몸, 그리고 가시와 독이 있는 꼬리를 가졌다.

문화는 시간이 지나면서 그리고 지역에 따라 변한다. 하지만, 세계인들 사이의 공통적인 연결고리는 신화적인 인간-동물 혼종 생물들에 매혹됐다는 것이다.

7. What would be the best title for the passage?

(A) Animals in Cultures around the World
(B) Myths and Facts about Common Pets
(C) Part Human, Part Animal: Mythology Hybrids
(D) Hybrid Animals of the Future: The Role of Genetics

해석 이 지문에 가장 알맞은 제목은 무엇인가?

(A) 전 세계 문화 속 동물들
(B) 흔한 반려동물에 관한 미신과 진실
(C) 부분 인간, 부분 동물: 신화 속 혼종들
(D) 미래의 혼종 동물들: 유전학의 역할

유형 전체 내용 파악

풀이 첫 문단에서 설화 속 신화 생물, 특히 인간-동물 혼종이라는 중심 소재를 드러낸 후에 인간-말, 인간-새, 인간-물고기, 다종 혼종 생물을 설명하고 있는 글이다. 따라서 (C)가 정답이다.

8. Which Greek spirit looks like a man with a horse's tail and ears?

(A) the satyr
(B) the unicorn
(C) the centaur
(D) the manticore

해석 다음 그리스 정령 중 말의 꼬리와 귀를 가지고 있고 사람처럼 생긴 생물은 무엇인가?

(A) 사티로스
(B) 유니콘
(C) 켄타우로스
(D) 만티코어

유형 세부 내용 파악

풀이 두 번째 문단의 '*Satyrs*, ancient Greek nature spirits, have the body of a male human but the ears and tail of a horse.'에서 사티로스가 인간 남성의 몸, 말의 귀와 꼬리를 가진 혼종이라는 것을 알 수 있으므로 (A)가 정답이다.

9. According to the passage, how are the *kinnara* and *inmyeonjo* similar?

(A) They both are hybrids of fish.
(B) They both make the sound of a lion.
(C) They both come from Indian mythology.
(D) They both have human and bird features.

해석 지문에 따르면, 키나라와 인면조는 어떻게 비슷한가?

(A) 둘 다 물고기 혼종이다.
(B) 둘 다 사자 소리를 낸다.
(C) 둘 다 인도 신화에서 왔다.
(D) 둘 다 인간과 새의 특징을 가졌다.

유형 세부 내용 파악

풀이 세 번째 문단에서 키나라와 인면조를 설명하고 있고, 이 둘은 모두 'human-bird hybrid'(인간-새 혼종)이므로 인간과 새의 특징을 지녔음을 알 수 있다. 따라서 (D)가 정답이다. (C)는 인면조는 한국 설화에서 왔으므로 오답이다.

10. What is true about the *meduza*?

(A) It has the legs of a lion.
(B) It is from the Philippines.
(C) Its head is like a dragon's.
(D) Its mouth is like a snake's.

해석 메두자에 관해 옳은 설명은 무엇인가?

(A) 사자의 다리를 지녔다.
(B) 필리핀에서 왔다.
(C) 머리가 용의 머리와 같다.
(D) 입이 뱀의 입과 같다.

유형 세부 내용 파악

풀이 세 번째 문단의 'For instance, the Russian *meduza* has the head of a woman, body of a beast, the mouth of a snake, the legs of an elephant, and the tail of a dragon.'에서 메두자가 뱀의 입을 가졌다고 하였으므로 (D)가 정답이다. (A)는 메두자가 코끼리 다리를 가졌다고 했으므로 오답이다. (B)는 메두자가 러시아 신화 속 동물이므로 오답이다. (C)는 메두자의 머리가 여성의 머리라고 했으므로 오답이다.

Listening Practice

HJ3-5 p.50

Cultures all over the world have developed folklore about mythological creatures. Interestingly, many of these fantastical beasts are human-animal hybrids.

Horse-human hybrids are one common example. *Centaurs*, for example, have the bottom and legs of a horse but the upper body and head of a human. *Satyrs*, ancient Greek nature spirits, have the body of a male human but the ears and tail of a horse.

Another type is the human-bird hybrid. Indian mythology has the *kinnara*, a half-human, half-bird creature. Korean folklore features the *inmyeonjo*, which has a bird body and human face.

There are also many human-fish hybrids. Most famous of these, perhaps, are *mermaids* and *mermen*, who are human from the waist up, but have a long fish tail. These creatures have variations. In the mythology of some Philippine islands, for example, *magindara* are vicious mermaids with sharp scales who sometimes save and sometimes attack fishermen.

Some hybrids also include parts of multiple beasts. For instance, the Russian *meduza* has the head of a woman, body of a beast, the mouth of a snake, the legs of an elephant, and the tail of a dragon. The early Persian *manticore* has the head of a human, the body of a lion, and a spiny, venomous tail.

Cultures change over time and across regions. However, a common link among the world's people is a fascination with mythological human-animal hybrid creatures.

1. folklore
2. mythological
3. beasts
4. hybrids
5. vicious
6. scales

Writing Practice p.51

1. folklore
2. beast
3. mythological
4. hybrid
5. vicious
6. scales

Summary

Cultures all over the world have developed folklore about <u>mythological</u> creatures. Many of these fantastical beasts are human-animal <u>hybrids</u>. Horse-human hybrids are one common example. There are also the human-bird hybrids, human-fish hybrids, and even hybrids including parts of multiple <u>beasts</u>. Mythological human-animal hybrid creature is a fascinating culture as a common <u>link</u> among the world's people.

전 세계의 문화는 <u>신화적인</u> 생물에 관한 설화를 발전시켜 왔다. 이런 신비한 동물 중 다수가 인간-동물 <u>혼종</u>이다. 말-인간 혼종은 하나의 흔한 예이다. 또한 인간-새 혼종, 인간-물고기 혼종, 그리고 심지어 여러 <u>짐승</u>의 부위를 포함하는 혼종들도 있다. 신화적인 인간-동물 혼종 생물은 세계인들 사이의 공통적인 <u>연결고리</u>로 작용하는 매혹적인 문화이다.

Word Puzzle p.52

Across	Down
5. mythological	1. vicious
6. beast	2. hybrid
	3. folklore
	4. scales

Unit 6 | Ramadan: The Fast p.53

Part A. Picture Description p.55

1 (A) 2 (A)

Part B. Sentence Completion p.55

3 (C) 4 (C)

Part C. Practical Reading Comprehension p.56

5 (A) 6 (C)

Part D. General Reading Comprehension p.57

7 (C) 8 (C) 9 (B) 10 (D)

Listening Practice p.58

1 holiest	2 rituals
3 fast	4 dusk
5 sip	6 loved

Writing Practice p.59

1 holy	2 ritual
3 fast	4 dusk
5 sip of	6 loved ones

Summary religion, rituals, fast, three

Word Puzzle p.60

Across

1 holy	3 dusk
4 sip of	6 ritual

Down

2 loved ones	5 fast

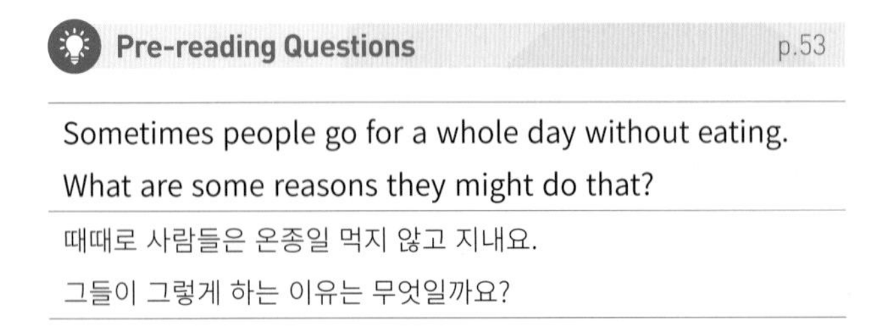

Pre-reading Questions p.53

Sometimes people go for a whole day without eating. What are some reasons they might do that?

때때로 사람들은 온종일 먹지 않고 지내요.
그들이 그렇게 하는 이유는 무엇일까요?

Reading Passage p.54

Ramadan: The Fast

Most of the world's 1.6 billion Muslims observe Ramadan each year. Ramadan is the holiest month in the religion of Islam. There are many important rituals during the month, but perhaps one of the most well known elements is the fast.

To fast means not to eat or drink during a set amount of time. For Muslims observing Ramadan, the fasting time is from dawn to dusk. To prepare to fast, people commonly eat a power meal before dawn called the *suhoor*. Then, when it is time to break the fast at dusk, it is common to take a sip of water and eat some dates. There are prayers at sunset, and then family and friends generally join in a huge feast called *iftar*. In places all over the world, Muslim organizations also set up big public tables for a free feast. In many Arab countries, civil servants finish work hours a little earlier during Ramadan to match sundown. In some countries, it is against the law even for non-Muslims to eat in public during daylight hours during Ramadan.

At the end of Ramadan, people mark the breaking of the fast period with three days of religious rituals, prayers, and celebrations. This period is called Eid al-Fitr. During this time, people typically gather with loved ones to exchange gifts and enjoy time together. They think back on Ramadan and look forward to the year ahead.

라마단: 단식

세계의 16억 무슬림들 대부분은 매년 라마단(Ramadan)을 준수한다. 라마단은 이슬람 종교에서 가장 신성한 달이다. 이달에는 많은 중요한 의식들이 있지만, 아마도 가장 잘 알려진 요소 중 하나는 단식일 것이다.

단식한다는 것은 정해진 시간 동안 먹거나 마시지 않는다는 것을 의미한다. 라마단을 준수하는 무슬림들에게는, 단식 기간은 새벽부터 해 질 때까지이다. 단식할 준비를 하기 위해, 사람들은 보통 동트기 전에 수흐르(suhoor)라고 불리는 거한 식사를 한다. 그런 다음, 해 질 무렵에 단식을 중단할 때가 되면, 물을 한 모금 마시고 대추를 먹는 것이 일반적이다. 해 질 녘에 기도가 있고, 그런 다음 일반적으로 가족과 친구들이 이프타르(iftar)라고 불리는 거대한 잔치에 동참한다. 세계 각지에서, 무슬림 단체들 또한 무료 잔치를 위해 크게 공용 식탁을 차린다. 많은 아랍 국가들에서, 공무원들은 라마단 중에 일몰과 맞추기 위해 근무 시간을 조금 일찍 끝낸다. 일부 국가에서는, 라마단 중에 비무슬림들일지라도 낮 동안 공공장소에서 식사하는 것은 법에 저촉된다.

라마단 말미에, 사람들은 3일간의 종교의식, 기도, 기념으로 단식기의 중단을 기념한다. 이 기간은 이드알피트르(Eid al-Fitr)라고 불린다. 이 기간에, 사람들은 보통 사랑하는 가족 및 친구들과 모여서 선물을 교환하고 함께 시간을 즐긴다. 그들은 라마단을 뒤돌아보며 다가올 내년을 고대한다.

어휘 Ramadan 라마단 (이슬람력에서 제9월로서, 이 기간에는 일출에서 일몰까지 금식함) | fast 단식; 단식하다 | dash (다른 것에 첨가하는) 소량[약간] | go for ~을 (시도)하다 | Muslim 무슬림, 이슬람교도 | holy 신성한 | religion 종교 | Islam 이슬람교 | ritual 의식 | set 정해진 | observe (규칙 등을) 준수하다, 지키다; (의식을) 거행[집행]하다 | dawn 새벽 | dusk 어스름, 땅거미, 황혼, 해 질 무렵 | break 중단하다, 끝내다 | sip (적은 양의) 한 모금 | date 대추 | prayer 기도 | sunset 해 질 녘, 일몰 | set (up) a table 식탁[밥상]을 차리다 | free 무료의, 공짜인 | feast 잔치, 연회 | civil servant 공무원 | match 맞추다 | sundown 일몰 | daylight (낮의) 햇빛, 일광 | mark 기념하다 | religious 종교적인 | gather 모이다 | loved one 사랑하는 사람, 연인, 가족, 친척 | look forward to ~을 고대하다, 즐거운 마음으로 기다리다 | gulp 꿀꺽 (마시는) 한 입 | slurp 후루룩 소리 내며 마시는 한 입 | daybreak 동틀 녘 | lentil 렌틸콩, 편두 | dumpling 만두, 덤플링, 경단 | tin 통, 깡통 | stuffed 속을 채운 | treat (특히 남을 대접하여서 하는[주는]) 특별한 것[음식], 한턱 | date 대추 | cinnamon 계피, 시나몬 | coloring 색소 | paste 반죽 | blend 섞다 | blender 믹서기 | stuff 채우다 | decorate 장식하다 | airtight 밀폐된 | container 용기 | garnish 고명 | filling (파이 등 음식의) 소[속] | freezer 냉동고 | spice 양념, 향신료 | storage 저장 | spoonful 한 숟가락[스푼] (가득한 양)

Comprehension Questions p.55

1. He is having a <u>sip</u> of tea.

   (A) sip
   (B) gulp
   (C) glass
   (D) slurp

해석 그는 차 <u>한 모금</u>을 마시고 있다.

(A) 한 모금
(B) (꿀꺽 마시는) 한 입
(C) 잔
(D) (후루룩 소리 내며 마시는) 한 입

풀이 남자가 뜨거운 차를 마시고 있는 모습이다. 뜨거운 차를 마실 때 차를 한 번에 많이 마시기보다는 적게 마신다는 내용이 가장 어울리므로 '(적은 양의) 한 모금'을 뜻하는 (A)가 정답이다. (B)와 (D)는 꿀꺽 많이 마시거나 후루룩 소리를 내며 마시는 상황에 적합하며, 그림과는 어울리지 않으므로 오답이다. (C)는 'glass'가 아니라 'cup'이 되어야 적절하므로 오답이다.

관련 문장 Then, when it is time to break the fast at dusk, it is common to take a sip of water and eat some dates.

2. We had to hurry home as it was almost dusk.

(A) **dusk**
(B) dawn
(C) daylight
(D) daybreak

해석 거의 해 질 무렵이라 우리는 서둘러 집에 와야 했다.

(A) **어스름, 땅거미**
(B) 새벽
(C) 햇빛
(D) 동틀 녘

풀이 해가 지고 있는 모습을 나타내는 그림이다. 따라서 '해 질 무렵, 어스름, 땅거미, 황혼'을 뜻하는 (A)가 정답이다.

관련 문장 For Muslims observing Ramadan, the fasting time is from dawn to dusk.

3. One of the most well known Islamic months is called Ramadan.

(A) most
(B) the most
(C) **of the most**
(D) the most of

해석 가장 잘 알려진 이슬람의 달 중 하나는 라마단이라고 불린다.

(A) 대부분의
(B) 가장 (많이)
(C) **전치사 of + 가장 (많이)**
(D) 가장 많이 + 전치사 of

풀이 '가장 ~한 것들 중 하나'를 나타낼 때 'One of the + 형용사 최상급 + 복수 명사'라고 표현하므로 (C)가 정답이다.

새겨 두기 문장의 주어 'One of the well known Islamic months'의 수를 따질 때, 'months'가 아니라 'One'이 중심 명사이기 때문에 단수라는 점에 유의한다.

관련 문장 There are many important rituals during the month, but perhaps one of the most well known elements is the fast.

4. People have gathered with loved ones to celebrate.

(A) love one
(B) loved one
(C) **loved ones**
(D) loved them ones

해석 사람들은 사랑하는 사람들과 함께 모여서 기념해 왔다.

(A) 어색한 표현
(B) 사랑하는 사람
(C) **사랑하는 사람들**
(D) 어색한 표현

풀이 '사랑하는 사람, 연인, 가족, 친척'을 나타낼 때 동사 'love'의 수동형을 사용하여 'loved one'이라 표현하며, 전치사 'with' 뒤에 관사가 없으므로 복수형을 써야 적절하다. 따라서 (C)가 정답이다. (B)는 단수이기 때문에 'a loved one'과 같이 관사 등이 앞에 있어야 적절하므로 오답이다.

관련 문장 During this time, people typically gather with loved ones to exchange gifts and enjoy time together.

[5-6]

Moroccan-style stuffed dates are a great treat to break the fast for *iftar* during Ramadan.

Ingredients

- 500g dates
- 140g almonds
- 60g sugar
- 1 1/2 tablespoons orange-flower water
- 1 tablespoon butter, melted
- 1/4 teaspoon cinnamon

Optional

- food coloring
- walnut pieces (for decoration)

Steps

1. Boil some water in a small pot. Add the almonds and boil for two minutes.
2. Make the almond paste. Blend the almonds, sugar, and cinnamon in a blender. Add the butter and orange-flower water. Blend into a paste. You can add food coloring here.
3. Stuff the dates. Option: decorate them with walnuts.

Keep the stuffed dates in an airtight container in the refrigerator.

해석

모로코식 속을 채운 대추는 라마단 기간 중 단식 중단을 위한 *이프타르*에 훌륭한 특식입니다.

재료

- 대추 500g
- 아몬드 140g
- 설탕 60g
- 오렌지 꽃물 1과 1/2 테이블스푼
- 녹인 버터 1 테이블스푼
- 계피 1/4 티스푼

선택 사항

- 식용 색소
- 호두 조각 (장식용)

단계

1. 작은 냄비에 물을 끓이세요. 아몬드를 넣고 2분간 끓이세요.
2. 아몬드 반죽을 만드세요. 아몬드, 설탕, 계피를 믹서에 넣고 섞으세요. 버터와 오렌지 꽃물을 넣으세요. 반죽이 될 때까지 섞으세요. 이때 식용색소를 첨가할 수 있어요.
3. 대추 속을 채우세요. 선택 사항: 호두로 장식하세요.

속을 채운 대추는 밀폐 용기에 넣고 냉장고에 보관하세요.

5. According to the recipe, which is NOT required?

(A) adding nuts as a garnish
(B) putting a filling in some dates
(C) boiling almonds for two minutes
(D) using a blender to make a paste

해석 조리법에 따르면, 다음 중 요구되지 않는 것은 무엇인가?

(A) 고명으로 견과류 추가하기
(B) 대추에 속 채워 넣기
(C) 2분간 아몬드 삶기
(D) 믹서를 사용해서 반죽 만들기

풀이 'walnut pieces (for decoration)'은 조리의 필수 단계가 아니라 선택 사항('Optional')이므로 (A)가 정답이다. (B)는 '3. Stuff the dates.'에서, (C)는 '1. [...] Add the almonds and boil for two minutes.'에서, (D)는 '2. [...] Blend the almonds, sugar, and cinnamon in a blender [...] Blend into a paste.'에서 확인할 수 있으므로 오답이다.

6. Which of the following is part of the recipe?

(A) a deep freezer
(B) a dash of spice
(C) a storage container
(D) a spoonful of orange juice

해석 다음 중 조리법의 일부인 것은 무엇인가?

(A) 깊은 냉동고
(B) 약간의 양념
(C) 저장 용기
(D) 오렌지 주스 한 스푼

풀이 'Keep the stuffed dates in an airtight container in the refrigerator.'에서 요리한 대추를 밀폐 용기에 담아 보관하라고 했으므로 (C)가 정답이다. (A)는 'refrigerator'만 언급되었으므로 오답이다. (B)는 양념에 관한 사항은 언급되지 않았으므로 오답이다. (D)는 오렌지 주스가 아니라 오렌지 꽃물이므로 오답이다.

[7-10]

Most of the world's 1.6 billion Muslims observe Ramadan each year. Ramadan is the holiest month in the religion of Islam. There are many important rituals during the month, but perhaps one of the most well known elements is the fast.

To fast means not to eat or drink during a set amount of time. For Muslims observing Ramadan, the fasting time is from dawn to dusk. To prepare to fast, people commonly eat a power meal before dawn called the *suhoor*. Then, when it is time to break the fast at dusk, it is common to take a sip of water and eat some dates. There are prayers at sunset, and then family and friends generally join in a huge feast called *iftar*. In places all over the world, Muslim organizations also set up big public tables for a free feast. In many Arab countries, civil servants finish work hours a little earlier during Ramadan to match sundown. In some countries, it is against the law even for non-Muslims to eat in public during daylight hours during Ramadan.

At the end of Ramadan, people mark the breaking of the fast period with three days of religious rituals, prayers, and celebrations. This period is called Eid al-Fitr. During this time, people typically gather with loved ones to exchange gifts and enjoy time together. They think back on Ramadan and look forward to the year ahead.

해석

세계의 16억 무슬림들 대부분은 매년 라마단(Ramadan)을 준수한다. 라마단은 이슬람 종교에서 가장 신성한 달이다. 이달에는 많은 중요한 의식들이 있지만, 아마도 가장 잘 알려진 요소 중 하나는 단식일 것이다.

단식한다는 것은 정해진 시간 동안 먹거나 마시지 않는다는 것을 의미한다. 라마단을 준수하는 무슬림들에게는, 단식 기간은 새벽부터 해 질 때까지이다. 단식할 준비를 하기 위해, 사람들은 보통 동트기 전에 수흐르(suhoor)라고 불리는 거한 식사를 한다. 그런 다음, 해 질 무렵에 단식을 중단할 때가 되면, 물을 한 모금 마시고 대추를 먹는 것이 일반적이다. 해 질 녘에 기도가 있고, 그런 다음 일반적으로 가족과 친구들이 이프타르(iftar)라고 불리는 거대한 잔치에 동참한다. 세계 각지에서, 무슬림 단체들 또한 무료 잔치를 위해 크게 공용 식탁을 차린다. 많은 아랍 국가들에서, 공무원들은 라마단 중에 일몰과 맞추기 위해 근무 시간을 조금 일찍 끝낸다. 일부 국가에서는, 라마단 중에 비무슬림들일지라도 낮 동안 공공장소에서 식사하는 것은 법에 저촉된다.

라마단 말미에, 사람들은 3일간의 종교의식, 기도, 기념으로 단식기의 중단을 기념한다. 이 기간은 이드알피트르(Eid al-Fitr)라고 불린다. 이 기간에, 사람들은 보통 사랑하는 가족 및 친구들과 모여서 선물을 교환하고 함께 시간을 즐긴다. 그들은 라마단을 뒤돌아보며 다가올 내년을 고대한다.

7. What is the main topic of the passage?

(A) the history of Ramadan
(B) the five main holidays in Islam
(C) an important ritual during Ramadan
(D) where most of the world's Muslims live

해석 이 지문의 중심 소재는 무엇인가?

(A) 라마단의 역사
(B) 이슬람의 5대 명절
(C) 라마단 기간 중 중요한 의식
(D) 세계 대부분의 무슬림들이 사는 곳

유형 전체 내용 파악

풀이 첫 번째 문단에서 라마단 기간을 소개하고, 라마단의 의식 중 하나인 단식이라는 중심 소재를 언급하고 있다. 이에 따라 두 번째 문단과 세 번째 문단에서 단식 전후에 어떤 식사, 의식 등을 하는지 설명하는 글이므로 (C)가 정답이다.

8. According to the passage, what is "*suhoor*"?

(A) a place to say prayers
(B) a piece of clothing for Ramadan
(C) a large meal eaten before sunrise
(D) a sip of water and dates at sunset

해석 지문에 따르면, "수흐르"는 무엇인가?

(A) 기도하는 곳
(B) 라마단 때 입는 옷 한 벌
(C) 해뜨기 전에 먹는 거한 식사
(D) 해 질 무렵 물 한 모금과 대추

유형 세부 내용 파악

풀이 두 번째 문단의 'To prepare to fast, people commonly eat a power meal before dawn called the *suhoor*.'에서 수흐르(suhoor)는 라마단 단식을 시작하기 전에 거하게 먹는 식사라고 했으므로 (C)가 정답이다.

9. Which of the following does the passage mention?

(A) At the end of Ramadan, a prayer called *taheer* is said.
(B) Internationally, there are free public feasts during Ramadan.
(C) In many countries, lentil dumplings are popular during Ramadan.
(D) In Egypt, many people put up lights of tin and glass during Ramadan.

해석 다음 중 지문에서 언급된 내용은 무엇인가?

(A) 라마단 말미에, 타헤에르(taheer)라 불리는 기도를 한다.
(B) 국제적으로, 라마단 중에 무료 공공 잔치가 있다.
(C) 많은 나라에서, 라마단 중에 렌틸콩 만두가 대중적이다.
(D) 이집트에서, 라마단 중에 많은 사람이 깡통과 유리에 불을 붙인다.

유형 세부 내용 파악

풀이 두 번째 문단의 'In places all over the world, Muslim organizations also set up big public tables for a free feast.'에서 라마단 단식이 끝나고 이프타르(*iftar*)라는 잔치를 가지며, 전 세계 각지에서 무료 공공 잔치 식탁을 차린다고 언급했으므로 (B)가 정답이다.

10. What are the days of festivities at the end of Ramadan called?
   (A) *iftar*
   (B) dusk
   (C) *suhoor*
   (D) Eid al-Fitr

해석 라마단 말미에 있는 축제의 날들을 무엇이라고 부르는가?
   (A) 이프타르
   (B) 땅거미
   (C) 수흐르
   (D) 이드알피트르

유형 세부 내용 파악

풀이 세 번째 문단의 'At the end of Ramadan, people mark the breaking of the fast period with three days of religious rituals, prayers, and celebrations. This period is called Eid al-Fitr.'에서 라마단 말미에 사람들이 3일간 단식 중단을 기념하고, 이 기간을 이드알피트르(Eid al-Fitr)라 부른다고 했으므로 (D)가 정답이다.

Listening Practice

HJ3-6 p.58

Most of the world's 1.6 billion Muslims observe Ramadan each year. Ramadan is the holiest month in the religion of Islam. There are many important rituals during the month, but perhaps one of the most well known elements is the fast.

To fast means not to eat or drink during a set amount of time. For Muslims observing Ramadan, the fasting time is from dawn to dusk. To prepare to fast, people commonly eat a power meal before dawn called the *suhoor*. Then, when it is time to break the fast at dusk, it is common to take a sip of water and eat some dates. There are prayers at sunset, and then family and friends generally join in a huge feast called *iftar*. In places all over the world, Muslim organizations also set up big public tables for a free feast. In many Arab countries, civil servants finish work hours a little earlier during Ramadan to match sundown. In some countries, it is against the law even for non-Muslims to eat in public during daylight hours during Ramadan.

At the end of Ramadan, people mark the breaking of the fast period with three days of religious rituals, prayers, and celebrations. This period is called Eid al-Fitr. During this time, people typically gather with loved ones to exchange gifts and enjoy time together. They think back on Ramadan and look forward to the year ahead.

1. holiest
2. rituals
3. fast
4. dusk
5. sip
6. loved

Writing Practice

p.59

1. holy
2. ritual
3. fast
4. dusk
5. sip of
6. loved ones

Summary

Ramadan is the holiest month in the religion of Islam. One of the most well-known rituals is the fast. People do not eat or drink during the fasting time. They prepare to fast by eating a meal called the *suhoor*. After prayers, family and friends join in a feast called *iftar*. At the end of Ramadan, people mark the breaking of the fast period with three days of religious rituals, prayers, and celebrations during Eid al-Fitr.

라마단은 이슬람 종교에서 가장 신성한 달이다. 가장 잘 알려진 의식 중 하나는 단식이다. 사람들은 단식 기간에 먹거나 마시지 않는다. 그들은 수흐르라고 불리는 식사를 하면서 단식할 준비를 한다. 기도 후에, 가족과 친구들이 이프타르라고 불리는 잔치에 동참한다. 라마단 말미에, 사람들은 이드알피트르 기간에 3일간의 종교의식, 기도, 기념으로 단식기의 중단을 기념한다.

Word Puzzle

p.60

Across	Down
1. holy	2. loved ones
3. dusk	5. fast
4. sip of	
6. ritual	

Unit 7 | The Bibliomotocarro p.61

Part A. Picture Description p.63

1 (C) 2 (C)

Part B. Sentence Completion p.63

3 (C) 4 (A)

Part C. Practical Reading Comprehension p.64

5 (D) 6 (D)

Part D. General Reading Comprehension p.65

7 (A) 8 (D) 9 (A) 10 (A)

Listening Practice p.66

1 delight	2 population
3 access	4 portable
5 loaded it up	6 alternatives

Writing Practice p.67

1 delight	2 population
3 portable	4 access to
5 load	6 alternative

Summary population, retired, modified, alternatives

Word Puzzle p.68

Across

2 alternative	3 population
6 portable	

Down

1 delight	4 access to
5 load up with	

Pre-reading Questions p.61

How do you get books to read?

읽을 책을 어떻게 구하나요?

Reading Passage p.62

The Bibliomotocarro

In the southern Italian region of Basilicata, village children come running down the street with delight when they hear a certain truck that plays music. It may seem like the truck in question would be an ice cream truck. However, it is in fact the Bibliomotocarro, a library on wheels.

The population in many Italian villages is aging year by year. The small population of children means that kids may not have easy access to a children's library. In 2003, a retired schoolteacher thought that the children in the villages would have better lives and could develop a love of reading if only they had access to books. He modified a motorcycle, put a portable library on top of it, and loaded it up with 700 children's books. He started driving from village to village with it and has been doing that since 2003. He stops in eight villages with a total journey between them all of 500 kilometers.

Back in 2003, the Internet was not very developed, and Internet connections were slow, so it is understandable that paper books were so popular with kids. However, all these years later, the Bibliomotocarro is still a huge success. It seems that even with electronic alternatives, there may be something special about books we can touch. And, of course, a book can be even more special if it comes hand-delivered in a musical truck.

움직이는 도서관

이탈리아 남부 바실리카타(Basilicata) 지역에서는, 마을 아이들이 음악을 재생하는 어떤 트럭 소리를 듣고 기뻐하며 거리로 달려 나온다. 이 의문의 트럭은 아이스크림 트럭인 듯 보일 수 있다. 하지만, 그것은 사실 바퀴로 이동하는 도서관인 움직이는 도서관(Bibliomotocarro)이다.

많은 이탈리아 마을의 인구는 해마다 노령화되고 있다. 적은 어린이 인구는 아이들이 아동도서관을 쉽게 접하지 못 하고 있을지도 모름을 의미한다. 2003년에, 퇴직한 한 학교 교사는 동네 아이들이 책을 접할 수만 있다면 더 나은 삶을 살게 되고 독서를 애호하는 마음을 키울 수 있다고 생각했다. 그는 오토바이를 개조했고, 그 위에 이동 가능한 도서관을 설치했으며, 거기에 700권의 아동 도서를 실었다. 그는 이 마을 저 마을 그것을 타고 운전하기 시작했고 2003년부터 그렇게 해오고 있다. 그는 모든 마을 사이 총 500km이나 되는 여정을 거치며 마을 여덟 군데에 들른다.

2003년 당시에는, 인터넷이 그다지 발달하지 않았고, 인터넷 연결은 느렸기 때문에, 종이책들이 아이들에게 그렇게 인기 있었던 것이 이해가 간다. 하지만, 그렇게 세월이 흘렀어도, 움직이는 도서관은 여전히 큰 성공으로 남아 있다. 전자 장비 대안이 있음에도 불구하고, 우리가 만질 수 있는 책에 대한 무언가 특별한 것이 있을지도 모른다. 그리고, 물론, 음악이 있는 트럭에 책이 손수 배달된다면 훨씬 더 특별할 것이다.

어휘 delight 기쁨, 즐거움 | in question 의문의; 문제의[논의가 되고 있는] | on wheels 이동하여, 차를 타고 | population 인구; 주민 수 | age 노화되다, 나이가 들다 | year by year 해마다 | have access to ~을 접할 수 있다 | retired 은퇴한, 퇴직한 | modify 개조하다 | portable 휴대[이동]가 쉬운, 휴대용의 | load A up (with B) A에 (B를) 싣다 | journey 여정 | understandable 당연한, 이해 가능한 | electronic 전자 장비와 관련된; 전자의 | alternative 대안 | remote 외진, 외딴 | cooler (특히 음료수용) 냉장고[냉장 박스] | aquamarine 연한 청록색, 옥색 | empty 비우다 | unload ~에서 짐을 내리다 | take apart 분해하다 | mobile 이동하는, 이동식의 | rule 지배하다, 다스리다 | teenaged 십 대의 | electronics 전자 장비 | school year 학년 | drop by ~에 들르다 | nutrition 영양

Comprehension Questions p.63

1. The cooler is portable.
   (A) open
   (B) burnt
   (C) portable
   (D) aquamarine

해석 이 아이스박스는 휴대 가능하다.
(A) 열린
(B) 타 버린
(C) 휴대용인
(D) 연한 청록색의

풀이 아이스박스에 손잡이가 달려 있으므로 휴대가 가능하다는 설명이 가장 자연스럽다. 따라서 (C)가 정답이다. (A)는 아이스박스가 닫혀 있으므로 오답이다. (D)는 흰색과 빨간색이므로 오답이다.

관련 문장 He modified a motorcycle, put a portable library on top of it, and loaded it up with 700 children's books.

2. We've already loaded up the truck.
   (A) emptied
   (B) unloaded
   (C) loaded up
   (D) taken apart

해석 우리는 이미 트럭에 짐을 실었다.
(A) 비웠다
(B) ~에서 짐을 내리다
(C) ~에 짐을 싣다
(D) 분해하다

풀이 트럭에 냉장고, 책, 램프, 여러 상자 등이 가득 실려 있으므로 (C)가 정답이다.

관련 문장 He modified a motorcycle, put a portable library on top of it, and loaded it up with 700 children's books.

3. The population in that country is aging year by year.
   (A) in
   (B) or
   (C) by
   (D) as

해석 그 나라의 인구는 해마다 노령화되고 있다.
(A) ~ 안에
(B) 또는
(C) ~을 지나
(D) ~로서

풀이 '날마다, 달마다, 해마다'에서와 같이 '~마다'를 표현할 때 전치사 'by'를 활용하여 'day by day', 'month by month', 'year by year'와 같이 표현하므로 (C)가 정답이다.

관련 문장 The population in many Italian villages is aging year by year.

4. People in remote areas may not have access to cheap food.
   (A) may not have
   (B) maybe not have
   (C) may not be have
   (D) maybe not will have

해석 외진 곳에 사는 사람들은 저렴한 음식에 대해 접근성이 떨어질 수도 있다.
(A) ~을 가지지 못 할 수도 있다
(B) 어색한 표현
(C) 어색한 표현
(D) 어색한 표현

풀이 'may'는 '~일지도 모른다'라는 뜻을 나타내며, 조동사가 들어간 부정문은 '조동사 + not + 동사원형'의 구조를 가지므로 (A)가 정답이다. (B)는 'maybe'는 부사이기 때문에, 일반 동사의 부정문을 만들려면 'People in remote areas maybe don't have access to cheap food.'와 같이 표현해야 적절하므로 오답이다.

관련 문장 The small population of children means that kids may not have easy access to a children's library.

[5-6]

Mobile Library Schedule: October

Date	Village
3	Senose
10	Montamurro
11	Maglionico
12	Monopolli
13	Terranova del Pollo
14	Gorgiglione
17	Venusa
19	Companio

Come enjoy our mobile library. Borrowing books is free. We come by each village 8 times during the school year. Also, come and join our latest projects. In one, children can write stories together. In another, children make short films based on stories they have read.

해석

이동식 도서관 일정: 10월	
날짜	동네
3일	Senose
10일	Montamurro
11일	Maglionico
12일	Monopolli
13일	Terranova del Pollo
14일	Gorgiglione
17일	Venusa
19일	Companio

오셔서 이동식 도서관을 즐기세요. 책을 빌리는 것은 무료입니다. 학년 동안 동네마다 8번씩 방문합니다. 또한, 오셔서 저희의 최신 과제 활동에 참여하세요. 어떤 활동에서는, 어린이들이 함께 이야기를 쓸 수 있습니다. 또 다른 활동에서는, 어린이들이 읽은 이야기를 바탕으로 단편 영화를 만듭니다.

5. What is true about the mobile library?
   (A) It drops by Companio before going to Venusa.
   (B) It visits Monopolli immediately after Montamurro.
   (C) It is in Maglionico two days before it is in Gorgiglione.
   (D) It goes to Terranova del Pollo right after it is in Monopolli.

해석 이동식 도서관에 관해 옳은 내용은 무엇인가?
(A) Venusa에 가기 전에 Companio에 들른다.
(B) Montamurro 바로 다음에 Monopolli에 방문한다.
(C) Gorgiglione에 있기 이틀 전에 Maglionico에 있다.
(D) Monopolli에 있다가 곧바로 Terranova del Pollo에 간다.

풀이 10월 12일 Monopolli에 가고, 바로 다음 날인 10월 13일에 Terranova del Pollo로 간다고 나와 있으므로 (D)가 정답이다. (A)는 Venusa에 방문하고 나서 이틀 후에 Companio에 가므로 오답이다. (B)는 Montamurro는 10월 10일에 가고, 바로 다음 날인 10월 11일에는 Maglionico에 가므로 오답이다. (C)는 Gorgiglione에 가는 날은 10월 14일이며, 이틀 전인 10월 12일에는 Monopolli에 들른다고 나와 있으므로 오답이다.

6. Which activity is NOT offered by the mobile library?
   (A) borrowing books
   (B) writing stories
   (C) creating movies
   (D) meeting authors

해석 다음 중 어떤 활동이 이동식 도서관에서 제공되지 않는가?
(A) 책 빌리기
(B) 이야기 쓰기
(C) 영화 제작하기
(D) 작가와 만나기

풀이 작가와 만나는 활동은 안내문에서 언급되지 않았으므로 (D)가 정답이다. (A)는 'Borrowing books is free.'에서, (B)는 'In one, children can write stories together.'에서, (C)는 'In another, children make short films based on stories they have read.'에서 확인할 수 있으므로 오답이다.

[7-10]

In the southern Italian region of Basilicata, village children come running down the street with delight when they hear a certain truck that plays music. It may seem like the truck in question would be an ice cream truck. However, it is in fact the Bibliomotocarro, a library on wheels.

The population in many Italian villages is aging year by year. The small population of children means that kids may not have easy access to a children's library. In 2003, a retired schoolteacher thought that the children in the villages would have better lives and could develop a love of reading if only they had access to books. He modified a motorcycle, put a portable library on top of it, and loaded it up with 700 children's books. He started driving from village to village with it and has been doing that since 2003. He stops in eight villages with a total journey between them all of 500 kilometers.

Back in 2003, the Internet was not very developed, and Internet connections were slow, so it is understandable that paper books were so popular with kids. However, all these years later, the Bibliomotocarro is still a huge success. It seems that even with electronic alternatives, there may be something special about books we can touch. And, of course, a book can be even more special if it comes hand-delivered in a musical truck.

해석

이탈리아 남부 바실리카타(Basilicata) 지역에서는, 마을 아이들이 음악을 재생하는 어떤 트럭 소리를 듣고 기뻐하며 거리로 달려 나온다. 이 의문의 트럭은 아이스크림 트럭인 듯 보일 수 있다. 하지만, 그것은 사실 바퀴로 이동하는 도서관인 움직이는 도서관(Bibliomotocarro)이다.

많은 이탈리아 마을의 인구는 해마다 노령화되고 있다. 적은 어린이 인구는 아이들이 아동도서관을 쉽게 접하지 못 하고 있을지도 모름을 의미한다. 2003년에, 퇴직한 한 학교 교사는 동네 아이들이 책을 접할 수만 있다면 더 나은 삶을 살게 되고 독서를 애호하는 마음을 키울 수 있다고 생각했다. 그는 오토바이를 개조했고, 그 위에 이동 가능한 도서관을 설치했으며, 거기에 700권의 아동 도서를 실었다. 그는 이 마을 저 마을 그것을 타고 운전하기 시작했고 2003년부터 그렇게 해오고 있다. 그는 모든 마을 사이 총 500km이나 되는 여정을 거치며 마을 여덟 군데에 들른다.

2003년 당시에는, 인터넷이 그다지 발달하지 않았고, 인터넷 연결은 느렸기 때문에, 종이책들이 아이들에게 그렇게 인기 있었던 것이 이해가 간다. 하지만, 그렇게 세월이 흘렀어도, 움직이는 도서관은 여전히 큰 성공으로 남아 있다. 전자 장비 대안이 있음에도 불구하고, 우리가 만질 수 있는 책에 대한 무언가 특별한 것이 있을지도 모른다. 그리고, 물론, 음악이 있는 트럭에 책이 손수 배달된다면 훨씬 더 특별할 것이다.

7. What would be the best title for the passage?

(A) The Mobile Library of Italy
(B) Nutrition in an Italian School
(C) Ice Cream versus Italian Gelato
(D) How Italian Cars Rule the World

해석 이 지문에 가장 알맞은 제목은 무엇인가?

(A) 이탈리아의 이동도서관
(B) 이탈리아 학교의 영양
(C) 아이스크림 대 이탈리아 젤라토
(D) 어떻게 이탈리아 자동차가 세계를 지배하는가

유형 전체 내용 파악

풀이 첫 번째 문단에서 이탈리아 남부 바실리카타 지역의 움직이는 도서관(Bibliomotocarro)을 언급하고, 두 번째 문단에서 움직이는 도서관이 만들어지게 된 계기와 만든 사람을 설명한 뒤, 세 번째 문단에서 제작 당시인 2003년은 물론 현재까지도 인기 있다는 점을 강조하며 글을 마무리 짓고 있다. 따라서 (A)가 정답이다.

8. Who made the Bibliomotocarro?

(A) a village mayor
(B) a child psychologist
(C) a teenaged engineer
(D) a retired schoolteacher

해석 움직이는 도서관을 만든 이는 누구인가?

(A) 마을의 군수
(B) 아동 심리학자
(C) 십 대 엔지니어
(D) 퇴직 교사

유형 세부 내용 파악

풀이 두 번째 문단의 'In 2003, a retired schoolteacher thought that the children in the villages would have better lives and could develop a love of reading if only they had access to books.'에서 한 퇴직 교사가 아이들이 책을 접할 수 있다면 아이들에게 도움이 될 것이라고 생각하여 움직이는 도서관을 만들게 되었음을 알 수 있으므로 (D)가 정답이다.

9. According to the passage, what is true about the Bibliomotocarro?

(A) It began in 2003.
(B) It stops at eighteen villages.
(C) It is made from a modified bicycle.
(D) It can carry a maximum of 70 books.

해석 지문에 따르면, 움직이는 도서관에 관해 옳은 내용은 무엇인가?

(A) 2003년에 시작됐다.
(B) 열여덟 군데의 마을에 들른다.
(C) 개조한 자전거로 만들었다.
(D) 최대 70권의 책을 운반할 수 있다.

유형 세부 내용 파악

풀이 두 번째 문단의 'He started driving from village to village with it and has been doing that since 2003.'에서 한 퇴직 교사가 움직이는 도서관을 만들고 2003년부터 도서관을 운영하기 시작했다는 것을 알 수 있으므로 (A)가 정답이다. (B)는 여덟 군데의 마을에 들른다고 했으므로 오답이다. (C)는 오토바이를 개조했다고 했으므로 오답이다. (D)는 700권의 아동 도서를 실었다고 했으므로 오답이다.

10. Which statement best matches the passage's conclusion?

(A) "Kids these days still like paper books."
(B) "Kids these days prefer electronics to books."
(C) "Modern children have lost their musical talent."
(D) "Modern children spend too little time outdoors."

해석 다음 중 지문의 결론과 가장 부합하는 진술은 무엇인가?

(A) "요즘 아이들은 여전히 종이책을 좋아한다."
(B) "요즘 아이들은 책보다 전자 장비를 선호한다."
(C) "현대의 아이들은 음악적 재능을 잃었다."
(D) "현대의 아이들은 밖에서 너무 적은 시간을 보낸다."

유형 세부 내용 파악 & 추론하기

풀이 세 번째 문단 'However, all these years later, the Bibliomotocarro is still a huge success.'에서 제작 당시인 2003년은 물론 전자 장비가 발달한 현재까지도 어린이 이동도서관이 인기가 있다고 했다. 따라서 아이들이 여전히 종이책을 좋아한다는 진술이 이와 가장 부합하므로 (A)가 정답이다. (B)는 오늘날에는 전자 장비가 있지만 여전히 종이책이 인기가 있다는 것이 결론의 요지이므로 오답이다.

Listening Practice

 HJ3-7 p.66

In the southern Italian region of Basilicata, village children come running down the street with <u>delight</u> when they hear a certain truck that plays music. It may seem like the truck in question would be an ice cream truck. However, it is in fact the Bibliomotocarro, a library on wheels.

The <u>population</u> in many Italian villages is aging year by year. The small population of children means that kids may not have easy <u>access</u> to a children's library. In 2003, a retired schoolteacher thought that the children in the villages would have better lives and could develop a love of reading if only they had access to books. He modified a motorcycle, put a <u>portable</u> library on top of it, and <u>loaded it up</u> with 700 children's books. He started driving from village to village with it and has been doing that since 2003. He stops in eight villages with a total journey between them all of 500 kilometers.

Back in 2003, the Internet was not very developed, and Internet connections were slow, so it is understandable that paper books were so popular with kids. However, all these years later, the Bibliomotocarro is still a huge success. It seems that even with electronic <u>alternatives</u>, there may be something special about books we can touch. And, of course, a book can be even more special if it comes hand-delivered in a musical truck.

1. delight
2. population
3. access
4. portable
5. loaded it up
6. alternatives

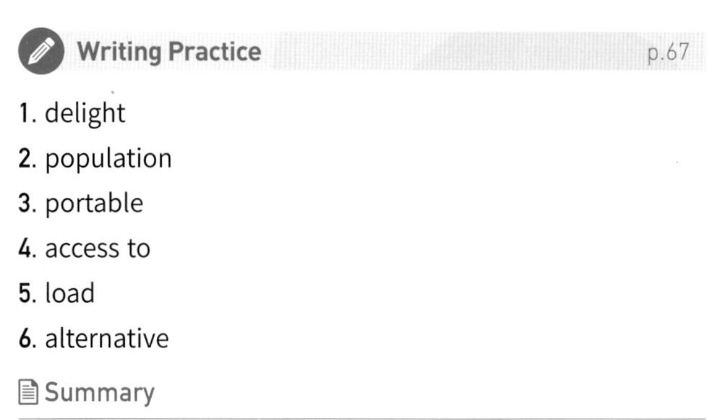

Writing Practice p.67

1. delight
2. population
3. portable
4. access to
5. load
6. alternative

Summary

In one Italian region, the population of children was so small that they could not easily access a children's library. So a retired schoolteacher modified a motorcycle into a library and started to drive it from village to village. Even with electronic alternatives nowadays, the modified motorcycle, or "Bibliomotocarro," is still a huge success.

한 이탈리아 지역에서, 어린이 인구가 너무 적어서 그들이 쉽게 아동도서관에 접근할 수 없었다. 그래서 한 퇴직한 교사가 오토바이를 도서관으로 개조해서 이 마을 저 마을 그것을 운행하기 시작했다. 오늘날 전자 장비 대안이 있는데도, 개조한 오토바이, 즉 "움직이는 도서관"은 여전히 큰 성공이다.

Word Puzzle p.68

Across	Down
2. alternative	1. delight
3. population	4. access to
6. portable	5. load up with

Unit 8 | Garífuna Punta p.69

Part A. Picture Description p.71

1 (D) 2 (B)

Part B. Sentence Completion p.71

3 (B) 4 (D)

Part C. Practical Reading Comprehension p.72

5 (D) 6 (C)

Part D. General Reading Comprehension p.73

7 (B) 8 (C) 9 (B) 10 (C)

Listening Practice p.74

1 coasts	2 accompanying
3 funeral	4 hollowed
5 rousing	6 shuffle

Writing Practice p.75

1 coast	2 accompanying
3 funeral	4 hollowed out
5 rousing	6 shuffle

Summary **heritage, drums, songs, upper**

Word Puzzle p.76

Across

2 coast	4 funeral
6 accompanying	

Down

1 hollowed out	3 shuffle
5 rousing	

Pre-reading Questions p.69

Think of a dance you know how to do.
Explain the steps to someone else.
It's best if you can get up and show it, too!

당신이 출 수 있는 춤을 생각해 보세요.
다른 사람한테 단계를 설명해 보세요.
일어나서 그것을 보여줄 수도 있다면 최고겠죠!

Reading Passage p.70

Garífuna Punta

Visitors to the coasts of Central America may find their feet moving to a beautifully entrancing beat. The music and accompanying dance are called "punta," and they are a part of the special heritage of the Garífuna people.

The Garífuna developed punta music as a way to express their struggles and endurance over time. These days, traditional punta can be heard at parties and celebrations. It is even a part of wakes, a kind of funeral celebration.

Key to punta are two drums made from hollowed out wood covered by the skin of a deer, sheep, or wild pig. These drums create the rousing rhythm, with each drum playing a different beat. Other instruments include shakers and shells. There is also singing, with lyrics traditionally in the Garífuna language.

To dance punta, people move their feet and hips without moving their upper body. They make very small movements of their feet on the ground. They shuffle forward and back while keeping the feet flat, which shakes the knees, hips, and backside. The arms and hands may be lifted up going forward and placed down for backward movements.

In the past few decades, a new fusion form of punta has developed, called punta rock. It involves more instruments, and the lyrics may be in Spanish. However, traditional punta is still very much a part of Garífuna culture.

가리푸나 푼타(Garífuna Punta)

중앙아메리카 해안을 방문하는 사람들은 아름답게 매혹하는 박자에 맞춰 움직이고 있는 자신들의 발을 발견할지도 모른다. 이 음악과 더불어 함께 동반되는 춤은 "푼타(punta)"라고 불리며, 그것들은 가리푸나인의 특별한 유산 중 일부이다.

가리푸나인들은 시간이 흐르며 겪은 그들의 투쟁과 인내를 표현하는 수단으로서 푼타 음악을 발전시켰다. 요즘에는, 전통 푼타는 파티나 기념행사에서 들을 수 있다. 그것은 심지어 장례식 행사의 일종인, 경야(經夜)의 일부이다.

푼타의 핵심은 속을 파낸 나무를 사슴, 양, 또는 멧돼지 가죽으로 덮어 만든 두 개의 북이다. 이 북들은 각 북이 다른 박자를 연주하면서 격동적인 리듬을 만들어낸다. 다른 악기들에는 셰이커와 조개껍질이 포함된다. 또한 노래도 있는데, 가리푸나 언어로 된 전통적인 가사와 함께한다.

푼타를 추기 위해, 사람들은 상체를 움직이지 않고 발과 엉덩이를 움직인다. 그들은 땅 위에서 발을 아주 작게 움직인다. 그들은 발을 평평하게 유지하면서 발을 끌며 앞뒤로 움직이며, 무릎, 엉덩이, 그리고 둔부를 흔들게 된다. 팔과 손은 앞으로 가면서 들어 올리고 뒤로 이동 시 내려놓을 수 있다.

지난 수십 년 동안, 푼타 록이라 불리는 새로운 퓨전 형태의 푼타가 발전했다. 그것은 더 많은 악기를 동반하며, 가사는 스페인어로 되어 있을 수 있다. 하지만, 전통 푼타는 여전히 가리푸나 문화의 큰 부분이다.

어휘 coast 해안 | entrancing 매혹적인, 사로잡는, 넋을 빼놓는 | accompany 동반하다; 반주해 주다 | heritage 유산 | struggle 투쟁 | endurance 인내 | celebration 기념행사 | wake 경야(經夜) | funeral 장례(식) | key to ~에 핵심적인 | hollow out 속을 파내다 | rousing 격정적인, 열렬한 | beat 박자 | shaker 흔드는 것, 셰이커 | shell 껍질, 껍데기 | shuffle 발을 (질질) 끌며 걷다 | backside 엉덩이, 둔부 | fusion 퓨전 음악, 결합 | leafy 잎이 무성한 | pointy 끝이 뾰족한 | fill up 가득 채우다 | soar (하늘 높이) 날아오르다 | skip 깡충깡충 뛰다 | slither 스르르 기어가다 | coastal 해안의 | horn 뿔 | abalone 전복 | swing 흔들다 | seat 앉히다; 앉다 | fast-paced 빠른 속도의 | You can't go wrong with ~. ~은 잘못되는 법이 없다(= 항상 괜찮은 해결책이다). | option 선택(지); 선택권 | exhausted 지친 | embarrassing 부끄러운 | the faint of heart 용기가 없는 사람, 연약한[심약한] 사람, 겁이 많은 사람 | motion 움직임 | in place 제자리에 | spin (빠른) 회전, 돌기

Comprehension Questions p.71

1. This bowl is made from a single <u>hollowed out</u> piece of wood.

   (A) leafy
   (B) pointy
   (C) filled up
   (D) hollowed out

해석 이 그릇은 <u>속을 파낸</u> 나무토막 하나로 만들어졌다.

(A) (잎이) 무성한
(B) 끝이 뾰족한
(C) 가득 찬
(D) 속을 파낸

풀이 가운데 속을 넓게 파낸 나무 그릇이므로 (D)가 정답이다.

관련 문장 Key to punta are two drums made from hollowed out wood covered by the skin of a deer, sheep, or wild pig.

2. Tina the Turtle is <u>shuffling</u> his feet.

   (A) soaring
   (B) shuffling
   (C) skipping
   (D) slithering

해석 거북이 Tina는 그녀의 발을 <u>허우적거리고 있다</u>.

(A) (하늘 높이) 날아오르는
(B) 허우적거리고 있는
(C) 깡충깡충 뛰는
(D) 스르르 기어가는

풀이 거북이가 뒤집어 져서 발을 앞뒤로 허우적대고 있는 모습이므로 (B)가 정답이다.

관련 문장 They shuffle forward and back while keeping the feet flat, which shakes the knees, hips, and backside.

3. Key to this dance are the accompanying drums.

(A) is
(B) are
(C) has
(D) have

해석 이 춤의 핵심은 함께 연주되는 북들이다.

(A) ~이다
(B) ~이다
(C) 가지다
(D) 가지다

풀이 해당 문장은 형용사구 'Key to this dance'와 명사구 'the accompanying drums'가 도치된 형태이다. 문맥상 '함께 연주되는 북들이 이 춤의 핵심이다'라는 내용이 가장 적절하므로 빈칸에는 주어와 주격 보어를 연결하는 be 동사와 같은 연결 동사가 들어가야 한다. 또한 문장의 (도치된) 주어 'the accompanying drums'는 3인칭 복수이므로 이에 알맞은 be 동사 (B)가 정답이다.

관련 문장 Key to punta are two drums made from hollowed out wood covered by the skin of a deer, sheep, or wild pig.

4. This music can often be heard at traditional celebrations.

(A) hear
(B) we hear
(C) of heard
(D) be heard

해석 이 음악은 전통 기념행사에서 종종 들릴 수 있다.

(A) 듣다
(B) 우리가 듣다
(C) 어색한 표현
(D) 들리다

풀이 문맥상 음악이 '들을 수 있다'보다는 '들릴 수 있다'라는 수동형 의미가 자연스러우므로 수동태 구조 'be 동사 + p.p'를 사용한 (D)가 정답이다.

관련 문장 These days, traditional punta can be heard at parties and celebrations.

[5-6]

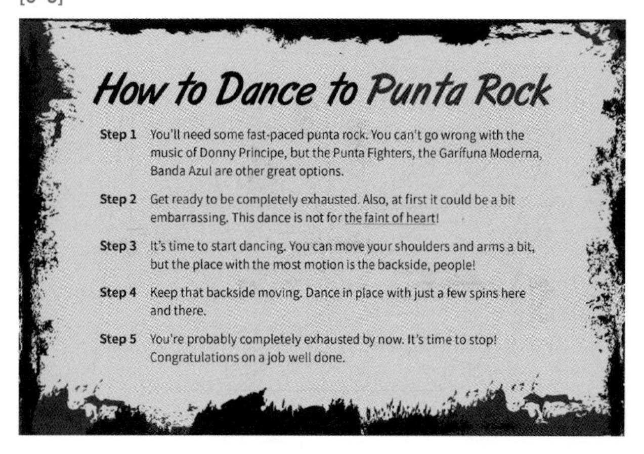

How to Dance to Punta Rock

Step 1 You'll need some fast-paced punta rock. You can't go wrong with the music of Donny Principe, but the Punta Fighters, the Garífuna Moderna, Banda Azul are other great options.

Step 2 Get ready to be completely exhausted. Also, at first it could be a bit embarrassing. This dance is not for the faint of heart!

Step 3 It's time to start dancing. You can move your shoulders and arms a bit, but the place with the most motion is the backside, people!

Step 4 Keep that backside moving. Dance in place with just a few spins here and there.

Step 5 You're probably completely exhausted by now. It's time to stop! Congratulations on a job well done.

해석

푼타 록에 맞춰 춤추는 법

단계 1 빠른 속도의 푼타 록이 필요할 겁니다. Donny Principe의 음악과 함께라면 잘못되는 법이 없지만, Punta Fighters, Garífuna Moderna, Banda Azul도 다른 훌륭한 선택지들입니다.

단계 2 완전히 지칠 준비를 하세요. 또한, 처음에는 약간 부끄러울 수 있습니다. 이 춤은 용기 없는 사람을 위한 춤이 아닙니다!

단계 3 춤추기 시작할 시간입니다. 어깨와 팔을 조금 움직일 수 있지만, 동작이 가장 많은 곳은 엉덩이입니다, 여러분!

단계 4 엉덩이를 계속 움직이세요. 이쪽저쪽 몇 차례 돌면서 제자리에서 춤추세요.

단계 5 지금쯤이면 아마 완전히 지쳤을 것입니다. 멈출 시간입니다! 잘 완수하신 것을 축하드립니다.

5. Which is a recommended band?

(A) Donny Punta
(B) Azul Fighters
(C) Banda Principe
(D) Garífuna Moderna

해석 다음 중 어떤 밴드가 추천되었는가?

(A) Donny Punta
(B) Azul Fighters
(C) Banda Principe
(D) Garífuna Moderna

풀이 단계 1의 'You can't go wrong with the music of Donny Principe, but the Punta fighters, the Garífuna Moderna, Banda Azul are other great options.'에서 푼타 록과 관련된 음악가들을 추천하고 있다. 따라서 이들 중에 포함되는 (D)가 정답이다. 나머지 선택지는 이름이 모두 잘못되었으므로 오답이다.

6. The underlined "the faint of heart" is closest in meaning to:
   (A) those who are old
   (B) those who are young
   (C) those without courage
   (D) those who have never loved

해석 밑줄 친 "the faint of heart"와 의미가 가장 가까운 것은 무엇인가?
(A) 나이가 든 사람
(B) 젊은 사람
(C) 용기가 없는 사람
(D) 사랑한 적이 없는 사람

풀이 단계 2 'Also, at first it could be a bit embarrassing.'에서 푼타 록에 맞춰 춤추는 것이 부끄러울 수 있다고 언급한 뒤, 'This dance is not for the faint of heart!'라며 푼타 춤은 'the faint of heart'를 위한 춤이 아니라고 하였다. 이는 춤추는 게 부끄러울 수도 있으나 용기를 내서 춤을 추라고 권장하는 문구이므로, 'the faint of heart'가 '용기가 없는 자'를 의미한다는 것을 추측할 수 있다. 따라서 (C)가 정답이다. 또한 'faint'가 '희미한, 미약한'을 뜻한다는 점도 알아두자.

[7-10]

Visitors to the coasts of Central America may find their feet moving to a beautifully entrancing beat. The music and accompanying dance are called "punta," and they are a part of the special heritage of the Garífuna people.

The Garífuna developed punta music as a way to express their struggles and endurance over time. These days, traditional punta can be heard at parties and celebrations. It is even a part of wakes, a kind of funeral celebration.

Key to punta are two drums made from hollowed out wood covered by the skin of a deer, sheep, or wild pig. These drums create the rousing rhythm, with each drum playing a different beat. Other instruments include shakers and shells. There is also singing, with lyrics traditionally in the Garífuna language.

To dance punta, people move their feet and hips without moving their upper body. They make very small movements of their feet on the ground. They shuffle forward and back while keeping the feet flat, which shakes the knees, hips, and backside. The arms and hands may be lifted up going forward and placed down for backward movements.

In the past few decades, a new fusion form of punta has developed, called punta rock. It involves more instruments, and the lyrics may be in Spanish. However, traditional punta is still very much a part of Garífuna culture.

해석

중앙아메리카 해안을 방문하는 사람들은 아름답게 매혹하는 박자에 맞춰 움직이고 있는 자신들의 발을 발견할지도 모른다. 이 음악과 더불어 함께 동반되는 춤은 "푼타(punta)"라고 불리며, 그것들은 가리푸나인의 특별한 유산 중 일부이다.

가리푸나인들은 시간이 흐르며 겪은 그들의 투쟁과 인내를 표현하는 수단으로서 푼타 음악을 발전시켰다. 요즘에는, 전통 푼타는 파티나 기념행사에서 들을 수 있다. 그것은 심지어 장례식 행사의 일종인, 경야(經夜)의 일부이다.

푼타의 핵심은 속을 파낸 나무를 사슴, 양, 또는 멧돼지 가죽으로 덮어 만든 두 개의 북이다. 이 북들은 각 북이 다른 박자를 연주하면서 격동적인 리듬을 만들어낸다. 다른 악기들에는 셰이커와 조개껍질이 포함된다. 또한 노래도 있는데, 전통적으로 가리푸나 언어로 된 전통적인 가사와 함께한다.

푼타를 추기 위해, 사람들은 상체를 움직이지 않고 발과 엉덩이를 움직인다. 그들은 땅 위에서 발을 아주 작게 움직인다. 그들은 발을 평평하게 유지하면서 발을 끌며 앞뒤로 움직이며, 무릎, 엉덩이, 그리고 둔부를 흔들게 된다. 팔과 손은 앞으로 가면서 들어 올리고 뒤로 이동 시 내려놓을 수 있다.

지난 수십 년 동안, 푼타 록이라 불리는 새로운 퓨전 형태의 푼타가 발전했다. 그것은 더 많은 악기를 동반하며, 가사는 스페인어로 되어 있을 수 있다. 하지만, 전통 푼타는 여전히 가리푸나 문화의 큰 부분이다.

7. What is the passage mainly about?
   (A) a toe and ankle bracelet
   (B) a type of music and dance
   (C) a holiday in Central America
   (D) a coastal city called Garífuna

해석 주로 무엇에 관한 지문인가?
(A) 발가락과 발목 발찌
(B) 음악과 춤의 한 종류
(C) 중앙아메리카의 휴일
(D) 가리푸나라 불리는 해안 도시

유형 전체 내용 파악

풀이 첫 문단에서 중앙아메리카 해안 도시의 음악과 춤인 푼타(punta)를 소개한 뒤, 푼타의 의미, 푼타를 들을 수 있는 장소, 푼타에서 사용되는 악기, 푼타 춤, 푼타의 퓨전 형태인 푼타 록을 설명하고 있는 글이다. 따라서 해당 지문은 푼타라는 음악과 춤을 중점적으로 설명하고 있으므로 (B)가 정답이다.

8. According to the passage, which of the following is used to cover the drums?

(A) deer horns
(B) sheep wool
(C) wild pig skin
(D) abalone shell

해석 지문에 따르면, 다음 중 북을 덮을 때 사용되는 것은 무엇인가?

(A) 사슴뿔
(B) 양모
(C) 멧돼지 가죽
(D) 전복 껍데기

유형 세부 내용 파악

풀이 세 번째 문단의 'two drums made from hollowed out wood covered by the skin of a deer, sheep, or wild pig'에서 푼타 북이 속이 파인 나무에 사슴, 양, 멧돼지 가죽을 덮어 만든 악기라는 것을 알 수 있으므로 (C)가 정답이다.

9. Which of the following is involved in punta?

(A) kicking the feet high in the air
(B) keeping the upper body straight
(C) shaking the head from left to right
(D) swinging the legs while seated in a chair

해석 다음 중 푼타에 포함되는 것은 무엇인가?

(A) 발을 허공에 높게 차기
(B) 상체를 똑바로 유지하기
(C) 머리를 왼쪽에서 오른쪽으로 흔들기
(D) 의자에 앉아 다리 흔들기

유형 세부 내용 파악

풀이 네 번째 문단의 'To dance punta, people move their feet and hips without moving their upper body.'에서 푼타 춤을 출 때 상체는 움직이지 않고 발과 엉덩이만 움직인다고 했으므로 (B)가 정답이다. (A)는 'while keeping the feet flat'에서 발을 평평하게 유지한다고 했으므로 오답이다.

10. According to the passage, which of the following does punta rock include?

(A) fewer singers
(B) no instruments
(C) lyrics in Spanish
(D) sticks for dancers

해석 지문에 따르면, 다음 중 푼타 록에 포함되는 것은 무엇인가?

(A) 더 적은 가수
(B) 악기가 없는 것
(C) 스페인어 가사
(D) 무용수 막대

유형 세부 내용 파악

풀이 다섯 번째 문단의 'It involves more instruments, and the lyrics may be in Spanish.'에서 푼타 록의 가사가 스페인어로 되어 있을 수도 있다고 했으므로 (C)가 정답이다. (B)는 악기가 전통 푼타보다 더 많다고 했으므로 오답이다.

Listening Practice HJ3-8 p.74

Visitors to the coasts of Central America may find their feet moving to a beautifully entrancing beat. The music and accompanying dance are called "punta," and they are a part of the special heritage of the Garífuna people.

The Garífuna developed punta music as a way to express their struggles and endurance over time. These days, traditional punta can be heard at parties and celebrations. It is even a part of wakes, a kind of funeral celebration.

Key to punta are two drums made from hollowed out wood covered by the skin of a deer, sheep, or wild pig. These drums create the rousing rhythm, with each drum playing a different beat. Other instruments include shakers and shells. There is also singing, with lyrics traditionally in the Garífuna language.

To dance punta, people move their feet and hips without moving their upper body. They make very small movements of their feet on the ground. They shuffle forward and back while keeping the feet flat, which shakes the knees, hips, and backside. The arms and hands may be lifted up going forward and placed down for backward movements.

In the past few decades, a new fusion form of punta has developed, called punta rock. It involves more instruments, and the lyrics may be in Spanish. However, traditional punta is still very much a part of Garífuna culture.

1. coasts
2. accompanying
3. funeral
4. hollowed
5. rousing
6. shuffle

Writing Practice p.75

1. coast
2. accompanying
3. funeral
4. hollowed out
5. rousing
6. shuffle

Summary

"Punta," a music form and dance, is part of the heritage of the Garífuna people. It is a way to express struggles and endurance. Two drums and other instruments create the rousing rhythm, and people sing traditional songs in the Garífuna language. They also dance punta moving their feet and hips without moving their upper body. A new fusion form of punta called "punta rock" has also developed.

일종의 음악 형태와 춤의 일종인 "푼타"는 가리푸나인들의 유산 중 일부이다. 그것은 투쟁과 인내를 표현하는 수단이다. 두 개의 북과 다른 악기들은 격동적인 리듬을 만들어내고, 사람들은 가리푸나 언어로 전통곡을 노래한다. 그들은 또한 상체를 움직이지 않고 발과 엉덩이를 움직이며 푼타를 춘다. "푼타 록"이라고 불리는 새로운 퓨전 형태의 푼타도 발전했다.

Word Puzzle p.76

Across	Down
2. coast	1. hollowed out
4. funeral	3. shuffle
6. accompanying	5. rousing

AMAZING STORIES p.77

The Mysterious Voynich Manuscript

The Voynich Manuscript is an extremely mysterious book. Its approximately 250 pages are filled with writing, but no one knows what language the words are written in. Inside the book are pictures of plants, but no one can figure out what species they are. So where did this book come from, and when was it made?

The manuscript gets its name from Wilfrid Voynich, a book dealer in Poland. He bought the book in 1912. However, it is thought that the book originally comes from Italy. Carbon dating on the manuscript revealed that the pages were likely created between the years 1404 and 1438.

For over a century, codebreakers and language experts from all over the world have attempted to find out what the writing system means. However, so far, no one has had any success. It is not sure if the writing is a natural language or a constructed language. One theory is that the language could have been from East Asia, but written in letters invented by the writer. Another theory is that the writing system is an invented code.

It is possible that the whole manuscript is a big trick and that the words have no meaning. However, increasingly sophisticated methods of analysis are starting to show that there is probably some sort of meaning to the writing. The secrets of the manuscript remain locked away. All we know is that this book has fascinated the world for over a hundred years.

신비로운 Voynich 필사본

Voynich 필사본은 상당히 신비로운 책이다. 이것의 대략 250쪽의 페이지들이 글로 채워져 있는데, 아무도 그 단어들이 어떤 언어로 쓰인 것인지 모른다. 책 안에는 식물 그림들이 있지만, 아무도 그것들이 어떤 종인지 알아낼 수 없다. 그렇다면 이 책은 어디에서 온 것이고, 언제 집필되었을까?

이 필사본은 폴란드의 서적상인 Wilfrid Voynich로부터 이름을 따왔다. 그는 1912년에 이 책을 구매했다. 하지만, 책은 본래 이탈리아에서 온 것으로 여겨진다. 필사본의 탄소 연대 측정 결과 페이지들은 1404년에서 1438년 사이에 만들어졌을 가능성이 있다고 밝혀졌다.

한 세기가 넘게, 전 세계 암호해독자와 언어 전문가들은 이 표기 체계가 무엇을 의미하는지 밝히려는 시도를 해왔다. 하지만, 지금까지는, 아무도 성공하지 못했다. 이 글이 자연어인지 인공어인지 확실치 않다. 한 이론에 의하면 이 언어는 동아시아에서 왔을 수도 있거나, 집필자가 발명한 문자로 쓰였을 수 있다. 또 다른 이론은 이 표기 체계가 발명된 부호라는 것이다.

필사본 전체가 큰 속임수이며 단어들에 아무 의미가 없다는 것도 가능성이 있다. 하지만, 점점 더 정교해지는 분석 기법들이 이 글에 아마 어떤 의미가 있다는 점을 보여주기 시작하고 있다. 필사본의 비밀은 잠겨 있는 채 남아 있다. 우리가 아는 전부는 이 책이 백 년이 넘게 세계를 매료시켜왔다는 것이다.

Chapter 3. Technology

Unit 9 | Virtual Reality p.79

Part A. Picture Description p.81

1 (B) 2 (B)

Part B. Sentence Completion p.81

3 (D) 4 (C)

Part C. Practical Reading Comprehension p.82

5 (C) 6 (C)

Part D. General Reading Comprehension p.83

7 (D) 8 (C) 9 (B) 10 (D)

Listening Practice p.84

1 immerse 2 regulated
3 undergo 4 ethical
5 consequences 6 delayed

Writing Practice p.85

1 immerse yourself in
2 ethical 3 undergo
4 regulate 5 consequence
6 delay

Summary ethical, real, allowed, physical

Word Puzzle p.86

Across
1 undergo 5 ethical
6 consequence

Down
2 regulate 3 immerse yourself in
4 delay

Pre-reading Questions p.79

List one pro and one con of virtual reality.

가상 현실의 찬성하는 점 한 가지와 반대하는 점 한 가지를 대보세요.

Reading Passage p.80

Virtual Reality

There are many amazing applications of virtual reality (VR), from training doctors to do surgery to helping students to immerse themselves in history. However, as is the case for any new technology, VR comes with ethical concerns.

One issue is that people who are able to do something in VR may think that their skill transfers to real life. Could people, and in particular children, believe that their fast motorcycle driving skills in virtual form would cross over to their regular life?

Another issue to consider is where it is appropriate for people to go in a virtual world. It is wonderful that VR gives people who are unable to travel the ability to see new worlds. But how limited should that world be? Would it be acceptable for a VR program to create a virtual copy of a celebrity's home, for example, and then let people walk around in it?

The question of physical versus psychological pain is also important. To what extent should pain, aggression, and violence be regulated in a virtual world? Could people undergo a type of psychological torture from VR, and if so, should this be controlled by laws?

These questions point to just a few of the many ethical issues related to technologies like virtual reality. However, history has shown that important discussions about the negative consequences of new technologies like VR are usually delayed until it is too late.

가상 현실

의사들의 수술 훈련부터 학생들이 역사(과목)에 몰두하도록 돕는 것까지, 가상현실(VR)의 놀라운 응용 분야가 많이 있다. 하지만, 모든 신기술이 그렇듯이, VR에는 윤리적 문제가 따른다.

쟁점 하나는 VR에서 무언가를 할 수 있는 사람들이 그 기술이 현실로 옮겨간다고 생각할 수도 있다는 것이다. 사람들이, 특히 아이들이, 가상 형태의 빠른 오토바이 운전 기술이 보통의 삶으로 넘어가리라 생각할 수도 있을까?

고려해야 할 또 다른 쟁점은 사람들이 가상 세계에서 어디로 가는 것이 적절한가이다. VR이 여행하지 못 하는 사람들에게 새로운 세상을 볼 능력을 준다는 건 멋진 일이다. 하지만 그 세계는 얼마나 제한되어야 할까? VR 프로그램이 예를 들어, 유명인 집의 가상 복제를 만든 다음 사람들이 그 안을 돌아다니도록 하는 것이 용인될 수 있을까?

신체적 고통 대비 심리적 고통에 대한 질문 또한 중요하다. 어느 정도까지 고통, 공격성, 폭력이 가상 세계에서 통제되어야 할까? 사람들이 VR에서 일종의 심리적 고문을 겪을 수도 있을까, 그리고 그렇다면, 이것이 법에 의해 통제되어야 할까?

이러한 질문들은 가상 현실과 같은 기술에 관련되는 많은 윤리적 문제 중 몇 가지만을 지적하고 있다. 하지만, VR과 같은 신기술의 부정적 결과에 관한 중요한 논의가 대개는 너무 늦어질 때까지 미뤄진다는 것이 역사 속에서 밝혀졌다.

어휘 virtual 가상의 | virtual reality (VR) 가상현실 | pros and cons 장단점 | application 응용, 응용 프로그램 | train 훈련하다 | immerse 몰두하다, 몰입하다 | the case 실정, 사실 | ethical 윤리적인 | concern 우려, 관심사, 문제 | transfer 옮기다 | cross over 넘어가다 | limited 제한된 | acceptable 허용 가능한 | copy 복제; 복제하다 | celebrity 유명인 | to ~ extent ~한 정도로 | aggression 공격성 | regulate 통제하다 | undergo 겪다 | torture 고문 | point to ~을 지적하다 | delay 지연시키다, 지체시키다; 연기하다, 미루다 | controversy 논란 | appropriate 적절한 | flip 홱 뒤집(히)다, 휙 젖히다[젖혀지다] | applaud 갈채를 보내다 | flight 비행편 | departure 출발 | augmented 증강된 | appearance 외모 | reject 거부하다 | pedestrian 보행자 | outweigh ~보다 더 크다[대단하다] | drawback 결점, 문제점 | postpone 연기하다 | launch 출시하다 | depiction 묘사 | mansion 저택, 맨션 | explore 탐험하다 | specialized 특수한 | rate 등급을 매기다 | headquarter 본사 | a selection of 엄선된, 다양한 | a range of 다양한 | obscene 외설적인

Comprehension Questions p.81

1. His virtual reality goggles make him feel like he is immersed in an underwater world.

(A) outside of
(B) immersed in
(C) looking up at
(D) flipping around

해석 그의 가상현실 고글은 그로 하여금 마치 물속 세계에 빠져 있는 듯한 느낌을 갖게 한다.

(A) ~의 바깥에
(B) ~에 빠져 있는, 몰두한
(C) ~을 올려다보는
(D) 홱 뒤집는

풀이 가상현실 고글을 쓰고 바닷속에 있는 듯한 경험을 하는 모습이다. 따라서 마치 바닷속에 빠져 있는, 몰두해 있는 듯한 느낌을 준다는 설명이 그림과 가장 잘 어울리므로 (B)가 정답이다.

관련 문장 There are many amazing applications of virtual reality (VR), from training doctors to do surgery to helping students to immerse themselves in history.

2. The flight has been delayed.

(A) stopped
(B) delayed
(C) cancelled
(D) applauded

해석 항공편이 지연되었다.

상황
마드리드행 항공편 JP452
본래 출발: 오후 3시
새 예상 출발 시각: 오후 3시 30분

(A) 중단했다
(B) 지연했다
(C) 취소했다
(D) 박수쳤다

풀이 항공편의 예정 출발 시각이 오후 3시에서 오후 3시 30분으로 지연되었으므로 (B)가 정답이다.

관련 문장 However, history has shown that important discussions about the negative consequences of new technologies like VR are usually delayed until it is too late.

3. As is the case for any new technology, there is some controversy around self-driving cars.

(A) case
(B) cases
(C) a case
(D) the case

해석 모든 신기술이 그렇듯이, 자율주행차를 둘러 싸고 논란이 있다.

(A) 사례
(B) 사례들
(C) 사례 하나
(D) 실정, 사실

풀이 문맥상 모든 신기술과 관련하여('for any new technology') (그것이) 사실이다('As (it) is the case')라는 내용이 자연스럽다. 정관사 'the'가 붙은 'the case'는 '실정, 사실'이라는 뜻을 나타내어 형용사 'true'와 유사하게 쓰일 수 있으므로 (D)가 정답이다. (C)는 부정관사 'a'가 붙으면 단순히 '경우, 사례'를 뜻하므로 문맥과 어울리지 않기 때문에 오답이다.

관련 문장 However, as is the case for any new technology, VR comes with ethical concerns.

4. Is it appropriate to use this technology in schools?

(A) How is it do we
(B) Is appropriate we
(C) Is it appropriate to
(D) How appropriate it is

해석 학교에서 이 기술을 사용하는 것이 적절할까?

(A) 어색한 표현
(B) 어색한 표현
(C) ~하는 것이 적절할까
(D) 얼마나 적절한지

풀이 가주어 it과 to 부정사를 사용하여 'it is A to B'라는 구조를 사용해 'B가 A이다'라는 뜻을 표현할 수 있다. 이때 이를 의문문으로 바꾸려면 가주어 it과 동사를 도치하여 'Is it A to B?'와 같은 형태로 표현해야 하므로 (C)가 정답이다.

관련 문장 Another issue to consider is where it is appropriate for people to go in a virtual world.

[5-6]

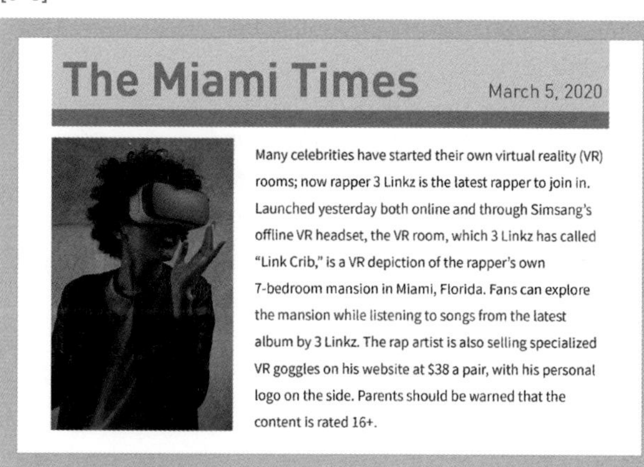

The Miami Times March 5, 2020

Many celebrities have started their own virtual reality (VR) rooms; now rapper 3 Linkz is the latest rapper to join in. Launched yesterday both online and through Simsang's offline VR headset, the VR room, which 3 Linkz has called "Link Crib," is a VR depiction of the rapper's own 7-bedroom mansion in Miami, Florida. Fans can explore the mansion while listening to songs from the latest album by 3 Linkz. The rap artist is also selling specialized VR goggles on his website at $38 a pair, with his personal logo on the side. Parents should be warned that the content is rated 16+.

해석

마이애미 타임즈 2020년 3월 5일

많은 유명인이 자신만의 가상현실(VR) 방을 개시했다; 현재는 래퍼 3 Linkz가 가장 최근에 합류한 래퍼이다. 온라인과 Simsang의 오프라인 VR 헤드셋을 통해 어제 출시되어, 3 Linkz가 "Link Crib"이라 부르는 이 VR 방은, 플로리다주 마이애미의 침실이 7개 있는 본 래퍼의 저택을 VR로 묘사한 것이다. 팬들은 3 Linkz의 최신 앨범 곡을 들으면서 저택을 탐험할 수 있다. 이 랩 아티스트는 또한 자신의 웹사이트에서 옆에 개인 로고가 있는 특수 VR 고글을 한 개에 38달러에 팔고 있다. 부모들은 해당 콘텐츠가 16세 이상 등급이라는 점을 유의해야 한다.

5. What can users see in Link Crib?

(A) the headquarters of Simsang
(B) a live performance by 3 Linkz
(C) a VR version of a rapper's home
(D) a selection of different VR headsets

해석 사용자들은 Link Crib에서 무엇을 볼 수 있는가?

(A) Simsang 본사
(B) 3 Linkz의 라이브 공연
(C) 래퍼의 집을 VR로 만든 것
(D) 엄선된 여러 가지 VR 헤드셋들

풀이 'the VR room, which 3 Linkz has called "Link Crib," is a VR depiction of the rapper's own 7-bedroom mansion in Miami, Florida'에서 Link Crib은 래퍼 3 Linkz의 저택을 가상현실로 만든 공간임을 알 수 있으므로 (C)가 정답이다.

6. What can be inferred from the article?

(A) Link Crib is launching in April of 2020.
(B) The VR room can only be seen online.
(C) Link Crib contains obscene words or images.
(D) 3 Linkz's goggles are the current leading brand.

해석 기사로부터 추론할 수 있는 내용은 무엇인가?

(A) Link Crib은 2020년 4월에 출시될 예정이다.
(B) 해당 VR 방은 온라인으로만 볼 수 있다.
(C) Link Crib에는 외설적인 말이나 이미지가 포함된다.
(D) 3 Linkz의 고글은 현재 선두 브랜드이다.

풀이 마지막 문장 'Parents should be warned that the content is rated 16+.'에서 Link Crib의 내용이 16세 이상 등급으로 책정되었다고 부모들에게 주의를 주고 있다. 이는 Link Crib에 16세 미만 이용자에게 부적절한 언어나 이미지가 포함되어 있다는 의미이므로 (C)가 정답이다. (A)는 Link Crib은 어제 출시되었고('Launched yesterday'), 기사의 날짜가 2020년 3월 5일이므로 오답이다. (B)는 'Launched yesterday both online and through Simsang's offline VR headset'에서 온라인은 물론 오프라인 VR 헤드셋으로도 출시되었다고 했으므로 오답이다.

[7-10]

There are many amazing applications of virtual reality (VR), from training doctors to do surgery to helping students to immerse themselves in history. However, as is the case for any new technology, VR comes with ethical concerns.

One issue is that people who are able to do something in VR may think that their skill transfers to real life. Could people, and in particular children, believe that their fast motorcycle driving skills in virtual form would cross over to their regular life?

Another issue to consider is where it is appropriate for people to go in a virtual world. It is wonderful that VR gives people who are unable to travel the ability to see new worlds. But how limited should that world be? Would it be acceptable for a VR program to create a virtual copy of a celebrity's home, for example, and then let people walk around in it?

The question of physical versus psychological pain is also important. To what extent should pain, aggression, and violence be regulated in a virtual world? Could people undergo a type of psychological torture from VR, and if so, should this be controlled by laws?

These questions point to just a few of the many ethical issues related to technologies like virtual reality. However, history has shown that important discussions about the negative consequences of new technologies like VR are usually delayed until it is too late.

해석

의사들의 수술 훈련부터 학생들이 역사(과목)에 몰두하도록 돕는 것까지, 가상현실(VR)의 놀라운 응용 분야가 많이 있다. 하지만, 모든 신기술이 그렇듯이, VR에는 윤리적 문제가 따른다.

쟁점 하나는 VR에서 무언가를 할 수 있는 사람들이 그 기술이 현실로 옮겨간다고 생각할 수도 있다는 것이다. 사람들이, 특히 아이들이, 가상 형태의 빠른 오토바이 운전 기술이 보통의 삶으로 넘어가리라 생각할 수도 있을까?

고려해야 할 또 다른 쟁점은 사람들이 가상 세계에서 어디로 가는 것이 적절한가이다. VR이 여행하지 못 하는 사람들에게 새로운 세상을 볼 능력을 준다는 건 멋진 일이다. 하지만 그 세계는 얼마나 제한되어야 할까? VR 프로그램이 예를 들어, 유명인 집의 가상 복제를 만든 다음 사람들이 그 안을 돌아다니도록 하는 것이 용인될 수 있을까?

신체적 고통 대비 심리적 고통에 대한 질문 또한 중요하다. 어느 정도까지 고통, 공격성, 폭력이 가상 세계에서 통제되어야 할까? 사람들이 VR에서 일종의 심리적 고문을 겪을 수도 있을까, 그리고 그렇다면, 이것이 법에 의해 통제되어야 할까?

이러한 질문들은 가상 현실과 같은 기술에 관련되는 많은 윤리적 문제 중 몇 가지만을 지적하고 있다. 하지만, VR과 같은 신기술의 부정적 결과에 관한 중요한 논의가 대개는 너무 늦어질 때까지 미뤄진다는 것이 역사 속에서 밝혀졌다.

7. What would be the best title for the passage?

(A) Virtual Reality in the Medical Field
(B) The Pros and Cons of Virtual Reality
(C) Virtual Reality and Augmented Reality
(D) Ethical Issues Related to Virtual Reality

해석 지문에 가장 알맞은 제목은 무엇인가?

(A) 의료계의 가상 현실
(B) 가상 현실의 장단점
(C) 가상 현실과 증강 현실
(D) 가상 현실과 관련된 윤리적 문제들

유형 전체 내용 파악

풀이 첫 번째 문단에서 가상현실(VR) 및 그와 관련한 윤리 문제라는 중심 소재를 소개하고 있다. 이에 따라 두 번째부터 네 번째 문단까지 현실과의 혼동, 가상세계 묘사 허용 범위 등 관련 윤리 문제를 설명하고, 다섯 번째 문단에서 윤리적 문제들이 대개 일찍이 논의되지 않는다고 서술하며 글을 마치고 있다. 따라서 (D)가 정답이다.

8. According to the passage, what VR problem may be worse for kids?

(A) worrying about their appearance
(B) getting rejected by friends in VR
(C) thinking that VR skills transfer to real life
(D) believing that colors in the real world are plain

해석 지문에 따르면, 어떤 VR 문제점이 아이들에게 더 나쁠 수 있는가?

(A) 외모에 대해 걱정하기
(B) VR에서 친구들에게 거절당하기
(C) VR 기술이 현실로 옮겨간다 생각하기
(D) 현실 세계의 색깔이 단조롭다고 생각하기

유형 세부 내용 파악

풀이 두 번째 문단 'Could people, and in particular children, believe that their fast motorcycle driving skills in virtual form would cross over to their regular life?'에서 가상 세계 속 기술이 현실로 옮겨간다고 착각할 수 있다는 VR의 문제점을 제기하면서, 'in particular children'이라고 언급하며 이것이 특히 아이들에게 문제가 될 수 있음을 강조하고 있다. 따라서 (C)가 정답이다.

9. Which of the following is NOT mentioned?

(A) traveling in a virtual world
(B) pedestrians in traffic accidents
(C) laws about psychological torture
(D) virtually copying a famous person's home

해석 다음 중 언급되지 않은 내용은 무엇인가?

(A) 가상 세계에서 여행하기
(B) 교통사고 속 보행자
(C) 심리 고문에 관한 법률
(D) 유명인의 집을 가상으로 복제하기

유형 세부 내용 파악

풀이 교통사고 속 보행자에 관한 내용은 언급되지 않았으므로 (B)가 정답이다. (A)는 세 번째 문단의 'It is wonderful that VR gives people who are unable to travel the ability to see new worlds.'에서, (C)는 네 번째 문단 'Could people undergo a type of psychological torture from VR, and if so, should this be controlled by laws?'에서, (D)는 세 번째 문단의 'Would it be acceptable for a VR program to create a virtual copy of a celebrity's home'에서 확인할 수 있으므로 오답이다.

10. Which of these statements best matches the conclusion?

(A) The benefits of VR outweigh the drawbacks.
(B) People can learn more about history if they use VR.
(C) VR is likely to become a part of daily life for most people.
(D) Important decisions about VR will probably be postponed.

해석 다음 중 결론과 가장 부합하는 진술은 무엇인가?

(A) VR의 이점이 결점보다 더 크다.
(B) 사람들은 VR을 사용하면 역사에 관해 더 배울 수 있다.
(C) VR은 대부분 사람에게 일상의 일부가 될 가능성이 높다.
(D) VR에 관한 중요한 결정 사항이 아마 미뤄질 것이다.

유형 세부 내용 파악

풀이 마지막 문단의 'However, history has shown that important discussions about the negative consequences of new technologies like VR are usually delayed until it is too late.'에서 VR과 같은 신기술의 부정적 결과는 보통 (일찍이 논의되지 않고) 너무 늦은 때가 돼서야 논의된다고 설명하고 있다. 이는 VR에 관한 결정 사항이 미뤄져 나중에야 논의된다는 진술과 부합하므로 (D)가 정답이다.

 **Listening Practice** HJ3-9 p.84

There are many amazing applications of virtual reality (VR), from training doctors to do surgery to helping students to immerse themselves in history. However, as is the case for any new technology, VR comes with ethical concerns.

One issue is that people who are able to do something in VR may think that their skill transfers to real life. Could people, and in particular children, believe that their fast motorcycle driving skills in virtual form would cross over to their regular life?

Another issue to consider is where it is appropriate for people to go in a virtual world. It is wonderful that VR gives people who are unable to travel the ability to see new worlds. But how limited should that world be? Would it be acceptable for a VR program to create a virtual copy of a celebrity's home, for example, and then let people walk around in it?

The question of physical versus psychological pain is also important. To what extent should pain, aggression, and violence be regulated in a virtual world? Could people undergo a type of psychological torture from VR, and if so, should this be controlled by laws?

These questions point to just a few of the many ethical issues related to technologies like virtual reality. However, history has shown that important discussions about the negative consequences of new technologies like VR are usually delayed until it is too late.

1. immerse
2. regulated
3. undergo
4. ethical
5. consequences
6. delayed

Writing Practice p.85

1. immerse yourself in
2. ethical
3. undergo
4. regulate
5. consequence
6. delay

Summary

There are many amazing applications of virtual reality (VR), but this technology comes with ethical concerns. One issue is that people who are able to do something in VR may think that their skill transfers to real life. Another issue is about where people should be allowed to go in VR. In addition, the question of physical versus psychological pain is important.

놀라운 가상현실(VR) 응용 분야가 많지만, 이 기술에는 윤리적 우려가 따른다. 하나의 쟁점은 VR에서 무언가를 할 수 있는 사람들이 그들의 기술이 실제 삶으로 옮겨간다고 생각할 수 있다는 것이다. 또 다른 쟁점은 VR에서 사람들이 어디로 가는 것이 허용되어야만 하는지이다. 더 나아가, 신체적 고통 대비 심리적 고통에 대한 질문도 중요하다.

Word Puzzle p.86

Across	Down
1. undergo	2. regulate
5. ethical	3. immerse yourself in
6. consequence	4. delay

Unit 10 | Suspension Bridges p.87

Part A. Picture Description p.89

1 (A) 2 (D)

Part B. Sentence Completion p.89

3 (A) 4 (D)

Part C. Practical Reading Comprehension p.90

5 (B) 6 (B)

Part D. General Reading Comprehension p.91

7 (A) 8 (C) 9 (A) 10 (B)

Listening Practice p.92

1 suspending	2 vehicles
3 cables	4 chain
5 collapse	6 exhilarating

Writing Practice p.93

1 suspend	2 cable
3 vehicle	4 collapse
5 chain	6 exhilarating

Summary features, strength, stability, exhilarating

Word Puzzle p.94

Across

2 collapse	4 chain
5 cable	6 vehicle

Down

1 suspend	3 exhilarating

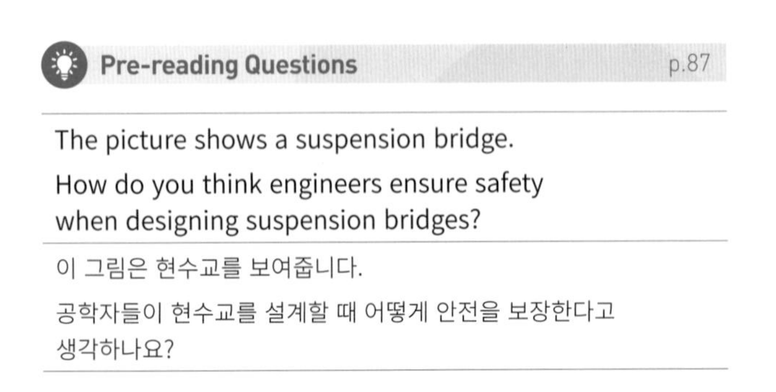

Pre-reading Questions p.87

The picture shows a suspension bridge.

How do you think engineers ensure safety when designing suspension bridges?

이 그림은 현수교를 보여줍니다.

공학자들이 현수교를 설계할 때 어떻게 안전을 보장한다고 생각하나요?

Reading Passage p.88

Suspension Bridges

Suspension bridges work by suspending a road between two towers using connecting cables. The towers support the weight of the roadway and vehicles by compressing forces through the cables into the ground. Although such bridges have been in existence for around 500 years, the modern versions have a number of features that make these elegant bridges safer than earlier versions.

One way in which suspension bridges have improved over time is in how the main and supporting cables are constructed. In early times, the main cables were links of chain. When one of the links broke, the entire bridge could collapse. In modern suspension bridges, support cables are made out of high-strength steel. There are more support cables now than in early bridges, meaning that even if one cable fails, the bridge can still stand.

Another improvement over time is the stability of the bridge deck—the roadway itself. In the past, this deck tended to be unstable. In strong winds, the deck would shake so much that it fell apart. Modern bridges, on the other hand, have stiff decks that will not simply shake apart.

Unlike the Incas, who made impressive suspension bridges of twisted grass in the Andes mountains, modern suspension bridge designers incorporate strong metals into their work for sturdy, stable bridges. Nevertheless, a walk across a suspension bridge today is still an exhilarating experience.

현수교

현수교는 연결 케이블을 사용하여 두 탑 사이의 도로를 매달아 놓는 방식으로 작동한다. 이 탑들은 케이블을 통해 힘을 지면으로 압축함으로써 도로와 차량의 무게를 지지한다. 이러한 다리는 대략 500년 동안이나 존재해왔지만, 현대의 형태에는 이 멋진 다리들을 이전 형태들보다 더 안전하게 만드는 많은 특징이 있다.

현수교가 오랜 시간에 걸쳐 개선된 한 가지 방식은 주 케이블과 지지 케이블의 구성 방식에 있다. 초기에는, 주 케이블은 쇠사슬 고리였다. 고리 중 하나가 끊어지면, 다리 전체가 무너질 수 있었다. 현대 현수교에는, 지지 케이블이 고강도 강철로 되어 있다. 지금은 이전 다리보다 지지 케이블이 더 많으며, 이는 케이블 하나가 망가지더라도, 여전히 다리가 서 있을 수 있음을 뜻한다.

시간이 지나면서 나타난 또 다른 개선 사항은 다리 바닥판—즉 도로 그 자체—의 안정성이다. 과거에는, 이 바닥판이 불안정한 경향이 있었다. 강풍이 불 때, 바닥판은 너무 흔들려서 부서지곤 했다. 반면에, 현대 다리에는 쉽게 흔들려 부서지지 않을 견고한 바닥판이 있다.

안데스산맥에서 새끼줄로 된 인상적인 현수교를 만들었던 잉카족과는 달리, 현대 현수교 설계자들은 견고하고 안정적인 다리를 위해 강한 금속을 작업에 첨가한다. 그렇기는 해도, 오늘날 현수교를 걷는 것은 여전히 짜릿한 경험이다.

어휘 suspension 매다는 것, 현수(懸垂) | suspension bridge 현수교 | ensure 보장하다; 안전하게 하다, 지키다 | safety 안전 | suspend 매달다, 걸다 | cable 케이블, 선 | tower 탑 | roadway 도로, 차도 | vehicle 차량 | compress 압축하다 | in existence 존재하는 | elegant 멋진, 훌륭한; 우아한, 고상한 | construct 구성하다 | link (사슬의 연결) 고리 | collapse 붕괴하다 | steel 강철 | stability 안정성 | deck 바닥판(층); 갑판 | fall apart 무너지다 | stiff 완고한 | twisted 꼬인 | incorporate 포함하다 | sturdy 견고한 | exhilarating 짜릿한, 아주 신나는, 흥분되는, 활기를 북돋는 | mediocre 시시한, 보통밖에 안 되는 | truss 트러스(지붕·교량 따위를 버티기 위해 떠받치는 구조물) | stable 안정된, 안정적인; 마구간 | compressor 압축기 | lookout 망보는 곳, 바깥을 내다보는 곳; 망보는 사람 | span 경간(徑間: 다리·건물 따위의 기둥과 기둥 사이) | cost (값·비용이) ~이다[들다] | accumulated 누적된, 축적된 | illumination 조명, 빛 | comprise ~로 구성되다

Comprehension Questions p.89

1. The bridge is suspended via steel cables.
   (A) steel cables
   (B) linked chain
   (C) twisted grass
   (D) wooden blocks

해석 이 다리는 강철선으로 매달려 있다.
(A) 강철선
(B) 사슬 고리
(C) 새끼줄
(D) 목제 블록

풀이 다리가 강철선에 고정되어 매달려 있으므로 (A)가 정답이다.

관련 문장 In modern suspension bridges, support cables are made out of high-strength steel.

2. They are finding the experience exhilarating.
   (A) boring
   (B) mediocre
   (C) uninspiring
   (D) exhilarating

해석 그들은 경험을 아주 신나는 것으로 여기고 있다.
(A) 지루한
(B) 평범한
(C) 시시한
(D) 아주 신나는

풀이 두 사람이 놀이기구에 타서 신이 난 모습이므로 (D)가 정답이다.

관련 문장 Nevertheless, a walk across a suspension bridge today is still an exhilarating experience.

3. <u>Compared</u> to ancient bridges, modern bridges are quite safe.

(A) Compared
(B) Comparing
(C) In compare
(D) If we comparing

해석 고대의 다리와 <u>비교하여</u>, 현대의 다리는 상당히 안전하다.

(A) 비교되는
(B) 비교하는
(C) 어색한 표현
(D) 어색한 표현

풀이 '~와 비교하여'라는 뜻을 나타낼 때 동사 'compare'의 수동형을 사용하여 'compared to ~'라고 표현하므로 (A)가 정답이다. 'compared to ~'는 하나의 표현처럼 굳어진 분사구문이므로 한 덩어리로 외워두도록 한다.

4. Early bridges used to shake a lot. Modern bridges, <u>on the other hand</u>, are relatively stable.

(A) whereas
(B) although
(C) in conclusion
(D) on the other hand

해석 초기 다리는 많이 흔들리곤 했다. 현대의 다리는, <u>반면에</u>, 상대적으로 안정적이다.

(A) 반면
(B) 비록 ~이지만
(C) 마지막으로
(D) 반면에

풀이 초기 다리와 현대의 다리를 비교하고 있는 내용이므로 빈칸에는 상반되는 내용을 연결해 줄 수 있는 구문이 들어가야 한다. 그런데 빈칸은 두 번째 문장 안에 있으므로, 문장 앞이나 중간에 삽입될 수 있는 전치사구인 'on the other hand'(다른 한편으로는, 반면에)가 들어갈 수 있다. 따라서 (D)가 정답이다. (A)는 'whereas'는 'This is S_1, whereas that is S_2'에서와 같이 독립절과 종속절을 연결해주는 접속사로 쓰이므로 오답이다.

관련 문장 In strong winds, the deck would shake so much that it fell apart. Modern bridges, on the other hand, have stiff decks that will not simply shake apart.

[5-6]

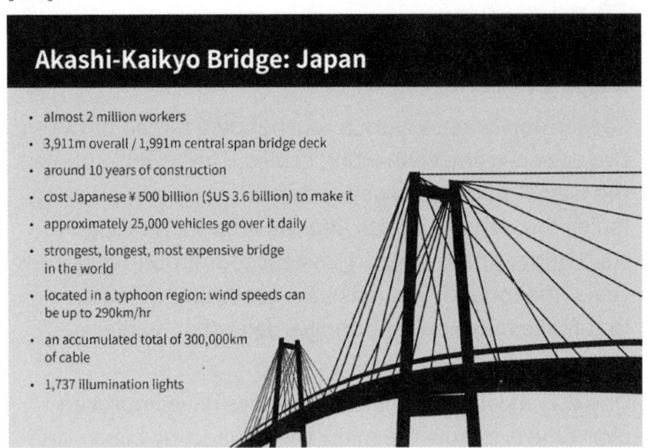

Akashi-Kaikyo Bridge: Japan
• almost 2 million workers
• 3,911m overall / 1,991m central span bridge deck
• around 10 years of construction
• cost Japanese ¥ 500 billion ($US 3.6 billion) to make it
• approximately 25,000 vehicles go over it daily
• strongest, longest, most expensive bridge in the world
• located in a typhoon region: wind speeds can be up to 290km/hr
• an accumulated total of 300,000km of cable
• 1,737 illumination lights

해석

Akashi-Kaikyo 다리: 일본

- 거의 2백만 인력
- 전체 3,911m / 중앙 경간(徑間) 다리 바닥판 1,991m
- 약 10년 간의 공사
- 제작에 5천억 엔 (36억 US달러) 소요
- 매일 약 25,000대의 차량이 지나다님
- 세계에서 가장 튼튼하고, 길고, 비싼 다리
- 태풍 지역에 위치: 풍속 최대 시속 290km
- 케이블 누적 총 길이 30만km
- 조명등 1,737개

5. How long did it take to make the bridge?

(A) around a year
(B) about a decade
(C) approximately two decades
(D) almost half a century

해석 다리를 짓는 데 얼마나 소요됐는가?

(A) 1년쯤
(B) 약 10년
(C) 대략 20년
(D) 거의 50년

풀이 세 번째 항목 'around 10 years of construction'에서 다리 시공에 약 10년이 걸렸다는 사실을 알 수 있으므로 (B)가 정답이다.

6. Which of the following is true?

(A) There are over 2,000 lights on the bridge.
(B) The total length of the bridge is almost 4km.
(C) The bridge comprises 300,000 individual cables.
(D) It cost 3.6 billion Japanese yen to make the bridge.

해석 다음 중 옳은 내용은 무엇인가?

(A) 다리에 2,000개가 넘는 등이 있다.
(B) 다리의 총 길이는 거의 4km이다.
(C) 다리는 30만 개의 개별 케이블로 구성되어 있다.
(D) 다리를 만드는 데 36억 엔이 들었다.

풀이 두 번째 항목 '3,911 m overall'에서 다리의 총 길이가 거의 4km라는 사실을 알 수 있으므로 (B)가 정답이다. (A)는 다리에 조명등이 1,737개 있다고 했으므로 오답이다. (C)는 30만은 케이블의 개수가 아니라 케이블의 총 길이를 합산한 수치가 30만 km인 것이므로 오답이다. (D)는 다리 제작에 36억 엔이 아니라 5천억 엔(36억 US 달러)이 들었다고 했으므로 오답이다.

[7-10]

Suspension bridges work by suspending a road between two towers using connecting cables. The towers support the weight of the roadway and vehicles by compressing forces through the cables into the ground. Although such bridges have been in existence for around 500 years, the modern versions have a number of features that make these elegant bridges safer than earlier versions.

One way in which suspension bridges have improved over time is in how the main and supporting cables are constructed. In early times, the main cables were links of chain. When one of the links broke, the entire bridge could collapse. In modern suspension bridges, support cables are made out of high-strength steel. There are more support cables now than in early bridges, meaning that even if one cable fails, the bridge can still stand.

Another improvement over time is the stability of the bridge deck—the roadway itself. In the past, this deck tended to be unstable. In strong winds, the deck would shake so much that it fell apart. Modern bridges, on the other hand, have stiff decks that will not simply shake apart.

Unlike the Incas, who made impressive suspension bridges of twisted grass in the Andes mountains, modern suspension bridge designers incorporate strong metals into their work for sturdy, stable bridges. Nevertheless, a walk across a suspension bridge today is still an exhilarating experience.

해석

현수교는 연결 케이블을 사용하여 두 탑 사이의 도로를 매달아 놓는 방식으로 작동한다. 이 탑들은 케이블을 통해 힘을 지면으로 압축함으로써 도로와 차량의 무게를 지지한다. 이러한 다리는 대략 500년 동안이나 존재해왔지만, 현대의 형태에는 이 멋진 다리들을 이전 형태들보다 더 안전하게 만드는 많은 특징이 있다.

현수교가 오랜 시간에 걸쳐 개선된 한 가지 방식은 주 케이블과 지지 케이블의 구성 방식에 있다. 초기에는, 주 케이블은 쇠사슬 고리였다. 고리 중 하나가 끊어지면, 다리 전체가 무너질 수 있었다. 현대 현수교에는, 지지 케이블이 고강도 강철로 되어 있다. 지금은 이전 다리보다 지지 케이블이 더 많으며, 이는 케이블 하나가 망가지더라도, 여전히 다리가 서 있을 수 있음을 뜻한다.

시간이 지나면서 나타난 또 다른 개선 사항은 다리 바닥판—즉 도로 그 자체—의 안정성이다. 과거에는, 이 바닥판이 불안정한 경향이 있었다. 강풍이 불 때, 바닥판은 너무 흔들려서 부서지곤 했다. 반면에, 현대 다리에는 쉽게 흔들려 부서지지 않을 견고한 바닥판이 있다.

안데스산맥에서 새끼줄로 된 인상적인 현수교를 만들었던 잉카족과는 달리, 현대 현수교 설계자들은 견고하고 안정적인 다리를 위해 강한 금속을 작업에 첨가한다. 그렇기는 해도, 오늘날 현수교를 걷는 것은 여전히 짜릿한 경험이다.

7. What is the main idea of the passage?
   (A) Suspension bridges have become safer over time.
   (B) Suspension bridges are the least stable type of bridge.
   (C) Suspension bridges have existed for hundreds of years.
   (D) Suspension bridges are unlikely to be used in the future.

해석 이 지문의 요지는 무엇인가?
   (A) 현수교는 시간이 지나면서 더 안전해졌다.
   (B) 현수교는 가장 안정적이지 않은 다리 종류이다.
   (C) 현수교는 수백 년 동안 존재해왔다.
   (D) 현수교는 미래에 사용될 가능성이 적다.

유형 전체 내용 파악

풀이 첫 번째 문단에서 현대 현수교가 초기 현수교보다 안전하다는 중심 내용이 언급되고, 그 후에 케이블과 바닥판의 재료 등 시간이 지나면서 향상된 현대 현수교의 특징 및 안정성을 설명하고 있다. 따라서 (A)가 정답이다.

8. According to the passage, what were early main cables made of?
   (A) mud
   (B) steel
   (C) chain links
   (D) twisted leather

해석 지문에 따르면, 초기 주 케이블은 무엇으로 만들어졌는가?
   (A) 진흙
   (B) 강철
   (C) 사슬 고리
   (D) 꼬인 가죽

유형 세부 내용 파악

풀이 두 번째 문단의 'In early times, the main cables were links of chain. When one of the links broke, the entire bridge could collapse.'에서 초기 다리의 주 케이블이 사슬 고리로 만들어졌다고 했으므로 (C)가 정답이다. (B)는 현대 현수교의 케이블이 강철로 만들어진 것이므로 오답이다.

9. What is the roadway between towers called?
   (A) the deck
   (B) the truss
   (C) the stable
   (D) the compressor

해석 탑 사이의 도로를 무엇이라 부르는가?
   (A) 바닥판
   (B) 트러스(지붕·교량 따위를 버티기 위해 떠받치는 구조물)
   (C) 마구간
   (D) 압축기

유형 세부 내용 파악

풀이 세 번째 문단의 'Another improvement over time is the stability of the bridge deck—the roadway itself.'에서 다리의 바닥판('deck')이 도로 그 자체('the roadway itself')를 가리킨다는 것을 알 수 있으므로 (A)가 정답이다.

10. Which of the following is NOT mentioned as a feature of modern suspension bridges?
   (A) two towers
   (B) lookout windows
   (C) sturdier materials
   (D) more support cables

해석 다음 중 현대 현수교의 특징으로 언급되지 않은 것은 무엇인가?
   (A) 두 개의 탑
   (B) 망보기 창문
   (C) 더 완고한 재료
   (D) 더 많은 지지 케이블

유형 세부 내용 파악

풀이 전망 창문('lookout window')은 현대 현수교의 특징으로 지문에서 언급되지 않았으므로 (B)가 정답이다. (A)는 첫 번째 문단의 'Suspension bridges work by suspending a road between two towers [...]'에서, (C)는 네 번째 문단의 'modern suspension bridge designers incorporate strong metals into their work for sturdy, stable bridges'에서, (D)는 두 번째 문단의 'There are more support cables now than in early bridges'에서 확인할 수 있으므로 오답이다.

Listening Practice

HJ3-10 p.92

Suspension bridges work by suspending a road between two towers using connecting cables. The towers support the weight of the roadway and vehicles by compressing forces through the cables into the ground. Although such bridges have been in existence for around 500 years, the modern versions have a number of features that make these elegant bridges safer than earlier versions.

One way in which suspension bridges have improved over time is in how the main and supporting cables are constructed. In early times, the main cables were links of chain. When one of the links broke, the entire bridge could collapse. In modern suspension bridges, support cables are made out of high-strength steel. There are more support cables now than in early bridges, meaning that even if one cable fails, the bridge can still stand.

Another improvement over time is the stability of the bridge deck—the roadway itself. In the past, this deck tended to be unstable. In strong winds, the deck would shake so much that it fell apart. Modern bridges, on the other hand, have stiff decks that will not simply shake apart.

Unlike the Incas, who made impressive suspension bridges of twisted grass in the Andes mountains, modern suspension bridge designers incorporate strong metals into their work for sturdy, stable bridges. Nevertheless, a walk across a suspension bridge today is still an exhilarating experience.

1. suspending
2. vehicles
3. cables
4. chain
5. collapse
6. exhilarating

Writing Practice

p.93

1. suspend
2. cable
3. vehicle
4. collapse
5. chain
6. exhilarating

Summary

Suspension bridges suspend a road between two towers using connecting cables. There are many features that have made these bridges safer over time. First, engineers now use high-strength steel and more support cables than earlier versions. Secondly, suspension bridges now have stiff decks for stability. Nevertheless, a walk across a suspension bridge today is still an exhilarating experience.

현수교는 연결 케이블을 사용하여 두 탑 사이의 도로를 매달아 놓는다. 시간이 지남에 따라 이런 다리들을 더 안전하게 만든 많은 특징들이 있다. 첫째로, 공학자들은 요즘 높은-강도의 금속을 사용하고 이전 다리들보다 더 많은 지지 케이블을 사용한다. 둘째로, 현재의 현수교는 안정성을 위해 견고한 바닥판이 있다. 그렇기는 해도, 오늘날 현수교를 걷는 것은 여전히 짜릿한 경험이다.

Word Puzzle

p.94

Across	Down
2. collapse	1. suspend
4. chain	3. exhilarating
5. cable	
6. vehicle	

Unit 11 | Bone Conduction p.95

Part A. Picture Description p.97

1 (A) 2 (A)

Part B. Sentence Completion p.97

3 (D) 4 (A)

Part C. Practical Reading Comprehension p.98

5 (C) 6 (C)

Part D. General Reading Comprehension p.99

7 (A) 8 (B) 9 (C) 10 (B)

Listening Practice p.100

1 skull 2 conduct
3 conventional 4 decodes
5 vibration 6 bypass

Writing Practice p.101

1 conduct 2 skull
3 decode 4 conventional
5 vibration 6 bypass

Summary conduction, skull, headphones, work

Word Puzzle p.102

Across
2 bypass 4 conventional
5 conduct

Down
1 vibration 3 skull
6 decode

Pre-reading Questions p.95

What are some of the downsides of using earphones?

이어폰 사용의 단점 중에는 무엇이 있을까요?

Reading Passage p.96

Bone Conduction

Bone conduction is the movement of sound to the inner ear through the bones of one's skull. Technology using bone conduction is not new; the almost-deaf conductor Beethoven would put his conductor baton between his mouth and his piano to conduct sound to his ear. However, it is only in recent years that technologies with bone conduction have been refined. Recently, conventional headphones that conduct air have been joined on the market by bone conduction "bonephones."

The way bonephones work is simple. Rather than passing air through the eardrums, the device decodes sound waves by passing them through the jawbones and cheekbones and then converting them into vibration signals. The vibrations bypass the outer and middle ear and pass directly to the inner ear.

There are many benefits to bonephones. First, they can be adapted for underwater use. Nowadays, there are multiple devices that can be used by swimmers. There are even some for scuba divers that work meters underwater. In addition, there is some evidence that bonephones may reduce damage to the ears. Moreover, bonephones allow listeners to hear other sounds around them, meaning that they could be safer for pedestrians and cyclists.

Although the current sound quality of bone-conducting headphones is not as good as that of the best air-conducting headphones, improvements to the technology are made each year. As the 21st century progresses, we may see some remarkable developments in bonephones.

골전도

골전도는 두개골의 뼈를 통해 내이로 들어오는 소리의 이동이다. 골전도를 이용한 기술은 새로운 것이 아니다; 거의 청각 장애인이었던 작곡가 Beethoven은 귀에 소리를 전달하기 위해 지휘봉을 입과 피아노 사이에 갖다 대곤 했다. 하지만, 골전도 기술이 고도화된 것은 최근에서야 일어난 일이다. 최근에는, 기존 공기 전도 헤드폰이 있던 시장에 골전도(를 이용하는) "골폰(bonephone)"이 합류했다.

골폰이 작동하는 방식은 간단하다. 고막을 통해 공기를 전달하기보다는, 이 장치는 음파가 턱뼈와 광대뼈를 통과하게 한 뒤 그것들을 진동 신호로 변환하여 음파를 해독한다. 진동은 외이와 중이를 건너뛰고 내이에 직접 전달된다.

골폰에는 많은 이점이 있다. 첫째로, 수중용으로 개조될 수 있다. 요즘에는, 수영하는 사람들이 사용할 수 있는 여러 장치가 있다. 심지어 수중 수 미터 아래에서 작동하는 스쿠버다이버용도 일부 있다. 게다가, 골폰이 귀 손상을 줄일 수 있다는 몇몇 증거가 있다. 더욱이, 골폰은 청자가 주위의 다른 소리를 들을 수 있게 하는데, 이는 골폰이 보행자나 자전거 주행자들에게 더 안전할 수 있음을 의미한다.

현재 골전도 헤드폰의 음질은 최상급 공기 전도 헤드폰의 음질만큼 좋지는 않지만, 매년 기술 개선이 이루어지고 있다. 21세기가 진보함에 따라, 우리는 골폰의 눈부신 발전을 볼 수 있을지도 모른다.

어휘 conduction (전기나 열의) 전도 | downside 단점 | skull 두개골 | deaf 청각 장애가 있는 | conductor 지휘자 | composer 작곡가 | baton 배턴[지휘봉] | refine 고도화하다, 개선하다 | conventional 기존의, 전통적인 | conduct 전도하다; 지휘하다 | device 장치 | decode 해독하다 | jawbone 턱뼈 | cheekbone 광대뼈 | convert 변환하다 | vibration 진동 | signal 신호 | bypass 우회하다; 건너뛰다 | benefit 이점 | adapt 개조하다 | underwater 수중의; 수중에서 | reduce 줄이다 | damage 손상 | pedestrian 보행자 | improvement 개선 | progress 진보하다; 진행되다 | maze 미로 | redraw 수정하다 | cancel 상쇄하다 | on top of ~의 위에 | compose 작곡하다 | elegant 멋진, 훌륭한; 우아한, 고상한 | commute 통근 | coating 코팅, 덧칠, 도료 | flexible 신축성 있는 | sweatproof 땀 방지의 | wireless 무선의 | absence 없음, 결핍 | cancellation 상쇄 | recharge (재)충전하다 | superb 뛰어난, 훌륭한 | fit 착용감; 들어맞다 | water-resistance 내수성, 방수 | heavy-duty 강도 높은 | workout 운동 | rechargeable 충전 가능한 | affordable (가격이) 알맞은, 적당한 | costly 값비싼, 비용이 많이 드는 | last ~만큼 지속되다 | suitable 적합한 | loose 느슨한 | clip-on 클립식의, 클립[핀]으로 고정하는 | fitness 피트니스, 체력단련

Comprehension Questions p.97

1. The arrow is pointing to the <u>jawbone</u>.

(A) jawbone
(B) cheekbone
(C) wrist bone
(D) ankle bone

해석 화살표가 <u>턱뼈</u>를 가리키고 있다.

(A) 턱뼈
(B) 광대뼈
(C) 손목뼈
(D) 발목뼈

풀이 화살표가 얼굴 하부에 있는 턱뼈를 가리키고 있으므로 (A)가 정답이다.

관련 문장 [...], the device decodes sound waves by passing them through the jawbones and cheekbones [...]

2. Unlike Tayo, Abeo decided to <u>bypass</u> the maze.

(A) bypass
(B) redraw
(C) go through
(D) pass through

해석 Tayo와는 달리, Abeo는 미로를 <u>우회하</u>기로 결정했다.

(A) 우회하다
(B) 수정하다
(C) ~을 거쳐 가다
(D) ~을 통과하다

풀이 미로를 통과하는 Tayo와는 달리 Abeo는 미로 밖으로 우회해서 돌아가고 있으므로 '우회하다'를 뜻하는 (A)가 정답이다.

관련 문장 The vibrations bypass the outer and middle ear and pass directly to the inner ear.

3. It is only in recent years <u>that this</u> system has been refined.

(A) this is
(B) for this
(C) when it
(D) that this

해석 <u>이</u> 시스템이 정비된 <u>것은</u> 겨우 최근에 와서였다.

(A) 이것은 ~(이)다
(B) 전치사 for + 이(것)
(C) 접속사 when + 그것
(D) 접속사 that + 이(것)

풀이 가주어 it과 that 절을 사용하여 'it is A that B'라는 구조로 'B가 A이다'라는 뜻을 표현할 수 있다. 따라서 접속사 'that'과 'system'을 수식하는 지시형용사 'this'가 있는 (D)가 정답이다.

관련 문장 However, it is only in recent years that technologies with bone conduction have been refined.

4. There is some evidence that this technology is beneficial to swimmers.

   (A) is some
   (B) are some
   (C) aren't an
   (D) aren't the

해석 이 기술이 수영선수들에게 유익하다는 몇몇 증거가 있다.

(A) be 동사(3인칭 단수 현재형) + 몇몇
(B) be 동사(복수 현재형) + 몇몇
(C) be 동사(복수 현재형) 부정 + 부정관사 'an'
(D) be 동사(복수 현재형) 부정 + 정관사 'the'

풀이 'evidence'는 셀 수 없는 명사로서 단수 취급하기 때문에 3인칭 단수 be 동사 'is'를 사용한 (A)가 정답이다.

새겨 두기 한정사 'some'은 셀 수 없는 명사와 복수 명사를 모두 수식할 수 있다.

관련 문장 In addition, there is some evidence that bonephones may reduce damage to the ears.

[5-6]

Best Headphones June 2020

Model	Features	Cost
Audioconducts	Noise-cancelling air conduction over-the-ear headphones. Sure, it's not as elegant as an ultraportable in-ear set of buds, but the sound is professional quality (unlike with bonephones). The comfortable design makes them great for a commute.	$$$
Limemints	Leading the market in general bonephones. Titanium band and silicone coating makes this very flexible. Comes in 5 bright colors. Sweatproof. Wireless. Absence of noise cancellation means cyclists can hear cars. Up to six hours without being recharged (although charging is on the slow side).	$$$
VibeQuotients	Wireless earbuds. Excellent sound quality (although they're not noise-cancelling). Their superb fit and high water-resistance make these great for heavy-duty workouts. On a single two-hour charge, the rechargeable battery lasts 11 hours minimum. Not suitable for ocean swimming.	$$
Swimbones	Great set of bonephones for swimmers. Instead of loose earbuds, these clip-ons stay tight on top of your ears. Sound quality is only okay. 4GB of storage. Lithium-ion battery is rechargeable.	$$

$$$ (expensive) / $$ (a bit costly) / $ (affordable)

해석

2020년 6월 최고의 헤드폰

모델	특징	가격
Audioconducts	귀 위에 쓰는 소음 상쇄 공기 전도 헤드폰. 당연히, 휴대가 매우 간편한 인이어 버즈만큼 멋지지는 않지만, 음질은 전문가 수준임(골폰과는 달리). 편안한 디자인으로 인해 통근 시 사용에도 좋음.	$$$
Limemints	일반 골폰 시장을 선도함. 티타늄 밴드와 실리콘 코팅 때문에 아주 신축성 있음. 5가지 밝은 색상으로 나옴. 땀 방지. 무선. 소음 상쇄 기능이 없다는 건 자전거 주행자들이 자동차 소리를 들을 수 있음을 의미함. 재충전 없이 최대 여섯 시간(충전이 느린 편이긴 하지만).	$$$
VibeQuotients	무선 이어버즈. 훌륭한 음질(소음 상쇄는 하지 않지만). 뛰어난 착용감과 높은 내수성으로 해당 모델은 강도 높은 운동에 아주 좋음. 한 번에 두 시간 충전 시, 재충전 가능한 배터리는 최소 11시간 지속된다. 바다 수영에는 적합하지 않음.	$$
Swimbones	수영하는 사람들을 위한 훌륭한 골폰. 느슨한 이어버즈대신, 이 클립식 골폰은 귀 윗부분에 딱 붙어 있음. 음질은 괜찮은 정도임. 4GB 저장 공간. 리튬-이온 배터리는 충전 가능함.	$$

$$$ (비쌈) / $$ (조금 비쌈) / $ (적당함)

5. Which product would best suit a fitness fan who spends full days away from a charger?

(A) Audioconducts
(B) Limemints
(C) VibeQuotients
(D) Swimbones

해석 다음 중 충전기를 사용하지 않고 온종일을 보내는 피트니스 애호가에게 가장 적합한 제품은 무엇인가?

(A) Audioconducts
(B) Limemints
(C) VibeQuotients
(D) Swimbones

풀이 VibeQuotients 항목의 'Their superb fit and high water-resistance make these great for heavy-duty workouts.'에서 해당 제품이 뛰어난 착용감과 높은 내수성으로 강도 높은 운동에 좋다는 것을 알 수 있고, 'On a single two-hour charge, the rechargeable battery lasts 11 hours minimum.'에서 충전 한 번으로 배터리가 11시간이나 지속된다는 것을 알 수 있다. 따라서 종일 충전기 없이 피트니스 운동을 하는 사람에게 가장 적합한 제품이므로 (C)가 정답이다.

6. Which of the following is true about the products?

(A) Swimbones fit inside the inner ear.
(B) VibeQuotients are suitable for ocean diving.
(C) Audioconducts offer users noise cancellation.
(D) Limemints are much less costly than Swimbones.

해석 다음 중 제품에 관해 옳은 설명은 무엇인가?

(A) Swimbones은 내이의 안쪽에 들어맞는다.
(B) VibeQuotients는 바다 잠수에 적합하다.
(C) Audioconducts는 사용자들에게 소음 상쇄 기능을 제공한다.
(D) Limemints는 Swimbones보다 훨씬 저렴하다.

풀이 Audioconducts 항목의 'Noise-cancelling air conduction over-the-ear headphones.'에서 소음 상쇄 기능이 있는 헤드폰이라는 것을 알 수 있으므로 (C)가 정답이다. (A)는 'Instead of loose earbuds, these clip-ons stay tight on top of your ears.'에서 Swimbones가 귀 안쪽이 아니라 귀 윗부분에 들어맞는다고 했으므로 오답이다. (B)는 'Not suitable for ocean swimming'에서 VibeQuotients가 바다 수영에 적합하지 않다고 했으므로 오답이다. (D)는 Limemints의 비용이 'expensive'를 뜻하는 '$$$'로, Swimbones의 비용이 'a bit costly'를 뜻하는 '$$'로 표시되어있는 것으로 보아 Limemints가 Swimbones보다 가격이 더 비싸다는 것을 알 수 있으므로 오답이다.

[7-10]

Bone conduction is the movement of sound to the inner ear through the bones of one's skull. Technology using bone conduction is not new; the almost-deaf conductor Beethoven would put his conductor baton between his mouth and his piano to conduct sound to his ear. However, it is only in recent years that technologies with bone conduction have been refined. Recently, conventional headphones that conduct air have been joined on the market by bone conduction "bonephones."

The way bonephones work is simple. Rather than passing air through the eardrums, the device decodes sound waves by passing them through the jawbones and cheekbones and then converting them into vibration signals. The vibrations bypass the outer and middle ear and pass directly to the inner ear.

There are many benefits to bonephones. First, they can be adapted for underwater use. Nowadays, there are multiple devices that can be used by swimmers. There are even some for scuba divers that work meters underwater. In addition, there is some evidence that bonephones may reduce damage to the ears. Moreover, bonephones allow listeners to hear other sounds around them, meaning that they could be safer for pedestrians and cyclists.

Although the current sound quality of bone-conducting headphones is not as good as that of the best air-conducting headphones, improvements to the technology are made each year. As the 21st century progresses, we may see some remarkable developments in bonephones.

해석

골전도는 두개골의 뼈를 통해 내이로 들어오는 소리의 이동이다. 골전도를 이용한 기술은 새로운 것이 아니다; 거의 청각 장애인이었던 작곡가 Beethoven은 귀에 소리를 전달하기 위해 지휘봉을 입과 피아노 사이에 갖다 대곤 했다. 하지만, 골전도 기술이 고도화된 것은 최근에서야 일어난 일이다. 최근에는, 기존 공기 전도 헤드폰이 있던 시장에 골전도(를 이용하는) "골폰(bonephone)"이 합류했다.

골폰이 작동하는 방식은 간단하다. 고막을 통해 공기를 전달하기보다는, 이 장치는 음파가 턱뼈와 광대뼈를 통과하게 한 뒤 그것들을 진동 신호로 변환하여 음파를 해독한다. 진동은 외이와 중이를 건너뛰고 내이에 직접 전달된다.

골폰에는 많은 이점이 있다. 첫째로, 수중용으로 개조될 수 있다. 요즘에는, 수영하는 사람들이 사용할 수 있는 여러 장치가 있다. 심지어 수중 수 미터 아래에서 작동하는 스쿠버다이버용도 일부 있다. 게다가, 골폰이 귀 손상을 줄일 수 있다는 몇몇 증거가 있다. 더욱이, 골폰은 청자가 주위의 다른 소리를 들을 수 있게 하는데, 이는 골폰이 보행자나 자전거 주행자들에게 더 안전할 수 있음을 의미한다.

현재 골전도 헤드폰의 음질은 최상급 공기 전도 헤드폰의 음질만큼 좋지는 않지만, 매년 기술 개선이 이루어지고 있다. 21세기가 진보함에 따라, 우리는 골폰의 눈부신 발전을 볼 수 있을지도 모른다.

7. What would be the best title for the passage?

(A) Hearing in Your Head: Bonephones
(B) It's in the Ear: Being a Better Composer
(C) Techniques: How Does Air Conduction Work?
(D) Noise-cancelling Headphones: Modern Worry?

해석 지문에 가장 알맞은 제목은 무엇인가?

(A) 머리 안쪽으로 듣기: 골폰
(B) 귀 안에 있다: 더 나은 작곡가 되기
(C) 기술: 공기 전도는 어떻게 작동하는가?
(D) 소음 상쇄 헤드폰: 현대의 고민?

유형 전체 내용 파악

풀이 첫 번째 문단에서 두개골을 통해 소리를 전달하는 골전도('bone conduction')라는 개념을 설명한 뒤, 중심 소재로 골전도를 이용한 헤드폰인 골폰(bonephone)을 언급하고, 그 후에 골폰의 작동 원리와 이점 등을 설명하고 있는 글이다. 따라서 (A)가 정답이다. (C)는 공기 전도가 아니라 골전도에 관한 지문이므로 오답이다.

8. According to the passage, what did Beethoven do?
(A) sit on top of his piano to compose songs
(B) use his conductor baton to receive sound
(C) put his head under his piano to hear sounds
(D) conduct by waving his conductor baton in both hands

해석 지문에 따르면, Beethoven은 무엇을 했는가?
(A) 작곡을 위해 피아노 위에 앉기
(B) 소리를 수신하기(듣기) 위해 지휘봉 사용하기
(C) 소리를 듣기 위해 피아노 밑에 머리 넣기
(D) 양손으로 지휘봉 흔들며 지휘하기

유형 세부 내용 파악

풀이 첫 문단의 'the almost-deaf conductor Beethoven would put his conductor baton between his mouth and his piano to conduct sound to his ear.'에서 거의 청각 장애인이었던 Beethoven이 소리를 듣기 위해 지휘봉을 입과 피아노 사이에 갖다 댔다고 했으므로 (B)가 정답이다.

9. Where does sound NOT pass through in bone conduction?
(A) the jawbone
(B) the inner ear
(C) the middle ear
(D) the cheekbones

해석 골전도에서 소리가 통과하지 않는 곳은 어디인가?
(A) 턱뼈
(B) 내이
(C) 중이
(D) 광대뼈

유형 세부 내용 파악

풀이 두 번째 문단의 'The vibrations bypass the outer and middle ear and pass directly to the inner ear.'에서 골전도에서 진동 신호가 외이와 중이를 우회한다고 했으므로 (C)가 정답이다. (A)와 (D)는 두 번째 문단의 '[...] the device decodes sound waves by passing them through the jawbones and cheekbones [...]'에서 확인할 수 있으므로 오답이다. (B)는 진동 신호가 외이와 중이를 건너뛰고 내이에 직접 도달한다고 설명했으므로 오답이다.

10. What is listed as a disadvantage of bonephones compared to conventional headphones?
(A) They do not work underwater.
(B) They have worse sound quality.
(C) They increase damage to the ears.
(D) They are more dangerous to walk with.

해석 기존 헤드폰과 비교했을 때 골폰의 단점으로 나열된 것은 무엇인가?
(A) 수중에서 작동하지 않는다.
(B) 음질이 좋지 않다.
(C) 귀 손상을 증가시킨다.
(D) 끼고 걷기에 더 위험하다.

유형 세부 내용 파악

풀이 네 번째 문단의 'Although the current sound quality of bone-conducting headphones is not as good as that of the best air-conducting headphones [...]'에서 기존 최상급 공기 전도 헤드폰에 비해 골전도 헤드폰의 음질이 좋지 않다고 했으므로 (B)가 정답이다. (A)는 'First, they can be adapted for underwater use.' 에서 골전도 헤드폰이 수중용으로 개조될 수 있다고 했으므로 오답이다. (C)는 'In addition, there is some evidence that bonephones may reduce damage to the ears.'에서 골전도 헤드폰이 귀 손상을 줄여준다는 증거가 있다고 했으므로 오답이다. (D)는 'Moreover, bonephones allow listeners to hear other sounds around them, meaning that they could be safer for pedestrians and cyclists.'에서 골전도 헤드폰을 낀 채로 주위의 다른 소리를 들을 수 있어서 걷거나 자전거를 탈 때 더 안전하다고 했으므로 오답이다.

Listening Practice

HJ3-11 p.100

Bone conduction is the movement of sound to the inner ear through the bones of one's skull. Technology using bone conduction is not new; the almost-deaf conductor Beethoven would put his conductor baton between his mouth and his piano to conduct sound to his ear. However, it is only in recent years that technologies with bone conduction have been refined. Recently, conventional headphones that conduct air have been joined on the market by bone conduction "bonephones."

The way bonephones work is simple. Rather than passing air through the eardrums, the device decodes sound waves by passing them through the jawbones and cheekbones and then converting them into vibration signals. The vibrations bypass the outer and middle ear and pass directly to the inner ear.

There are many benefits to bonephones. First, they can be adapted for underwater use. Nowadays, there are multiple devices that can be used by swimmers. There are even some for scuba divers that work meters underwater. In addition, there is some evidence that bonephones may reduce damage to the ears. Moreover, bonephones allow listeners to hear other sounds around them, meaning that they could be safer for pedestrians and cyclists.

Although the current sound quality of bone-conducting headphones is not as good as that of the best air-conducting headphones, improvements to the technology are made each year. As the 21st century progresses, we may see some remarkable developments in bonephones.

1. skull
2. conduct
3. conventional
4. decodes
5. vibration
6. bypass

Writing Practice

p.101

1. conduct
2. skull
3. decode
4. conventional
5. vibration
6. bypass

Summary

Bone conduction is the movement of sound to the inner ear through the bones of one's skull. Technologies using bone conduction are not new but have been refined only recently. There are headphones called "bonephones" that conduct sound by bone conduction. The way bonephones work is simple, and there are many benefits to bonephones. As the 21st century progresses, we may see some remarkable developments in bonephones.

골전도는 두개골의 뼈를 통해 내이로 들어오는 소리의 이동이다. 골전도를 이용한 기술은 새로운 것이 아니지만 최근에서야 고도화되었다. 골전도를 통해 소리를 전도하는 "골폰"이라 불리는 헤드폰이 있다. 골폰이 작동하는 방식은 간단하고, 골폰에는 많은 이점이 있다. 21세기가 진보함에 따라, 우리는 골폰의 눈부신 발전을 볼 수 있을지도 모른다.

Word Puzzle

p.102

Across	Down
2. bypass	1. vibration
4. conventional	3. skull
5. conduct	6. decode

Unit 12 | Videophones p.103

Part A. Picture Description p.105

1 (D) 2 (D)

Part B. Sentence Completion p.105

3 (D) 4 (B)

Part C. Practical Reading Comprehension p.106

5 (D) 6 (C)

Part D. General Reading Comprehension p.107

7 (D) 8 (A) 9 (B) 10 (A)

Listening Practice p.108

1 capabilities 2 prototypes
3 figured 4 sign
5 consumers 6 equivalent

Writing Practice p.109

1 capability 2 prototype
3 figure out 4 sign up for
5 consumer 6 equivalent to

Summary technology, videophone, introduced, expensive

Word Puzzle p.110

Across
1 sign up for 3 consumer
5 capability 6 figure out
Down
2 prototype 4 equivalent to

Pre-reading Questions p.103

How do you prefer to talk to friends:
1) in person?
2) over the phone (voice only)?
3) through video?

여러분은 친구들과 어떤 방향으로 대화하는 것을 선호하나요:
1) 직접 만나서?
2) 통화로 (음성으로만)?
3) 영상을 통해?

Reading Passage p.104

Videophones

It is often thought that people will be excited to see any modern technology that has better capabilities than previous versions. However, as the developers of the first videophones discovered, this is not always the case.

While talking to someone through video is no shock to most people in modern times, back in the late 1920s, nothing like it had ever been seen. At that time, prototypes were being built in both New York City and Washington, D.C. for a device that would combine telephone and television. By the 1970s, one corporation had figured out how to make it work and was offering the service. However, the service had very few buyers.

One reason for the low interest was because the cost was so expensive. To sign up for the service, consumers needed to pay 90 US dollars a month, equivalent to around 700 US dollars in today's money. Most people could not afford this kind of luxury.

However, even among people who could pay, interest in the device was low. The company discovered through market research that a lot of people simply did not want to be seen while they were talking on the phone. In the end, it became apparent that people simply were not ready for or interested in this kind of technology. As this case shows, creating a technology will not always make people at the time want to use it.

영상 전화

이전 버전보다 성능이 좋은 모든 현대 기술을 보면 사람들이 흥분할 것이라고 종종 여겨진다. 하지만, 초창기 영상 전화의 개발자들이 발견했듯이, 이것이 항상 그렇지는 않다.

영상을 통해 누군가와 대화하는 것이 현대 대부분 사람에게는 충격적인 일이 아니지만, 과거 1920년대 후반에는, 그와 같은 것은 전혀 보지도 못한 것이었다. 당시에, 뉴욕시와 워싱턴 D.C.에서 전화기와 텔레비전을 결합한 장치의 원형들이 개발되고 있었다. 1970년대에 이르러, 한 기업이 그것을 작동하는 방법을 알아냈었고 서비스를 제공하고 있었다. 하지만, 그 서비스는 구매자가 거의 없었다.

관심이 낮았던 하나의 이유는 비용이 너무 비쌌기 때문이었다. 서비스에 가입하려면, 소비자들은 오늘날 대략 700 US달러와 동등한 90 US달러를 매달 지불해야 했다. 대부분 사람이 이런 종류의 사치를 감당할 형편이 안 됐다.

하지만, 지불할 수 있었던 사람들 사이에서조차도, 장치에 대한 관심은 낮았다. 회사는 시장 조사를 통해 많은 사람이 그저 전화 통화를 할 때 보이기를 원치 않는다는 것을 발견했다. 결국에는, 사람들이 단순히 이런 종류의 기술에 준비가 되지 않았거나 관심이 없음이 분명해졌다. 이러한 사례가 보여주듯이, 기술을 창조하는 것이 항상 당시 사람들이 그것을 사용하고 싶게 만드는 것은 아니다.

어휘 videophone 영상 전화, 비디오폰(화상 통화가 가능한 전화) | in person 직접, 몸소 | capability 성능 | developer 개발자 | discover 발견하다 | the case 사실, 실정 | prototype 원형(原型) | build 구축하다 | combine 결합하다 | corporation 기업 | figure out 알아내다 | buyer 구매자 | interest 관심 | cost 비용 | consumer 소비자 | equivalent (to) (~와) 동등한[맞먹는] | afford to V V 할 형편이 되다 | apparent 분명한 | pioneer 선구자 | producer 제작자 | public 대중의; 대중 | initial 초기의 | unwanted 원치 않는 | concern 우려, 걱정 | desire 바람, 원함, 갈망 | dislike 반감, 싫음 | face-to-face 대면하는, 마주 보는 | over time 시간이 지나면서 | plug 꽂다, (틀어)막다 | patented 특허받은 | immerse 몰입하다, 몰두하다 | scent 냄새, 향기 | setting 장소 | hero (남자) 주인공; 영웅 | rainforest (열대) 우림 | roar 으르렁거림, 울부짖는 듯한 소리 | salty 짠, 짭짤한 | toll 요금, 사용세 | therapy 치료(법), 요법 | subscription 구독 | insert 삽입하다 | install 설치하다

Comprehension Questions p.105

1. As consumers, they have a lot of choices in this supermarket.
   (A) cashiers
   (B) pioneers
   (C) producers
   (D) consumers

해석 소비자로서, 그들은 이 슈퍼마켓에서 선택권이 많다.
(A) 계산원
(B) 개척자
(C) 제작자
(D) 소비자

풀이 쇼핑카트를 끌며 슈퍼마켓에서 쇼핑을 하고 있는 소비자의 모습이므로 (D)가 정답이다.

관련 문장 To sign up for the service, consumers needed to pay 90 US dollars a month [...]

2. The total amount in figure A is equivalent to the total amount in figure B.
   (A) bigger than
   (B) smaller than
   (C) starting from
   (D) equivalent to

해석 그림 A의 총량은 그림 B의 총량과 동등하다.
(A) ~보다 큰
(B) ~보다 작은
(C) ~에서 시작하는
(D) ~와 동등한

풀이 그림 A와 그림 B의 색칠된 부분이 전체 원의 3분의 2로 똑같으므로 (D)가 정답이다.

관련 문장 [...] 90 US dollars a month, equivalent to around 700 US dollars in today's money.

3. This phone has much better capabilities than previous versions.
   (A) many as
   (B) many much
   (C) as many as
   (D) much better

해석 이 전화기는 이전 버전보다 훨씬 뛰어난 성능을 지니고 있다.
(A) ~처럼 많은
(B) 어색한 표현
(C) ~만큼 많은 (것)
(D) 훨씬 더 좋은

풀이 접속사 'than'이 있으므로 해당 문장은 비교급 문장이 되어야 한다. 따라서 명사 'capabilities'를 수식하면서 '더 좋은'이란 뜻을 나타내는 비교급 형용사 'better'를 사용한 (D)가 정답이다.

새겨 두기 '훨씬'이라는 뜻을 더해 비교급을 강조하는 부사에는 'much, far, even, still, a lot' 등이 있다.

관련 문장 It is often thought that people will be excited to see any modern technology that has better capabilities than previous versions.

4. Thirty years ago, most people could not afford to buy a microwave oven.
   (A) buy
   (B) to buy
   (C) they bought
   (D) have bought

해석 30년 전에는, 대부분의 사람이 전자레인지를 살 여유가 없었다.
(A) 사다
(B) 사기
(C) 그들이 샀다
(D) 샀다

풀이 '~을 할 여유가 되다, 형편이 되다'라는 뜻을 나타낼 때 to 부정사를 목적어로 사용하여 'afford + to 부정사'로 표현할 수 있으므로 (B)가 정답이다.

관련 문장 Most people could not afford this kind of luxury.

[5-6]

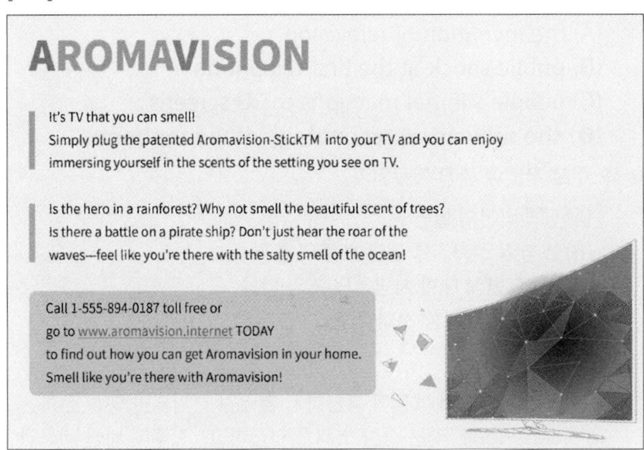

AROMAVISION
It's TV that you can smell!
Simply plug the patented Aromavision-StickTM into your TV and you can enjoy immersing yourself in the scents of the setting you see on TV.
Is the hero in a rainforest? Why not smell the beautiful scent of trees?
Is there a battle on a pirate ship? Don't just hear the roar of the waves—feel like you're there with the salty smell of the ocean!
Call 1-555-894-0187 toll free or go to www.aromavision.internet TODAY to find out how you can get Aromavision in your home.
Smell like you're there with Aromavision!

해석

AROMAVISION

냄새를 맡을 수 있는 TV입니다!

특허받은 Aromavision-StickTM을 (여러분의) TV에 간단히 꽂기만 하면 TV에서 보는 장소의 향기 속에 여러분 자신을 몰입시키는 것을 즐길 수 있습니다.

주인공이 열대 우림에 있나요? 아름다운 나무 향기를 맡아보는 건 어떠세요?

해적선 위에서 싸움이 벌어지고 있나요? 사납게 철썩이는 파도 소리를 듣기만 하지 마세요—바다의 짠 냄새와 함께 거기에 있는 것처럼 느껴보세요!

오늘 1-555-894-0187로 요금 면제 전화하시거나 www.aromavision.internet에 방문하셔서 여러분의 집에 어떻게 Aromavision을 들일 수 있는지 알아보세요.

Aromavision과 함께 그곳에 있는 것처럼 냄새를 맡으세요!

5. What is the main purpose of Aromavision?

(A) to provide a clearer visual screen image
(B) to help people with a poor sense of smell
(C) to offer soothing scents as a form of therapy
(D) to aid viewers in feeling immersed in a scene

해석 Aromavision의 주된 목적은 무엇인가?

(A) 더 선명한 화면 이미지 제공하기
(B) 후각이 좋지 않은 사람 돕기
(C) 치료 요법의 형태로 진정 효과가 있는 향기 제공하기
(D) 장면에 몰입하도록 시청자 돕기

풀이 첫 번째 문단의 '[...] you can enjoy immersing yourself in the scents of the setting you see on TV'와 두 번째 문단에서 Aromavision을 통해 TV에 나오는 장소의 냄새를 맡으면서 마치 그곳에 있는 듯이 몰입할 수 있다고 광고하고 있다. 따라서 (D)가 정답이다. (C)는 Aromavison에서 나오는 향기와 치료 요법의 연관성은 언급되지 않았으므로 오답이다.

6. How can people use Aromavision?

(A) by wearing a virtual reality headset
(B) by paying for a monthly TV subscription
(C) by inserting a product into their television set
(D) by installing a specially patented TV in their home

해석 사람들이 Aromavision을 어떻게 사용할 수 있는가?

(A) 가상 현실 헤드셋을 착용함으로써
(B) 월간 TV 구독료를 지불함으로써
(C) TV 수상기에 제품을 삽입함으로써
(D) 집에 특별히 특허받은 TV를 설치함으로써

풀이 'Simply plug the patented Aromavision-StickTM into your TV and you can enjoy [...]'에서 TV에 Aromavision 제품을 꽂기만 하면 Aromavision을 사용할 수 있다는 것을 알 수 있으므로 (C)가 정답이다.

[7-10]

It is often thought that people will be excited to see any modern technology that has better capabilities than previous versions. However, as the developers of the first videophones discovered, this is not always the case.

While talking to someone through video is no shock to most people in modern times, back in the late 1920s, nothing like it had ever been seen. At that time, prototypes were being built in both New York City and Washington, D.C. for a device that would combine telephone and television. By the 1970s, one corporation had figured out how to make it work and was offering the service. However, the service had very few buyers.

One reason for the low interest was because the cost was so expensive. To sign up for the service, consumers needed to pay 90 US dollars a month, equivalent to around 700 US dollars in today's money. Most people could not afford this kind of luxury.

However, even among people who could pay, interest in the device was low. The company discovered through market research that a lot of people simply did not want to be seen while they were talking on the phone. In the end, it became apparent that people simply were not ready for or interested in this kind of technology. As this case shows, creating a technology will not always make people at the time want to use it.

해석

이전 버전보다 성능이 좋은 모든 현대 기술을 보면 사람들이 흥분할 것이라고 종종 여겨진다. 하지만, 초창기 영상 전화의 개발자들이 발견했듯이, 이것이 항상 그렇지는 않다.

영상을 통해 누군가와 대화하는 것이 현대 대부분 사람에게는 충격적인 일이 아니지만, 과거 1920년대 후반에는, 그와 같은 것은 전혀 보지도 못한 것이었다. 당시에, 뉴욕시와 워싱턴 D.C.에서 전화기와 텔레비전을 결합한 장치의 원형들이 개발되고 있었다. 1970년대에 이르러, 한 기업이 그것을 작동하는 방법을 알아냈었고 서비스를 제공하고 있었다. 하지만, 그 서비스는 구매자가 거의 없었다.

관심이 낮았던 하나의 이유는 비용이 너무 비쌌기 때문이었다. 서비스에 가입하려면, 소비자들은 오늘날 대략 700 US달러와 동등한 90 US달러를 매달 지불해야 했다. 대부분 사람이 이런 종류의 사치를 감당할 형편이 안 됐다.

하지만, 지불할 수 있었던 사람들 사이에서조차도, 장치에 대한 관심은 낮았다. 회사는 시장 조사를 통해 많은 사람이 그저 전화 통화를 할 때 보이기를 원치 않는다는 것을 발견했다. 결국에는, 사람들이 단순히 이런 종류의 기술에 준비가 되지 않았거나 관심이 없음이 분명해졌다. 이러한 사례가 보여주듯이, 기술을 창조하는 것이 항상 당시 사람들이 그것을 사용하고 싶게 만드는 것은 아니다.

7. What is the passage mainly about?

(A) the invention of television
(B) public shock at the first telephone
(C) people's initial reactions to 3D screens
(D) the unwanted technology of videophones

해석 주로 무엇에 관한 지문인가?

(A) 텔레비전의 발명
(B) 초창기 전화기를 향한 대중의 충격
(C) 3D 화면에 대한 사람들의 초기 반응
(D) 원치 않는 영상 전화 기술

유형 전체 내용 파악

풀이 첫 번째 문단에서 대중이 흥분하지 않았던 신기술인 영상 전화('videophone')라는 중심 소재를 언급하고, 그 후에 비싼 비용과 당시 사람들의 심리를 들어 영상 전화가 처음 도입 당시 인기가 없었던 이유를 설명하고 있는 글이다. 따라서 (D)가 정답이다.

8. According to the passage, when were prototypes for videophones first built?

(A) in the 1920s
(B) in the 1950s
(C) in the 1970s
(D) in the 1990s

해석 지문에 따르면, 영상 전화의 원형이 처음 개발된 시기는 언제인가?

(A) 1920년대에
(B) 1950년대에
(C) 1970년대에
(D) 1990년대에

유형 세부 내용 파악

풀이 두 번째 문단의 '[...] back in the late 1920s [...] At that time, prototypes were being built in both New York City and Washington, D.C. for a device that would combine telephone and television.'에서 전화와 TV를 결합한 영상 전화의 원형이 1920년대 후반에 개발되고 있었다고 했으므로 (A)가 정답이다. (C)는 1970년대는 한 기업이 영상 전화를 상품화하는 데 성공한 시기이므로 오답이다.

9. What is one reason mentioned for low interest in videophones?
   (A) a concern about attacks by robbers
   (B) a desire not to be seen while talking
   (C) a worry that the technology looked cheap
   (D) a dislike of the way the videophones looked

해석 영상 전화에 대한 관심이 낮았던 이유 중 하나로 언급된 것은 무엇인가?
   (A) 강도들의 공격에 대한 우려
   (B) 통화 도중 보이지 않기를 바라는 마음
   (C) 기술이 저렴해 보인다는 걱정
   (D) 영상 전화의 외형에 대한 반감

유형 세부 내용 파악

풀이 네 번째 문단의 'The company discovered through market research that a lot of people simply did not want to be seen while they were talking on the phone.'에서 1970년대 당시 영상 전화에 관심이 낮았던 이유 중 하나로 사람들이 통화 도중 모습이 보이지 않기를 원했다는 심리 요인을 언급하고 있으므로 (B)가 정답이다.

10. According to the writer, what lesson can be learned from the case of videophones?
   (A) Not every new technology is wanted by the public.
   (B) Talking to people face-to-face is better than over a phone.
   (C) New technologies start out expensive but get cheaper over time.
   (D) Teaching young people to use technologies is important for the future.

해석 글쓴이에 따르면, 영상 전화 사례에서 배울 수 있는 교훈은 무엇인가?
   (A) 모든 신기술이 대중이 원하는 것은 아니다.
   (B) 사람들과 얼굴을 맞대고 대화하는 것은 통화보다 더 낫다.
   (C) 신기술은 처음에는 비싸지만 시간이 지나면서 저렴해진다.
   (D) 젊은이들에게 기술 사용을 가르치는 것은 미래를 위해 중요하다.

유형 세부 내용 파악

풀이 첫 번째 문단의 'However, as the developers of the first videophones discovered, this is not always the case.'와 네 번째 문단의 'As this case shows, creating a technology will not always make people at the time want to use it.' 등에서 글쓴이가 영상 전화 사례를 통해 아무리 신기술이라도 대중의 무관심을 받을 수 있다는 메시지를 전달하고자 했음을 알 수 있다. 따라서 (A)가 정답이다.

Listening Practice

HJ3-12 p.108

It is often thought that people will be excited to see any modern technology that has better capabilities than previous versions. However, as the developers of the first videophones discovered, this is not always the case.

While talking to someone through video is no shock to most people in modern times, back in the late 1920s, nothing like it had ever been seen. At that time, prototypes were being built in both New York City and Washington, D.C. for a device that would combine telephone and television. By the 1970s, one corporation had figured out how to make it work and was offering the service. However, the service had very few buyers.

One reason for the low interest was because the cost was so expensive. To sign up for the service, consumers needed to pay 90 US dollars a month, equivalent to around 700 US dollars in today's money. Most people could not afford this kind of luxury.

However, even among people who could pay, interest in the device was low. The company discovered through market research that a lot of people simply did not want to be seen while they were talking on the phone. In the end, it became apparent that people simply were not ready for or interested in this kind of technology. As this case shows, creating a technology will not always make people at the time want to use it.

1. capabilities
2. prototypes
3. figured
4. sign
5. consumers
6. equivalent

Writing Practice p.109

1. capability
2. prototype
3. figure out
4. sign up for
5. consumer
6. equivalent to

Summary

Creating a technology does not always make people want to see it at that time. One good example is the videophone. When it was first introduced, use of the device was low because it was so expensive and people simply were not interested in using this kind of technology.

기술을 창조하는 것이 언제나 당시 사람들이 그것을 보고 싶게 만드는 것은 아니다. 하나의 좋은 예는 영상 전화이다. 그것이 처음 소개됐을 때, 이 장치의 사용 빈도는 낮았는데, 너무 비싸고 사람들이 그저 이러한 종류의 기술을 사용하는 데 관심이 없었기 때문이었다.

Word Puzzle p.110

Across
1. sign up for
3. consumer
5. capability
6. figure out

Down
2. prototype
4. equivalent to

AMAZING STORIES p.111

The Antikythera Mechanism: An Ancient Machine

Long before the modern computer there was the Antikythera Mechanism. This ancient Greek technological tool, thought to be from the first or second century BCE, is known by some as the world's first analog computer.

The mechanism was found by divers in 1900. It was in a wooden box in the Mediterranean Sea, among many other artifacts in a shipwreck near a Greek island. The machine is made of bronze parts, and probably once had 37 gears. It has some instructions on it written in ancient Greek. It shows the Greek zodiac and the Egyptian 365-day calendar. It also shows the Sun, the Moon, and the five planets that the ancient Greeks knew about. It is not known why it was being transported by ship, but it is thought that it had been stolen and was being taken to Rome for a parade for the emperor, Julius Caesar.

The Antikythera Mechanism was probably used as a calendar and to predict eclipses and the positions of the planets and stars. It was likely also used to track the times for ancient Greek games such as the Olympics. However, as technology develops, new discoveries about the mechanism are always being found. In the meantime, this incredible machine of the ancient world continues to mystify and enthrall the world.

Antikythera 장치: 고대 기계

현대 컴퓨터가 있기 훨씬 전에 Antikythera 장치가 있었다. 기원전 1세기 혹은 2세기 것으로 여겨지는, 이 고대 그리스의 기술 도구는, 몇몇에 의해 세계 최초 아날로그 컴퓨터로 알려져 있다.

이 장치는 1900년 잠수부들에 의해 발견되었다. 그것은 지중해의 나무 상자 안에 있었고, 그리스 섬 근처 난파선 안에 있는 많은 다른 유물 사이에 있었다. 이 기계는 청동 부품으로 만들어졌고, 아마 한때 37개의 톱니바퀴가 있었을 것이다. 그것에는 고대 그리스어로 쓰여진 지시문이 있다. 그것은 그리스 12궁도와 이집트 365일 달력을 보여준다. 그것은 또한 태양, 달, 그리고 고대 그리스인들이 알았던 다섯 개의 행성을 보여준다. 왜 그것이 배로 운반되고 있었는지는 알려지지 않았으나, 도난당하여 황제 Julius Caesar의 행진을 위해 로마로 가져가고 있었다고 여겨진다.

Antikythera 장치는 아마도 달력으로 사용되었고, 일식과 행성 및 별들의 위치를 예측하는 데 사용되었을 것이다. 그것은 또한 올림픽과 같은 고대 그리스 경기의 시간을 추적하는 데 사용되었을 가능성이 있다. 하지만, 기술이 발전하면서, 이 장치에 관한 새로운 발견들이 늘 알려지고 있다. 그러는 사이, 이 놀라운 고대 시대의 기계는 계속해서 세상을 신비롭게 하고 매혹시키고 있다.

MEMO

MEMO